DE MESSIAANSE ERFENIS

Opdracht

Aborde de Nef ensablée
Et jeúne a ton clou subtil
Et a ton marteau lourd.
Console toi. Du tombeau vide
Poussera un rejection généreux.

Bientost d'une áme heureuse
Le chant se levera.
Joue, Nymphaea,
Joue ta musique céleste.
Ta boudego bourdonne
Comme la voix du Verbe.
Sa chaleureuse mélodie nous attire.
Comme la Rose rose, Apiphile
Et la Rose rouge, l'Abeille.

JEHAN L`ASCUIZ

DE MESSIAANSE ERFENIS

M. BAIGENT, R. LEIGH, H. LINCOLN

TIRION

Dit boek is gepubliceerd door Tirion Uitgevers B.V.
Postbus 309, 3740 AH Baarn
www.tirionuitgevers.nl

De Messiaanse erfenis: de geheime kracht van de Prieuré de Sion/
Michael Baigent, Richard Leigh en Henry Lincoln; [vert. uit het Engels
door Wilhelm von Dewall]. —Baarn: Tirion.—Ill.,foto's
Vert. van: The messianic legacy.—Londen:Cape,1986.
—Met lit. opg., reg.
ISBN 90-4390-777-4
EAN 978.90.4390.777.4
NUR 708

Tweede druk 2006

Inhoud

Dankbetuiging 9
Inleiding 11

DEEL I – DE MESSIAS 15

1. Bijbelonderzoek en wat men daar doorgaans van verneemt 17
2. Jezus als koning van Israël 36
3. Constantijn als Messias 46
4. Jezus als vrijheidsstrijder 56
5. De Zadokitische beweging van Qumran 65
6. De vorming van het christendom 76
7. Jezus' broers 94
8. Voortbestaan van de Nazareense leer 103
9. De jongste dag 124

DEEL II – ZOEKEND NAAR DE ZIN DES LEVENS 129

10. Activering van symbolen 131
11. Verloren geloof 135
12. Vervangende religies: Sovjet-Rusland en nazi-Duitsland 142
13. Naoorlogse crisis en maatschappelijke vertwijfeling 156
14. Vertrouwen en macht 161
15. De kunstenaar als priester, de koning als symbool 177
16. Naar omhelzing van het Armageddon 190

DEEL III DE INTRIGERENDE BROEDERSCHAP 210

17. Fragmenten per post 213
18. De Britse connectie 226
19. Anonieme verhandelingen 249
20. De ongrijpbare 'Amerikaanse groep' 261
21. Verruimend uitzicht 275
22. La Résistance, ridderschap en de Verenigde Staten van Europa 284
23. De terugkeer van De Gaulle 296
24. Geheime machten achter verdekte groepen 308

Epiloog 326
Bibliografie 335
Aantekeningen en verwijzingen 341
Index 361

Verantwoording Illustraties

Auteurs en uitgever betuigen gaarne hun dank aan de volgende personen en instellingen voor het ter beschikking stellen van foto's: Archives du Loiret, Orléans (31, 32); Michael Baigent, Londen (1, 3, 4, 5, 9, 27, 30, 33, 34, 35); Bibliothèque Nationale, Parijs (28, 29); Bodleian Library, Oxford (17); Werner Braun, Jeruzalem (18); beheerders van British Museum, Londen (14); Commissioners of Public Works in Ireland, Dublin (10, 13, 16); Coptic Museum, Caïro (11); José Dominguez García, Madrid (6, 7, 8, 12); Gisbert Gramberg, Greven (21-23); Israel Department of Antiquities and Museums, Jeruzalem (2); Henry Lincoln, Londen (36, 37); Novosti Press Agency, Londen (25, 26); Scala, Florence (24); Ronald Sheridan, Londen (38); Bestuur van het Trinity College, Dublin (15); Wiener Library, Londen (19, 20).

Foto's

tussen pagina's 64 en 65

1 De hof van Getsemane, Jeruzalem.
2 Het archeologisch bewijs dat Pontius Pilatus bestond: een in 1961 te Cesarea ontdekte inscriptie.
3 Qumran, Grot 4, waar de Dode-Zeerollen ontdekt werden.
4 Overblijfselen van de gebouwen van de Qumran-gemeenschap.
5 Qumran, met de ruïnes van de toren.
6 Kathedraal van Santiago de Compostela in noordwestelijk Spanje.
7 Vierde- en vijfde-eeuwse graven van christenen in Santiago de Compostela.

tussen pagina's 96 en 97

8 Santa Maria de Bretoña in noordwestelijk Spanje.
9 Kidron-dal, Jeruzalem.
10 Kilfenora-kruis, graafschap Clare.
11 Detail van een uitbeelding van Antonius en Paulus in het Antoniusklooster, Egypte.
12 Beeld van Sint-Jakobus, Santiago de Compostela.

13 Kruispaal te Tighlagheany, Inishmore.
14 Grafstenen van Egyptische kerk.
15 Een pagina uit het Keltische 'Book of Durrow'.
16 Het North Cross te Ahenny, graafschap Tipperary.
17 Verluchting in het 'Bohaïrische evangelie' van de Egyptische kerk.

tussen pagina's 160 en 161
18 Overblijfselen van de oude sterkte Megiddo.
19 De 'Kathedraal van Licht' te Neurenberg.
20 Aanplakbiljet van 1936 met Hitler als Graalridder.
21 De crypte onder de noordelijke toren van het kasteel te Wewelsburg.

tussen pagina's 192 en 193
22-23 Beraamde constructies te Wewelsburg, 1941 en 1944.
24 *Het Laatste Avondmaal,* fresco van Leonardo da Vinci.
25 Tijdelijke behuizing van Lenins praalgraf op het Rode Plein te Moskou in 1924.
26 Lenins definitieve praalgraf, uit 1930.

tussen pagina's 256 en 257
27 Het graf van Jean Cocteau, Milly la Forêt, Frankrijk.
28-29 Het eerste nummer van *Vaincre,* 1942.
30 Pierre Plantard de Saint-Clair, 1982.
31 Charter waarin in 1152 koning Lodewijk VII de abdij van Saint-Samson aan de Ordre de Sion schenkt.

tussen pagina's 288 en 289
32 Officieel afschrift van het charter waarin paus Alexander III de buitenlandse bezittingen van de Ordre de Sion bevestigt.
33 Rennes-le-Château, Aude, Frankrijk.
34 De Sals-vallei, gezien in de richting van Rennes-les-Bains.
35 Bestrate Romeinse weg tussen Rennes-le-Château en Rennes-les-Bains.
36-37 Documenten die in 1891 door abbé Bérenger Saunière in de kerk van Rennes-le-Château ontdekt zouden zijn.
38 Detail van de Titusboog te Rome, met een deel van de tempelschat van Jeruzalem daarin uitgebeeld.

Kaarten en lijsten

1 Israël ten tijde van Jezus, 57
2 Van Hassideeën naar christendom en rabbijns jodendom, 74
3 De oude alfabetische 'Atbash'-code, 111
4 De Keltische kerk ten tijde van haar grootste verbreiding, 117
5 Veronderstelde plaats waar de 'slag van Armageddon' zou worden geleverd: Megiddo, 199

Dankbetuiging

Opnieuw willen wij onze erkentelijkheid betuigen aan Ann Evans, aan wier behendigheid het uitkomen van dit boek in ruime mate te danken is.

Ook willen wij onze dank uitspreken jegens Juan Atienza, Andrew Baker, Michael Bentine, Ernest Bigland, Colin Bloy, Bric Burkeman, Derek Burton, Liz Calder, Philippe de Chérisey, Jonathan Clowes, Lindy en Ramon del Corral, Ian Craig, Neville Barker Cryer, Robert Eisenman, Geoff Elkin, Patrick J. Freeman, Jim Garrets, Janice Glaholm, Denis Graham, Joy Hancox, Nigel Horne, Douglas Lockhart, Lydia Ludlow, Linda MacFadyen, Jania McGillivray, Rosalind Maiden, Alison Mansbridge, Tom Maschler, Robert Matthews, Roberta Matthews, Robin Mosley, Michael Myfsud, William Phillips, Pierre Plantard de Saint-Clair, John Prudhoe, Bob Quinn, David Rolfe, Gino Sandri, John Saul, Hugh Schonfield, Rosalie Siegel, Gordon Thomas, Jonathan Tootell, Louis Vazart, Gérard Watelet, Lilianne Ziegel, de staf van de Wiener Library en de British Library Reading Room, en, natuurlijk, onze echtgenotes.

Erkentelijk zijn wij ook voor de toestemming van Faber & Faber om te citeren uit Nikos Kazantzákis' *The Last Temptation* (in 1961 in het Engels vertaald door P.A. Bien) op p. 91, en van William Collins Sons & Co. Ltd. om te citeren uit Michel Tourniers *The Erl King* (in 1972 in het Engels vertaald door Barbara Bray) op p. 152.

Inleiding

In 1982 mondden ongeveer twaalf jaar onderzoek naar een klein plaatselijk mysterie in het zuiden van Frankrijk uit in de publikatie van *The Holy Blood and the Holy Grail*. (Het Heilige Bloed en de Heilige Graal, B.V. Uitgeversmaatschappij Tirion, Baarn).

Bérenger Saunière, een onduidelijke Lanquedoc-priester aan het einde van de negentiende eeuw, had ons figuurlijk bij de hand genomen en ons geleid naar de stenen die wij moesten omkeren, opdat wij het dessin achter zijn verhaal zouden kunnen waarnemen. Hij geleidde ons naar een geheim of semi-geheim genootschap: de Prieuré de Sion, die tot bijna duizend jaar in het verleden kon worden teruggespoord, onder zijn leden een aantal illustere figuren telde en tot op de dag van vandaag in Frankrijk en mogelijk ook elders actief is gebleven. Het erkende oogmerk van de Prieuré de Sion was: de merovingische afstammingslijn en daarmee aanspraak op de troon van het moderne Frankrijk te herstellen – een bloedlijn die meer dan twaalfhonderd jaar geleden van het toneel van de historie verdwenen was. Dit leek onzinnig! Want wát kon nu toch zo bijzonder aan de merovingische afstammingslijn zijn? Waarom was deze restauratie van belang geweest voor mannen als Leonardo da Vinci en Victor Hugo en, in recenter tijd, voor mannen als André Malraux, maarschalk Alphonse Juin en misschien ook Charles de Gaulle?

Een gedeeltelijk doch beslissend antwoord kwam op, toen we ontdekten dat de Merovingen zélf pretendeerden af te stammen van het oudtestamentische huis van David – en dat die pretentie als geldig erkend was door de dynastie die hen verdrong, door andere monarchen en door de kerk van Rome van die tijd. Geleidelijk voegden bewijzen zich aaneen, als onder eigen stuwkracht bewogen. Dit leidde ons naar het gevoelige terrein van het bijbelonderzoek. Het moedigde ons aan tot een provocerende onderstelling – namelijk dat Jezus een wettige koning van Israël was geweest, dat hij getrouwd was en kinderen had verwekt en dat deze kinderen zijn afstammingslijn hadden bestendigd, totdat deze, een drieënhalve eeuw nadien, in de merovingische dynastie van het Frankische rijk opging.

Naarmate onze conclusies meer vorm aannamen, waren ze aanvankelijk al even verbijsterend voor ons als ze later voor onze lezers bleken. Wat ons betreft was de betekenis van wat wij daar ontdekten maar heel langzaam tot ons doorgedrongen, sijpelde ze bij stukjes en beetjes in de loop der jaren in ons besef binnen. Voor onze lezers echter was ditzelfde ontdekkingsproces gecomprimeerd binnen de grenzen van één boek, en het effect was dan ook plotselinger, onverwachter en ontstellender – maar wel meer opbeurend. Het bracht niet met zich mee een traag, moeizaam, week na week en maand na maand vergaren en samenvoegen van feiten, correleren van gegevens en verschuiven van dooreengeworpen legpuzzelstukjes tot een samenhangend beeld. Integendeel, het geschiedde met de van de wijs brengende abruptheid van een ontploffing. Gezien de sfeer waarin deze ontploffing zich voordeed, waren de gevolgen wellicht onvermijdelijk. Voor tal van lezers bleek het primaire – zoal niet het enige – punt van discussie in ons boek 'het Jezusmateriaal'.

Deze Jezus bracht ons werk op de voorpagina's over de hele wereld en gaf het een element van 'sensatiedrang' mee. Vooral in de media verdween al wat we geschreven hadden naar de tweede plaats – als er al een plaatsje voor werd ingeruimd. De spanning die we gevoeld hadden toen we, bij voorbeeld, een nieuwe dimensie aan de kruistochten ontdekten, een nieuw stuk informatie betreffende de creatie van de tempeliers of een nieuw bewijs omtrent de bron van de roemruchte Protocollen van Sion, werd niet algemeen gedeeld. Al deze en soortgelijke ontdekkingen werden verduisterd door de schaduw van Jezus en onze hypothese over Hem.

Voor ons daarentegen was onze onderstelling over Jezus allermínst het enige aspect van ons onderzoek, noch was ze in laatste instantie het belangrijkste. Terwijl de media en vele lezers zich op onze bijbelse conclusies concentreerden, zagen wij de richting waarin onze volgende onderzoekingen zich moesten bewegen. Onze aandacht zou moeten worden toegespitst op de hedendaagse Prieuré de Sion.

Wat was de ware *raison d'être,* reden van zijn bestaan? Indien herstel van de merovingische afstammingslijn het uiteindelijke oogmerk was, wat zouden dan de middelen daartoe zijn? Mensen zoals Malraux en Juin waren toch waarachtig geen naïeve idealisten noch religieuze fanatici. Dat was evenzo van toepassing op de leden van de Orde die we persoonlijk hadden ontmoet. Hoe stelden zij zich dan toch voor, hun doelstellingen te verwezenlijken? Het antwoord scheen heel duidelijk te liggen op gebieden als massapsychologie, politieke macht en *la haute finance.* We hadden te maken met mensen die in de 'reële wereld' actief zijn en het was in de context van de 'reële wereld' van de jaren tachtig van heden dat wij in hun eeuwenoude geschiedenis zinnigheid moesten ontdekken.

Wat *deed* die Prieuré dan tegenwoordig? Welke sporen konden worden gevonden, van zijn hedendaagse activiteiten, van zijn betrokkenheid bij actuele kwesties? Wie waren de leden van de Orde? Hoe machtig waren zij? Welke soort bronnen konden zij beheersen? Als onze onderstelling juist bleek, hoe wilden zij dan de pretentie van rechtstreekse afstamming van de Merovingen, en/of van Jezus, en/of van het oudtestamentische huis van David proberen te verwezenlijken? En wat zouden, in onze moderne wereld, de sociale en politieke gevolgen van een dergelijke pretentie kunnen zijn?

Het leek duidelijk dat de Prieuré werkte aan een of ander 'groots ontwerp' of 'meesterplan' voor de toekomst van Frankrijk, uiteindelijk voor die van Europa als geheel, en wellicht zelfs dat doel voorbij. Stellig was dit de conclusie geweest, gezien de vele wenken, suggesties en brokjes informatie die op ons pad waren gekomen. Noch konden we de vierkante, categorische, prozaïsche manier vergeten waarop de man die daarna grootmeester van de Prieuré zou worden, ons meedeelde dat de Orde in het feitelijke bezit is van de verloren tempelschat van Jeruzalem. Deze zou, zei hij, aan Israël worden teruggegeven als 'de tijd daar rijp voor is'. Wat kon deze 'rijpheid van de tijd' bepalen? Alleen sociale en politieke factoren en, wellicht, een 'psychologisch klimaat'.

Duidelijk was dat ons onderzoek naar de moderne Prieuré zich in verscheidene richtingen tegelijk zou moeten bewegen. Ten eerste zouden we ons onderzoek naar religieuze historie en bijbelmateriaal moeten samenvatten, op onze schreden terugkeren, opnieuw bekijken, zo mogelijk ons werk op deze gebieden uitbreiden. Vroeger hadden we gezocht naar bewijs dat een heilige afstammingslijn kon staven. Ditmaal zouden we ons vooral moeten concentreren op het concept van Jezus als Messias. Wij hadden gemerkt dat, in de gedachten van de Prieuré zelf, messianiteit een bijzondere relevantie scheen te genieten. Het was bij voorbeeld onmogelijk niet de aandrang te bespeuren waarmee de merovingische dynastie herhaaldelijk werd beschreven in een taalgebruik dat normaliter slechts voor messiaanse figuren wordt gereserveerd. We zouden nauwkeurig moeten uitvissen wat de 'Messias'-idee in Jezus' tijd precies inhield, hoe die gedachte in de volgende eeuwen gewijzigd was en hoe oude en moderne opvatting mogelijk met elkaar te verenigen zouden zijn.

Ten tweede moesten we proberen vast te stellen hoe het concept van messianiteit in onze tijd toepasselijk zou kunnen zijn. Wij moesten ons er bevredigend van zien te overtuigen dat dat concept op enigerlei wijze voor de twintigste eeuw relevant is. Dit bracht een speurtocht met zich mee naar het geestelijke en psychologische klimaat dat het kenmerk is van de moderne wereld. We zouden bepaalde kennelijk tot clichés verworden aspecten van de hedendaagse westerse maatschappij tegenover elkaar moeten stellen – de crisissituatie op het gebied van zin en betekenis van het leven, en de hang naar geestelijke waarden.

Ten slotte zouden we natuurlijk min of meer verplicht zijn onze persoonlijke contacten met de Prieuré de Sion zelf voort te zetten, evenals met zijn grootmeester en die leden of medewerkers die we geïdentificeerd hadden of hadden leren kennen. Maar daar bevonden we ons al heel spoedig in het drijfzand van zich snel ontwikkelende gebeurtenissen en zich snel wijzigende situaties. We moesten enige waarheid zien te ontdekken achter bizarre pretenties en tegenpretenties. We zouden nieuw documentair bewijs moeten toetsen, vervalsingen aan het licht brengen, onze weg banen door een struweel van opzettelijk rondgestrooide onjuiste informatie die ontstond doordat mistige figuren op duistere wijze met elkaar samenspanden.

Langzamerhand begonnen we desondanks een buitengewoon samenstel van mogelijkheden te onderscheiden. We begonnen te begrijpen hoe een organisatie als de Prieuré de Sion de heersende 'crisis in levensbetekenis' zou kunnen aanpakken, daar zelfs munt uit kon slaan. En we leerden hoe zo'n kennelijk zuiver, etherisch en mystiek concept als 'messianiteit' inderdaad in de praktische wereld van de twintigste-eeuwse maatschappij en politiek kon figureren.

DEEL I

De Messias

1. Bijbelonderzoek en wat men daar doorgaans van verneemt

'Bij toeval kreeg ik dit een poosje geleden in handen. Tot dan toe had ik nooit enige kennis gehad van wat tegenwoordig op het gebied van bijbelonderzoek wordt verricht, noch van de aanvallen die bevoegde historici lanceerden. Het betekende een schok voor me – én een openbaring! ... Ik leerde allerlei feiten die volslagen nieuw voor me waren. Bij voorbeeld dat de evangeliën geschreven waren tussen de jaren 65 en 100 na Christus. Dat betekent dat de kerk zonder hen gesticht was en had kunnen voortbestaan. Meer dan zestig jaren na Christus' geboorte! Het is alsof nu iemand Napoleons woorden en daden zou willen boekstaven zonder in staat te zijn ook maar één geschreven document te raadplegen, alleen vage herinneringen en anekdotes.'[1]

Afgezien van de verwijzing naar Napoleon zou dit citaat, te oordelen naar de brieven en mondelinge verklaringen die we ontvingen, vrijwel letterlijk de reactie hebben kunnen zijn van een hedendaags lezer van *The Holy Blood and the Holy Grail,* toen dat boek in 1982 verscheen. In werkelijkheid is het citaat ontleend aan de roman *Jean Barois* van Roger Martin du Gard, gepubliceerd in 1912, en in die roman komt dit antwoord naar voren:

'Het zal niet lang duren of alle theologen van intellectuele reputatie zullen deze gevolgtrekkingen gemaakt hebben. In feite zullen zij versteld staan dat negentiende-eeuwse katholieken erin geslaagd zijn zó lang geloof te hechten aan de letterlijke waarheid van deze poëtische legenden.'[2]

Toch waren al vóór de tijd van deze fictieve dialoog, geplaatst in de jaren zeventig van de vorige eeuw, Jezus en de oorsprong van het christendom aan de dag getreden als een opkomende industrie voor onderzoekers, schrijvers en uitgevers. Begin zestiende eeuw verklaarde paus Leo x het volgende: 'Ze is ons goed van pas gekomen, deze mythe van Christus.' Al in de jaren 1740 hadden geleerden iets ontwikkeld dat wij thans zouden erkennen als een geldige methode van historisch onderzoek naar de geloofwaardigheid van bijbelse berichten. Zo had tussen 1744 en 1767 Hermann Samuel Reimarus, hoogleraar te Hamburg, betoogd dat Jezus niet meer was geweest dan een mislukte joodse revolutionair, wiens lichaam door zijn discipelen uit zijn graf was gehaald. Tegen het midden van de negentiende eeuw had het Duitse bijbelonderzoek een eerbiedwaardige leeftijd bereikt en was er een datering van de evangeliën vastgesteld die – wat haar benadering en het merendeel van haar conclusies betreft – nog altijd geldig wordt geacht. Tegenwoordig zal geen enkele historicus of bijbelonderzoeker van naam meer ontkennen dat het oudste der evangeliën minstens één generatie nadat de beschreven gebeurtenissen zich hadden afgespeeld, is opgesteld. De vordering van het Duitse onderzoek zou uiteindelijk uitmonden in een standpunt dat werd samengevat door Rudolf Bultmann van de universiteit van Marburg, een van de belangrijkste, vermaardste en hoogst geschatte bijbelcommentatoren van de twintigste eeuw.

'Ik denk inderdaad dat wij thans vrijwel niets met betrekking tot het leven en de persoonlijkheid van Jezus kunnen kennen, aangezien de vroegchristelijke bronnen in geen van beide belang stellen, en ze bovendien fragmentarisch en vaak legendarisch zijn.'[3]

Niettemin kon Bultmann een godvruchtig christen blijven, omdat hij nadrukkelijk onderscheid maakte tussen de historische Jezus en de Christus van het geloof. Zolang dit onderscheid erkend was, bleef geloof houdbaar, verdedigbaar. Als dat onderscheid echter niet erkend werd, zou geloof onvermijdelijk uitgehold en bemoeilijkt worden door onontkoombare historische feitelijkheden.

Dat was het soort gevolgtrekking waar negentiende-eeuws Duits bijbelonderzoek uiteindelijk toe zou leiden. Tegelijkertijd echter werd het bastion van traditioneel gezaghebbend bijbelonderzoek vanuit andere hoeken onder vuur genomen. De controversiële gezichtspunten van het Duitse onderzoek bleven louter beperkt tot de sfeer van specialisten; doch in 1863 veroorzaakte de Franse schrijver Ernest Renan een felle internationale controverse door zijn beroemde bestseller *La vie de Jésus*. Dit werk, dat het christendom trachtte te ontdoen van zijn bovennatuurlijke opschik en Jezus naar voren bracht als een 'weergaloos mens', was wellicht het drukst besproken boek van die tijd. De indruk die het op het publiek maakte was enorm; en onder de mensen die er het diepst door werden beïnvloed was Albert Schweitzer. Toch zou zelfs de manier waarop Renan het thema behandelde, worden beschouwd als zoetsappig en kritiekloos sentimenteel, en wel door de generatie modernisten die het laatste kwart van de negentiende eeuw aan de dag begonnen te treden. En wij moeten opmerken dat de meerderheid van de modernisten binnen de structuur van de kerk werkte – tót zij op 8 september 1907 officieel veroordeeld werden door paus Pius X en er een anti-modernisteneed sinds 1 september 1910 werd geëist.

In die periode begonnen de bevindingen van zowel het Duitse bijbelonderzoek als die van de rooms-katholieke modernisten hun weg te vinden in de wereld van de kunst. Zo publiceerde in 1920 de Anglo-Ierse romanschrijver George Augustus Moore zijn eigen verdichte verhaal van Jezus, met het boek *The Brook Kerith*. Moore veroorzaakte een heel schandaal door voor te stellen dat Jezus de kruisiging had overleefd en dank zij de zorgen van Jozef van Arimatea was hersteld. In de jaren na de publikatie van *The Brook Kerith* zijn tal van andere fictieve versies van het evangelieverhaal verschenen. In 1946 bracht Robert Graves zijn fictieve verhaal *King Jesus* uit, waarin Jezus wederom het kruis overleeft. En in 1954 veroorzaakte de met de Nobelprijs onderscheiden Griekse auteur Nikos Kazantzákis internationale beroering met zijn roman *De laatste Verzoeking*. Maar in tegenstelling tot de Jezusfiguren bij Moore en Graves sterft Kazantzákis' hoofdpersoon wél aan het kruis. Doch voordat hij sterft, krijgt hij een visioen van wat zijn leven geweest zou zijn en had moeten zijn als hij zich niet vrijwillig aan zijn uiteindelijke opoffering had onderworpen. In dit visioen – een soort van 'vooruitblik' in de fantasie – ziet Jezus zich getrouwd met Magdalena (die hij het hele boek door begeerd had) en als vader van kinderen om haar heen.

Deze voorbeelden illustreren de mate waarin bijbelonderzoek nieuw terrein openlegde voor de kunst. Twee eeuwen geleden zou een roman die op deze wijze omging met materiaal uit de bijbel, gewoonweg onbestaanbaar zijn geweest. Zelfs in poëzie zouden zulke dingen niet worden aangeroerd, tenzij dan in de min of meer orthodoxe, stichtelijke vorm van *Paradise Lost*. In de twintigste eeuw echter waren Jezus en zijn wereld 'allemans wild' geworden, niet voor sensationele doeleinden maar als geldige exploratiepunten voor serieuze, internationaal toegejuichte literatuurbeoefenaars. Door hun werk raakten de vruchten van het bijbelonderzoek onder een zich steeds uitbreidend publiek verspreid.

Maar ook het bijbelonderzoek zelf stond niet stil. Jezus en de wereld van het Nieuwe Testament bleven fascinerende themata voor historici en onderzoekers die, met groeiende precisie en met nieuw bewijsmateriaal tot hun beschikking, de feiten rondom die raadselachtige figuur van tweeduizend jaar geleden trachtten vast te stellen. Vele van deze studies waren op de eerste plaats bedoeld voor andere deskundigen op dit terrein en trokken dan ook weinig de aandacht van het grote publiek. Maar enkele ervan waren wel tot het algemene lezerspubliek gericht en veroorzaakten aanzienlijke controversen. *The Passover Plot* (1963) van de hand van dr. Hugh Schonfield beweerde dat Jezus zijn kruisiging slechts had voorgewend en niet aan het kruis was gestorven; het boek werd een internationale bestseller, waarvan nu al meer dan drie miljoen exemplaren gedrukt zijn. Meer recent werd controverse uitgelokt door *Jesus the Magician*, waarin dr. Morton Smith zijn hoofdpersoon schildert als een typische wonderdoener van die tijd, behorend tot het soort figuren die het Midden-Oosten aan het begin van het christelijke tijdperk bevolkten. De Jezus van Morton Smith verschilt niet opvallend van bij voorbeeld Apollonius van Tyana of van een legendarische figuur als Simon de Tovenaar (aangenomen dat deze heeft bestaan).

Naast het materiaal dat specifiek aan Jezus is gewijd, zijn talrijke werken verschenen over de oorsprong van het christendom, de vorming van de vroege kerk en haar wortels in het oudtestamentische jodendom. Hierin speelt dr. Schonfield andermaal een prominente rol vanwege een serie studies over de achtergronden van het Nieuwe Testament. En in 1979 trok Elaine Pagels mondiale aandacht en een immense lezerskring met haar *The Gnostic Gospels* – een werk over de in 1945 in Egypte ontdekte Koptische handschriften van Nag Hammadi, die een radicaal nieuwe interpretatie van de christelijke leer en traditie boden.

Het bijbelonderzoek heeft gedurende de afgelopen veertig jaar een enorme vooruitgang geboekt, buitengewoon veel bijgedragen aan de ontdekking van nieuwe primaire bronnen, materiaal dat voor onderzoekers in het verleden niet beschikbaar was. Wel de beroemdste van deze bronnen zijn natuurlijk de Dode-Zeerollen die in 1947 ontdekt werden in de ruïnes van de ascetische Essenen-gemeenschap van Qumran. Behalve dergelijke zeer belangrijke ontdekkingen, waarvan vele delen nog gepubliceerd moeten worden, zijn andere bronnen slechts geleidelijk aan het licht gekomen of, na lang te zijn achtergehouden, in omloop gebracht en onderwerp van bestudering geworden.

Het resultaat hiervan is dat Jezus niet langer een mistige figuur is in de simplistische, sprookjesachtige wereld van de evangeliën. Palestina is bij het aanbreken van het christelijke tijdperk niet langer meer een in nevelen gehulde plaats die eerder het terrein van mythe dan van historie is. Integendeel: wij weten nu heel wat over Jezus' milieu, en aanzienlijk veel meer dan de meeste praktizerende christenen van het Palestina van die eerste eeuw na Christus beseffen – de sociologie, de economie, de politiek, het culturele en religieuze karakter, de historische werkelijkheid ervan. Veel van Jezus' wereld is opgedoken uit de nevelen van gissingen, speculaties en mythische stijlfiguren, en is nu helderder en beter gedocumenteerd dan, bij voorbeeld, de wereld van koning Arthur. En hoewel Jezus zelf toch in belangrijke mate ongrijpbaar blijft, is het evenzeer mogelijk om geloofwaardige informatie omtrent hem af te leiden als omtrent koning Arthur of Robin Hood.

Falend bijbelonderzoek

Ondanks dit alles is de hoopvol gestemde voorspelling die wij aan het begin van dit boek aanhaalden, niet in vervulling gegaan. Theologen van intellectuele reputatie zijn niet – althans niet publiekelijk – tot overeenstemming kunnen komen inzake die conclusies, noch stonden zij versteld van de lichtgelovigheid van hun negentiende-eeuwse voorgangers. Het dogma heeft zich meer dan ooit in bepaalde hoeken verschanst. Ondanks de huidige problemen van overbevolking kan het Vaticaan nog altijd zijn bepalingen inzake geboortenregeling en abortus opleggen – niet om sociale of morele, maar om theologische redenen. Een brand, ontstaan door blikseminslag in de kathedraal van York, kan nog altijd worden beschouwd als een bewijs van goddelijke toorn over de benoeming van een betwiste bisschop. De dubbelzinnige uitspraken van die bisschop over aspecten van Jezus' biografie kunnen nog altijd diepe verontwaardiging oproepen onder mensen die weigeren iets anders te geloven dan dat hun Heiland door tussenkomst van de Heilige Geest ontvangen is uit een maagd. En in Amerikaanse geloofsgemeenschappen kunnen literaire meesterwerken van scholen en bibliotheken worden verbannen – of zelfs bij gelegenheid verbrand – omdat ze traditionele bijbelberichten tarten, terwijl een nieuwe fundamentalistische stroming de Amerikaanse politiek feitelijk kan beïnvloeden dank zij de steun van miljoenen die in extatisch verlangen uitzien naar een hemel die min of meer de indruk van Disneyland maakt.

Kazantzákis' boek *De Laatste Verzoeking,* hoe ongewoon Jezus ook door de auteur wordt beschreven, is een gepassioneerd religieus, godsdienstig en christelijk werk. Desalniettemin werd de roman in vele landen verboden, met inbegrip van Kazantzákis' geboorteland Griekenland, en de auteur zelf werd geëxcommuniceerd. Onder de non fictionwerken wekte Schonfields *The Passover Plot,* ondanks enorme verkopen, veel bittere vijandschap.

In 1983 begon David Rolfe, werkend voor London Weekend Television en kanaal 4, aan een driedelige televisiedocumentaire getiteld: *Jesus: the Evidence.* In deze serie werd geen eigen standpunt ingenomen, noch werden bepaalde visies gesteund of afgewezen. Het was slechts een poging om het terrein van studies over het Nieuwe Testament te verkennen en een taxatie te maken van de waarde van diverse naar voren gebrachte theorieën. Toch deden Britse pressiegroepen, zelfs nog vóór het project goed en wel gestart was, hun uiterste best om uitzending van de serie te verhinderen. Toen in 1984 de serie gereed was, moest ze eerst in een besloten voorstelling aan een aantal parlementsleden worden vertoond, voordat er eventueel toestemming voor uitzending kon worden gegeven. En hoewel ook in daaropvolgende besprekingen de serie volstrekt zinnig en in het geheel niet controversieel werd gevonden, verkondigden geestelijken van de anglicaanse kerk openlijk dat zij uiterst waakzaam zouden zijn om leden van hun kerk te kunnen bijstaan die door het bewuste programma van hun stuk gebracht zouden worden.

Wat *Jesus: the Evidence* probeerde, was enkele vorderingen in het onderzoek van het Nieuwe Testament onder de aandacht te brengen van het lekenpubliek. Want afgezien van *The Passover Plot* heeft vrijwel niets van dit onderzoek zijn weg naar de 'gewone' gelovigen gevonden. Een paar boeken, zoals *Jesus de Magician* en *The Gnostic Gospels,* zijn ruimschoots besproken en verkocht, maar hun lezerskring is grotendeels beperkt gebleven tot mensen met speciale belangstelling voor die thema's. Het meeste werk dat in recente jaren werd gedaan, raakte alleen deskundigen. Veel ervan ís ook specifiek voor deskundigen geschreven: de niet ingewijde lezer vindt de stof gewoon ondoordringbaar.

Voor zover het het grote publiek betreft – evenals de kerken die dat publiek geestelijk voorgaan – konden de boven aangehaalde werken net zo goed niet gepubliceerd zijn. George Moores beschrijving van Jezus die de kruisiging overleefd zou hebben, volgde het voetspoor niet alleen van enkele van de oudste 'ketterse' beweringen, maar ook die van de koran, waardoor deze in de islam en in de islamitische wereld grotendeels is aanvaard. Niettemin wekt diezelfde bewering, als ze door Robert Graves wordt verkondigd en vervolgens door dr. Schonfield in *The Passover Plot,* zoveel schandaal en ongeloof alsof ze nog nooit eerder naar voren was gebracht. Het lijkt wel of op het gebied van de bestudering van het Nieuwe Testament elke nieuwe ontdekking, elke nieuwe bewering zo snel mogelijk onderdrukt wordt. Elke ontdekking moet steeds opnieuw gepresenteerd worden, om daarna weer vlug te verdwijnen. Vele mannen reageerden op bepaalde beweringen in ons eigen boek, alsof *The Passover Plot* of Graves *King Jesus* of Moores *The Brook Kerith* – of wat dat betreft de koran zelf – nooit zijn geschreven.

Dat is toch een uitzonderlijke situatie, wellicht uniek in het totale spectrum van modern historisch onderzoek. In elke andere sfeer van historisch onderzoek wordt nieuw materiaal erkend. Het kan ter discussie worden gesteld. Er kunnen eventueel pogingen worden ondernomen om het tegen te houden. Anderzijds kan het verwerkt en geassimileerd worden. Maar mensen wéten daar tenminste wat al ontdekt is, wat twintig of vijftig of zeventig jaar geleden werd gezegd. Er is een vorm van ware vooruitgang, waarbij oude ontdekkingen en beweringen een basis vormen voor nieuwe ontdekkingen en beweringen, en er aldus een verzameling kennis ontstaat. Revolutionaire theorieën mogen geaccepteerd of verworpen worden, maar er wordt tenminste kennis van genomen evenals van wat eraan voorafging. Er is een samenhang, een verband. Bijdragen van opeenvolgende generaties onderzoekers stapelen zich op en scheppen in steeds toenemende mate begrip. Zo verwerven wij dan onze kennis van de historie in het algemeen en ook die van specifieke tijdperken en gebeurtenissen in het bijzonder. Op die wijze krijgen wij een samenhangend beeld van figuren als een koning Arthur, Robin Hood of Jeanne d'Arc. Deze beelden groeien nog steeds, veranderen voortdurend naarmate nieuw materiaal ontdekt wordt en ter beschikking komt.

Voor het grote publiek vormt de historie van het Nieuwe Testament daarmee echter een scherp contrast. Die historie blijft statisch, onberoerd door nieuwe ontwikkelingen, nieuwe ontdekkingen, nieuwe vondsten. Elke controversiële bewering wordt behandeld, alsof ze voor het eerst wordt geuit. Zo veroorzaken dan de theologische uitspraken van de bisschop van Durham geschokte en verbijsterde reacties alsof diens erkende voorganger, aartsbisschop Temple, nooit heeft geleefd, nooit tussen de oorlogen hoofd van de anglicaanse kerk was en nooit uitspraken heeft gedaan die in wezen vergelijkbaar waren.

Elke bijdrage op het terrein van het bijbelonderzoek is als een voetstap in verwaaiend zand. Elke stap wordt vrijwel onmiddellijk ondergestoven en, voor zover het het grote publiek betreft, er blijft geen spoor van over. Elke stap moet steeds weer opnieuw worden gezet om dan weer snel door zand overdekt te worden.

Waarom is dat toch zo? Móet dat zo zijn? Waarom moet bijbelonderzoek, toch zo immens belangrijk voor zo tallozen, aldus immuun blijven voor ontwikkeling en ontplooiing? Waarom moet de grote massa der gelovige christenen in feite minder weten van de figuur die zij aanbidden dan van historische figuren van aanmerkelijk minder belang? In het verleden, toen dergelijke kennis (nog) niet toegankelijk was of verbreiding gevaren inhield, kan enige rechtvaardiging daarvan hebben bestaan. Maar de hedendaagse kennis is zowel toegankelijk als veilig te verbreiden. Desondanks blijft de praktizerende christen even onwetend op dit gebied als zijn voorlopers van eeuwen her en onderschrijft hij in wezen nog dezelfde simplistische verhalen als uit zijn kindertijd.

Een fundamentalist zou zeker kunnen betogen dat de situatie getuigt van de veerkracht en de sterkte van het christelijk geloof. Wij vinden een dergelijke verklaring niet voldoende. Het christelijk geloof kan inderdaad veerkrachtig en sterk worden genoemd. De historie heeft aangetoond dat dat ook zo is. Maar wij praten hier niet over geloof – dat moet noodzakelijkerwijs een intens eigen, intens subjectieve kwestie zijn; wij praten hier over gedocumenteerde historische feitelijkheden.

In het kielzog van de eerder aangehaalde televisiedocumentaire werd een paneldiscussie over het thema uitgezonden. Een aantal eminente commentatoren, onder wie vele geestelijken, waren bijeen om de uitzendingen en de conclusies ervan te analyseren. In de loop van deze discussie waren verscheidene sprekers het eens over één bepaald kernpunt. Vorig jaar is datzelfde punt niet alleen beaamd door de bisschop van Durham, maar ook door de aartsbisschop van Canterbury. En het was tijdens een daaropvolgende synode van de anglicaanse kerk opnieuw een belangrijk punt van bespreking.

Volgens diverse deelnemers is de bestaande onkunde met betrekking tot het onderzoek van het Nieuwe Testament grotendeels te wijten aan de kerken zelf en aan haar geestelijkheid. Iedereen die een geestelijk ambt bekleedt of daarvoor wordt opgeleid, wordt vanzelfsprekend geconfronteerd met de jongste ontwikkelingen in bijbelonderzoek. Elke hedendaagse seminarist zal tenminste op enigerlei wijze kennis kunnen nemen van de Dode-Zeerollen, van de handschriften van Nag Hammadi, van de historie en ontwikkeling van studies over het Nieuwe Testament en van de meer controversiële uitspraken die door zowel theologen als historici zijn gedaan. *Maar die kennis wordt niet aan de leken-gelovigen doorgegeven.* Het gevolg is dat er tussen geestelijken en hun gelovig kerkvolk een afgrond is ontstaan. Onderling zijn geestelijken wereldwijs geworden en hebben zich ontwikkeld. Zij reageren op de jongste ontdekkingen dan ook vaak met geblaseerde zelfverzekerdheid, raken niet van hun stuk als gevolg van theologische controversen. Zij kunnen beweringen zoals wij hebben gedaan weliswaar twijfelachtig vinden, doch niet verrassend of schandelijk. Toch hebben zij de opgedane wijsheden niet aan hun kudde doorgegeven. Die kudde ontvangt van zijn herder nagenoeg geen historische achtergrond – terwijl die herder toch in dergelijke zaken wordt gezien als de uiteindelijke gezaghebbende. Als dan een dergelijke achtergrond wordt aangeboden door schrijvers zoals wij, in plaats van door de officiële herder, kan dat vaak tot een welhaast traumatische reactie leiden of tot een persoonlijke geloofscrisis. Ofwel wij worden dan beschouwd als nietsontziende woeste beeldenstormers, of de herder zelf laadt de verdenking op zich informatie te hebben achtergehouden. Het totale effect is precies hetzelfde alsof er onder geestelijken een georganiseerde samenzwering zou bestaan om nergens over te praten.

Dat is de huidige situatie. Enerzijds de kerkelijke hiërarchie, doorkneed in wat in het verleden is geschreven en bekend met alle jongste aspecten van bijbelonderzoek. Anderzijds de drommen gelovige leken voor wie bijbelonderzoek een volslagen onbekend terrein is. De moderne, min of meer belezen geestelijke beseft bij voorbeeld heel goed het onderscheid tussen wat van het Nieuwe Testament zélf is en wat toevoegingen van latere overlevering zijn. Hij weet precies hoeveel – of beter gezegd: hoe weinig – de bijbelteksten feítelijk zeggen. Hij beseft hoeveel ruimte, in feite noodzaak, er voor interpretatie is. Voor een dergelijke geestelijke zijn de contradicties tussen feiten en geloof, historie en theologie reeds lang geleden onder ogen gezien en weggenomen. Een dergelijke geestelijke heeft reeds lang onderkend en ingezien dat zijn persoonlijk geloof niet hetzelfde is als historisch bewijs, en hij heeft tussen die twee een vorm van persoonlijke verzoening tot stand weten te brengen – een verzoening die, in meerdere of mindere mate, beide delen bevredigt. Zo'n geestelijke heeft 'het allemaal eerder vernomen'. Hij zal waarschijnlijk niet verbijsterd raken door het soort bewijs of hypothese dat door ons en andere auteurs wordt aangevoerd. Het zal hem allemaal al bekend zijn en hij heeft zijn eigen gevolgtrekkingen reeds lang gemaakt.

In tegenstelling dan tot die geleerde herder was de kudde niet in de gelegenheid om met de bewijzen in kwestie bekend te raken of de tegenstrijdigheden tussen bijbelberichten en feitelijke historische achtergronden onder ogen te leren zien. Voor de gelovige christen bestond geen behoefte om feiten en geloof, historie en theologie met elkaar in overeenstemming te brengen, eenvoudigweg omdat hij nooit enige reden had om aan te nemen dát daartussen verschil zou kunnen bestaan. Hij heeft wellicht niet eens bewust nagedacht over het Palestina van tweeduizend jaar geleden als een zeer reële plek, nauwkeurig te plaatsen in ruimte en tijd, onderworpen aan een verwarrende veelheid van maatschappelijke, psychologische, politieke, economische en religieuze factoren – dezelfde factoren die op elke 'reële' plaats van heden en verleden in het spel zijn en waren. Integendeel: het verhaal in de evangeliën wordt vaak totaal gescheiden van elk historisch verband – een verhaal van een strakke, tijdloze, mystieke eenvoud dat zich afspeelt in een soort Nergensland van lang geleden en vér weg. Bij voorbeeld verschijnt Jezus nu eens in Galilea, dan weer in Judea: nu eens in Jeruzalem, dan op de oevers van de Jordaan. De moderne christen echter heeft vaak geen besef van de geografische en politieke betrekkingen tussen deze plaatsen, hoe ver ze wel van elkaar liggen, hoe lang een reis van de ene plaats naar de andere in die tijd duurde. De titels van diverse officiële functionarissen zeggen hem veelal weinig of niets. Romeinen en joden lopen verwarrend op de achtergrond door elkaar als figuranten in een film, en áls iemand zich al een concreet beeld van dit alles heeft gevormd, is het gewoonlijk afkomstig van een of andere spektakelfilm uit Hollywood – Pilatus compleet met onvervalst Brooklyn-accent.

Door de gelovige leken worden bijbelberichten beschouwd als letterlijke historie, als op zichzelf staande verhalen die, hoewel gescheiden van historische samenhang, daarom niet minder waar zijn. Omdat ze van hun geestelijke leiders nooit anders vernomen hebben, behoeft menig godvruchtig gelovige zich de vragen die door een dergelijke samenhang worden opgeroepen, niet te stellen. Als dan deze vragen en problemen plotseling tóch gesteld worden in een boek als dit, zal zulks heel begrijpelijk de vorm aannemen van een al dan niet verbijsterende onthulling of van heiligschennis. En wij zelf zullen instinctief worden beschouwd als 'antichristen', als schrijvers betrokken bij een ware kruistocht die ons als militante tegenstanders tegen de gevestigde geestelijkheid ten strijde doet trekken – alsóf wij er persoonlijk op uit zouden zijn het bouwwerk van het christendom te laten instorten (én zo onnozel en naïef om te menen dat zoiets mogelijk zou zijn).

Onze conclusies in perspectief

Het is eigenlijk onnodig op te merken dat dit ons oogmerk volstrekt niet is. Wij zijn niet betrokken bij welk soort kruistocht dan ook. Wij hebben geen enkele behoefte om 'bekeerlingen' te maken. En zéker zijn wij er, laat staan opzettelijk, niet op uit om mensen in hun geloof te schokken. In *The Holy Blood and the Holy Grail* was onze motivering werkelijk heel eenvoudig. Wij hadden een verhaal te vertellen, en dat verhaal leek het vertellen alleszins waard. Wij waren betrokken in een historisch avontuur, even pakkend als een goed detective- of spionageverhaal. Tevens echter bleek dat avontuur buitengewoon informatief te zijn; het onthulde namelijk grote delen van het verleden van onze civilisatie – en niet alleen het bijbelse verleden – voor het kennis nemen waarvan wij en onze lezers waarschijnlijk op geen andere wijze de gelegenheid zouden hebben gekregen. Het is een waarheid als een koe dat het verdient als een goed verhaal te worden verteld; het schijnt dan een eigen leven en drijfkracht te bezitten die tot uiting willen komen. En wij hadden de wens dit verhaal te delen met anderen, zo ongeveer als iemand een vriend of vriendin op de arm tikt om hem of haar te wijzen op een prachtig landschappelijk tafereel of een buitengewone zonsondergang.

Onze gevolgtrekkingen over Jezus vormden een integraal deel van ons avontuur. Feitelijk bracht dat avontuur ons tot die conclusies. Wij nodigden onze lezers en lezeressen eenvoudigweg uit om getuige te zijn van het proces dat daartoe had geleid. 'Dit zijn de conclusies die wij hebben getrokken,' zeiden we. 'Het zijn *onze* conclusies, gegrond op ons eigen onderzoek, onze predisposities, ons kader, onze eigen meningen. Komen ze u zinnig voor, dan is dat mooi. Zo niet, voel u dan vrij om ze te verwerpen en uw eigen gevolgtrekkingen te maken. Intussen hopen we dat u uw verblijf bij ons interessant, onderhoudend en informatief hebt gevonden.' Toch was het, gezien de materie van ons thema, wel onvermijdelijk dat wij bekneld zouden raken in het conflict dat nu eenmaal bestaat tussen feit en geloof. Een eenvoudig voorbeeld moge hier dienen om de ingewikkeldheden en paradoxen van dit conflict te illustreren.

In 1520 werd Hernán Cortéz, oprukkend naar de oude Mexicaanse hoofdstad Tenochtitlán, door de Azteken als een god beschouwd. Omdat de Azteken nooit eerder paarden en vuurwapens hadden gezien, beschouwden zij deze dingen niet alleen als bovennatuurlijk, maar ook als een bevestiging van Cortéz' goddelijke status – van zijn identiteit als incarnatie van hun oppergod Quetzalcoatl. Tegenwoordig is natuurlijk begrijpelijk hoe een dergelijke misvatting kon ontstaan. Zelfs voor een Westeuropeaan uit die tijd zou het begrijpelijk zijn geweest. Heel duidelijk is echter dat er in en aan Cortéz volstrekt niets goddelijks was. Terwijl anderzijds even duidelijk zal zijn dat in de geesten van hen die in zijn goddelijkheid geloofden, de Azteken, hij inderdaad een godheid wás.

Laten we eens uitgaan van de onderstelling dat een moderne Mexicaanse Indiaan, wellicht met sporen van Azteeks erfgoed in zich, beweert te *geloven* in de goddelijkheid van Cortéz. Dat mag ons misschien nogal vreemd voorkomen, maar wij zouden ons toch niet veroorloven dat geloof aan te tasten, te tarten – vooral niet als de achtergrond van die Indiaan, zijn opvoeding en zijn cultuur alle te zamen dat geloof bevorderd hadden. Bovendien zou zijn 'geloof' iets met zich mee kunnen brengen dat aanmerkelijk dieper gaat dan de loutere overtuiging van Cortéz' goddelijkheid. Hij zou kunnen beweren dat Cortéz in hem is, dat hij persoonlijk met Cortéz communiceert, dat Cortéz hem in visioenen verschijnt, dat hij via Cortéz eenheid met God of met de heiligen nabijkomt. Hoe zouden wij dan dergelijke beweringen kunnen aantasten? Wat een mens in de beslotenheid van zijn psyche ervaart, moet noodzakelijkerwijs onaangetast en onaantastbaar blijven. En er zijn tal van mensen die, in de beslotenheid van hun psyche, geloven aan dingen die veel vreemder zijn dan zoiets als de goddelijkheid van Hernán Cortéz.

Maar de tijd waarin Cortéz leefde is evenals de tijd waarin Jezus leefde gedocumenteerd. Wij weten heel wat van de historische samenhang, van de wereld waarin beide figuren bestonden. Die kennis is geen kwestie van persoonlijk geloof, maar simpelweg van historische feitelijkheden. En als een mens zijn persoonlijk geloof toestaat om historische feitelijkheden te verdraaien, te veranderen of te transformeren, mag hij niet verwachten dat anderen – of dezen zijn geloof nu al dan niet delen – iets dergelijks zullen vergoelijken. Hetzelfde principe geldt als iemand zijn persoonlijk geloof toestaat om de wetten der waarschijnlijkheidsleer of wat wij van de menselijke aard weten ernstig te schenden. Zoals we eerder stelden, zouden we iemand die in Cortéz' goddelijkheid gelooft of die op enigerlei wijze of in een of andere vorm Cortéz innerlijk 'ervaart', niet in dat geloof of die ervaring kunnen aantasten. Maar wel kunnen we iemand attaqueren die als historische feitelijkheid beweert dat Cortéz (gelijk Quetzalcoatl) werd geboren uit een adelaar en een slang, dan wel dat Cortéz beschikt was om de wereld te redden of dat hij nooit gestorven is en nu in een of andere onderaardse crypt zijn tijd beidt tot het moment gunstig is om terug te keren en zijn soevereiniteit over Mexico uit te roepen. Wij zouden ook iemand kunnen attaqueren die beweerde dat Cortéz, zelfs zonder zijn wapenrusting, onkwetsbaar was voor pijlen en speren, dat hij op een paard door de luchten of de zeeën reed of dat hij wapens gebruikte die in werkelijkheid pas enkele eeuwen nadien werden uitgevonden.

Het is niet zo dat bestaande documentatie over Cortéz deze dingen niet uitdrukkelijk ontkent. Om de eenvoudige reden namelijk dat dergelijke dingen tijdens Cortéz' leven nimmer zijn beweerd. Dergelijke dingen zijn zo flagrant in strijd met de bekende historie, met de menselijke ervaring, met simpele waarschijnlijkheid, dat ze elke vorm van geloofwaardigheid hevig geweld aandoen. Als persoonlijk geloof mogen ze onaantastbaar zijn; gepresenteerd echter als historische feiten rusten ze op een te onwaarschijnlijke en te vage basis.

Jezus nu werpt een in wezen analoog vraagstuk op. Wij hebben geen behoefte om het persoonlijke geloof van wie dan ook aan te tasten. Wij houden ons hier niet bezig met de Christus of Christos van de theologie, de figuur die een zeer reëel en zeer krachtig bestaan in geest en geweten van gelovige mensen geniet. Wij houden ons met een andere figuur bezig, iemand die feitelijk het zand van Palestina van tweeduizend jaar geleden beliep, net zoals Cortéz door de steenachtige woestijn van het Mexico van 1519 ging. Wij houden ons hier kortom bezig met de historische Jezus – en historie, hoe vaag en onzeker ze soms ook moge zijn, zal vaak bruut onze wensen, onze mythen, onze geestesbeelden, onze vooropgezette meningen tarten en verstoren.

Teneinde recht te doen aan de historische Jezus moet men zich volledig van vooropgezette meningen ontdoen – en vooral van die welke door de latere overlevering gekweekt zijn. Men moet bereid zijn om bijbels materiaal even nuchter en zakelijk te beschouwen als men bij voorbeeld kronieken met betrekking tot Caesar of Alexander zou bestuderen – of die van Cortéz. En men moet zich onthouden van *apriorische* uitingen van geloof of ongeloof.

Men kan aanvoeren dat de wijsheid van geloof en ongeloof op zich twijfelachtig is. 'Geloof' kan een gevaarlijk woord zijn, want het kan ook uitingen of daden inhouden die ongerechtvaardigd zijn. Mensen zijn al te grif bereid om te doden in naam van een geloof. Maar gelijktijdig is ongeloof evenzeer een uiting van geloof, evenzeer een onbewezen onderstelling als geloof dat is. Ongelovigheid – zoals bij voorbeeld de militante atheïst of rationalist laat zien – is op zichzelf slechts een andere vorm van geloof. Beweren dat men niet aan telepathie gelooft of aan geesten en spoken of aan God, is evenzeer geloofsuiting als wanneer men zegt daar wel aan te geloven.

Wenselijk is dat men denkt in categorieën van kennen, weten. Uiteindelijk is het dan heel eenvoudig. Ofwel men weet, men kent iets, direct, uit de eerste hand, of men weet of kent het niet. Een man die een hete kachel aanraakt, behoeft niet aan pijn te geloven. Hij weet wat pijn is; hij voelt pijn; pijn is een realiteit die niet in twijfel getrokken kan worden. Iemand die een elektrische schok krijgt, vraagt zich niet af of hij wel gelooft aan een vorm van energie die bekend staat als elektriciteit. Hij ervaart dan iets waarvan de werkelijkheid niet ontkend kan worden, om het even welke term of uitdrukking men daaraan verbindt. Maar als men te maken heeft met iets anders dan empirische kennis van deze soort – als men kortom niet persoonlijk weet heeft of kennis draagt in de juist uiteengezette betekenis – dan is het enig eerlijke antwoord dat men zichzelf of anderen kan geven: ik weet het niet, ik ken het niet. En wat betreft de theologische kenmerken die de christelijke overlevering aan Jezus toeschrijft, moet gezegd worden: wij wéten het gewoonweg niet.

Binnen het algemene spectrum van 'onbekende en ongeweten dingen' zijn vrijwel alle dingen mogelijk. Maar op grond van iemands eigen ervaring, op grond van de menselijke historie en ontwikkeling, zijn sommige van die dingen méér mogelijk dan andere, meer of minder aannemelijk of waarschijnlijk dan andere. Als men eerlijk is kan men die situatie slechts erkennen, namelijk dat vrijwel alle dingen mogelijk zijn, doch sommige ervan méér mogelijk dan andere. Het komt neer op een simpel evenwicht van waarschijnlijkheden en aannemelijkheden. Welke gebeurtenis is waarschijnlijker of aannemelijker dan de andere? Wat is meer, of minder, in overeenstemming met de ervaring van de mensheid? Bij afwezigheid van werkelijk definitieve kennis over Jezus komt het ons aannemelijker, waarschijnlijker, meer in overeenstemming met onze ervaring van mens-zijn voor dat een man getrouwd geweest kan zijn en dat hij getracht heeft zijn rechtmatige troon te heroveren dan dat hij geboren zou zijn uit een maagd, over het water liep en uit zijn graf is verrezen. Toch moet ook deze conclusie noodzakelijkerwijs weer speculatief blijven. Het is een conclusie die als aannemelijker mogelijkheid gezien doch níet als een credo omhelsd wordt.

Uitleg ten behoeve van het geloof

Zoals we al opmerkten is tegenwoordig heel wat bekend over de wereld waarin Jezus leefde, over het Palestina van tweeduizend jaar geleden. Maar wat Jezus zelf en de gebeurtenissen rondom zijn leven betreft is definitieve kennis *niet* aanwezig. De evangeliën, en in feite de hele bijbel, zijn schetsmatige documenten die geen enkele zich van zijn verantwoordelijkheid bewuste onderzoeker ook maar één ogenblik als betrouwbaar historisch getuigenis zou accepteren. Gezien die situatie moet men, wil men er niet blijvend het zwijgen toe doen, noodgedwongen zijn toevlucht nemen tot onderstellingen. Vanzelfsprekend moet men niet in het wilde weg onderstellingen maken: men moet zijn speculaties beperken tot het kader van bekende historische gegevens en waarschijnlijkheden. Binnen dat kader echter is het volstrekt gewettigd en zelfs noodzakelijk om hypothesen op te stellen – om het magere, duistere en vaak tegenstrijdige historische bewijsmateriaal dat er is te interpreteren. Het meeste bijbelonderzoek houdt een zekere mate van speculatie in. Dat geldt evenzeer voor theologie en de leringen van de kerken. Maar terwijl historisch onderzoek speculeert op grond van historische feiten, speculeren theologie en kerkleringen vrijwel geheel op grond van de Schrift – vaak zonder enig verband met historische feiten.

Mensen hebben in de loop van de voorbije tweeduizend jaar met elkaar getwist, elkaar vermoord en oorlogen ontketend vanwege de wijze waarop bepaalde passages opgevat dien(d)en te worden. In de samengroeiing van de christelijke traditie is één beginsel constant gebleven. In het verleden, als kerkvaders of anderen geconfronteerd werden met een der vele bijbelse dubbelzinnigheden en tegenstrijdigheden, *speculeerden* ze over de betekenis ervan. Zij probeerden tot een *interpretatie* te komen. Als deze eenmaal was aanvaard, dan werd de conclusie van hun speculatie – dat wil zeggen: hún interpretatie – als leerstuk, als dogma, vastgelegd. In de loop der eeuwen raakte zo'n leerstuk dan als vaststaand feit beschouwd. Dergelijke conclusies zijn echter in het geheel geen vaststaande feitelijkheden. Integendeel: het zijn tot overlevering, traditie samengestolde speculaties en interpretaties; en het is die traditie die constant verkeerd wordt opgevat als zijnde een complex van feitelijkheden.

Een enkel voorbeeld om een en ander te illustreren. Volgens alle vier evangeliën laat Pilatus aan Jezus' kruis een opschrift bevestigen luidende: 'Jezus, Koning der Joden.' Maar afgezien daarvan vertellen de evangeliën ons vrijwel niets. In Johannes 6:15 staat een merkwaardige uitspraak: 'Daar Jezus begreep dat zij zich van Hem meester wilden maken om Hem mee te voeren en tot koning uit te roepen, trok Hij zich weer in het gebergte terug, geheel alleen.'[4] En in Johannes 19: 21-22 lezen we: 'De hogepriesters van de joden nu zeiden tot Pilatus: "Ge moet er niet op zetten: 'Koning van de Joden,' maar 'Hij heeft gezegd: Ik ben de koning van de Joden.'" Pilatus antwoordde: "Wat ik geschreven heb, heb ik geschreven."' Er volgt echter geen nadere toelichting of opheldering van deze passages. Wij krijgen geen werkelijke indicatie over de vraag of deze titel nu gerechtvaardigd was of niet, officieel of niet, erkend of niet erkend. Noch krijgen we er enige aanwijzing van hoe Pilatus de betiteling nu precíes opgevat wilde hebben. Wat was zijn motivering? Wat wilde hij ermee bereiken?

Op enig moment in het verleden werd, op grond van speculatieve interpretatie, *aangenomen* dat Pilatus die betiteling spottend bedoeld moest hebben. Iets ánders aannemen zou een aantal netelige vragen hebben doen rijzen. Tegenwoordig aanvaarden de meeste christenen, alsof dat een vaststaand feit is, dat Pilatus de betiteling honend, spottend, bedoelde. Het is echter in het geheel geen vaststaand feit. Als men de evangeliën zelf leest, en zonder er ook maar enige vooropgezette mening op na te houden, dan vindt men niets dat erop zou wijzen dat de betiteling niet volstrekt au sérieux werd gebruikt – dat ze niet als zodanig volkomen legitiem en erkend zou zijn geweest door tenminste een aantal van Jezus' tijdgenoten, met inbegrip van Pilatus. Wat de evangeliën zelf betreft kan Jezus inderdaad koning van de joden en/of als zodanig beschouwd zijn geweest. Het is slechts de traditie die de mensen tot een andere opvatting heeft verleid. Suggereren dat Jezus feitelijk koning der joden kan zijn geweest, is daarom niet strijdig met het bewijsmateriaal. Het is slechts in strijd met een lang gevestigde traditie – een lang gevestigd stelsel van geloofsovertuigingen die in laatste instantie gegrond zijn op iemands speculatieve uitleg. Als íets afwijkt van het bewijsmateriaal, dan is het wel dit stelsel van geloofsovertuigingen. Want in Matteüs' verslag van Jezus' geboorte vragen de drie wijzen uit het Oosten: 'Waar is de pasgeboren koning der joden?' (Matt. 2:2) Als nu Pilatus de titel spottenderwijs had bedoeld, wat moeten we dan aan met de vraag van deze oosterse wijzen? Bedoelden zij de titel eveneens spottend? Stellig niet! Maar als zij dan verwezen naar een legitieme titel, waarom zou Pilatus dat dan niet eveneens gedaan kunnen hebben?

De evangeliën zijn documenten van een strakke, mystieke eenvoud. Zij schilderen een wereld die tot bepaalde hoognodige essenties is teruggebracht, een wereld van een tijdloos, archetypisch, welhaast sprookjesachtig karakter. Maar Palestina was bij het aanbreken van het christelijke tijdperk geen koninkrijk uit een sprookje. Integendeel, het was een volstrekt reële plaats, bevolkt door echte mensen, zoals men op elk moment op elke andere plaats in de historie zou kunnen aantreffen. Herodes was geen koning in een duistere legende. Hij was een zeer werkelijke potentaat, wiens regering (van 37 tot 4 voor Christus) zich tot buiten de bijbelse context uitstrekt en overlappingen heeft met bekende wereldse historische figuren – bij voorbeeld met Julius Caesar, Cleopatra, Markus Antonius, Augustus en anderen die wij uit onze leerboeken of wellicht door Shakespeare kennen. Zoals we al eerder zeiden, was Palestina in de eerste eeuw, net als vele andere plaatsen op aarde, onderworpen aan een ingewikkeld samenstel van sociale, psychologische, politieke, economische, culturele en religieuze factoren. Talloze partijen ruzieden met elkaar en hadden onderling ruzie. Intriganten manipuleerden en kuipten achter de schermen. Diverse facties joegen met elkaar botsende doelstellingen na, sloten vaak vage overeenkomsten met elkaar louter uit politiek eigenbelang. Transacties werden in het geheim uitgevoerd. Belangengroepen konkelden om macht. En de bevolking als geheel, zoals bevolkingen elders en in andere tijden, wankelde tussen onverschillige inertie en hysterisch fanatisme, tussen mistroostige vrees en fervente overtuiging. Van dit alles wordt door de evangeliën weinig of niets doorgegeven – slechts een restant van verwarring. Toch zijn deze stromingen, deze krachten, van essentieel belang voor begrip van de historische Jezus – de Jezus die wérkelijk de bodem van het Palestina van tweeduizend jaar geleden bewandelde – meer dan de Christus van het geloof. Het was die Jezus die we wilden trachten te onderscheiden en duidelijker te begrijpen. Het ondernemen van een dergelijke poging is iets heel anders dan dat men zich antichristen noemt.

De samenhang

Toen bepaalde 'christenen' ons naar aanleiding van *The Holy Blood and the Holy Grail* fel als antichristenen bestempelden, konden wij alleen maar hulpeloos onze schouders ophalen. We herhalen nog maar eens dat wij geen enkele behoefte hadden om de rol van beeldenstormers op ons te nemen; wij waren eenvoudig bekneld geraakt in het conflict tussen feitelijkheden en geloofsovertuigingen.

Ook beschouwden we de onderstellingen die we omtrent Jezus uitten op generlei wijze als shockerend of schandelijk. Zoals de lezer opgemerkt zal hebben, zijn vrijwel al die onderstellingen eerder gedaan, de meeste ervan vrij recent, terwijl er tevens op een goede manier bekendheid aan is gegeven.

Bovendien stonden we niet alleen. Wij verzonnen geen wankele, onbesuisde these met het oogmerk er een 'onmiddellijke bestseller' van te brouwen. Integendeel: vrijwel al onze overwegingen bewogen zich goeddeels mee met de hoofdstroming van hedendaags bijbelonderzoek, en juist daaruit hebben wij veel van ons eigen onderzoek afgeleid. Wij raadpleegden de erkende deskundigen op dat terrein, van wie velen bij het grote publiek onbekend zijn; en verder hebben we weinig méér gedaan dan hun gevolgtrekkingen in een redelijk begrijpelijke vorm samen te vatten. Deze gevolgtrekkingen waren al meer dan voldoende bekend bij de geestelijkheid, van wie velen ze grif aanvaardden. Wat zij hadden nagelaten was, ze door te geven aan de gelovige leken.

Tijdens particuliere besprekingen ontmoetten we geestelijken van vele gezindten. Weinigen betoonden enige vijandigheid tegenover de in ons boek gemaakte conclusies. Sommigen van hen traden met ons in discussie over dit of dat specifieke punt, doch de meesten achtten onze algemene these plausibel, in sommige gevallen zelfs waarschijnlijk, maar op geen enkele wijze de figuur van Jezus of het christelijk geloof denigrerend. Onder christen-leken echter schenen diezelfde conclusies godslastering te bevatten, ketterij, heiligschennis en vrijwel elke andere zonde tegen de godsdienst die men kent. Het was vooral deze discrepantie tussen reacties die wij zowel opvallend als veelzeggend vonden. Geestelijken, van wie in beginsel de strijdlustigste aanvallen met betrekking tot de kwestie verwacht hadden kunnen worden, reageerden juist met het hele scala van sceptische maar niet verraste onverschilligheid tot onversneden bevestiging en onderschrijving. Hun kerkvolk echter van geschokte ontgoocheling tot briesende verontwaardiging. Niets had het falen van de kerken om haar gelovigen van de ontwikkelingen op het terrein van bijbelonderzoek op de hoogte te brengen duidelijker kunnen maken.

Er zijn echter tekenen dat in die situatie langzaam enige verandering begint te komen. Het is natuurlijk mogelijk dat deze tekenen misleidend zijn of illusoir, en dat de slinger andermaal terugzwaait ten gerieve van het 'eenvoudige geloof', waarbij de vruchten van historisch onderzoek opnieuw genegeerd of onderdrukt worden. Wat dat betreft voorspelt de smetstof van het Amerikaanse fundamentalisme beslist weinig goeds. Niettemin zitten er tekenen van verbetering in de lucht en wel zo talrijk dat ze, op hun bescheiden wijze, een *geest des tijds* vormen – een stroming of beweging die over de wereld uitwaaiert.

Tijdens de jaren van ons onderzoek waren al talrijke andere publikaties in omloop die bijdroegen tot het scheppen van een vruchtbaar klimaat. In de jaren zeventig postuleerden ten minste twee romans, – een daarvan een serieus en goed ontvangen literair werk – de ontdekking van het gemummificeerde lichaam van Jezus. Een andere populaire roman trok de evangeliën in twijfel door het bestaan van een nieuwe verzameling bijbelberichten uit de eerste hand te overwegen – en van dit boek werd een kleine televisieserie gemaakt. In zijn monumentale werk *Terra Nostra* – ongetwijfeld een van de twaalf belangrijkste boeken die in diverse talen sinds de Tweede Wereldoorlog zijn uitgekomen – beschrijft de achtenswaardige Mexicaanse romancier Carlos Fuentes een Jezus die het kruis overleeft door middel van frauduleuze kruisiging van een plaatsvervanger. Ten minste één roman, *Magdalene,* van de hand van Carolyn Slaughter, schildert Magdalena af als Jezus' minnares. En Liz Greene, puttend uit een deel van ons eigen onderzoek, beschreef een afstammingslijn van Jezus in *The Dreamer of the Vine,* een in 1980 gepubliceerde roman over Nostradamus.

Wat het meer academische bijbelonderzoek betreft verschenen in 1977 de Nag Hammadi-handschriften voor het eerst in een Engelse vertaling, en deze inspireerden Elaine Pagel binnen twee jaar tot haar bestseller *The Gnostic Gospels.* Morton Smith had zijn bevindingen over de vroege kerk onthuld in *The Secret Gospel,* gevolgd door zijn controversiële portret in *Jesus the Magician.* Haim Maccoby richtte zich tot de historische Jezus in *Revolution in Judaea,* evenals Geza Vermes in een werk als *Jesus the Jew.* En Hugh Schonfields doorlopende reeks studies over het Palestina van de eerste eeuw verscheen met regelmatige tussenpozen in de loop van de jaren zeventig. Op het theologische vlak lokte een aantal anglicaanse geestelijken grote tegenspraak uit door in enkele opstellen, gebundeld in *The Myth of God Incarnate,* Jezus' goddelijkheid in twijfel te trekken. Ook moet een merkwaardig en fascinerend boek worden genoemd: *The Jesus Scroll,* van de Australische schrijver Donovan Joyce, zij het dat er onbevestigde beweringen in voorkomen.

Toen in 1982 *The Holy Blood and the Holy Grail* uitkwam, waren de wateren al in beroering gebracht door een nieuwe golf materiaal met betrekking tot de historische Jezus. Het is waar dat veel mensen nog altijd niet wisten in welke mate bij voorbeeld de evangeliën elkaar tegenspreken. Of dat er andere evangeliën bestaan dan die welke in het Nieuwe Testament zijn opgenomen en die min of meer willekeurig werden uitgesloten van de reeks der canonieke boeken door concilies bestaande uit duidelijk sterfelijke en allerminst onfeilbare mensen. Of dat Jezus' goddelijkheid per stemming besloten was tijdens het eerste concilie van Nicea, ongeveer driehonderd jaar nadat Jezus zelf had geleefd. Eveneens is het waar dat het fundamentalisme in Amerika nog altijd welig tiert. En, zoals we eerder opmerkten, er zijn ook in Engeland nog altijd mensen die een door blikseminslag veroorzaakte brand in de kathedraal van York toeschrijven aan Gods toorn vanwege de benoeming van een nogal openhartige bisschop – alsof te midden van het geweld, de haat, het vooroordeel, de gevoelloosheid en de dreigingen in de moderne wereld God niets dringenders aan zijn hoofd zou hebben, niets beters met zijn hulpbronnen weet te doen. En nog zijn er altijd mensen die 'godslasterlijk' of 'ketters' kunnen roepen en het aftreden van diezelfde bisschop eisen, wanneer deze man een zo vanzelfsprekende en zinnige uitspraak doet als: de verrijzenis kan niet definitief 'bewezen' worden. Niettemin: er zit iets 'in de lucht' en daarvan is de bisschop zelf een uiting.

Het zou van onze kant van onoprechtheid getuigen, als wij onwetendheid pretendeerden inzake de indruk die ons boek heeft gemaakt, zowel wat verkoopcijfers als wat controverse betreft. Voor het eerst sinds Hugh Schonfields *The Passover Plot* in 1963 uitkwam, werden bepaalde vragen met betrekking tot het Nieuwe Testament, tot Jezus en tot de oorsprongen van het christendom aan het grote lezerspubliek gericht – aan de zogenoemde 'massamarkt', in plaats van aan een kader van academische deskundigen en theologen. En het werd duidelijk dat het grote lezerspubliek niet alleen bereid was om te luisteren, maar dat zelfs met open oor te doen.

Televisie noch uitgeverswereld was blind voor de mogelijkheden die een en ander inhield. Sedert 1982 is een aantal nieuwe boeken uitgekomen. In 1983 bood *The Illusionist,* een roman van Anna Mason, een controversieel maar historisch geldig perspectief over de samengroeiing van de vroege kerk; het boek werd genomineerd voor de Booker Prize, de meest begeerde literaire onderscheiding van Groot-Brittannië. In 1985 onderzocht Anthony Burgess, misschien nog sterker controversieel, ongeveer hetzelfde gebied in zijn *The Kingdom of the Wicked.* Hevige beroering veroorzaakte Michele Roberts' roman *The Wild Girl.* Net als wij puttend uit bewijsmateriaal in de Nag Hammadi-handschriften schildert Michele Roberts Magdalena als Jezus' minnares en moeder van zijn kind. Bij de publikatie ervan als paperback (in 1985) veroorzaakte *The Wild Girl* niet alleen woedeuitbarstingen van de kant van de verwachte pressiegroepen, maar ook van een voorgewende Torquemada in het Britse Parlement. En, totdat wat meer bezonnen beoordelingen de overhand kregen, werd het boek bedreigd met aanklachten op grond van de nog van voor de zondvloed daterende Britse wet op de godslastering. Intussen werd Robert Graves' *King Jezus,* waarin niet minder scandaleuze beweringen worden geuit, voor het eerst sinds 1962 herdrukt, ditmaal in een makkelijk leesbare paperbackuitgave. (Graves' boek was vermoedelijk te duister voor figuren die zich opwierpen als gedachtenhoeders en die tegen Michele Roberts fulmineerden. Of wellicht genieten gevestigde literaire figuren een zekere immuniteit voor zulke monomane ijveraars. Het moge betoogd worden dat het enige in hoge mate opruiende portret van Jezus dat van D. H. Lawrence is in *The Man Who Died.* In dit kleine meesterwerk, meer dan vijftig jaar geleden verschenen, wordt Jezus afgeschilderd als – zoals genoemd werd – 'geslachtelijke gemeenschap hebbende' met een priesteres van Isis in een Egyptische tempel. Op het hoogtepunt verklaart hij 'Ik ben opgestaan!')

Onder de bijbelstudies die tot een publiek van niet-deskundigen zijn gericht, zijn twee van Hugh Schonfields boeken herdrukt, terwijl een nieuw werk van zijn hand, *The Essene Odyssey,* in 1985 is uitgekomen. De boeken van Morton Smith en Elaine Pagels zijn alle in goede paperbackedities verschenen. Voor televisie en bioscoop zijn verfilmingen gemaakt (zij het in vervlakte en oncontroversiële vorm) van het beleg van Masada en het dispuut tussen Petrus en Paulus. Van meer betekenis is dat Karen Armstrong, een gewezen non, de gevestigde christelijke traditie aanviel met een intelligente, goed doorwrochte en helder gebrachte serie over Paulus, getiteld *The First Christian*. Zoals we al opmerkten, deed David Rolfe iets dergelijks in zijn alom bekeken serie: *Jesus: the Evidence,* gevolgd door een boek met dezelfde titel.[5] En in *The Sea of Faith* presenteerde Don Cupitt, lector in de godgeleerdheid en deken van het Emmanuel College, Cambridge, Engeland, de wellicht indringendste hedendaagse televisiestudie van het christendom – een studie waarin uitspraken worden gedaan die veel en veel verder strekken dan die van de bisschop van Durham.

Wij zouden niet willen beweren dat *The Holy Blood and the Holy Grail* noodzakelijkerwijs een van deze werken beïnvloed behoeft te hebben. In feite zullen sommigen van bovengenoemde mensen ongetwijfeld overhoop liggen met bepaalde conclusies die wij trokken. Maar toch denken we dat het succes van ons boek zowel uitgevers als televisieproducenten beter heeft doen inzien dat er een groot publiek is dat belang stelt in materiaal met betrekking tot de historische Jezus en de oorsprongen van het christendom – een publiek dat hongert naar die kennis waardoor dergelijke boeken en films levensvatbaarheid krijgen. Dat dit publiek aan de dag treedt, vormt een buitengemeen veelzeggende nieuwe ontwikkeling. Het legt ook een nieuwe en heilzame verantwoordelijkheid op de kerken, maakt het tot nog toe door geestelijken gepraktizeerde soort minzaam beschermende censorschap jegens hun kerkvolk in toenemende mate onhoudbaar. Wanneer zoals in het verleden geestelijke herders informatie aan hun kudden gelovigen onthouden, dan zullen die kudden daar niet langer in berusten, maar hun toevlucht nemen tot boeken en televisie.

Indien wij ons in deze onderstelling niet vergissen, zullen we reden hebben om dankbaar te zijn. Níet omdat wij op kruistocht zijn. Ook niet omdat wij er belang bij zouden hebben, persoonlijk of onpersoonlijk, om de geestelijkheid te tarten, te compromitteren of in verlegenheid te brengen. Maar omdat ook wij in een moderne wereld leven. Wij besetten de pressie die van die wereld uitgaat en worden erdoor aangestoken. Wij zijn, net als ieder ander, vatbaar voor vooroordeel, en we zijn ons bewust hoezeer verwoestende kwezelarij en schijnheiligheid – de excessen van blinde geloofsijver en de tirannie die daar niet zelden mee gepaard gaat – de wereld schaden. Het is in het belang van iedereen, ook het onze, dat enige mate van perspectief hersteld wordt.

2. *Jezus als koning van Israël*

Toen we eens met het vliegtuig onderweg waren door de Verenigde Staten, kregen we van de stewardess te horen dat we 'momentarily' in Chicago zouden landen. Wij als Engelsen informeerden toen of de machine lang genoeg aan de grond zou blijven om ons de gelegenheid te geven enige tijd van boord te gaan. Woorden hebben betekenissen die vaak beïnvloed worden door context, cultuur en historie, die alle aan veranderingen onderhevig zijn. Onze Amerikaanse collega's verstaan namelijk onder de term 'momentarily' iets anders dan wij Engelsen eronder verstaan (Amerikanen: elk moment; Engelsen: voor een ogenblik). Sommige woorden en de betekenis ervan kunnen een indrukwekkend lange levensduur hebben. 'Hond' blijft door de eeuwen heen in tijd en culturele veranderingen nog altijd 'hond'. (Hoewel toch ook zo'n simpel woord een verscheidenheid aan beelden zal oproepen, afhankelijk van de 'hondse' voorkeur van lezer of lezeres.) Maar het woord 'kist' bij voorbeeld (vóor vliegtuig) kan onmogelijk voor onze achttiende-eeuwse voorouders hetzelfde hebben betekend als wat wij eronder verstaan.

Taal moet noodzakelijk geïnterpreteerd worden. Wij ménen te weten wat bepaalde woorden betekenen, maar die onderstelling kan gevaarlijk zijn. Dat is vooral het geval als wij onze twintigste-eeuwse uitleg trachten te verbinden aan een woord dat ooit in het verleden een enigszins dan wel volstrekt andere betekenis weergaf. Nog gevaarlijker wordt het als wij volhouden dat een mens van tweeduizend jaar geleden bedoelde wat wíj bedoelen in een zo abstracte sfeer als religieus geloof.

Veel van onze hedendaagse houding of geloofsovertuiging ten aanzien van Jezus is afkomstig van interpretaties – of verkeerde interpretaties – van bijbels materiaal. En bijbels materiaal bestaat in woorden (die zelf vertalingen van andere woorden zijn) die denkbeelden proberen door te geven.

Met de woorden van een bekend kerkgezang wordt Jezus bij voorbeeld omschreven als 'profeet, priester en koning'. En deze betitelingen moeten alle ingesloten worden als de christen spreekt van Jezus als Messias.* Voor de meesten omvat die titel, zoals nu uitsluitend op Jezus van toepassing, ook God. Wij moeten echter voorzichtig zijn om te veronderstellen dat termen als 'koning', 'profeet' of 'Messias' voor ons nog dezelfde betekenis weergeven als in tijd en wereld van Jezus het geval was.

We brachten in ons vorige boek bewijsmateriaal naar voren dat Jezus koning was, maar hier moet nu aanvullend materiaal gepresenteerd en besproken worden. Want de bewering dat Jezus 'rechtmatig koning' was, betekent veel meer dan wat dat in onze hedendaagse wereld gewoonlijk inhoudt – veel meer dan alleen een legitiem geërfde positie als al dan niet symbolisch hoofd van een werelds rijk. De 'Israëlitische natie' van tweeduizend jaar terug werd in de eerste plaats opgevat als een geestelijke, in plaats van een wereldlijke, entiteit. Ze vertegenwoordigde een uitzonderlijk voorbeeld van een theocratie – van een essentieel politiek lichaam georganiseerd rondom religieuze beginselen. Niet alleen waren staat en religie vrijwel synoniem, zoals tegenwoordig wellicht het geval is in Iran. De staat zelf was een manifestatie van religie. Elk ander aspect van de cultuur was dienovereenkomstig in een religieus kader vervat. Het landschap zelf werd als uniek en speciaal door God begunstigd beschouwd. Grotten, dalen, bergen en rivieren – alle waren ze doortrokken van diepe eerbied eisende betekenis. Hoewel maatschappelijke, politieke en culturele factoren kennelijk belangrijk waren, was de bestuurlijke machinerie uiteindelijk ingesteld op het scheppen van een cultuur die Gods steun genoot en geacht werd aan zijn wil te gehoorzamen. Door het Romeinse bestuur of lokale wereldlijke gezaghebbers geheven belastingen werden met tegenzin betaald, doch die de tempel verlangde, werden gewillig gegeven, zelfs grif. Het volk beschouwde zich als 'door God uitverkoren', terwijl de koning van een dergelijk volk werd gezien als méér dan andere koningen – zelfs meer dan de keizer van het Romeinse Rijk. Hij was een uiting van Gods wil; een belichaming van Gods plan met het volk als geheel; de spreekbuis voor Gods bedoelingen en wensen. Hij was in laatste instantie evenzeer een orakel, hogepriester en geestelijk leider als hij koning was.

Dit alles, natuurlijk in het verband van die tijd, is wat de uitdrukking 'Messias' betekende. In strikt letterlijke vertaling betekende 'Messias' niet meer of minder dan: 'de gezalfde'. Met andere woorden: deze term duidde de behoorlijk gewijde en door God bevestigde koning aan, en werd gewoonlijk toegepast op David en de opvolgers van David, van Salomo af. 'Elke joodse koning uit het huis van David was gekend als Messias, of Christus, en een gebruikelijke manier van verwijzing naar de hogepriester was: "Priester-Messias"...'[1]

* Messias (Hebreeuws) = gezalfde; Christus (Latijn) = gezalfde, van chrioo (Grieks) = zalven; vergelijk Johannes (1:41).

Maar dat niet alleen: ten tijde van Jezus' geboorte werd een militante, gewapende oppositie tegen Rome georganiseerd en geleid door een man die eveneens op de titel van Messias aanspraak maakte. Hij werd als zodanig niet alleen door zijn rechtstreekse volgelingen erkend, maar ook door een deel van de bevolking. Zijn zoon 'keerde (in 66 na Christus) met de status van koning terug naar Jeruzalem' en bezocht 'in koninklijke gewaden gehuld' de tempel om daar te bidden.[2]

Het is wel overbodig op te merken dat aan dergelijke figuren niets intrinsiek goddelijks was. Feitelijk zou de onderstelling dat enig méns God was of zelfs 'maar' zoon van God, in letterlijke zin voor Jezus en zijn tijdgenoten, uitermate godslasterlijk zijn geweest. Voor Jezus en zijn tijdgenoten zou alleen al de gedachte van een goddelijke Messias volstrekt ondenkbaar zijn geweest.

Maar als dan de Messias niet goddelijk was, zou hij stellig Gods bijzondere en unieke zegen hebben gehad. Hij zou om zo te zeggen gefungeerd hebben als Gods aardse onderkoning, de primaire schakel vormend tussen God en het gewone mensdom. Zo omvatte dan, hoewel de term 'Messias' eenvoudigweg 'de gezalfde' of 'koning' betekende, het begrip koningschap aanzienlijk méér dan de opvattingen over koningschap tegenwoordig inhouden.

De status van de verwachte Messias werd verhoogd door de omstandigheden die in de periode van Jezus' geboorte in Palestina heersten. Die periode – die we naderhand gedetailleerder zullen bespreken – stond voor hen die erin leefden bekend als 'eindtijd' of 'laatste dagen' (jongste dag). Men geloofde dat de natie in een fase van cataclysmisch kwaad verzonken was geraakt. De laatste dynastie van wettige joodse koningen was bijna uitgestorven. Sinds 63 voor Christus was Israël ingelijfd bij het Romeinse Keizerrijk en genoodzaakt een aardse heerser te erkennen die – in godslasterlijke belediging van elke leerstelling van het jodendom – durfde verkondigen dat hijzelf god was. En de troon van het land was ingenomen door een marionettenkoning die als ongewettigde usurpator werd beschouwd. Herodes, die in die tijd over Palestina regeerde, was zelfs geen jood van geboorte. Hij was geboren in Idumea, een grotendeels woestijnachtige niet-joodse streek in het zuiden.

Bij het begin van zijn regering probeerde Herodes legitimiteit voor zichzelf te bereiken; hij verstootte zijn eerste vrouw en huwde een erkende joodse prinses, wat hem althans een vorm van wettig 'joods' koningschap verleende. Teneinde zich bemind te maken bij de bevolking liet hij de tempel van Jeruzalem op weergaloze wijze herbouwen. Hij verkondigde dat hij een toegewijd dienaar van de God van Israël was. Doch dergelijke gesten om zijn gezag te bekrachtigen faalden jammerlijk. Hij bleef gehaat en smalend bekeken door het volk dat hij regeerde. Zelfs zijn meest genereuze daden werden vijandig en met verachting ontvangen; en dat bevorderde bij Herodes een natuurlijke neiging tot tirannie en excessen.

Dat zó'n man kon worden geplaatst in de rol van heerser over Gods uitverkoren volk werd als een vervloeking beschouwd – een ramp, door God aan zijn volk opgelegd, een straf voor overtredingen van zowel heden als verleden. Welke maatschappelijke en politieke euvelen Herodes ook mocht bedrijven, ze werden alleen beschouwd als verschijnselen van een veel dieper gelegen dilemma – het dilemma van een door zijn god verlaten volk. In het Palestina van Jezus' tijd verbreidde zich het vurige verlangen naar een geestelijk leidsman die de natie naar God terug zou voeren en verzoening met God zou bewerkstelligen. Deze geestelijk leider zou, als hij verscheen, de rechtmatige koning zijn – de 'Messias'. Als koning zou hij zijn volk redden. Hij zou Gods verbond met de mensen herstellen. En, geholpen door God, gedekt door God, gesanctioneerd en gemachtigd door God, zijn wil uitvoerend, zou hij de Romeinse indringers uit Palestina verdrijven en zijn eigen rechtmatige regime vestigen, even luisterrijk als wat de overlevering toeschreef aan Salomo en David. De kenmerken van de Messias worden door een geschiedschrijver van die tijd als volgt opgesomd:

> '...een charismatisch begiftigde afstammeling van David van wie de joden... geloofden dat hij door God zou worden opgewekt om het juk van de heiden te breken en te regeren over een hersteld koninkrijk Israël waar alle joden in ballingschap naar terug zouden keren.'[3]

De christelijke traditie betwist Jezus' aanspraak op messianiteit natuurlijk niet. Ze betwist alleen wat messianiteit met zich meebracht, eenvoudigweg omdat dit eeuwenlang niet voldoende duidelijk is gemaakt. Jezus aanvaarden als Messias doch tevens zijn koninklijke en politieke rol ontkennen is gewoon niets anders dan de feiten negéren – het historische verband én wat de term 'Messias' betekende en omvatte worden dan genegeerd. Christenen hebben de Messias beschouwd als apolitiek – een louter geestelijke figuur die voor het wereldlijk gezag geen uitdaging betekende, die zelf geen wereldse of politieke aspiraties koesterde en die zijn volgelingen wenkte naar een koninkrijk 'niet van deze wereld'. Het bijbelonderzoek van de afgelopen twee eeuwen heeft echter een dergelijke uitleg in toenemende mate onhoudbaar verklaard. Weinig of geen deskundigen inzake dit thema zouden tegenwoordig betwisten dat de in Jezus' tijd verwachte Messias een goeddeels politieke figuur was, doelbewust zinnend op Israëls bevrijding van het Romeinse juk. Het jodendom van die tijd erkende geen scheidslijn tussen godsdienst en politiek. Voor zover de rechtmatige koning door God werd gemachtigd en gesanctioneerd, was zijn politieke activiteit in een religieuze geur gehuld. Voor zover zijn religieuze taak bevrijding van zijn volk uit onderdrukking inhield, was zijn geestelijke rol tevens een politieke.

De rechtmatige koning

De evangeliën van Matteüs en Lukas vermelden duidelijk dat Jezus van koninklijken bloede was – een echte en legitieme koning, de rechtstreekse afstammeling van Salomo en David. Als dit op juistheid berust, zou het Hem ten minste één belangrijke kwalificatie als Messias hebben verleend, dan wel om als zodanig naar voren te worden geschoven. Hij zou een formeel wettige aanspraak op de troon van zijn koninklijke voorzaten hebben genoten – en wellicht, zoals is aangeduid, *de* formeel wettige aanspraak. Klaarblijkelijk zijn bepaalde mensen, van zeer uiteenlopende achtergronden en met totaal verschillende belangen, best bereid de geldigheid van deze aanspraak te erkennen. Zoals we eerder opmerkten, zijn de drie wijzen uit het Oosten op zoek naar 'de pasgeboren koning der joden'. In het evangelie van Lukas (23:2 en 3) wordt Jezus beschuldigd van '...dat die man ons volk tot opstand aanspoort, het ervan afhoudt aan de keizer belasting te betalen en zich uitgeeft voor de Messias, de koning. Pilatus vroeg Hem: "Zijt Gij de Koning der Joden?" Hij gaf hem ten antwoord: "Gij zegt het."' In het evangelie van Matteüs (21:9) wordt Jezus tijdens zijn triomf-intocht in Jeruzalem omstuwd en toegejuicht door een menigte die Hem toeroept: 'Hosanna, Zoon van David.' Er kan in deze episode weinig twijfel over bestaan dat Jezus begroet wordt als koning. De evangeliën van zowel Lukas als Johannes zijn over deze kwestie duidelijk. In allebei wordt Jezus ondubbelzinnig als koning begroet. En in het evangelie van Johannes (1:49) krijgt Jezus van Natanaël zonder meer te horen: '...Gij zijt de Koning van Israël.'

Ten slotte is er dan dat opschrift 'Koning van de Joden' dat Pilatus aan het kruis laat bevestigen. Zoals we al opgemerkt hebben, schrijft de christelijke traditie deze daad toe aan bespotting van de kant van Pilatus. Maar zélfs als uiting van hoon is dat volkomen onzinnig, ténzij Jezus inderdaad koning van de joden *was*. Als iemand een tiran en dwingeland is, zijn gezag probeert te doen gelden, mensen te beheersen, en degene die in de macht van zo iemand is, probeert te vernederen, wat bereikt hij dan door een arme profeet van het predikaat 'koning' te voorzien? Als anderzijds Jezus inderdaad rechtmatig koning was, dán zou men zijn gezag doen gelden door Hem te vernederen.

Er is nog meer bewijsmateriaal van Jezus' koninklijke status voorhanden, en wel in het evangelieverhaal van Herodes' moord op de onschuldige kinderen (Matt. 2:3-14). Hoewel zeer dubieus als verslag van een feitelijke historische gebeurtenis getuigt dat verhaal van een zeer reële vrees van de kant van Herodes met betrekking tot de geboorte van Jezus:

> 'Toen koning Herodes dit hoorde, werd hij verontrust... Hij riep alle hogepriesters en schriftgeleerden bijeen... en legde hun de vraag voor, waar de Christus moest geboren worden. Zij antwoordden hem: "Te Betlehem in Juda. Zo immers staat er geschreven bij de profeet..."'[4]

Hoezeer Herodes ook geminacht geweest moge zijn, zijn positie op de troon moet in theorie veilig zijn geweest. Stellig kan hij zich met geen mogelijkheid bedreigd hebben gevoeld door geruchten van een mystieke of spirituele figuur – een profeet of geestelijk leraar van het soort waarvan het in het Heilige Land van die tijd wemelde. Als Herodes zich bedreigd voelde door een pasgeboren kind (jongetje), dan kan dat alleen geweest zijn om wat dat kind intrinsiek wás – een rechtmatig koning bij voorbeeld, met een aanspraak op de troon die zelfs door Rome, in het belang van vrede en stabiliteit, erkend zou kunnen worden. Slechts een concrete, politieke dreiging van dien aard zou voldoende zijn om Herodes' vrees te verklaren. Het is niet de zoon van een arme timmerman die de usurpator vreest, maar de Messias, de rechtmatige koning – een figuur die, krachtens inherente genealogische kwalificatie, weleens steun van het volk zou kunnen krijgen en die, zo men zich niet van hem ontdeed, hem, Herodes, tenminste op specifiek politieke gronden in gevaar zou brengen.

De bevoorrechte achtergrond

Het beeld van Jezus als 'arme timmerman(szoon)' uit Nazaret kan in velerlei opzichten worden aangetast. Voor het ogenblik echter zij voldoende dat wij op een tweetal punten wijzen. Het eerste punt is dat het woord, algemeen vertaald met 'timmerman', in de oorspronkelijke Griekse tekst niet alleen maar houtbewerker betekent. De nauwkeurigste vertaling zou 'meester' zijn, in de zin van meesterschap in elke kunst, ambacht of vak van geleerdheid. Het was dus evenzeer van toepassing op bij voorbeeld een leraar als het voor een ambachtsman van welke stiel dan ook gold.[5] Het tweede punt is dat Jezus vrijwel zeker níet 'van Nazaret' was. Een overstelpende hoeveelheid bewijsmateriaal toont aan dat Nazaret in die bijbelse tijden nog niet bestond. Aannemelijk is dat het stadje pas in de derde eeuw na Christus is ontstaan. 'Jezus van Nazaret' is, daarover zijn de meeste bijbelonderzoekers het thans wel eens, een verkeerde vertaling van de oorspronkelijke Griekse zin: 'Jezus de Nazarener.' Dat verwijst niet naar enige lokatie. In plaats daarvan is het een verwijzing naar Jezus' lidmaatschap van een specifieke groep of sekte die specifiek politiek en/of politiek gericht was – de 'Nazareense partij' zoals sommige moderne deskundigen het noemen.*

Er bestaat maar heel weinig nauwkeurige informatie over Jezus' omstandigheden, zijn achtergrond. Maar het weinige dat bestaat, wijst er duidelijk

* Vergelijk ook 'Jezus de Nazareeër' en 'Nazareeërs' (Num. 6 en Hand. 18:18 en 21:23-26).

op dat zijn familie in goede doen was en zijn opvoeding er een van het soort dat slechts voor mensen van aanzien en met financiële middelen toegankelijk was. Alle berichten bij voorbeeld schilderen Hem af als een geleerd man – wat in die grotendeels analfabetische tijden een uitzondering was, slechts mogelijk voor leden van een maatschappelijk hoge klasse. Jezus heeft kennelijk een goede opleiding gehad en was zeer belezen. In de evangeliën disputeert Hij met kennis van zaken met de ouderen over de wet, wat een aanzienlijke mate van vooropleiding veronderstelt. Gezien zijn eigen uitspraken is duidelijk dat Hij 'rolvast' is in zijn kennis van de boeken der profeten van het Oude Testament; Hij kan ze willekeurig citeren en er met het gemak en de ervaring van een professionele geleerde spelenderwijs over spreken. En terwijl sommigen uit zijn entourage blijkbaar eenvoudige vissers en handwerkslieden uit Galilea zijn, zijn anderen welgestelde en invloedrijke mensen – zoals bij voorbeeld Jozef van Arimatea, en Nicodemus, en Johanna, de vrouw van Herodes' keukenmeester. Zoals we in ons vorige boek hebben laten zien, was de bruiloft te Kana – die in feite Jezus' eigen bruiloft geweest kan zijn – geen simpele dorpsgebeurtenis, maar een rijke en weelderige ceremonie van de voorname stand of de aristocratie.[6] Doch zelfs als die bruiloft niet die van Jezus zelf is geweest, wijst zijn aanwezigheid bij een dergelijke gelegenheid, evenals die van zijn moeder, er duidelijk op dat zij leden waren van dezelfde maatschappelijke kaste.

Publieke erkenning

Misschien nog veelzeggender dan bewijsmateriaal van dit soort is het eenvoudige feit dat Jezus bij een aantal beslissende gelegenheden in de evangeliën als een koning *handelt,* en wel heel opzettelijk. Een van de welsprekendste voorbeelden is zijn triomf-intocht in Jeruzalem, op een ezel. Bijbelonderzoekers zijn het erover eens dat deze gebeurtenis – klaarblijkelijk een gewichtige in Jezus' loopbaan en erop berekend maximale aandacht van zijn tijdgenoten te trekken – een zeer specifiek oogmerk diende. Het was heel opvallend bedoeld om een oudtestamentische profetie te vervullen. In het evangelie van Matteüs (21:4) wordt duidelijk gemaakt dat de intocht de bedoeling had de profetie te vervullen van Zacharia (9:9) die de komst van de Messias voorspelt:

> 'Jubel luid, gij dochter Sion,
> juich, gij dochter Jeruzalem!
> Zie, uw koning komt tot u,
> rechtvaardig en zegevierend;
> hij is deemoedig, hij rijdt op een ezel...'

Gezien Jezus' doorkneedheid in oudtestamentische leringen kan er weinig twijfel over bestaan dat ook Hij deze profetie goed kende. En in het besef van deze profetie kan Hij deze wel nauwelijks onbewust of door 'louter toeval' hebben vervuld. De intocht in Jeruzalem kan alleen gehouden zijn vanuit de berekende gedachte zich, heel specifiek in de ogen van het volk, met de verbeide Messias te doen indentificeren – met andere woorden: met de rechtmatige koning, de 'gezalfde'.

Meer nog: Jezus was inderdáád gezalfd. Het verslag hiervan staat in verdraaide vorm in het Nieuwe Testament. Kennelijk is er een poging gedaan om er veranderingen in aan te brengen en/of het te censureren, maar desondanks kan iets van de waarheid uit de overgebleven fragmenten aan het licht worden gebracht. Zo vermelden zowel Matteüs als Markus dat een *koninklijke* zalving plaatsvond.[7] Beiden vermelden dat daar voor 'meer dan driehonderd denaries (nardus)balsem' werd vergoten – met een waarde van omstreeks 50 000 gulden tegenwoordig. Johannes vermeldt dat het ritueel werd uitgevoerd door Maria van Betanië, een der zusters van Lazarus, en wel op de dag voor Jezus' triomf-intocht in Jeruzalem.[8]

Maar zelfs daarvóór zijn er al aanwijzingen dat Jezus enigerlei vorm van officiële publieke erkenning als Israëls Messias of als rechtmatige koning genoot. Het ritueel van Johannes de Doper zou zeker wel iets van dien aard met zich meegebracht kunnen hebben. Het lijkt ruwweg analoog te zijn geweest met, bij voorbeeld, de investituur van de prins van Wales. Gedoopt door Johannes had Jezus de 'bezegelende goedkeuring' van een aanvaarde en erkende profeet, een eerbiedwaardig heilig man – net zoals Saul, de eerste koning van Israël, zijn 'bezegelende goedkeuring' ontving van de profeet Samuël. Als Johannes van dezelfde familie als Jezus was geweest zou zijn 'bezegelende goedkeuring' bovendien het extra gezaggevende van een koninklijke machtiging hebben bezeten.

Eén ding lijkt in elk geval duidelijk, en dat is dat Jezus na zijn doop in de Jordaan een in het oog lopende verandering ondergaat. Vóór dit ritueel schijnt Hij incognito te zijn gebleven. Zeker bestaat geen verslag van enige openbare activiteit van zijn kant, van enig gedrag dat de aandacht had kunnen trekken. Na zijn doop echter treedt Hij opeens op in het midden van het toneel, niet terugdeinzend voor het voetlicht, noch voor het toespreken van grote menigten, noch voor het feit dat Hij nu in het brandpunt van de publieke belangstelling is komen te staan. Wat meer nog zegt is dat zijn houding beïnvloed schijnt te zijn geweest door zijn ontmoeting met Johannes de Doper aan de Jordaan. Het is bijna of Hij iets van Johannes' woedende toorn, Johannes' eigen apocalyptische bedreiging, Johannes' eigen dreigende ultimata heeft overgenomen. Kortom, Hij begint precies het gedrag te vertonen dat zijn tijdgenoten van hun rechtmatige koning verwacht zouden hebben. Erkend en bekrachtigd als Messias handelt Hij van nu af aan zoals een Messias moet handelen.

De evangeliën werden van politiek ontdaan en de verantwoordelijkheid voor Jezus' kruisiging werd van het Romeinse bestuur af- en de joden toegeschoven. Bij dit thema begeven wij ons niet in gissingen. Integendeel: wij putten uit onbevooroordeelde overeenstemming in hedendaags onderzoek van het Nieuwe Testament. En ook schakelen we er het normale gezonde verstand bij in. Want waaróm, om maar een voorbeeld te noemen, zou datzelfde volk dat zich verdrong om Jezus bij zijn intocht in Jeruzalem toe te juichen, slechts dagen later al tierend zijn dood eisen? Waarom zou diezelfde menigte die zegeningen uitriep over de zoon van David, zich erin verheugen Hem getuchtigd en vernederd te zien door de gehate Romeinse onderdrukker? Waarom – aangenomen dát er enige juistheid is in het bijbelverslag – zou diezelfde bevolking die Jezus eerbiedige hulde betoonde, een plotselinge en totale ommekeer in houding vertonen en eisen, ten koste van Jezus' leven, dat een figuur als Barabbas (wie deze dan ook geweest moge zijn) gespaard moest blijven? Dergelijke klemmende vragen kunnen niet zomaar genegeerd worden. Noch de evangeliën noch de latere christelijke overlevering doen echter pogingen ze te beantwoorden.

Zoals we in ons voorgaande boek uitlegden, en waar vrijwel alle serieuze bijbelonderzoekers het over eens zijn, werden de evangeliën in hun behandeling van dergelijke punten ofwel ingrijpend herschreven of, wat aannemelijker is, de gebeurtenissen die ze beschrijven werden verdraaid – wat ten minste dertig jaar voor ze werden samengesteld, gebeurd zou moeten zijn. De evangeliën dateren uit de periode na de joodse opstand van 66 en de plundering van Jeruzalem door de Romeinen in 70 na Christus. Zij dateren uit een periode van cataclysmische beroering, toen Palestina werd geteisterd door oorlog, de heilige stad en de tempel van de joden werden verwoest, alle optekeningen verstrooid raakten en de herinneringen van de mensen aan gebeurtenissen verduisterd of vertekend werden door recentere gebeurtenissen. De opstand die duurde van 66 tot 73 na Christus vormde een scheidingslijn. Gebeurtenissen van daarvóór raakten bij het licht daarvan vervormd, vaak als gevolg van wijsheden achteraf. Voor de moderne historicus vertekent die opstand elk perspectief; geen getuigenis ontkomt aan filtering door het donkere, beroete glas van die opstand.

Maar toen het in Palestina in 66 na Christus tot een uitbarsting kwam, was dat geen plotselinge of onverwachte gebeurtenis. Integendeel: in het land smeulde het al enige tijd. De dreigende ramp 'zat in de lucht'. Vóór de eigenlijke opstand die de volledige Romeinse bezettingsmacht in het geweer riep, waren er al tal van mislukkende opstanden geweest, al in de tijd van Jezus en feitelijk ruimschoots daarvoor. Sedert het begin van de eeuw waren militante facties in toenemende mate in actie gekomen, hadden ze een voortdurende guerrilla gevoerd, met overvallen op Romeinse aanvoerlijnen, op geïsoleerde Romeinse troepeneenheden, bestoking van Romeinse garnizoenen en wraakoefeningen waar dat maar mogelijk was.

Er bestaat bewijsmateriaal omtrent Jezus' betrokkenheid bij militante facties en van zijn eigen waarschijnlijk militaire activiteit. Het ís er en het zal niet verdwijnen, hoezeer de samenstellers van de evangeliën ook getracht hebben dit te verdoezelen – en hoe pijnlijk dit voor de latere christelijke traditie ook moge zijn. Wij menen echter dat het verkeerd gezien zou zijn, als dergelijk bewijsmateriaal van zijn samenhang wordt gescheiden, zoals sommige recente onderzoekers hebben trachten te doen. Het zou een misvatting zijn om Jezus maar eenvoudig te beschouwen als een vrijheidsstrijder, een agitator, een revolutionair in de moderne betekenis van het woord. Een gewone vrijheidsstrijder – en een groot aantal van hen was in het Heilige Land van die tijd actief – zou voor zijn acties zeker wel steun van de bevolking genoten kunnen hebben, maar hij zou niet als de Messias erkend en toegejuicht zijn. Terwijl er genoeg fragmenten in de evangeliën zijn – bij voorbeeld de doop in de Jordaan, en de triomf-intocht in Jeruzalem – die erop wijzen dat Jezus inderdaad die titel voerde, minstens tijdens de jaren van zijn prediking. Als Hij dus het recht had die titel te voeren, dan moet er iets geweest zijn wat Hem kwalificeerde – iets dat Hem van de talloze zowel militaire als politieke leiders onderscheidde die in die tijd zelf doornen in het vlees van de Romeinen begonnen te worden. Teneinde de titel van Messias te verwerven en als zodanig door de bevolking te worden toegejuicht, moet Jezus enigerlei legitieme aanspraak hebben kunnen doen gelden.

In tegenstelling tot een gewone revolutionair moet Jezus beschouwd zijn geweest als wat de evangeliën zelve erkennen die Hij was – een pretendent voor de troon van David, een rechtmatig koning wiens scepter zowel geestelijke als wereldse soevereiniteit inhield. En als Hij zichzelf in militaire activiteiten begaf, zou Hij daarmee gewoon de krijgsmansplicht hebben vervuld die van Hem als koninklijk bevrijder werd verwacht. Gewapend verzet tegen de Romeinen was vervat in de titel en de status die Hij had aangenomen.

3. *Constantijn als Messias*

De Messias die Jezus' tijdgenoten verbeidden, was een variant op een bekend en sedert lang gevestigd principe. Hij was het specifiek joodse equivalent van de gewijde priester-koning. Het beginsel achter deze figuur bestond in de gehele oude wereld – niet alleen in de klassieke culturen van het mediterrane gebied en het Midden-Oosten, maar ook bij de Keltische en Germaanse stammen van Europa en elders. Onder andere fungeerde het koningschap als een soort geleider waardoor de mensen met hun goden verbonden waren. En de maatschappelijke rangorde, culminerend in de koning, was bedoeld om op aards niveau de onveranderlijke orde, samenhang en stabiliteit waarvan de hemel leek te getuigen te weerspiegelen.

Niet zelden werd de priester-koning een eigen goddelijke status toegekend, waardoor hij een op zichzelf staande godheid werd. Zo werden bij voorbeeld Egyptische farao's vergoddelijkt, beschouwd als incarnaties van Osiris, Amon en/of Ra. In enigszins vergelijkbare zin propageerden Romeinse keizers zichzelf als godheid, pretendeerden rechtstreekse afstamming van niet alleen halfgoden als Hercules/Heracles, maar zelfs van niemand minder dan Jupiter persoonlijk. In het jodendom sloot natuurlijk het bestaande monotheïsme van de eerste eeuw na Christus enige vergoddelijking van de Messias uit. Niettemin was hij méér dan alleen koninklijk. Hij was ook gewijd. Al was hij dan niet zelf een godheid, hij was toch innig met God verbonden, een uiting van Gods genade en Gods wil. Hij vormde de vitaal-belangrijke verbinding tussen aardse en hemelse orde.

Het beginsel van gewijd koningschap zet zich tot diep in de latere westerse historie voort. Wij behoeven wel nauwelijks op te merken dat het het leerstuk van *droit divine* ondersteunde naarmate dit zich geleidelijk aan ontwikkelde. Het ligt ook achter ontwikkelingen als de middeleeuwse overtuiging dat een monarch het vermogen bezat om te genezen door handoplegging. Het mag dan ook geen wonder heten dat dit laatste vermogen, dat zo duidelijk het Jezus kenmerkende vermogen reflecteert, met bijzondere nadruk de Merovingen werd toegeschreven.

Van Merovingen tot Habsburgers beschouwden Europese dynastieën zich – en werden ook door hun onderdanen als zodanig beschouwd – als dragers van een uniek mandaat 'uit den Hoge'. Hoewel dit mandaat vaak werd misbruikt, berustte het niettemin op een uiteindelijk onbaatzuchtige basis – op iets dat van oorsprong bedoeld was om het algemeen welzijn te bevorderen, in plaats van autocratie in de hand te werken. Strikt gesproken was de koning niet meer dan een dienaar, een vaartuig, een voertuig, met behulp waarvan de goddelijke wil zich uitte. En in zoverre werd de koning zelf beschouwd als iets dat 'verbruikt' kon worden.

In vele oude culturen werd de koning na een bepaalde periode dan ook inderdaad ritueel geofferd. Het rituele doden van de koning is een der meest archaïsche en meest verbreide riten van de vroege geciviliseerde mens geweest. Hoewel met bepaalde symbolische variaties stemt ook Jezus met dit gebruik overeen. Maar dat niet alleen. In oude culturen van de hele wereld werd het geofferde lichaam van de koning object van een feest. Zijn vlees werd gegeten, zijn bloed gedronken. Zo namen dan zijn onderdanen iets van deugden en macht van hun dode heerser letterlijk en figuurlijk in zich op. Een rest van deze traditie is voldoende duidelijk in de christelijke communie en avondmaalsviering terug te vinden.

De krijgshaftige Messias

In het Europa van het middeleeuwse christendom pretendeerden koningen 'goddelijk recht', doch dit recht werd slechts via het medium van de kerk verleend, gewettigd en bekrachtigd. Van de achtste eeuw af matigde de kerk zich de macht aan om koningen te creëren. Met andere woorden: de kerk eigende zich een voorrecht toe dat daarvóór slechts God was voorbehouden, en ze ging voort met zich als Gods spreekbuis te installeren. In overeenstemming met de gewoonten van het Oude Testament deed ze dit door zalving met olie. Als in bijbelse tijden werd de koning 'de gezalfde', zij het alleen na instemming van de kerk.

Voor moderne christenen zou het echter op zijn minst verrassend zijn, als zij de kerk een wereldse heerser de andere kenmerken zagen toekennen die Jezus' tijdgenoten hun verwachte Messias toeschreven. Men zou zich bij voorbeeld moeilijk kunnen voorstellen dat de kerk een wereldse heerser als 'volledig bevoegd' priester-koning in de traditionele bijbelse zin zou erkennen. En toch is dat precies wat de vroege kerk deed ten aanzien van keizer Constantijn I de Grote. Ze deed in feite nog meer. Niet alleen stemde ze in met het feit dat Constantijn zich als Messias presenteerde, ze stemde ook in met diens opvatting dat hij een specifiek krijgshaftige Messias was – iemand die Gods wil uitvoerde met het zwaard en wiens overwinningen getuigden van Gods protectie. Met andere woorden: de kerk erkende Constantijn als degene die met succes verwezenlijkte waarin Jezus jammerlijk had gefaald.

Constantijn die het Romeinse keizerrijk onbetwist regeerde van 312 tot zijn dood in 337 na Christus, wordt terecht als een centrale figuur in historie en ontwikkeling van het christendom beschouwd. Doch het standpunt van waaruit hij tegenwoordig beoordeeld wordt, berust op onzekere, zelfs eigenaardige, al te sterke simplificaties. Volgens de populaire overlevering had Constantijn zich altijd verdraagzaam, zoal niet zelfs sympathiek, jegens het christendom betoond – een werkelijk 'goed mens', zelfs nog voor hij ten slotte 'het licht zag'. In feite lijkt Constantijns houding ten aanzien van het christendom door politieke overwegingen te zijn ingegeven, want in het keizerrijk was het aantal christenen talrijk en hij had alle steun die hij tegen Maxentius, zijn mededinger naar de keizerlijke troon, kon verwerven hard nodig. In 312 na Christus werd Maxentius gedood en zijn leger verpletterend verslagen tijdens de slag bij de Pons Milvius, waarna Constantijn zijn aanspraken op de keizerlijke troon onbetwist kon doen gelden. Direct voor deze beslissende gebeurtenis zou Constantijn een visioen hebben gekregen – later bekrachtigd door een profetische droom – van een lichtend kruis aan de hemel. In dit kruis zou het volgende te lezen zijn geweest: In Hoc Signo Vinces (In dit teken zult gij overwinnen). De overlevering beweert dat Constantijn, uit eerbied voor dit hemelse voorteken, opdracht gaf om snel de schilden van zijn krijgslieden met het christelijk monogram te blazoeneren – de Griekse letters *chi* en *rho*, de eerste twee letters van het woord Christos. Bij gevolg ging men Constantijns overwinning op Maxentius als een wonderbaarlijke overwinning van het christendom op het heidendom beschouwen.

Maar de overlevering laat het daar niet bij. Ze presenteert Constantijn ook als een oprecht bekeerling tot het christendom. De overlevering schrijft hem 'kerstening van het keizerrijk' toe, en voorts dat hij het christendom tot officiële Romeinse staatsgodsdienst had verheven. En krachtens een document waarvan werd beweerd dat het in de achtste eeuw 'voor de dag was gekomen' – de zogenaamde donatie van Constantijn – zou hij een aantal van zijn eigen wereldlijke bevoegdheden aan de paus hebben overgedragen. Uit hoofde van dat document verklaarde de kerk van Rome haar prerogatief om koningen te creëren, evenals haar vestiging als wereldlijk gezag.

Redder van de kerk

Wij hebben al enkele populaire overleveringen in verband met Constantijn bekeken en een poging ondernomen om de historische feiten los te wrikken uit de wirwar van halve waarheden en legenden.[1]

Wat aan het licht kwam was een wel heel ander beeld dan de schildering die wij in het algemeen voor ogen hebben. Sindsdien is echter nieuw materiaal ter beschikking gekomen en dit voegt belangrijke nieuwe dimensies aan het beeld toe. Het is dan ook noodzakelijk dat wij dat beeld wederom beschouwen.

Het is zeker waar dat Constantijn tolerant was jegens het christendom. Bij het Edict van Milaan, in het jaar 313 uitgevaardigd, verbood hij in het keizerrijk vervolging van *alle vormen van monotheïsme.* Voor zover dit dus ook het christendom betrof werd Constantijn een redder; verloste hij de christelijke gemeenten van eeuwenlange kwellingen waar ze in het Romeinse keizerrijk aan blootgesteld waren geweest. Ook is waar dat hij bepaalde privileges schonk aan de kerk van Rome, evenals aan andere religieuze gemeenschappen. Hij stond kerkelijke hoogwaardigheidsbekleders zetels in het burgerlijk bestuur toe en baande daarmee de weg voor de vestiging van de wereldse macht van de kerk. Hij schonk het paleis van Lateranen aan de bisschop van Rome (nog in de tijd van Constantijn I werd daarbij de basiliek Sint-Jan van Lateranen gebouwd). Rome was nu in staat dit in te schakelen als middel om haar suprematie te vestigen over concurrerende centra van christelijk gezag in Alexandrië en Antiochië. Ten slotte zat hij het (eerste) concilie van Nicea in 325 voor. Tijdens dit concilie werden de diverse uiteenlopende vormen van christendom genoodzaakt elkaars visies onder ogen te zien en de differenties zoveel mogelijk bij te leggen. Resultaat van Nicea was dat Rome het officiële centrum werd van de christelijke orthodoxe geloofsleer, en elke afwijking van die rechtzinnigheid werd van nu af aan gezien als ketterij, in plaats van slechts als verschil van opvatting of interpretatie. Te Nicea werden Jezus' God-zijn en de precieze aard van zijn goddelijkheid bij stemming besloten.

De eerlijkheid gebiedt te stellen dat het christendom zoals wij dat nu kennen uiteindelijk niet is ontleend aan de tijd van Jezus, maar aan het eerste concilie van Nicea. En omdat dat concilie grotendeels het werk van Constantijn was, is het christendom hem dank verschuldigd. Doch dat is nog iets heel anders dan beweren dat Constantijn christen was of dat hij 'het keizerrijk kerstende'. Feitelijk kunnen de meeste populaire overleveringen in verband met Constantijn als aantoonbaar onjuist worden bewezen.

De zogenaamde donatie van Constantijn, door de kerk in de achtste eeuw gebruikt om er haar gezag in wereldse zaken mee te vestigen, wordt nu algemeen erkend als een klinkklare vervalsing – een vervalsing die, in een hedendaags verband, ondubbelzinnig als misdadig zou worden beschouwd. Zelfs de kerk zal dit tegenwoordig grif toegeven, al blijft ze ongenegen van vele voordelen afstand te doen die door dit bedrog zijn verworven.

Wat betreft Constantijns 'bekering' – als dat de juiste term is – moet opgemerkt worden dat hij in het geheel geen christen geweest lijkt te zijn, maar een gewone heiden. Hij schijnt een soort visioen gekregen of een droom gehad te hebben, of misschien beide, en wel in de voorhof van een aan de Gallische Apollo gewijde tempel, ergens in de Vogezen of bij Autun. Hij kan ook voor de tweede maal een dergelijke ervaring hebben gehad kort voor de slag bij de Pons Milvius, waar Constantijn zijn mededinger naar de keizerlijke troon versloeg. Volgens een getuige die het leger van Constantijn in die tijd vergezelde, was het een visioen van de zonnegod – de godheid die door bepaalde culten onder de naam Sol Invictus (onoverwinnelijke zon) werd aanbeden. Kort voor hij zijn visioen of visioenen kreeg, was Constantijn ingewijd in een Sol Invictus-cultus, wat zijn ervaring heel wel plausibel maakt. En na de slag bij de Pons Milvius liet de Romeinse senaat een triomfboog in het Colosseum oprichten. Volgens de inscriptie in deze boog werd Constantijns bevochten overwinning 'door de godheid ingegeven'. Doch de godheid in kwestie was niet Jezus, maar Sol Invictus, de heidense zonnegod.[2]

In tegenstelling tot de overlevering verhief Constantijn het christendom níet tot officiële Romeinse staatsgodsdienst. De staatsgodsdienst onder Constantijn was in feite heidense aanbidding van de zon en Constantijn fungeerde zijn hele leven als hogepriester van die cultus. Zijn regering werd door zijn tijdgenoten als 'zonnekeizerschap' toegejuicht en Sol Invictus kwam overal op voor – met inbegrip van de keizerlijke banieren en de munten van het rijk. Het beeld van een Constantijn als vurige bekeerling van het christendom is dan ook duidelijk onjuist. Hij werd zelfs pas gedoopt toen hij op zijn sterfbed lag. Noch mag hem het *chi rho*-monogram worden toegedicht. Een inscriptie met dit monogram werd aangetroffen in een graf in Pompeï, daterend uit de periode van tweeënhalve eeuw daarvoor.[3]

De cultus van Sol Invictus was van oorsprong Syrisch. Deze was een eeuw voor Constantijn in Rome geïntroduceerd. Hoewel de cultus elementen van de Ba'äl- en Astarte-cultus bevatte, was hij in wezen monotheïstisch. Feitelijk stelde hij de zonnegod voor als de som van alle kenmerken van alle andere goden, daardoor op vreedzame wijze mogelijk rivaliserende goden opnemend zonder dat het noodzakelijk werd ze uit te bannen. Zij werden kortom gepacificeerd, zodat wrijvingen goeddeels werden vermeden.

De Sol Invictus-cultus kwam Constantijn simpelweg goed van pas. Zijn primaire, zelfs obsederende oogmerk was eenheid – eenheid in politiek, eenheid van godsdienst, eenheid van territorium. Een staatsgodsdienst die alle andere omvatte was bevorderlijk voor deze doelstelling. En het was om zo te zeggen onder de aegis van de Sol Invictus-cultus dat het christendom verder tot bloei kwam.

De christelijke leer, zoals die door Rome in die tijd werd verbreid, had toch al veel gemeen met de cultus van Sol Invictus; en zo kon ze dus ongehinderd floreren onder de beschermende paraplu van de zonnecultus. Deze in wezen monotheïstische cultus baande de weg voor het monotheïsme van het christendom. Tevens zag de vroege kerk er geen been in, haar eigen leer en dogma's te veranderen teneinde munt te slaan uit gelegenheden die daaruit voortvloeiden. Bij een in 321 uitgevaardigd edict bij voorbeeld beval Constantijn dat de gerechtshoven gesloten moesten zijn op 'de eerbiedwaardige dag van de Zon', en schreef voor dat dit voortaan een rustdag zou zijn. Het christendom had tot dan toe de zaterdag, de joodse sabbat, als gewijde rustdag gekend. Nu nam het, in overeenstemming met Constantijns edict, de zondag als gewijde rustdag over. Dat bracht het christendom niet alleen in harmonie met het bestaande regime, maar stelde het ook in staat zich verder van zijn joodse oorsprong los te maken. Tot de vierde eeuw was bovendien Jezus' geboortedag op 6 januari (Driekoningen) gevierd. Voor de Sol Invictus-cultus echter was de symbolisch belangrijkste dag van het jaar 25 december – het feest van Natalis Invictus, de geboorte (of hergeboorte) van de zon, als de dagen waarneembaar beginnen te lengen. Ook in dit opzicht schakelde het christendom zich gelijk met het regime en de gevestigde staatsgodsdienst. Van die staatsgodsdienst eigende het zich ook nog bepaalde andere accessoires toe; zo werd het aureool van licht dat het hoofd van de zonnegod kroonde de christelijke heiligenkrans.

De cultus van Sol Invictus verweefde zich ook gerieflijk met die van Mitras, een overlevende van de oude uit Perzië ingevoerde Zaratoestra- of Zoroasterreligie. Feitelijk was het mitraïsme zó nauw met de Sol Invictus-cultus verweven dat de twee vaak door elkaar worden gehaald. Beide legden nadruk op de status van de zon. Beide vierden de zondag als gewijde rustdag. Beide vierden een belangrijk geboortefeest op 25 december. Bij gevolg kon het christendom ook convergentielijnen met het mitraïsme vinden – te meer omdat het mitraïsme de nadruk legde op onsterfelijkheid van de ziel, een komend oordeel en opstanding uit de dood. Het christendom dat ten tijde van Constantijn samengroeide en vorm aannam, was in feite een hybride die gewichtige aan mitraïsme en zonnecultus ontleende denkpatronen bevatte. Het christendom zoals wij het nu kennen, staat in velerlei opzicht dichter bij die heidense geloofsstelsels dan bij zijn eigen joodse oorsprong.

In het belang van eenheid verdoezelde Constantijn opzettelijk verschillen tussen christendom, mitraïsme en Sol Invictus-cultus – met opzet verkoos hij twistpunten tussen die drie niet waar te nemen. Zo tolereerde hij de vergoddelijkte Jezus als aardse manifestatie van Sol Invictus en liet hij een christelijke kerk bouwen in het ene deel van de stad, terwijl in een ander beelden van moedergodin Cybele en van zonnegod Sol Invictus werden opgericht – die laatste naar zijn eigen beeltenis, met zijn gelaatstrekken. Uit dergelijke eclectische en oecumenische gesten wordt wederom het belang dat hij aan algemene eenheid hechtte duidelijk. Voor Constantijn was geloof een politieke zaak; en elk geloof dat voor deze eenheid bevorderlijk was, werd met dienovereenkomstige verdraagzaamheid bejegend.

Constantijn was echter geen loutere cynicus. Evenals vele krijgshaftige heersers van zijn tijd – en vele krijgshaftige heersers sindsdien – schijnt hij zowel een bijgelovig man te zijn geweest als een die bezield was van diepe zin voor het heilige. In zijn betrekkingen met het goddelijke schijnt hij zich aan alle kanten gedekt te hebben gehouden – ongeveer zoals de mens die met de mond atheïsme belijdt, doch op zijn sterfbed instemt met het ontvangen van de sacramenten, 'want je weet maar nooit'. Dit bracht hem ertoe alle godheden die hij in zijn territorium wettigde, ook au sérieux te nemen, ze allen gunstig te stemmen, hun allen een mate van waarachtige verering te betonen. Al was zijn persoonlijke god Sol Invictus, en al werd zijn officiële houding jegens het christendom ingegeven door opportuniteit en verlangen naar eenheid binnen zijn rijk, toch blijft het feit bestaan dat Constantijn de God van de christenen een zekere unieke eerbied betoonde – een eerbied van een duidelijk nieuwe soort.

Het was voor Romeinse keizers lange tijd traditie geweest om voor zich afstamming van de goden te pretenderen en op grond daarvan ook goddelijkheid voor zichzelf op te eisen. Zo had Diocletianus afstamming van Jupiter beweerd en Maximianus afstamming van Hercules. Voor Constantijn was het voordelig, vooral nadat hij het christendom in zijn rijk een mandaat had verleend, om een nieuwe goddelijke overeenkomst te sluiten, een nieuwe bekrachtiging te geven aan het geheiligde. Dit was des te belangrijker omdat hij in zeker opzicht een usurpator was – hij had een afstammeling van Hercules ten val gebracht en had nu de steun van een concurrerende godheid nodig om zijn eigen legitimiteit te kunnen verdedigen.

Een godheid als 'sponsor' of patroon kiezend wendde Constantijn zich – althans in naam – tot de God van de christenen. Hij wendde zich echter *niet*, en het is belangrijk dat hier op te merken, tot Jezus. De god die Constantijn erkende was God *de Vader* die, in die dagen voorafgaande aan het eerste concilie van Nicea, niet identiek was aan de Zoon. Zijn betrekking tot Jezus was al met al dubbelzinniger – en buitengewoon verhelderend.

Ontkenning van Jezus

In 1982 verscheen een belangwekkend nieuw boek over dit thema: *Constantine versus Jesus*, van de hand van Alistair Kee, lector in religieuze studiën aan de universiteit van Glasgow. Kee zet heel overtuigend uiteen dat Jezus feitelijk geen enkele rol speelde in de religie van Constantijn de Grote. Constantijn verkoos de God van de christenen – God de Vader – als zijn officiële patroon en negeerde de Zoon volledig. Voor Constantijn zou natuurlijk God de Vader niets meer hebben ingehouden dan een nieuwe naam voor Sol Invictus, de zonnegod die zijn persoonlijke trouw al beheerste.

Maar al negeerde Constantijn Jezus, hij erkende zeker het principe van messianiteit – hij erkende dat niet alleen maar nam zelfs de rol van dé Gezalfde op zich. Voor Constantijn kortom was de Messias precies diegene die deze voor de joden in Palestina was geweest bij de dageraad van het christelijke tijdperk – een heerser, een soeverein, een krijgshaftig leider gelijk een David en Salomo, die met wijsheid over een aards rijk regeerde, eenheid bracht in zijn bezittingen, een natie en een volk consolideerde, met goddelijke bekrachtiging tot zijn steun. In Constantijns ogen had Jezus kennelijk hetzelfde geprobeerd. En Constantijn beschouwde zichzelf als degene die met meer of minder succes Jezus' voetsporen volgde – datgene verwezenlijkend waarin Jezus had gefaald. Kee zegt: 'De religie van Constantijn voert ons terug naar de context van het Oude Testament. Het is alsof de godsdienst van Abraham... ten slotte niet in vervulling gaat in Jezus, maar in Constantijn.'[4] En: 'Constantijn was in zijn dagen de vervulling van Gods belofte om een koning als David te zenden om zijn volk te redden. Het is dat model, zo krachtig en zo prechristelijk, dat de rol van Constantijn het beste weergeeft.'[5]

Constantijns visie was niet zo verwonderlijk voor een in wezen heidense potentaat met krijgshaftige neigingen. Veelzeggend volgens Kee is dat de kerk van Rome instemde met de rol die Constantijn zich aanmatigde. De kerk van Rome van die tijd was best bereid om met Constantijns opvatting van zichzelf als een ware Messias mee te gaan, en nog wel een geslaagder Messias dan Jezus. Ze was ook best bereid te erkennen dat de Messias geen vreedzame, etherische, zachtmoedige redder was, maar een rechtmatige en gramstorige koning, een politieke en militaire leider die niet over een in nevelen gehuld koninkrijk der hemelen heerste, maar over zeer reële aardse domeinen. Kortom, de kerk huldigde in Constantijn precies datgene wat messianiteit voor Jezus en zijn tijdgenoten zou hebben omvat. Zo zegt dan bij voorbeeld Eusebius, bisschop van Cesarea, een der toonaangevende theologische figuren van zijn tijd en naaste medewerker van de keizer, het volgende: 'Hij wint aan kracht in zijn model van monarchistische heerschappij, die de hemelse Heerser van alwat op aarde is aan het mensdom heeft geschonken.'[6] Eusebius is feitelijk heel duidelijk en nadrukkelijk over het belang van monarchie: 'Monarchie gaat alle andere vormen van constitutie en bestuur te boven. Want van het alternatief – op gelijkheid gebaseerde polyarchie – zijn anarchie en burgeroorlog de gevolgen. Om die reden is er ook één God, geen twee of drie of nog meer.'[7]

Eusebius gaat hierin echter nog veel verder. In een persoonlijk adres aan de keizer verklaart hij de Logos, Christus, in Constantijn geïncarneerd. Hij kent Constantijn feitelijk een status en macht toe die, in theorie, alleen voor Jezus gereserveerd zouden moeten zijn: '...Godvrezendste soeverein, slechts aan wie, van hen die geweest zijn sinds het begin der tijden, de Universele Albeheersende God zelf macht heeft gegeven om het menselijk leven te louteren.'[8]

In zijn commentaar op dit adres van Eusebius zegt Kee: 'Sinds het begin van de wereld is het aan Constantijn *alleen* dat de macht van redding is verleend. Christus is opzij geschoven, Christus is buitengesloten, en nu wordt Christus formeel ontkend.'[9] En: 'Constantijn staat nu alleen als redder van de wereld. Het toneel is de vierde eeuw, niet de eerste. De wereld, geestelijk en materieel, werd niet gered tót Constantijn.'[10]

Kee legt er de nadruk op dat van Jezus geen enkel gewag wordt gemaakt. De consequenties zijn onvermijdelijk: '...het is duidelijk dat leven en sterven van Christus op dit schema geen invloed hebben... de redding van de wereld wordt nu gewrocht door de gebeurtenissen in het leven van Constantijn, gesymboliseerd door *zijn* reddend teken.'[11]

De uiteindelijke onttakeling van de historische Jezus

Waarom zou de kerk van Rome in Constantijns tijd een dergelijk theologisch zo lasterlijk standpunt hebben ingenomen? Bijna driehonderd jaren hadden christenen de macht van het keizerrijk getrotseerd, hadden standvastig geweigerd hun overtuigingen geweld aan te doen, hadden zich aan martelingen laten onderwerpen, hadden troost gevonden in het vooruitzicht van hogere zaligheid in de hemel. Waarom zouden ze dan nu bereid zijn om precies dat keizerlijke gezag als Messias te erkennen waardoor, drie eeuwen eerder, Jezus aan het kruis was geslagen – en dat terechtstellingen door kruisiging bleef uitvoeren bij opstandelingen tegen het rijk?

Althans één antwoord is duidelijk en simpel: de kerk bestond ten slotte uit menselijke wezens die in het verleden gruwelijk om hun geloofsovertuigingen hadden geleden. Nu echter kregen zij gelegenheid om aanvaard en gerespecteerd te worden, een officiële plaats in het maatschappelijk bestel te verwerven – in ruil voor bepaalde compromissen en versoepelingen in dogmatiek. Het zou heel moeilijk zijn geweest de transactie van de hand te wijzen. Na langdurige vervolgingen leek het vooruitzicht niet alleen op respijt maar ook op macht de concessies dubbel en dwars waard.

Maar er kan ook nog een andere minder opvallende reden achter het standpunt van de kerk hebben gezeten. Een seculiere macht als die van Constantijn – op één lijn met de orthodoxie van die tijd – zou een doeltreffend bolwerk hebben geschapen tegen elke poging van Jezus' ware erfgenamen om hun aanspraken te doen gelden. Als we het met onze onderstelling van Jezus' huwelijk en kinderen bij het rechte eind zouden hebben of als dat in die tijd zelfs maar als waarheid werd gezien, dan zou dat veel verklaren omtrent de overeengekomen betrekking tussen Constantijn en de kerk van Rome. Het bestaan ergens binnen het keizerrijk of in zijn periferie van een rechtstreekse afstammeling van Jezus of zijn familie zou voor de samensmeltende christelijke hiërarchie – de pleitbezorgers van specifiek paulinisch christendom – een bedreiging hebben betekend. En de beste verdediging tegen een nieuwe davidische Messias, optrekkend met zijn legioenen, zou een gevestigde Messias zijn geweest die al over het keizerrijk heerste – een prepaulinische Messias, die de aanspraken van joodse mededingers op doeltreffende wijze voor zichzelf had gereserveerd.

Desalniettemin is het uitzonderlijk, te zien dat de kerk van Rome: 1) instemde met Constantijns totale indifferentie ten aanzien van Jezus; 2) zich schikte naar Constantijns presentatie van zichzelf als Messias; en 3) de definiëring van messianiteit erkende – dat wil zeggen: een militaire en politieke figuur – belichaamd door Constantijn. Misschien was dit aan de andere kant in de vierde eeuw toch niet zó uitzonderlijk. Wellicht onderkenden in diezelfde eeuw christenen, veel duidelijker dan hun huidige geloofsgenoten, hoe nauw dergelijke zienswijzen met de historische feiten strookten.

In de tijd van Constantijn de Grote was de christelijke traditie nog geen onwrikbaar dogma geworden. Tal van documenten, naderhand verloren gegaan of vernietigd, waren nog ongeschonden in omloop. Alternatieve interpretaties kwamen nog algemeen voor en de historische Jezus was nog niet volledig onder het gewicht van latere aangroeisels bezweken. De kerk van de vierde eeuw zal vrijwel zeker met enige spijt en tegenzin tot het inzicht zijn gekomen dat Constantijn een Messias was die slaagde waar Jezus had gefaald, en dat de Messias zoals die door Constantijn *en* Jezus werd vertegenwoordigd, inderdaad een militaire en politieke figuur was – geen god, maar een koning die gemachtigd was tot regeren.

Wij moeten bedenken dat er geen complete versie van het Nieuwe Testament meer bestaat die dateert van voor de regering van Constantijn. Het Nieuwe Testament zoals wij dat nu kennen is in hoge mate een produkt van Nicea (325) en andere kerkvergaderingen in hetzelfde tijdperk. Maar de kerkvaders die het huidige Nieuwe Testament samenstelden, droegen zelf kennis van, dan wel hadden toegang tot, vroegere en historisch betrouwbaardere versies. Die versies waren nog niet officieel als 'oncanoniek', apocrief, bestempeld.

Toch bevat bij een nauwkeurige beschouwing zelfs het Nieuwe Testament, zoals wij dat heden kennen, getuigenis van Jezus als militaire en politieke Messias – van met andere woorden een Jezus als pseudo-voorloper van Constantijn. Het is de moeite waard iets van dat getuigenis onder de loep te nemen.

4. *Jezus als vrijheidsstrijder*

De latere christelijke overlevering heeft met nadruk het beeld geschilderd van een zachtmoedige Heiland die geweld schuwt en ons opdraagt ook de andere wang toe te keren. Zoals we echter hebben gezien was de Messias – voor Constantijn en voor de vierde-eeuwse kerk van Rome, evenals voor Jezus en zijn tijdgenoten – een wel zeer van dat beeld afwijkende figuur: een straffe martiale leider en bevrijder, zonder meer bereid om zijn rechten met kracht te doen gelden en zonodig tegen zijn vijanden geweld te gebruiken. Voor een dergelijk geheel ander beeld zijn natuurlijk in de evangeliën zelf voldoende degelijke gronden aanwezig.

In het jaar 6 na Christus, enkele jaren na de dood van Herodes, werd Judea geannexeerd en in het Romeinse keizerrijk opgenomen als een procuratoriale provincie met Cesarea als hoofdstad. Ten behoeve van belastingtaxaties werd een volkstelling bevolen. De joodse hogepriester van die tijd gaf aan dat bevel gevolg en riep de bevolking op tot inschikkelijkheid. Maar vrijwel onmiddellijk barstte een fel nationalistisch verzet uit, geleid door een vurige profeet in de heuvels van Galilea. Deze is historisch bekend als Judas de Galileeër of Judas van Gamala. Hij schijnt al in een vroeg stadium van de reeks guerrilla-activiteiten die hij tegen Rome op touw zette, te zijn omgekomen. Maar de beweging die hij had geschapen overleefde hem, en zijn aanhangers werden bekend als Zeloten. Deze term schijnt voor het eerst gebruikt te zijn door Josefus Flavius die minstens driekwart eeuw later zijn geschriften opstelde, en wel tussen 75 en 94 na Christus. Tijdens de jaren van hun activiteiten echter werd naar hen veelal verwezen als de Lestai (bandieten) of de Sicarii (dolkmannen), welke laatste naam afgeleid was van de *sica,* een kleine kromme dolk waaraan speciaal de Zeloten ten behoeve van politieke moorden de voorkeur gaven.

Wij moeten er hier met nadruk op wijzen dat de Zeloten geen religieuze

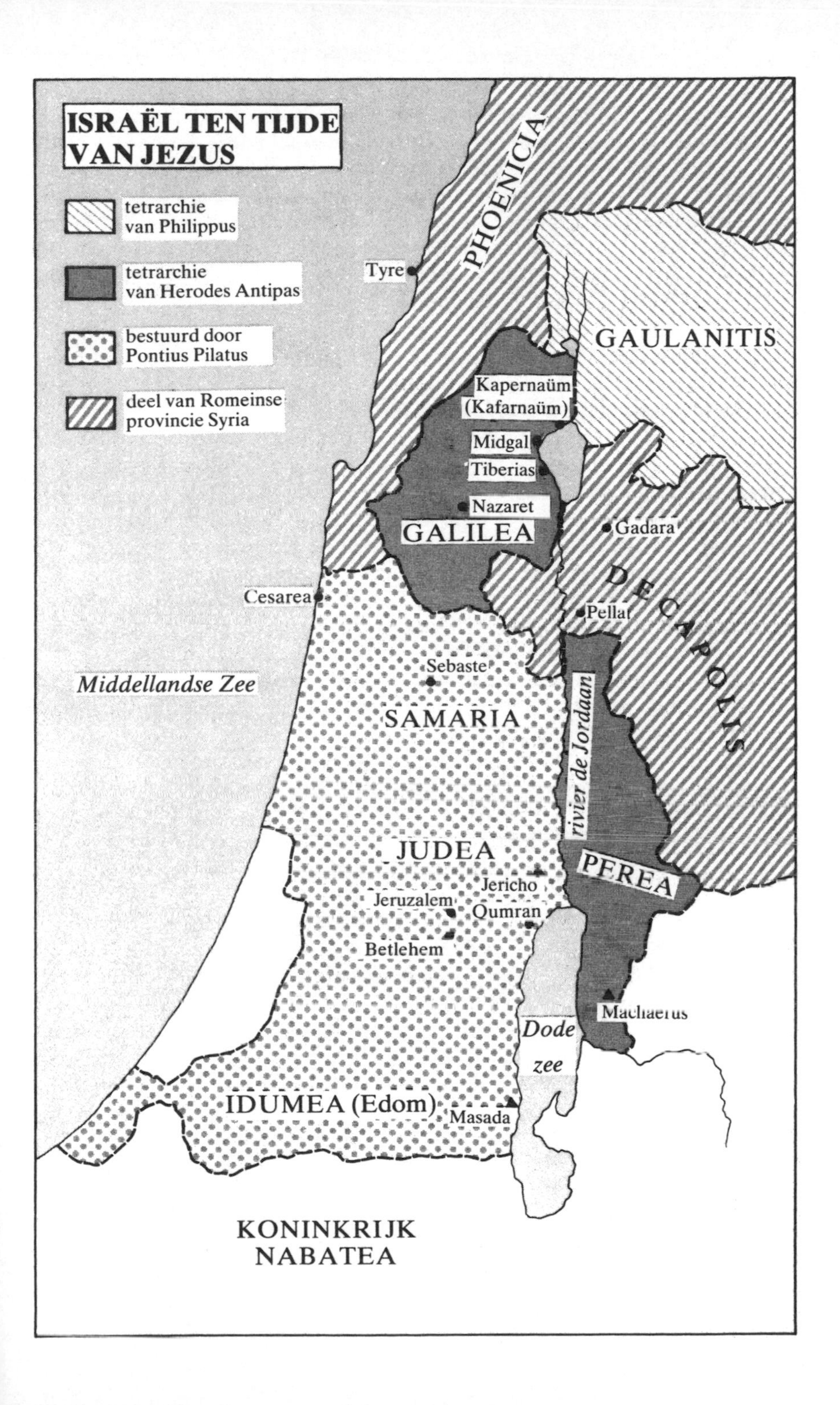
ISRAËL TEN TIJDE VAN JEZUS
tetrarchie van Philippus
tetrarchie van Herodes Antipas
bestuurd door Pontius Pilatus
deel van Romeinse provincie Syria
PHOENICIA
Tyre
GAULANITIS
Kapernaüm (Kafarnaüm)
Midgal
Tiberias
Nazaret
GALILEA
Gadara
DECAPOLIS
Cesarea
Pella
Sebaste
Middellandse Zee
SAMARIA
rivier de Jordaan
JUDEA
PEREA
Jericho
Jeruzalem
Qumran
Betlehem
Machaerus
Dode zee
IDUMEA (Edom)
Masada
KONINKRIJK NABATEA

sekte vormden. Zij waren geen onderafdeling van het jodendom die een of ander theologisch standpunt opperde. Ze waren met andere woorden niet als de Sadduceeën, Farizeeën of Essenen. Ze kunnen van alle drie steun hebben gekregen in de vorm van mankracht, geld en materiaal; maar zelf waren zij in wezen een politiek georiënteerde groep. Het standpunt van de Zeloten was intussen meer dan duidelijk: Rome was de vijand. Geen jood mocht schatting betalen aan Rome. Geen jood mocht de Romeinse keizer als zijn opperheer erkennen. Er was geen opperheer dan God. God had Israël een uniek geboorterecht geschonken, had met David en Salomo een verbond gesloten. De vaderlandslievende en godsdienstige plicht van iedere jood bestond erin te vechten voor het herstel van dit geboorterecht, dit verbond – het herstel van een rechtmatige heerser over het koninkrijk Israël.

In naam van deze doelstellingen waren alle middelen geoorloofd. Als de omstandigheden het toelieten, namen de Zeloten aan grootscheepse conventionele militaire operaties deel. En anders voerden zij een niet aflatende guerrilla, vielen geïsoleerde Romeinse garnizoenen aan, overvielen karavanen, sneden aanvoerwegen af. Ze deinsden voor moord niet terug en, voor zover de techniek van die tijd het toestond, pasten zij methoden toe die in onze tijd met terrorisme in verband zouden worden gebracht. Ze waren vaak meedogenloos en betoonden het soort onbevreesdheid waartoe slechts fanatisme in staat stelt. Josefus merkt daarover op: ‘Zij hechten geen enkele waarde aan welk soort dood dan ook, noch bekommeren zij zich om de dood van hun verwanten en vrienden, noch kan bedreiging met de dood hen enig mens Heer doen noemen…’[1]

Te oordelen naar het weinige bewijsmateriaal dat ervan bestaat, lijkt met zelotisch leiderschap een sterk dynastiek element verweven te zijn geweest. Twee zoons van Judas de Galileeër werden als zelfstandige zelotische bevelhebbers gedood. Een andere zoon, of wellicht kleinzoon, droeg de verantwoording voor het beleg van het fort van Masada bij het uitbreken van de opstand van 66 na Christus. En tijdens de beroemde belegering van Masada, waar pas in 73 na Christus een eind aan kwam, stond het garnizoen van de citadel onder commando van een zekere Eleazer, eveneens een afstammeling van Judas de Galileeër. Helaas zijn er té weinig betrouwbare optekeningen om een aanwijzing te kunnen krijgen hoe gecentraliseerd het gezag van deze familie is geweest over zelotische contingenten in het Heilige Land. Het is onmogelijk na te gaan of de zelotische activiteiten vanuit één hoofdkwartier gestuurd, dan wel door een groot aantal onafhankelijk van elkaar werkende groepen uitgevoerd werden. Maar zeker lijken de familie en afstammelingen van Judas de Galileeër betrokken te zijn geweest bij de meer ambitieuze, beter gecoördineerde, meer professionele zelotische initiatieven.

Zeloten rondom Jezus

Door de eeuwen heen zijn theologen en bijbelonderzoekers door vertaalproblemen geplaagd – of beter gezegd: door problemen in verband met onjuíste vertalingen. Op het moment dat een naam, een woord, een zin, een passage, een uitspraak de weg heeft afgelegd van gesproken Hebreeuws of Aramees via geschreven Grieks naar geschreven Latijn, en van daaruit naar deze of gene moderne taal, is de oorspronkelijke betekenis niet zelden volkomen anders geworden. Wij hebben al commentaar geleverd op de verbastering van 'Jezus de Nazareeër (of Nazoreeër) in 'Jezus van Nazaret'. Vergelijkbare verbasteringsprocessen kunnen worden onderscheiden bij een aantal andere nieuwtestamentische namen, waaronder die van Jezus zelf. 'Jezus' is, zoals u waarschijnlijk weet, geen joodse maar een Griekse naam. Onder zijn eigen volk zou Jezus 'Jesjoea' genoemd zijn, wat eenvoudig de bekende bijbelse naam 'Jozua' (Hebreeuws: Hosjéa = verlossing) is.

De figuur van Simon de 'Kanaäniet', voorkomend in het evangelie van Lukas en in de Handelingen van de Apostelen, hebben we in ons voorgaande boek al besproken. Simon de Kanaäniet is heel duidelijk Simon de Zeloot (vergelijk in Luk. 6:15, Hand. 1:13, Matt. 10:4 en Mark. 3:18 de benamingen van bij voorbeeld de King James-vertaling [1611], La Sainte Bible van 1911 en 1954, de Willibrord-vertaling van 1978 en de vertaling van het Nederlands Bijbelgenootschap van 1961). In een aantal moderne vertalingen wordt hij dan ook als Simon de Zeloot aangeduid (in de Willibrord-vertaling consequent Simon de IJveraar genoemd), waaruit ook voor de lezer of lezeres die geen theoloog of bijbelonderzoeker is, duidelijk wordt dat onder zijn directe volgelingen minstens één Zeloot – een politieke extremist – zat. Dat dit nog altijd een bron van verlegenheid is kan men opmaken uit de versie in de New English Bible, waar Simon, met eufemistische omzichtigheid, 'Simon the Patriot' wordt genoemd.

Maar, welke omschrijvingen men hem ook toevoegt, Simon zou nog weleens 'opvallender' kunnen blijken dan sommige vertalers lief is. Zoals gezegd wordt onder andere in de King James-vertaling van 1611 gesproken van 'Simon de Kanaäniet'. Doch terwijl de benaming 'Kanaäniet' wellicht zo'n tweeduizend jaar eerder betekenis had (in oudtestamentische tijden) heeft die betiteling in verband met het Nieuwe Testament geen enkele inhoud. Opnieuw zijn er in de vertalingsprocessen verbasteringen opgetreden. Feitelijk was het Aramese woord voor zeloot *qannai,* dat in het Grieks werd weergegeven door *kananaios.* Simon de 'Kanaäniet' wordt op die wijze een en dezelfde als 'Simon de Zeloot', in Matteüs en Markus verschijnend onder de eerste benaming en in Lukas en de Handelingen onder laatstgenoemde.

In het evangelie van Johannes schijnt er nog een andere Simon te zijn: Simon bar Jonas. Algemeen wordt dit opgevat als verwijzing naar 'Simon, zoon van Jonas', zelfs hoewel 's mans vader elders als Zebedeüs geïdentificeerd is. Ook 'bar Jonas' is weer een onjuiste vertaling van een ander Aramees woord: *barjonna* dat, evenals *kananaios,* 'wetteloze', 'anarchist' of zeloot betekent. Opnieuw zal duidelijk zijn dat we te maken hebben met dezélfde individu, wiens militante nationalisme maar beter verborgen gehouden kon worden.

Van alle Simons die het Nieuwe Testament bevolken, is de belangrijkste zonder twijfel Simon Petrus, de vermaardste van Jezus' discipelen en degene op wie Jezus naar beweerd wordt zijn kerk sticht. De evangeliën maken zelf duidelijk dat het niet 'Simon Petrus' is, maar 'Simon, *genaamd* Petrus'. 'Petrus' is in feite een bijnaam. Het betekent gewoon *rots* of rotsvast, met als implicatie: taai, hardnekkig. Als Petrus inderdaad een 'hardnekkige en taaie' is, wiens bijnaam 'rots' betekent of rotsvast, is het dan niet mogelijk hem gelijk te stellen aan de felle mens die wij als Simon de Kanaäniet kennen – hem gelijk te stellen aan Simon de Zeloot (IJveraar)? Als Jezus' belangrijkste discipel, degene op wie hij volgens de beweringen zijn kerk sticht, een Zeloot was, dan worden de implicaties daarvan wel buitengemeen belangwekkend.

Er moet nog een ander stukje legpuzzel worden ingevoegd. In het evangelie van Johannes wordt Judas geïdentificeerd als de zoon van Simon. In de synoptische evangeliën (Mattëus, Markus en Lukas) wordt hij als Judas Iskariot geïdentificeerd. Eeuwenlang hebben bijbelcommentatoren, het spoor bijster geraakt door Griekse benamingen, gemeend in 'Judas Iskariot' 'Judas van Kerioth' te moeten zien. Maar zoals wijlen prof. S.G.F. Brandon van de universiteit van Manchester overtuigend heeft betoogd, lijkt 'Judas Iskariot' thans waarschijnlijk een verbastering te zijn van 'Judas de Sicarius' – ofte wel de Zeloot.[2]

Een militante Jezus

Als Jezus figuren als Simon de Zeloot en Judas de Sicarius onder zijn volgelingen telde, kunnen deze amper zo rustig en vredelievend zijn geweest als de latere overlevering beweert. Integendeel: zij zullen waarschijnlijk bij precies het soort politieke en militaire activiteiten betrokken zijn geweest waarmee Jezus zich volgens de latere traditie niet inliet. Doch de evangeliën zelf bevestigen dat Jezus en zijn entourage, in overeenstemming met wat van de Messias verwacht mocht worden, militante nationalisten waren die niet voor geweld terugdeinsden.

Het is hier niet nodig de kruisiging te bespreken; voldoende zij het op te merken dat, welke betrekkingen Jezus er ook met de Zeloten op nagehouden moge hebben, Hij stellig door de Romeinen als politiek revolutionair gekruisigd werd.[3] Dat is de uitspraak van de Romeinse chroniqueur Tacitus, daarmee de enige zekere verklaring over Jezus gevend uit een niet-bijbelse maar wel contemporaine bron.[4] Er bestaat geen enkele twijfel dat de Romeinen Jezus beschouwden als een militaire en politieke figuur en dat zij in strikte overeenstemming met die opvatting met Hem handelden. Kruisiging was een straf die opgelegd werd voor ernstige schendingen van de Romeinse wet en de Romeinen zouden niet de moeite hebben genomen om een man die een louter geestelijke boodschap predikte of een boodschap van vrede bracht, aan het kruis te nagelen. Jezus werd niet door het joodse Sanhedrin terechtgesteld – dat, met toestemming, een man die de joodse wet had geschonden, kon stenigen[5] – maar door het Romeinse bestuur. En de twee mannen die samen met Hem gekruisigd zouden zijn, worden duidelijk beschreven als 'Lestai', Zeloten. Zij waren ondanks de traditie geen gewone misdadigers, maar politieke revolutionairen – of 'vrijheidsstrijders'.

Jezus zelf spreidt in de evangeliën een agressief militarisme tentoon dat nogal strijdig is met de conventionele schildering. Iedereen kent wel de penibele passage waarin hij verkondigt dat hij niet gekomen is om vrede te brengen, maar het zwaard. In het evangelie van Lukas (22:36) geeft hij die volgelingen die geen zwaard bezitten, de opdracht er een te kopen, ook als dat verkoop van eigen mantel of reiszak betekent. Als Jezus in de hof van Gethsemane gevangen wordt genomen, heeft minstens een van zijn volgelingen een zwaard en slaat er het rechteroor van een knecht (Malchus) van de hogepriester mee af; in het evangelie van Johannes wordt die man geïdentificeerd als Simon Petrus. Het is moeilijk om dergelijke verwijzingen in harmonie te brengen met het traditionele beeld van een zachtmoedige, pacifistische Heiland.

Wij hebben al gewag gemaakt van Jezus' triomf-intocht in Jeruzalem, op een ezel (ook hier wat uiteenlopende versies in de diverse bijbelvertalingen respectievelijk evangeliën: veulen; ezelin met veulen; ezeltje, jonge ezel), met een menigte die (palm)takken op zijn weg legt, mantels voor zijn voeten uitspreidt en zegeningen afsmeekt over de zoon van David, de rechtmatige koning. Dit optreden was, zoals eerder opgemerkt, voorspeld door de profeet Zacharia. De uitvoering van een reeds lang voorspeld en van de rechtmatige Messias verwacht optreden getuigt van Jezus' kant zeker niet van schroom. Hij voert integendeel brutaalweg een openbaar schouwspel op – een schouwspel waarvan Hij wist dat Hij ofwel aan de kaak gesteld zou kunnen worden als een grootspreker en godslasteraar, óf erkend als precies degene die Hij pretendeerde te zijn. Veelzeggend genoeg wordt Hij erkend door een bevolking die zich van de symboliek van zijn optreden ten volle bewust is; en zelfs de sceptici onder de monderne bijbelonderzoekers beschouwen dit voorval in de evangeliën als historisch authentiek. Maar: hoe had een dergelijk optreden níet met politieke implicaties en consequenties verweven kunnen zijn? Het is een daad van duidelijke uitdaging aan Rome, een daad van opzettelijke militante provocatie. De Messias werd beschouwd als bevrijder. Wilde Jezus als de Messias aanvaard worden, dan moet Hij noodzakelijk bereid zijn geweest het zwaard van bevrijder te zwaaien.

En dát Jezus' intocht in Jeruzalem politieke implicaties had, wordt in de evangeliën enkele dagen later duidelijk. Het Oude Testament had de intocht van de Messias in Jeruzalem voorspeld, op een ezel gezeten, maar ook elders voorzegd dat Hij de Tempel zou reinigen en louteren.[6] Dat is natuurlijk precies wat Jezus doet, als Hij de tafels van de geldwisselaars omsmijt. Dat incident kan wel nauwelijks een futiliteit zijn geweest, noch kan het zonder geweld zijn verlopen. Een simpele overweging van de menselijke aard is al voldoende om de gevolgen van Jezus' optreden (in de evangeliën niet opgetekend) te onthullen. Noch de geldwisselaars, noch omstanders, noch ook Jezus' eigen volgelingen zullen daar 'met de handen in de zakken' bij hebben gestaan, of in een theologisch dispuut verwikkeld geweest of gebleven zijn, terwijl de geldstukken rinkelden en naar alle kanten vlogen. Gezien de grootte en de gewichtigheid van de tempel en de prominente rol van de geldwisselaars, moet het omver gooien van hun tafels door Jezus een volslagen rel hebben ontketend. Evenmin kan Jezus iets anders hebben verwacht. Opnieuw is Hij hier uit op confrontatie met, opzettelijke provocatie van het gevestigde gezag.

In deze twee in het oog lopende gevallen – misschien de meest publieke incidenten uit zijn loopbaan – gedraagt Jezus zich op een wijze die wel geweld móest uitlokken. Het is in deze twee gevallen dat de evangeliën een portret van de historische Jezus waarschijnlijk het dichtst willen benaderen, namelijk van een man die, op een opvallende en zelfs zeer opzichtige wijze, publieke schouwspelen ensceneert die impliciet zijn pretentie van Israëls voorspelde en rechtmatige Messias te zijn, geldigheid verschaffen. Én deze schouwspelen zijn daden van welbewuste provocatie, die getuigen van onverhulde strijdlust en kennelijke bereidheid om geweld van de tegenpartij te verwachten. Meer nog: beide voorvallen maken duidelijk dat Jezus een aanzienlijke aanhang bezat die uit stellig meer dan de oorspronkelijke twaalf discipelen bestond.

Verbasteringen en geknoei tijdens de vertaalprocessen hebben meer teweeggebracht dan alleen verdoezeling van namen. Al dan niet opzettelijk hebben deze ook gediend om historische informatie van groot belang te verbergen. Eén enkel woord kan een rijkdom aan historische achtergrond openbaren; maar als de betekenis van zo'n woord abusievelijk of met opzet wordt gewijzigd, kan de eigenlijke onthulling verduisterd raken. Een der sprekendste voorbeelden hiervan komt aan het licht in het verhaal van Jezus' gevangenneming in Gethsemane. Het gaat dan om een enkele eenvoudige vraag: hoeveel mensen kwamen Jezus in de hof gevangen nemen? Wij hebben die vraag herhaalde malen tijdens lezingen en discussies gesteld, en de antwoorden die we van ons auditorium kregen waren redelijk eensluidend. De meeste mensen hebben een geestesbeeld van het tafereel in Gethsemane, een beeld dat zich in hen heeft gevormd door zowel het evangelieverhaal als de traditie. Volgens dat beeld komen er tussen de tien en dertig man om Jezus gevangen te nemen – enkele joodse functionarissen, enkele representanten van de hogepriester (van wie er een door het zwaard van Simon Petrus een oor kleiner wordt gemaakt), vermoedelijk een aantal tempelbewakers, misschien een of twee Romeinse functionarissen en wellicht zelfs een peloton van Pilatus' soldaten. Waaróm eigenlijk zijn de meeste hedendaagse lezers geneigd hier in aantallen van zo'n tien à dertig man te denken? Ongetwijfeld omdat de betreffende passage in de officiële bijbelvertalingen daar vaag over is: een schare, een troep, enzovoort. Zelfs in recentere bijbelvertalingen wordt gewag gemaakt van een bende of troep; alleen Johannes zou een wat groter aantal kunnen doen vermoeden: een afdeling soldaten, dienaren van de over(hoge-)priester, en Farizeeën.

Katholieke lezers echter lezen (of lazen) deze bijbelvertalingen niet. Tot voor kort mochten en moesten zij, in overeenstemming met strikt katholiek dogma, sléchts de Vulgaat lezen. En in de Vulgaat is, evenals in sommige modernere vertalingen, de term voor hen die komen om Jezus gevangen te nemen correct weergegeven – en dienovereenkomstig nauwkeuriger. Jezus, leert men daar, wordt in Gethsemane gevangen genomen niet door een vage 'bende' of 'schare' maar door een 'cohort'.[7] Is dat nu zoiets als muggezifterij, of zit er misschien iets van wel degelijk belang achter?

Als wij teruggrijpen op de Grieken vinden we de term *speiran*, de precieze vertaling van 'cohort(e)'. In het algemene spraakgebruik is weliswaar ook die term nogal vaag wat getallen betreft, maar men weet doorgaans wel dat het om een vrij groot aantal gaat. Voor de auteurs en vroege vertalers van de evangeliën echter was het een zeer nauwkeurig beschrijvende term die een exact aantal aanduidde. Net als moderne legers georganiseerd zijn in compagnieën, bataljons, regimenten, brigades en divisies, was ook het geregelde Romeinse leger georganiseerd in centuriën, cohorten en legioenen. Een Romeins legioen telde 6000 man. Een cohort was daar het tiende deel van, dus 600 man. Dat wil zeggen: als het een cohort van het geregelde leger betrof. Een cohort van hulptroepen, zoals die in het Heilige Land, telde ten minste 500 man,[8] maar soms wel zoveel als tweeduizend: zevenhonderdzestig man voetsoldaten (infanterie) en twaalfhonderdveertig man bereden manschappen (cavalerie).

Op dit punt dan moet men zich enkele simpele vragen stellen die van nadenken getuigen. Want ís het plausibel dat Pilatus, of enig ander militair bevelhebber in zijn plaats, een afdeling soldaten van ten minste vijfhonderd man uitgestuurd zou hebben voor het gevangen nemen van één man – één enkele, liefde predikende profeet, omringd door twaalf discipelen? Die onderstelling is kennelijk dwaas. Niet alleen zou het een lachwekkend voorbeeld zijn geweest van 'met een kanon op een mug schieten', het zou eveneens een openlijke uitnodiging tot burgerlijke opstand hebben betekend.

Ténzij natuurlijk dergelijke ongeregeldheden al waren uitgebroken, en de cohort was uitgerukt om deze de kop in te drukken.

Men moet het zich eens voorstellen: vijf- of zeshonderd man soldaten, uitzwermend in de Hof van Olijven. U moet ook bedenken dat nog maar kort tevoren Jezus zijn discipelen opgedragen had zich toe te rusten met zwaarden. En u zult u ook herinneren dat een van hen, Simon Petrus, het oor van de knecht van de hogepriester afsloeg.

Uit deze verschillende bijzonderheden begint een beeld op te komen van iets belangrijks dat die avond in Gethsemane geschiedde – iets van grootscheepser orde dan zo algemeen gezien wordt en iets waar wel meer dan 'een schare' mensen bij betrokken was. Het zal duidelijk zijn dat daar in de Hof van Olijven sprake was van uitgebreide ongeregeldheden. Er kan behoorlijk gevochten zijn. Maar, of er in feite nu wel of niet gevochten is, de situatie was toch blijkbaar door het Romeinse bestuur als militaire dreiging opgevat en men beantwoordde deze met een relatief grootscheepse militaire actie.

Jezus' gevangenneming in de Hof van Olijven was duidelijk geen vrij kalme affaire waarbij een kleine 'schare' van zo'n tien of twintig man op steelse wijze verscheen om een profeet op te pakken. Sommige theologen hebben bij gelegenheid de onregelmatigheid in de aantallen opgemerkt. Het bracht hen vaak in verlegenheid. Eén auteur, commentaar leverend op een hele cohort soldaten in Gethsemane, verklaart, nogal mat: 'Wát een compliment voor Jezus' macht!'

1. *De hof van Getsemane waar Jezus gevangen zou zijn genomen door een cohorte Romeinse soldaten.*

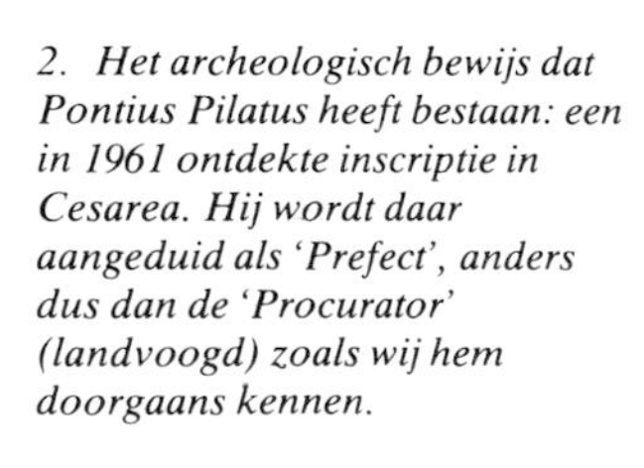

2. *Het archeologisch bewijs dat Pontius Pilatus heeft bestaan: een in 1961 ontdekte inscriptie in Cesarea. Hij wordt daar aangeduid als 'Prefect', anders dus dan de 'Procurator' (landvoogd) zoals wij hem doorgaans kennen.*

3. Links: *De rotswand onder de gebouwen van de Qumran-gemeenschap aan de Dode Zee. In het midden Grot 4 waar de Dode-Zeerollen werden gevonden.*
4. Boven: *Overblijfselen van de gebouwen van de Qumran-gemeenschap; op de achtergrond de Dode Zee.*
5. Onder: *Qumran, gezien in de richting van de heuvels van Judea en Jeruzalem. Rechts de ruïnes van de toren.*

6-7. De kathedraal en vroeg-christelijke graven te Santiago de Compostela in noordwestelijk Spanje. Beweerd wordt dat de vierde- en vijfde-eeuwse graven van christenen onder de vloer van de kathedraal dicht bij de tombe werden geplaatst van Priscillianus van Ávila, die in 386 na Christus vanwege zijn ketterse prediking ter dood werd gebracht.

5. *De Zadokitische beweging van Qumran*

Waaruit bestond nu Jezus' aanhang precies? Wie vormden de menigte die, bij zijn intocht in Jeruzalem, hem toejuichten als zoon van David, de rechtmatige koning, de gezalfde, de Messias? Wie hadden er onder de bevolking van het Heilige Land van die tijd groot belang bij dat zijn onderneming zou slagen? Van wie was zijn steun afkomstig?

Duidelijk is dat alleen al de met name genoemde en geïdentificeerde leden van Jezus' aanhang een bont en uiteenlopend spectrum te zien gaven. Hij schijnt steun te hebben gekregen van mensen van sterk uiteenlopende maatschappelijke klassen, uiteenlopend ook in rijkdom en eruditie. Zoals we opmerkten was er een aantal politieke extremisten bij. Ook waren er arme boeren uit de heuvels van Galilea en vissers – misschien ook arm of misschien in goeden doen – van de oevers van het Meer van Galilea. Er waren rijke vrouwen wier mannen belangrijke officiële posities bekleedden. Er waren gewichtige, invloedrijke burgers van Jeruzalem bij, zoals Nicodemus en Jozef van Arimatea. Er waren mensen die Hem hun huizen ter beschikking stelden – zoals dat in Betanië – die ruim en geriefelijk genoeg waren om, op zijn minst, zijn directe entourage te kunnen herbergen. En er schijnt een aanzienlijk getal 'voetvolk' te zijn geweest, verspreid door het hele land van Galilea en Judea. Maar waarin lag voor deze velen het verband met het eerste-eeuwse jodendom? Wat onderscheidde hen van 'de andere joden' die, soms vijandig, soms sympathiek, daar om- en doorheen dromden als figuranten op de achtergrond? Hoe verbreid was de bereidheid om zonodig wapengeweld te gebruiken om Israëls rechtmatige koning op de troon terug te brengen?

In Jezus' tijd wemelde het in het Heilige Land van de verschillende godsdiensten, sekten en culten, waarvan een groot deel als gevolg van de Romeinse bezetting het land was binnengekomen. Romeinse erediensten – voor Jupiter bij voorbeeld – waren naar Palestina overgebracht, evenals natuurlijk de officiële verering voor de keizer, de Romeinse staatsgodsdienst. Religies, culten, sekten en mysteriënscholen uit andere delen van het keizerrijk – vooral uit Griekenland, Syrië, Egypte, Mesopotamië en Klein-Azië – vonden eveneens hun weg naar het Heilige Land, waar ze wortel schoten en tot bloei kwamen. Zo genoot bij voorbeeld de moedergodin – in de gedaante van de Egyptische Isis, de Fenicische Astarte, de Griekse of Cypriotische Aphrodite, de Mesopotamische Isjtar, of als Cybele van Klein-Azië – de trouw van vele aanbidders. Voorts waren er overblijfselen van polytheïstische godinnenverering in het kader van het jodendom zelf, culten die gewijd waren aan de oude Kanaänitische godin Miriam van Rabat. In Galilea had het jodendom zich pas omstreeks 120 voor Christus gevestigd en er heerste nog veel prejoods denken. Ook waren er vormen van jodendom die de joden zelf als zodanig weigerden te erkennen – bij voorbeeld de schismatische religie van de Samaritanen, die volhielden dat *hun* jodendom de enig ware vorm was. Ten slotte, en om de verwarring nog groter te maken, was er een aantal uiteenlopende scholen of sekten – en blijkbaar zelfs sekten binnen sekten – die de joodse orthodoxie van die tijd vormden, indien althans het bestaan van een dergelijke orthodoxie beweerd kan worden.[1] Te midden van deze differente veelheid zijn de Sadduceeën en de Farizeeën de christelijke traditie bekend, al was het maar alleen in naam.

De Sadduceeën – of tenminste de voornaamste tak van de Sadduceeën – moet primair worden beschouwd met betrekking tot het officiële priesterdom, de tempel en de rituele offerdienst die aanbidding in de tempel inhield. De Sadduceeën vormden de priesterkaste; zij voorzagen de tempel van hoogwaardigheidsbekleders en andere functionarissen. Zij bezaten een doeltreffend monopolie met betrekking tot activiteiten in en benoemingen voor de tempel. Het Sadducese denken was geheel op de tempel georiënteerd en toen tijdens de opstand van 66 na Christus de tempel werd verwoest, hield het officiële Sadduceeëndom op te bestaan. Zij hebben dan ook weinig of geen invloed uitgeoefend op de latere ontwikkeling en ontplooiing van het jodendom.

Verder bezetten Sadduceeën tal van belangrijke burgerlijke en bestuurlijke posten in het land. Noodzakelijk hield dit een schikking met het Romeinse gezag in. En zolang hun prerogatieven als priesterschap en tempel maar ongemoeid werden gelaten, waren de Sadduceeën inderdaad tot zo'n vergelijk bereid. Ze berustten in de Romeinse aanwezigheid in hun land, zorgden op goede voet te komen met de Romeinse autoriteiten. In seculiere zaken waren ze wereldsgezind, intellectualistisch, kosmopolitisch, zich aanpassend aan de Grieks-Romeinse waarden, instellingen, zeden en gewoonten van het keizerrijk. In dat opzicht beschouwden hun toenmalige vijanden hen als collaborateurs. En hoewel zij de nadruk legden op zuiverheid en naleving van de traditionele religieuze plichten, kan men hun positie op andere gebieden terecht vergelijken met, bij voorbeeld, de Vichy-regering in het bezette Frankrijk tijdens de Tweede Wereldoorlog.

Voor de Farizeeën daarentegen was religie soepeler, meer aan groei, verandering en ontwikkeling onderhevig, minder exclusief georiënteerd op de tempel en zijn riten. Om die reden overleefde het farizeïsche denken de verwoesting van de tempel en vormde het de voedingsbodem waaruit later het rabbijns jodendom ontsproot. Terwijl de schildering van de Sadduceeën in de evangeliën enige historische juistheid mag worden toegekend, is de uitbeelding van de Farizeeën vaak boosaardig verdraaid. Geen enkele zich van zijn verantwoordelijkheid bewuste hedendaagse bijbelonderzoeker zal nog ontkennen dat de Farizeeën door de christelijke traditie snood belasterd en in een kwaad daglicht gesteld zijn. De grootste namen in het joodse denken van Jezus' tijd – bij voorbeeld de vermaarde leraar Hillel – waren Farizeeën. Volgens de meeste deskundigen van nu werd Jezus zelf waarschijnlijk in farizees verband opgevoed en opgeleid. Het leeuwedeel van zijn prediking en van de aan Hem toegeschreven woorden stemt overeen met de leerstellingen van farizees denken. In feite zijn sommige van zijn vermaardste uitspraken parafrasen, zelfs bij gelegenheid vrijwel rechtstreekse aanhalingen van Hillel. Bij voorbeeld leert Hillel: 'Wat gij niet wilt dat u geschiedt, doe dat ook een ander niet.'

Jezus werd – volgens ons terecht – door de Romeinen als een bedreiging beschouwd en als zodanig terechtgesteld. Hij staat ook te boek als een man die het priesterdom tartte en de tempelverering bestreed. Bijgevolg zullen de Sadduceeën – die hun belangen met die van de Romeinen verenigd hadden en unieke voorrechten in de tempel genoten – op Jezus gereageerd hebben op precies dezelfde manier als in de evangeliën beschreven staat. De Farizeeën echter zouden Hem enkelen van zijn trouwste en vurigste volgelingen hebben opgeleverd, en tot de eersten hebben behoord die Hem als de Messias beschouwden.

De ascetische Essenen

Het derde belangrijke onderdeel van het jodendom van die tijd werd gevormd door de Essenen, van wie onze kennis heel wat minder ondubbelzinnig, veel minder duidelijk bepaald is. Tot medio de twintigste eeuw was de meeste informatie over de Essenen afkomstig van twee contemporaine historici, namelijk Plinius de Oudere en Philo van Alexandrië (Philo Judaeus), en van de laat-eerste-eeuwse commentator Josefus Flavius die echter vaak niet betrouwbaar is. Maar met de ontdekking van de Dode-Zeerollen is voor het eerst een hoeveelheid Esseens materiaal ter beschikking gekomen, en het is nu mogelijk de Essenen bij hun eigen licht te beschouwen.

In zowel hun trant van leven als hun religieuze leringen waren de Essenen strenger en soberder dan zowel Sadduceeën als Farizeeën. Zij waren ook veel meer mystiek georiënteerd en hadden veel gemeen met de verschillende mysteriënscholen die in de mediterrane wereld van die tijd bloeiden. In tegenstelling tot andere joodse scholen lijken zij een vorm van reïncarnatie te hebben onderschreven. Ze weerspiegelen zowel Egyptische als Griekse invloeden, en stemden op een aantal punten overeen met de aanhangers van Pythagoras. Zij moedigden belangstelling in geneeskunst aan en schreven verhandelingen over de therapeutische eigenschappen van kruiden en gesteenten. Ze waren doorkneed in wat we tegenwoordig 'esoterische studiën' zouden kunnen noemen, zoals astrologie, numerologie en de diverse geheime disciplines die later in de Kabbala zouden samenvloeien. Maar wat ze van andere culturen en tradities ook overnamen, ze pasten ze altijd toe in specifiek joodse samenhang. Josefus zegt ergens het volgende over hen: '[Sommigen] voorspellen gebeurtenissen door de heilige boeken te lezen en allerlei soorten purificaties uit te voeren, en ze houden zich onafgebroken bezig met de verhandelingen der profeten...'[2]

Voor onze doelstellingen was een der belangrijkste kenmerken van de Essenen hun apocalyptische visie – hun nadrukkelijke bewering dat de eindtijd, de jongste dag, op handen en de komst van de Messias aanstaande was. Stellig was de verwachting van de komende Messias in het Heilige Land in die tijd wijd en zijd verbreid. Maar, zoals prof. Frank Cross concludeert: 'De Essenen bleken de dragers, en voor geen gering deel de makers, van de apocalyptische traditie van het jodendom.'[3]

Uit het materiaal dat in onze eeuw aan het licht is gekomen, wordt duidelijk dat de Essenen vrijer en meer gespreid in hun organisatie waren, minder gecentraliseerd en minder uniform dan de Sadduceeën en de Farizeeën. Niet alle Essenen onderschreven of praktizeerden precies dezelfde dingen. Wat zij echter gemeen hadden was, nogmaals, een essentieel mystieke oriëntatie – hun nadrukkelijke bewering dat ze de kennis van God rechtstreeks ervoeren en dogma en wet niet scrupuleus volgden. Dergelijke kennis maakt natuurlijk de rol van de priester als tolk, als intermediair tussen God en mens, overbodig. Bijgevolg stonden de Essenen, zoals de meeste mystieke sekten in de historie, dan ook onverschillig, zoal niet actief vijandig, tegenover het gevestigde priesterschap.

Ondanks recente ontdekkingen met betrekking tot de Essenen leven vier taaie misvattingen over hen nog altijd voort. En wel deze: men meent dat zij slechts in geïsoleerde, kloosterachtige woestijngemeenschappen leefden; dat hun aantal bijzonder klein is geweest; dat zij celibatair leefden; dat zij geweldloosheid beleden en scrupuleus een pacifisme van een andere wereld aanhingen.

Onderzoek dat verricht is sinds de ontdekking van de Dode-Zeerollen heeft al deze opvattingen aangetoond als zijnde onjuist. De Essenen woonden niet alleen in afgelegen woestijngemeenschappen, maar ook in stedelijke centra waar zij huizen bezaten, zowel voor zichzelf als voor rondtrekkende broeders van elders en voor anderen die bij hen aanklopten. Het netwerk van Essenenhuizen lijkt in feite én wijd verspreid én efficiënt te zijn geweest. Dergelijke huizen waren goed in de omringende samenleving geïntegreerd en rustten op een degelijk fundament van ambacht, handel en bedrijfsleven. Zoals dit netwerk bevestigt, waren de Essenen aanmerkelijk talrijker dan de traditie doet veronderstellen. En inderdaad getuigt alleen al het heersende Esseense denken in het Heilige Land van die tijd van een talrijker congregatie dan slechts een handvol in de woestijn verstrooide conclaven van asceten.

De gedachte dat alle Essenen celibatair leefden, is afkomstig van Josefus. Maar zelfs deze spreekt zichzelf tegen en verklaart, welhaast als nadere overweging, *dat* er gehuwde Essenen waren.[4] Noch in de Dode-Zeerollen noch in enig ander bekend Esseens document is ook maar enige sprake van celibatair leven. Integendeel: in de van de gemeenschap van Qumran gevonden Dode-Zeerollen staan gedragsregels die specifiek bedoeld waren voor die leden van de sekte die gehuwd waren en kinderen hadden. En graven van vrouwen en kinderen zijn aangetroffen op de begraafplaats die aan de oostelijke muren van Qumran grenst.

Wat betreft de veronderstelde geweldloosheid van de Essenen bestaat veelzeggend bewijs van het tegendeel. Nadat Jeruzalem in 70 na Christus door de Romeinen was verwoest, werd het georganiseerde verzet in Israël systematisch uitgeroeid, met uitzondering van het fort van Masada bij de Dode Zee. Masada hield nog twee jaar stand. Pas in het jaar 73 pleegde de bezetting van de citadel, gedecimeerd door honger en gebrek en door de Romeinen bedreigd met een grootscheepse algemene aanval, massaal zelfmoord.

Algemeen wordt gedacht dat de verdedigers van Masada Zeloten waren. Josefus die bij het beleg aanwezig was, noemt hen Sicarii. Twee jaar lang slaagden ze erin een Romeins leger in bedwang te houden met behulp van ervaren bevelhebbers, goed geoefende troepen en uitgebreid belegeringsmateriaal. In de loop van de actie brachten de verdedigers hun aanvallers zware verliezen toe en betoonden zich felle en kundige strijders – geen amateurs, maar vaklieden van een krijgskundige bekwaamheid vergelijkbaar met die van hun Romeinse tegenstanders. In zijn verslag van de val van het fort beschrijft Josefus hoe twee vrouwen en vijf kinderen de enige overlevenden van het beleg waren; zij hadden zich verborgen in ‘onderaardse grotten’. Van hen is blijkbaar het relaas afkomstig van de toespraak waarbij de overgebleven verdedigers werden aangespoord tot collectieve zelfdoding. Het mag geen wonder heten dat die toespraak ten dele nationalistisch getint was. Maar over het algemeen is de teneur ervan duidelijk religieus. En de religieuze oriëntatie die erin tot uiting komt, is onmiskenbaar Esseens.[5]

Het archeologische verslag bevestigt ons gezichtspunt nader. Toen in onze jaren zestig Masada werd uitgegraven, vond men er documenten die identiek waren aan die welke men in de Esseense gemeenschap van Qumran had gevonden. Ook deze gemeenschap was niet pacifistisch. Er werd een wapensmidse aangetroffen[6]; terwijl pijlpunten en andere uit de ruïnes opgedolven overblijfselen erop wijzen dat ook Qumran de Romeinen met wapengeweld heeft bestreden.

Jezus' prediking dankt veel aan het gevestigde farizese denken, maar zelfs nog meer aan de Esseense traditie. Er bestaat weinig twijfel over dat Jezus doorkneed was in Esseense dogmatiek en praktijk, met inbegrip van zoals Josefus het noemt: 'zich onafgebroken bezighouden met de verhandelingen der profeten'. Zelfs is mogelijk dat Jezus zelf Esseen was. Hij schijnt in elk geval, voorafgaand aan zijn openbare prediking, een vorm van Esseense training te hebben gekregen. In dit verband is het van belang, de zogenoemde 'messiaanse gedragsregel' van de Essenen, in Qumran gevonden, aan te halen. Volgens die regel waren alle mannelijke leden van de gemeenschap verplicht om tot hun twintigste levensjaar te wachten, eer ze konden trouwen en kinderen verwekken, terwijl ze eerst op hun dertigste jaar geestelijk voldoende gerijpt werden geacht om tot de hogere rangen van de sekte te worden gewijd.[7] Is het louter toeval dat van Jezus gezegd wordt dat hij dertig jaar oud was, toen hij met zijn predikingen begon?

De 'zonen van Zadok'

Naast Sadduceeën, Farizeeën en Essenen omvatte het jodendom van Jezus' tijd nog een aantal kleinere, minder bekende splintergroeperingen en sekten, waarvan een tweetal de afgelopen vijfentwintig jaar in toenemende mate de belangstelling van bijbelonderzoekers heeft getrokken. De eerste is de sekte die bekend staat als 'zonen van Zadok' of Zadokiten (Sadokiden). Op het eerste gezicht lijken de Zadokiten veel gemeen te hebben met de Essenen, er feitelijk ten dele mee samen te vallen. Ten minste één vooraanstaande schrijver over dit thema heeft betoogd dat Jezus en zijn volgelingen Zadokiten waren,[8] terwijl anderen een onderscheid volhouden.[9]

De andere belangwekkende subsekte die in het recente bijbelonderzoek zo'n voorname plaats is gaan innemen, is al sinds lang bekend, maar onder een andere benaming. De traditie noemde ze 'de vroege kerk' of 'kerk van Jeruzalem'. De leden ervan betitelden zichzelf als Nazareeërs. Dr. Hugh Schonfield gebruikt de geschikte naam 'nazareense partij'. Deze bestond specifiek uit Jezus' rechtstreekse aanhangers.

Het bestaan van subsekten zoals die van Zadokiten (Sadokiden) en Nazareeërs heeft onder bijbelonderzoekers tot aanzienlijke verwarring en onzekerheid geleid. Jezus was zonder twijfel een Naza(o)reeër. Hij lijkt ook Zadokiet te zijn geweest – maar: houdt dat dan in dat Nazareeërs en Zadokiten een en dezelfden waren? En als dat zo zou zijn, hoe staat het dan met de aangenomen farizese aspecten van zijn prediking? Waren Nazareeërs en Zadokiten uitlopers of onderafdelingen van de Essenen? Of waren misschien de Essenen op hun beurt slechts een manifestatie van één enkele bredere beweging? Dergelijke vragen hebben tot een verbijsterende warboel geleid. Deze warboel en de daaraan inherente kennelijke tegenstrijdigheden hebben een duidelijk beeld van Jezus' politieke en militaire activiteiten verduisterd. Temeer omdat scholastische pogingen om onderscheid te maken tussen de diverse religieuze benamingen de aandacht van het belang van de politiek georiënteerde Zeloten hebben afgeleid.

In 1983 verscheen over dit onderwerp een nieuwe studie van de hand van dr. Robert Eisenman, voorzitter van het instituut voor godgeleerdheid van de universiteit van Californië in Long Beach. Het werk van Eisenman draagt een moeilijk hanteerbare titel: *Maccabees, Zadokites, Christians and Qumran.* Maar de inhoud draagt veel bij tot opheffing van de bestaande verwarring en is naar onze mening een der gewichtigste hedendaagse verhandelingen over dit thema. Hoewel het specifieke bewijsmateriaal complex is, zijn de gevolgtrekkingen zowel bijzonder overtuigend als van een elegante eenvoud. Eisenman richt met zijn studie een zoeklicht op de onderliggende eenvoud van wat tot dan toe een gecompliceerde situatie scheen.

Uitgaande van oorspronkelijke documenten en de betrouwbaarheid van commentatoren-uit-de-tweede-hand zoals Josefus in twijfel trekkend, gaat Eisenman de verschillende benamingen na waarmee de leden van de gemeenschap van Qumran – de auteurs van de Dode-Zeerollen – zichzelf aanduidden. Dat bracht hem tot de conclusie dat de zonen des lichts, de zonen der waarheid, de zonen van Zadok of Zaddikim (Zadokiten), de mannen van Melchizedek (de z-d-k-uitgang weerspiegelt een variant op Zadok), de Ebionim (de armen), de Hassidim (de Essenen) en de Nozrim (de Nazareeërs) uiteindelijk één en dezelfden zijn – geen verschillende groeperingen, maar verschillende metaforen of benamingen voor in wezen dezelfde groep of dezelfde beweging.[10] De primaire doelstelling van deze beweging lijkt op de dynastieke legitimiteit van het hogepriesterschap gericht te zijn geweest. In het Oude Testament wordt de hogepriester van zowel David als Salomo Zadok genoemd, hetzij als persoonlijke naam of als officiële titel (vergelijk 2 Sam. 15:24 e.v.; 1 Kon. 1:32 e.v.; Ezech. 40:46; id. 44:15 e.v.). Traditioneel wordt hij in nauw verband gebracht met de Messias, de gezalfde, de rechtmatige koning, meer specifiek met de davidische Messias.

Zoals Eisenman aantoont werd de legitimiteit van het hogepriesterschap vernieuwd door de Makkabeeën, de laatste dynastie van joodse koningen die Israël van de tweede eeuw voor Christus tot de tijd van Herodes en de Romeinse overheersing bestuurden. (Zoals we eerder opmerkten, trachtte Herodes zich te wettigen door met een Makkabese prinses te trouwen, waarna hij haar en haar kinderen liet vermoorden; daardoor werd de Makkabese afstammingslijn uitgeroeid.) Het is in laatste instantie tot deze Makkabese dynastie dat Eisenman de beweging terugvoert die tijdens Jezus' leven en de jaren daarna toenemende stuwkracht verwerft. Ook de Sadduceeën worden door Eisenman tot dezelfde bron teruggevoerd, erop wijzend dat de term 'Sadducee' in feite een variant, of misschien een verbastering, is van 'Zadok' of 'Zaddikim'. Met andere woorden: de oorspronkelijke Sadduceeën zouden een godvruchtige dynastieke priesterkaste zijn geweest die nauw verweven was met minstens het beginsel van een verwachte davidische Messias.

Doch met de komst van Herodes, zo betoogt Eisenman, werden de meeste Sadduceeën – dat wil zeggen: de Sadduceeën die wij als zodanig kennen uit bijbelse bronnen en door Josefus – hun oorspronkelijke overtuiging ontrouw en richtten zich naar de usurpator. Deze ontrouw, dit verraad schijnt een grootscheepse oppositie te hebben ontketend – een als het ware alternatief 'fundamentalistisch' priesterdom, militant fulminerend tegen het gevestigde priesterdom dat zich in dienst had gesteld van een onwettige koning. Enerzijds zouden dan de zogenaamde 'herodiaanse Sadduceeën' hebben bestaan die zich onder Herodes' bestuur aan hun tempelprivileges en prerogatieven vastklampten en het na diens dood met het Romeinse gezag op een akkoordje gooiden. Anderzijds zou een 'waarachtige' of 'zuivere' Sadducese beweging hebben bestaan, bestaande uit Sadduceeën die part noch deel aan dergelijk collaboreren wensten te hebben en trouw bleven aan het beginsel van een davidische Messias. Het zijn deze laatst bedoelde Sadduceeën die bekend worden als Essenen, Zadokiten of Zaddikim en de verschillende andere benamingen die tot nog toe onderzoekers zo in verwarring hebben gebracht.

Maar dat is nog niet de volledige argumentatie van Eisenman. Integendeel: zij strekt zich ook over de Zeloten uit. De Zeloten verwierven hun benaming omdat zij aldus werden aangeduid als 'ijveraars voor de wet'. Deze uitdrukking is een sleutel, een middel waardoor aanhangers van eenzelfde beweging geïdentificeerd kunnen worden. Ze komt voor in een aantal zeer preciserende en buitengemeen beslissende contexten, van het Makkabese bestuur af tot in de eerste eeuw na Christus. Zo wordt bij voorbeeld de hogepriester in de periode van Judas de Makkabeeër (die in 160 voor Christus overleed) (een) Zaddik genoemd en beschreven als 'ijveraar voor de wet'. Mattatias, vader van Judas de Makkabeeër, roept 'ieder die geloofsijver voor de wet' heeft op, hem te volgen en zich achter het verbond te scharen.

Judas de Galileeër, wie doorgaans de grondvesting van de Zeloten bij de dageraad van het christelijke tijdperk wordt toegeschreven, is eveneens een 'ijveraar voor de wet' – en wordt beluisterd door een Zadok genaamde hogepriester. In de Handelingen der Apostelen (21:20) worden de Nazareeërs in Jeruzalem – de 'vroege christenen' – andermaal precies beschreven als 'ijveraars voor de Wet'. De Griekse tekst is nog duidelijker; daar worden zij '*zelotai* voor de wet' genoemd – met andere woorden: Zeloten.[11]

Wat naar voren komt, is een soort fundamentalistisch dynastiek priesterdom dat verband houdt met het beginsel van een davidische Messias en zich uitstrekte van de tweede eeuw voor Christus tot en met de periode van de evangeliën en de Handelingen der Apostelen. Dit priesterdom leeft op voet van oorlog met de Romeinen. Het ligt ook overhoop met de 'herodiaanse' Sadduceeën. Afhankelijk van hun activiteiten op gegeven momenten en van de oriëntatie van de kroniekschrijver, wordt dit priesterdom afwisselend Zeloot, Esseen, Zadokiet en tal van andere dingen genoemd – met inbegrip van, door hun vijanden, 'wettelozen' en 'bandieten'. De Essenen zijn geen passieve mystici. Hun visie is integendeel, zoals Eisenman betoogt, 'fel apocalyptisch' en biedt een theologische gevolgtrekking inzake de heftige acties waarvoor de Zeloten verantwoordelijk worden gesteld. Een dergelijke felheid – zowel theologisch als politiek – kan worden onderscheiden in de loopbaan van Johannes de Doper én van Jezus. Eisenman gaat zelfs zo ver dat hij de hypothese oppert dat de families van Jezus en Johannes de Doper geparenteerd zouden zijn geweest aan die van Judas de Galileeër, die ten tijde van Jezus' geboorte de leider van de Zeloten was.[12]

Als Eisenman het bij het rechte eind heeft – en het bewijsmateriaal getuigt sterk in zijn voordeel – dan is de verwarring die tot nog toe heeft bestaan, doeltreffend verdreven. Essenen, Zadokiten, Naza(o)reeërs, Zeloten en diverse andere ondersteldde groepen blijken niet anders dan onderscheidene benamingen – of ten hoogste onderscheidene manifestaties – van een enkele beweging die van de tweede eeuw voor Christus af in het Heilige Land en tot diep in Syrië verbreid was. De namen die hiervóór onderzoekers in verwarring brachten, zouden te vergelijken zijn met de verscheidenheid aan namen die bij voorbeeld gebruikt worden voor een hedendaagse politieke partij of, ten hoogste, voor het spectrum van groepen en personen die tot één beweging samengroeiden – zoals de Franse Résistance tijdens de Duitse bezetting. Voor Eisenman bestaat geen enkel onderscheid (meer) tussen Zeloten en Nazareeërs, Essenen en Zadokiten (Sadokiden). Maar zelfs als er onderscheid geweest zou zijn, zouden de groepen niettemin vereend zijn door hun gezamenlijke betrokkenheid bij één ambitieuze onderneming, één enkel overkoepelend doel: hun land te verlossen van de Romeinse bezetting en de oude joodse monarchie samen met haar rechtmatige priesterdom te herstellen. En als Jezus legitieme aanspraken hierop kon doen gelden, dan zouden zij verenigd zijn geweest in hun steun aan Hem, zijn familie en zijn huis.

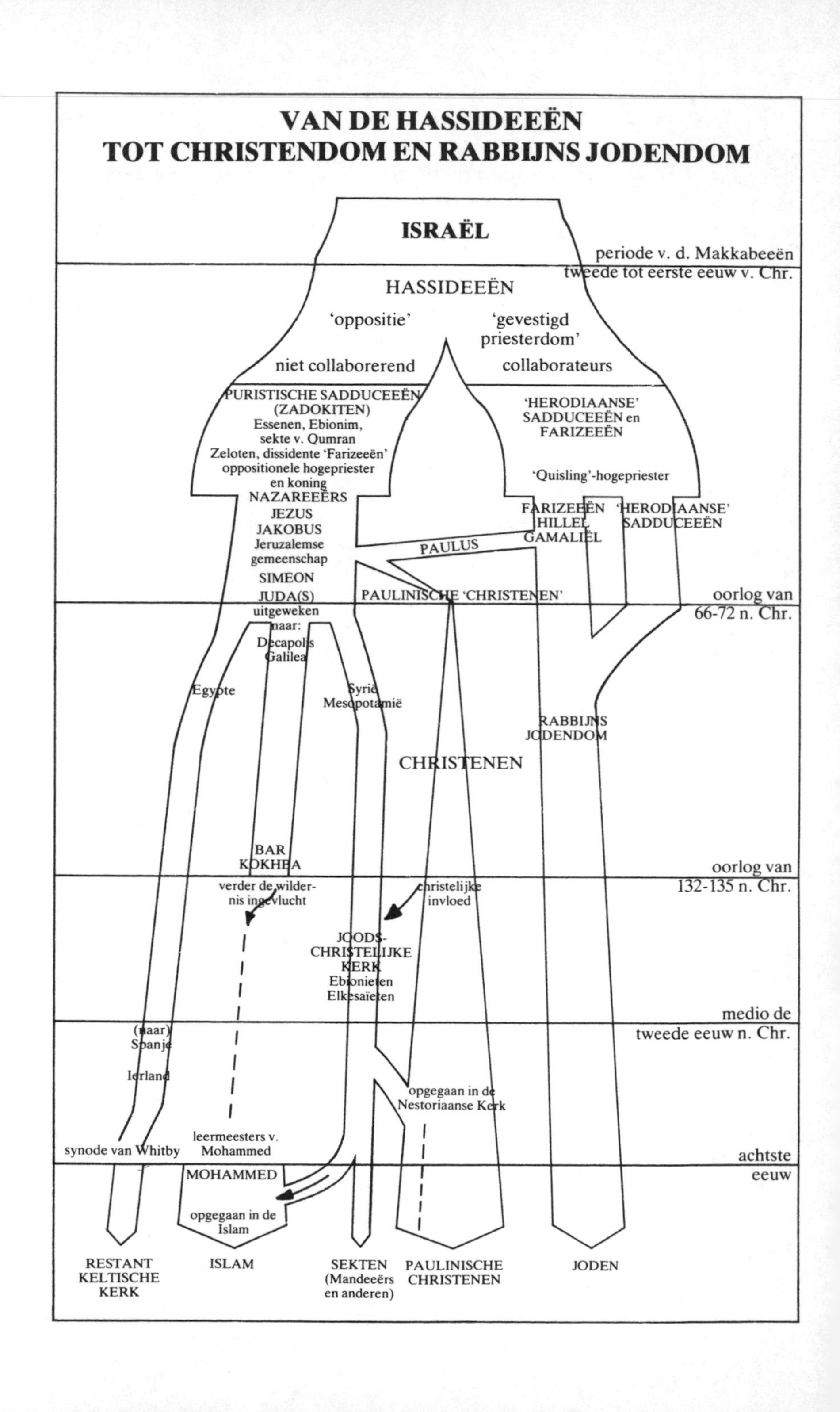
VAN DE HASSIDEEËN
TOT CHRISTENDOM EN RABBIJNS JODENDOM
ISRAËL
periode v. d. Makkabeeën
tweede tot eerste eeuw v. Chr.
HASSIDEEËN
'oppositie'
'gevestigd priesterdom'
niet collaborerend
collaborateurs
PURISTISCHE SADDUCEEËN (ZADOKITEN)
Essenen, Ebionim, sekte v. Qumran
Zeloten, dissidente 'Farizeeën'
oppositionele hogepriester en koning
NAZAREEËRS
JEZUS
JAKOBUS
Jeruzalemse gemeenschap
SIMEON
JUDA(S)
uitgeweken naar:
Decapolis
Galilea
'HERODIAANSE' SADDUCEEËN en FARIZEEËN
'Quisling'-hogepriester
FARIZEEËN
HILLEL
GAMALIËL
'HERODIAANSE' SADDUCEEËN
PAULUS
PAULINISCHE 'CHRISTENEN'
oorlog van 66-72 n. Chr.
Egypte
Syrië
Mesopotamië
RABBIJNS JODENDOM
CHRISTENEN
BAR KOKHBA
oorlog van 132-135 n. Chr.
verder de wildernis ingevlucht
christelijke invloed
JOODS-CHRISTELIJKE KERK
Ebionieten
Elkesaïeten
medio de tweede eeuw n. Chr.
(naar) Spanje
Ierland
opgegaan in de Nestoriaanse Kerk
synode van Whitby
leermeesters v. Mohammed
achtste eeuw
MOHAMMED
opgegaan in de Islam
RESTANT KELTISCHE KERK
ISLAM
SEKTEN (Mandeeërs en anderen)
PAULINISCHE CHRISTENEN
JODEN

De Nazareeërs of Nazareense partij – de zogenaamde (en verkeerd genaamde) 'eerste christenen' of 'vroege kerk' – lijken dogmatisch niet verschild te hebben van de groepen die algemeen als Essenen of Zadokiten bekend staan. Als zij al van elkaar verschilden, lijken die verschillen alleen in personages – specifieke individuen of persoonlijkheden – te hebben gelegen. Wij kennen niet de namen van individuele Zadokiten of Essenen; echter wel de namen van hen die de Nazareense partij vormden. Zij zijn mensen die ofwel Jezus persoonlijk kenden of, misschien in de tweede of derde graad, leerlingen werden van hen die Hem persoonlijk hadden gekend. Doch afgezien hiervan zijn de Nazareeërs niet te onderscheiden van de overkoepelende beweging waarvan zij deel uitmaakten. De Nazareense partij moet dan ook niet als aparte eenheid worden beschouwd, maar veeleer als kern – het equivalent van een generale staf, een kroonraad of een kabinet.[13]

Wij moeten nu dat kabinet nader onder de loep nemen – de activiteiten, de prominente persoonlijkheden, het uiteindelijk lot ervan – en het proces waarin omstandigheden, historie en Sint-Paulus samenspanden om het naar de vergetelheid te verbannen.

6. *De vorming van het christendom*

Afgezien van de evangeliën bestaat het belangrijkste boek van het Nieuwe Testament uit de Handelingen der Apostelen. In bepaalde opzichten kunnen de Handelingen, in het bijzonder voor de historicus, van zelfs nog groter gewicht blijken.

Zoals eerder gezegd zijn de evangeliën als historische documenten onbetrouwbaar. Het eerste, Markus, werd niet eerder dan de opstand van 66 na Christus samengesteld, waarschijnlijk zelfs nog later.[1] Alle vier de evangeliën grijpen terug naar een periode lang voor hun eigen boekstaving – misschien wel zestig à zeventig jaar. Zij besteden amper enige aandacht aan de historische achtergronden, zij richten zich in wezen alleen op de figuur van Jezus en zijn prediking. Het zijn dichterlijke en godvruchtige werken, veel meer dan kronieken. De Handelingen daarentegen, hoewel sterk afwijkend in gezichtspunten, weerspiegelen niettemin een poging om een verslag te geven van wat in de context der historische gebeurtenissen 'feitelijk geschiedde'. Ze vertellen een complex verhaal op min of meer samenhangende wijze en lijken aanmerkelijk minder aan bewerkingen en verdraaiing onderworpen te zijn geweest dan de evangeliën. Ze reflecteren dat de gebeurtenissen die zij beschrijven vaak rechtstreeks zijn ervaren. En ze werden samengesteld ofwel kort na de gebeurtenissen die er een rol in spelen of, waarschijnlijker nog, door iemand die in direct contact stond met een ooggetuige.[2]

De periode die het verhaal van de Handelingen beslaat, begint kort na de kruisiging en eindigt tussen 64 en 67. Volgens de meeste onderzoekers moet het verslag zelf tussen 70 en 95 zijn opgesteld. Globaal gesproken is het dan contemporain met het oudste van de evangeliën, áls het althans niet nog ouder is dan alle vier.

De auteur van de Handelingen identificeert zichzelf als Lukas en hedendaagse onderzoekers zijn het erover eens dat hij dezelfde was als de schrijver van het evangelie van Lukas. Of echter deze Lukas dezelfde is als 'Lukas de geneesheer' die bij Paulus in Rome was toen deze daar in de gevangenis zat (brief aan de Kolossenzen, 4:14), is minder zeker; de meeste commentatoren zijn bereid aan te nemen dat hij dat inderdaad is.

Lukas' verslag is in de eerste plaats een verslag over Paulus. Het is heel duidelijk dat Lukas Paulus persoonlijk kende, in die zin echter dat hij, noch de schrijvers van de andere evangeliën, Jezus gekend hebben. Het is van Lukas dat wij van Saulus' bekering en missie vernemen. Eveneens van Lukas komen wij heel wat over de Nazareense partij te weten. Al met al bieden de Handelingen een min of meer betrouwbaar historisch verslag van Paulus' dispuut met de Nazareense partij dat uit zou lopen op niet minder dan de vorming van een geheel nieuwe godsdienst. Het is dan ook de moeite waard de achtergrond van het verhaal van de Handelingen nader te beschouwen.

Johannes de Doper lijkt door Herodes Antipas terechtgesteld te zijn enige tijd na 28, doch niet later dan 35 na Christus. De kruisiging van Jezus wordt verschillend gedateerd: tussen 30 en 36, en ze schijnt na de dood van Johannes te hebben plaatsgevonden. Het kan echter niet later dan 36 zijn geweest, omdat in dat jaar Pilatus naar Rome werd teruggeroepen.[3]

In 35 of vroeg in 36 brak in Samaria een opstand uit, geleid door een Samaritaanse Messias. De opstand werd meedogenloos onderdrukt en vele Samaritanen en hun leiders werden om het leven gebracht. In diezelfde tijd lijkt de vervolging van Jezus' directe aanhang geïntensiveerd te zijn. In 36 bij voorbeeld werd Stefanus, doorgaans als eerste martelaar van het christendom beschouwd, in Jeruzalem gestenigd en vele Nazareeërs ontvluchtten die stad. In die tijd – mogelijk niet later dan anderhalf jaar na Jezus' dood – moeten zij reeds alom verspreid en talrijk zijn geweest, want Paulus (dan nog Saulus) gaat, ten behoeve van het gevestigde Sadducese priesterdom en voorzien van machtigingen van de hogepriester, op weg om hen zelfs tot in Damaskus te vervolgen. Met andere woorden: er waren dus al Nazareense enclaves in Syrië en deze werden als een zodanige bedreiging gezien dat hun uitroeiing alleszins gewettigd leek. Syrië was natuurlijk geen deel van Israël. Joodse autoriteiten konden hun gezag dan ook alleen via instemming van het Romeinse bestuur zo noordelijk als Syrië doen gelden. En dát Rome met dergelijke ketterjachten instemde, moet er wel op wijzen dat Rome zich bedreigd voelde. Als bovendien op dat vroege moment vrij grote Nazareense enclaves helemaal in Syrië bestonden, kan men de mogelijkheid niet negéren dat zij vóór Jezus' dood ontstaan en ten tijde van de kruisiging al gevestigd waren.

Omstreeks 38 werd Jezus openlijk uitgeroepen tot Messias – niet als Zoon van God maar eenvoudig als rechtmatige en gezalfde koning – voor Nazareense vluchtelingen of wellicht gevestigde gemeenschappen, tot in Antiochië toe. Het was daar, in de Syrische hoofdstad ver noordelijk van Damaskus, dat de term 'christenen' hun voor het eerst werd gegeven (Hand. 11:26). Tot dan toe waren ze eenvoudig Nazareeërs genoemd. En die benaming zouden ze elders – vooral in Jeruzalem – nog jarenlang houden.

In 38 was in Jeruzalem al een duidelijk gevestigd Nazareens gezag. Door latere christelijke kroniekschrijvers zou deze bestuurlijke hiërarchie bekend worden als 'vroege kerk'. Haar vermaardste lid was natuurlijk Petrus; haar officiële hoofd echter, heel opvallend genegeerd door de latere traditie, Jezus' broer Jakobus, die naderhand als heilige Jakobus of Jakobus de rechtvaardige bekend zou worden. In die tijd waren Magdalena, de Maagd en anderen die het dichtst rondom Jezus waren, verdwenen en zij komen daarna in bijbelberichten ook niet meer voor. Redelijk aannemelijk is dat latere onderstellingen over hen, dat zij in ballingschap gingen, op juistheid berusten. Veelzeggend is echter dat het niet Petrus is maar Jezus' broer Jakobus die het hoofd van de 'kerk' te Jeruzalem is. Heel duidelijk is hier een principe van dynastieke opvolging in het spel. En het kan nauwelijks toeval zijn dat Jakobus 'Zadok' wordt genoemd.[4]

De Nazareense partij

Jezus zelf had natuurlijk niet de bedoeling een nieuwe godsdienst te creëren, noch lag dat in de bedoeling van Jakobus of de Nazareense partij in Jeruzalem. Net als Jezus zouden zij door de gedachte alleen al geschokt zijn geweest, zouden zij het als vreselijke godslastering hebben opgevat. Evenals Jezus waren zij per slot van rekening godvruchtige joden, werkend en predikend volledig binnen de context van de gevestigde joodse traditie. Weliswaar werkten ze aan bepaalde hernieuwde gebruiken, bepaalde hervormingen en bepaalde politieke veranderingen. Ook trachtten ze hun godsdienst te ontdoen van opgenomen vreemde elementen en hem te herstellen in wat zij als zijn oorspronkelijke zuiverheid beschouwden. Maar zij zouden er in de verste verte niet over gedácht hebben een nieuw geloofsstelsel te ontwerpen dat een concurrent – of erger nog een vervolger – van het jodendom zou kunnen worden.

Niettemin is duidelijk dat de Nazareense partij in Jeruzalem door zowel de Romeinen als het officiële Sadduceeëndom als ondermijnend element werd beschouwd, want ze lag al spoedig overhoop met de autoriteiten. Zoals we al opmerkten, werd Stefanus niet lang na de kruisiging gestenigd en vervolgde Saulus Nazareeërs richting Damaskus. Omstreeks 44 werden Petrus, toen Johannes, daarna alle anderen gevangen genomen, gegeseld en werd hun verboden om de naam Jezus nog uit te spreken. In hetzelfde jaar werd de discipel Jakobus, de broer van Johannes, gevangen genomen en onthoofd – eveneens een vorm van terechtstelling die slechts aan Romeinen was voorbehouden. Het jaar daarop waren de guerrilla-activiteiten van de Zeloten zodanig toegenomen dat Rome zich gedwongen zag krachtige tegenmaatregelen te nemen. In 48-49 liet de Romeinse gouverneur van Judea Zeloten en Nazareeërs zonder onderscheid gevangen nemen en kruisigen. De ordeverstoringen duurden echter voort. In 52 moest de Romeinse legaat van Syrië – de directe superieur van de gouverneur van Judea – persoonlijk tussenbeide komen om een algemene opstand te verhinderen.

In feite werd die opstand slechts uitgesteld, niet voorkomen. In 54-55 hadden de militante activiteiten andermaal epidemische vormen aangenomen. De door de Romeinen benoemde Sadducese hogepriester werd door de Zeloten vermoord en een felle terroristische campagne werd geopend tegen andere Sadduceeën die het met de Romeinen op een akkoordje hadden gegooid. In 57-58 verscheen een andere Messias die van de joodse gemeenschap in Egypte zou zijn gekomen. Deze had aanzienlijke aanhang in Judea gekregen en wilde een poging doen Jeruzalem gewapenderhand te bezetten en de Romeinen uit het Heilige Land te verdrijven. Die poging werd met geweld verijdeld, doch de ordeverstoringen hielden aan. Ten slotte werd omstreeks 62-65 Jakobus, het hoofd van de Nazareense partij in Jeruzalem, gevangen genomen en terechtgesteld.

Opnieuw lijkt een dynastiek opvolgingsprincipe onder de Nazareeërs te hebben bestaan. Na Jakobus' dood werd zijn plaats ingenomen door een zekere Simeon die geïdentificeerd is als een neef van Jezus.[5] Korte tijd stond Simeon in Jeruzalem aan het hoofd van de bestuurlijke hiërarchie. Maar hij moet net als ieder ander in de hoofdstad de loop van de komende gebeurtenissen als onvermijdelijk hebben ingezien. Omstreeks 65 leidt Simeon de Nazareeërs dan ook uit de Heilige Stad. Zij zouden hun hoofdkwartier toen gevestigd hebben in de stad Pella, noordelijk van Jeruzalem en aan de oostzijde van de Jordaan.[6] Moderne onderzoekers hebben bewijs gevonden dat zij zich van daaruit verder in noordoostelijke richting terugtrokken, waarbij groepen van hen ten slotte een weg vonden naar de vallei tussen Eufraat en Tigris, dat wil zeggen: het gebied dat nu de grensstreek tussen Syrië en Irak vormt. In dat gebied, gescheiden van wat intussen de hoofdstroming van het zich ontwikkelende christendom was geworden, leefden zij voort en bewaarden er hun tradities eeuwenlang. Er is wel geopperd dat de vader van Mohammed tot een Nazareense sekte behoorde en dat Mohammed zelf in de Nazareense traditie werd opgevoed. Een van zijn vrouwen staat als joodse beschreven en zou dan Nazareense zijn geweest. In elk geval is de behandeling van Jezus in de koran in hoofdzaak Nazareens georiënteerd.

Simeons van voorzichtigheid getuigende besluit om Jeruzalem te verlaten bleek volkomen terecht te zijn genomen. In het voorjaar van 66 braken in Cesarea hevige gevechten uit. Kort daarop richtten Romeinse soldaten een ware slachting aan in Jeruzalem, waarbij alle joden, met inbegrip van vrouwen en kinderen, om het leven werden gebracht. Als reactie op deze gebeurtenissen werden priesters van de tempel gedwongen de officiële eredienst voor Rome en de keizer af te schaffen – een openlijke uitdaging die regelrechte oorlog onvermijdelijk maakte. Na een week van gevechten werd Jeruzalem door de opstandelingen ingenomen. Intussen belegerden Zelotische contingenten, aangevoerd door een afstammeling van Judas de Galileeër, het fort van Masada aan de Dode Zee, hakten het Romeinse garnizoen in de pan en richtten er verdedigingsinstallaties in die het beleg van de Romeinen daarna tot 73 zouden trotseren.

De Romeinse reactie was aanvankelijk wat traag. Een uit Syrië gezonden legioen, versterkt met hulptroepen, werd bij Jeruzalem teruggeslagen. Hun terugtocht ontaardde in een vlucht. Aangemoedigd door dit succes begonnen de opstandelingen een verdedigingsnetwerk in het hele Heilige Land te organiseren. Interessant is dat de commandant van een district dat zich uitstrekte van Jeruzalem tot de kust, Johannes de Esseen wordt genoemd[7] – een aanwijzing te meer dat de Essenen in het geheel geen pacifisten waren.

Omstreeks 70 was de situatie echter al hopeloos geworden. Een groot Romeins leger bestormde Jeruzalem, verwoestte de tempel en maakte de stad met de grond gelijk. Ze zou de volgende 61 jaar in puin blijven liggen. De meeste inwoners waren gedood of van honger gestorven. Van de overlevenden werd het leeuwedeel als slaven verkocht. Nog drie jaar zou Masada standhouden, maar de val ervan was niettemin slechts een kwestie van tijd.

Paulus als de eerste ketter

Het is tegen deze zeer bewogen achtergrond dat Paulus' loopbaan, opgetekend in de Handelingen, geplaatst moet worden. Paulus (Saulus) verschijnt enige jaren na de kruisiging ten tonele. Onder de naam Saulus van Tarsus, een fanatieke Sadduceeër óf instrument van de Sadduceeën, neemt hij actief deel aan aanvallen op de Nazareense partij in Jeruzalem. Hij neemt daar zo actief aan deel dat hij blijkbaar betrokken is bij de steniging van Stefanus, die officieel wordt gezien als eerste christelijke martelaar (hoewel Stefanus zelf zich natuurlijk als een vrome jood zou hebben beschouwd). Paulus is er heel duidelijk over. Hij geeft zonder meer toe dat hij zijn slachtoffers 'ten dode toe' heeft vervolgd.

Kort na de dood van Stefanus gaat Paulus (dan nog Saulus van Tarsus), gedreven door een sadistisch-fanatieke ijver, op weg naar Damaskus in Syrië om daar Nazareeërs op te sporen. Hij is vergezeld van een aantal gewapende mensen en heeft arrestatiebevelen vanwege de hogepriester bij zich. Zoals we al opmerkten, strekte het gezag van de hogepriester zich niet uit tot Syrië. Hij moet dus steun van het Romeinse bestuur hebben gekregen, wat erop wijst dat Rome groot belang had bij het uitroeien van Nazareeërs. Onder geen enkele andere omstandigheid zou Rome hebben toegestaan dat militante ijveraars ongestraft zo ver buiten hun eigen gebied konden opereren.

De middagzon moet in die tijd een zeer ingrijpende uitwerking hebben gehad. Onderweg naar Damaskus beleeft Saulus een traumatische gebeurtenis die commentatoren hebben uitgelegd als van alles, van zonnesteek of epileptische aanval tot mystieke ervaring toe. Een 'licht uit de hemel' wierp hem ter aarde en 'een stem' vanuit niet waarneembare bron zegt: 'Saul, Saul, waarom vervolgt gij Mij?' Saul vraagt de stem wie deze is. De stem antwoordt dan: 'Ik ben Jezus (de Nazareeër) die gij vervolgt.' De stem draagt hem dan op, zijn reis naar Damaskus voort te zetten, waar hem gezegd zal worden wat hem verder te doen staat. Als deze gebeurtenis voorbij is en hij enig besef van zijn omgeving heeft herkregen, ontdekt hij dat hij blind is. In Damaskus geeft een Nazareeër hem het licht in zijn ogen terug.[8]

Een hedendaags psycholoog zou in zo'n voorval niets ongewoons zien. Het kan inderdaad veroorzaakt zijn geweest door zonnesteek of een epileptische aanval. Het zou echter evengoed toegeschreven kunnen worden aan hallucinatie, hysterische of psychotische reactie, of misschien niet meer dan een schuldig geweten. Saulus echter beschouwt het als een bezoek van Jezus die hij nooit persoonlijk heeft gekend; daaruit vloeit zijn bekering voort. Hij geeft de brui aan zijn naam Saulus en wordt Paulus. En van nu af aan zal hij met evenveel fanatiek vuur Nazareens denken verbreiden als hij dit eerst trachtte uit te roeien.

Omstreeks 39 keert Paulus terug naar Jeruzalem. Daar wordt hij volgens de Handelingen der Apostelen officieel tot de Nazareense partij toegelaten. Volgens Paulus zelf echter, in zijn brief aan de Galaten, was zijn opname in de Nazareense partij allesbehalve enthousiast ontvangen. Hij geeft toe dat ze hem niet vertrouwden en hem ontweken. Maar hij wordt met enige tegenzin wel aanvaard door 'Jakobus, de broeder des Heren', die hem naar Tarsus zendt om er te prediken. Van Tarsus zet Paulus zijn missionaire reis voort die een jaar of veertien duurt en hem in vrijwel de gehele oostelijke mediterrane wereld brengt – niet alleen in het Heilige Land zelf maar ook in Klein-Azië, en overzee in Griekenland. Men zou zo denken dat een dergelijke inspanning hem de bijval van de Nazareense hiërarchie in Jeruzalem opleverde. Het tegendeel is echter het geval: hij oogst niets anders dan hun mishagen. Jakobus en de Nazereense hiërarchie zenden eigen missionarissen achter hem aan om zijn prediking teniet te doen en hem met zijn eigen bekeerlingen te compromitteren, want Paulus predikt intussen iets heel anders dan hetgeen de Nazareeërs onder Jezus' broer Jakobus hebben goedgekeurd. Bestookt en gekweld door Jakobus' missionarissen keert Paulus ten slotte terug naar Jeruzalem waar een fel dispuut ontbrandt. Uiteindelijk komen na grote wrijvingen Jakobus en Paulus toch tot een soort onbehaaglijk vergelijk, maar Paulus wordt al korte tijd daarna gevangen genomen – of in 'preventieve hechtenis' opgeborgen. Paulus doet dan een beroep op zijn Romeins staatsburgerschap en eist dat zijn zaak door de keizer persoonlijk zal worden gehoord; hij wordt als gevangene naar Rome gezonden. Daar zou hij tussen de jaren 64 en 67 zijn gestorven.

Gezien het aantal kilometers dat hij aflegde en de energie die hij in zijn zendingsreizen investeerde, mogen Paulus' prestaties gerust verbazingwekkend worden genoemd. Er bestaat geen twijfel over of hij handelde met de gedrevenheid van 'een bezeten mens'. Toch is ook duidelijk dat de zaken niet zó eenvoudig liggen als de latere christelijke traditie ons wil doen geloven. Volgens die traditie wordt Paulus omschreven als 'getrouwelijk Jezus' boodschap door de geromaniseerde wereld van zijn tijd verbreidend. Maar waarom zouden dan zijn betrekkingen met Jezus' eigen broer zo onaangenaam gespannen zijn geweest? Waarom zou er dan zoveel wrijving zijn geweest met de Nazareeërs in Jeruzalem, van wie sommigen Jezus persoonlijk hadden gekend en stellig nader tot Hem stonden dan Paulus ooit was geweest? Waarom zou dan Paulus' prediking de Nazareeërs zodanig geprovoceerd hebben dat zij nota bene eigen missionarissen achter hem aan zonden om hem in diskrediet te brengen? Het zou weleens duidelijk kunnen worden dat Paulus iets deed dat Jezus zelf zou hebben afgekeurd.

Zoals we al zeiden, was noch Jezus noch de Nazareense hiërarchie van plan een nieuwe godsdienst te stichten. Zij verbreidden een specifiek joodse boodschap voor joodse aanhangers. Jezus zegt zelf in het evangelie van Matteüs (5:17): 'Denkt niet dat Ik gekomen ben om wet en profeten op te heffen, maar om de vervulling te brengen.' Voor Jakobus en de Nazareense partij in Jeruzalem gaat het om Jezus' lering en zijn aanspraak op messianiteit in het verband van zijn tijd – als rechtmatige koning en bevrijder. Hij is minder belangrijk om zijn persoon dan om wat Hij zegt en wat Hij vertegenwoordigt. Hij is niet bedoeld om in zijn eigen persoon object van verering te worden. En zéker niet om als goddelijk te worden beschouwd.[9]

Als Jakobus Paulus en anderen op zendingsreizen uitstuurt, wenst hij dat zij mensen tot Jezus' vorm van jodendom bekeren. De 'Israëlische natie', zoals deze door Jezus, Jakobus en hun tijdgenoten werd opgevat, betekende niet alleen maar een geografische entiteit. Ze was ook een gemeenschap die alle joden omsloot waar dezen zich ook mochten bevinden. Het bekeringsproces was bedoeld om daardoor de gelederen van de natie Israël te versterken. Zelfs is mogelijk dat Jakobus dit programma beschouwde als een middel om een reservoir aan mankracht te scheppen, waaruit – als in de tijd van Judas de Makkabeeër – een leger samengesteld kon worden. Wanneer in het Heilige Land georganiseerd verzet smeulde, zouden zijn kansen op welslagen sterk toenemen, indien het gesynchroniseerd kon worden met laten we zeggen opstanden van joodse gemeenschappen in het hele Romeinse keizerrijk.

Paulus echter kan ofwel Jakobus' oogmerken niet inzien of hij weigert mee te werken. In de tweede brief aan de Korintiërs (11:3-4) zegt hij duidelijk dat de Nazareense afgezanten van Jakobus een *andere Jezus* verbreiden, een

Jezus die verschilt van degene die híj verkondigt. Paulus is derhalve óntrouw aan de opdracht, hem door Jakobus en de Nazareense hiërarchie toevertrouwd. Voor Paulus zijn Jezus' leringen en politieke status minder belangrijk dan Jezus zelf. In plaats van mensen tot het jodendom te bekeren maakt Paulus bekeerlingen voor zijn eigen persoonlijke en 'heidense' cultus van Jezus, terwijl het jodendom als zodanig bijzaak, zoal niet geheel irrelevant wordt. Waar het om gaat is simpelweg: belijden van geloof in Jezus als een manifestatie van God. Een dergelijke geloofsbelijdenis is op zichzelf voldoende om verlossing te waarborgen. In de loop van dat proces worden de fundamentele vereisten voor bekering tot het jodendom – zoals besnijdenis en eerbiediging van sabbat en voedingswetten – verlaten. Jezus, Jakobus en de Nazareeërs in Jeruzalem bepleitten aanbidding van God in strikt joodse zin. Paulus vervangt dit door aanbidding van Jezus *als* God. In handen van Paulus wordt Jezus zelf onderwerp van religieuze verering – hetgeen Jezus, evenals zijn broer en de andere Nazareeërs in Jeruzalem, als godslasterlijk beschouwd zouden hebben.

De onverenigbaarheid tussen Jezus en Paulus roept vragen op die voor het heden bijzonder relevant zijn. Hoeveel 'christenen' van nu, bij voorbeeld, beseffen de discrepantie tussen deze twee mensen? En waarin zetelt voor hen 'christendom'? In wat Jezus leerde? Of in wat Paulus leerde? Behalve door goocheltrucs met de logica en verdraaiing van historische feiten kunnen deze twee posities niet met elkaar in overeenstemming worden gebracht.

De cultus van Paulus

Het is vanuit niemand anders dan Paulus dat een nieuwe godsdienst begint te ontstaan – geen vorm van jodendom, maar een concurrent en uiteindelijk tegenstander van het jodendom. Als Paulus zijn eigen persoonlijke boodschap verkondigt, ondergaat het jodendom dat erin is vervat, een metamorfose. Het wordt vermengd met Grieks-Romeins denken, met heidense tradities, met elementen uit een aantal mysteriënscholen.

Toen Paulus' cultus zich als zelfstandige religie begon uit te kristalliseren, in plaats van een vorm van jodendom te zijn, schreef deze bepaalde prioriteiten voor die tijdens Jezus' leven niet hadden bestaan en die Jezus zelf zonder enige twijfel zou hebben betreurd.[10] In de eerste plaats moest de cultus wedijveren met al gevestigde religies in gebieden waar hij voet aan de grond trachtte te krijgen – namelijk met de religies van Syrië, Fenicië, Klein-Azië, Griekenland, Egypte, de gehele mediterrane wereld en het Romeinse keizerrijk. Om dat mogelijk te maken moest Jezus noodgedwongen een mate van goddelijkheid aannemen die vergelijkbaar was met die van de godheden die hij, Paulus, postuum wilde vervangen. Bij voorbeeld was, net als vele andere van dergelijke goden, ook Tammuz, de god van oude Sumerische en Fenicische mysteriënleren, geboren uit een maagd, gestorven met een wond in zijn zijde en na drie dagen uit zijn graf opgestaan, terwijl de steen voor de ingang van het graf opzij was gerold. Wilde Paulus met succes de aanhangers van Tammuz kunnen winnen, dan moest Jezus in staat zijn om met elk wonder opnieuw de oudere godheid te evenaren. Bij gevolg werden bepaalde aspecten van het Tammuz-verhaal geënt op Jezus' biografie. Veelzeggend is dat Betlehem niet alleen de stad van David was, maar ook het oude centrum van een Tammuz-cultus, met een heiligdom dat tot ver in bijbelse tijden in gebruik bleef.

Men kan talrijke specifieke elementen in de evangeliën tot hun oorsprong terugvoeren, niet aan de hand van de historie, maar van de overleveringen rondom Tammuz, Osiris, Attis, Adonis, Dionysos en Zaratoestra/Zoroaster. Velen van hen bij voorbeeld werden verondersteld geboren te zijn uit de combinatie van een god en een maagd. Het mitraïsme oefende bijzonder krachtige invloed uit op de samengroeiing van de christelijke traditie. Het postuleerde een apocalyps, een dag des oordeels, een opstanding van het vlees en een tweede komst van Mitras zelf die uiteindelijk het principe van het kwade zou verslaan. Van Mitras werd beweerd dat hij was geboren in een grot waar herders hem verzorgden en geschenken brachten. Doop speelde in de mitraïsche riten een vooraanstaande rol, evenals de gemeenschappelijke maaltijd. Er is een passage in de mitraïsche communie die belangwekkend is in dit verband: 'Hij die niet van mijn lichaam eet of drinkt van mijn bloed, opdat hij één worde met Mij en Ik met hem, zal niet verlost worden.'[11]

Toen Tertullianus, een van de eerste kerkvaders, met deze passage geconfronteerd werd, stelde hij nadrukkelijk dat het de duivel was die, eeuwen van tevoren, de christelijke communie parodieerde teneinde de invloed van Jezus' woorden te ontkrachten. Als dat inderdaad het geval was, moet de duivel ook driftig bezig zijn geweest met hersenspoeling van Paulus. Een hedendaagse commentator merkt hier op:

> 'Zelfs met de betrekkelijk geringe kennis die wij van het mitraïsme en zijn liturgie bezitten, is duidelijk dat vele uitdrukkingen van Paulus [in zijn brieven] veel meer gemeen hebben met de terminologie van de Perzische cultus dan met die van de evangeliën.'[12]

Doch het christendom moest niet alleen wedijveren om een god te bieden die zijn rivalen met elk mirakel, met elk wonder, met elk bovennatuurlijk gebeuren kon evenaren; het moest zich tevens aanzien en aanvaarding zien te verschaffen in een wereld die hoe dan ook deel van het Romeinse keizerrijk was.

Dat nu was volstrekt níet het geval. Jezus was als misdadiger, wegens schending van de Romeinse wet, terechtgesteld. Zijn oorspronkelijke volgelingen zouden beschouwd zijn als ondermijnende figuren, zoal niet als regelrechte revolutionairen die actief het Romeinse gezag over Palestina omver trachtten te werpen. Het Heilige Land was allang een bron van ergernis voor Rome geweest en na de opstand van 66 werd de Romeinse vijandigheid ten aanzien van het jodendom alleen nog maar intenser. Geen enkele godsdienst die sporen van joods messiaans nationalisme bevatte, mocht dan ook hopen binnen het Romeinse imperium een kans op voortbestaan te hebben. Bijgevolg moesten alle sporen van dit messiaanse nationalisme uitgewist of getransformeerd worden.

Teneinde in de geromaniseerde wereld te kunnen doordringen, vervormde het christendom zich en herschreef daartoe de historische omstandigheden waaraan het was ontsproten. Het zou niet voldoende zijn, als een opstandeling tegen Rome werd vergoddelijkt. Het zou evenmin voldoende zijn een figuur te verheerlijken die door de Romeinen wegens misdrijven tegen het keizerrijk terecht was gesteld. Als gevolg daarvan werd de verantwoordelijkheid voor Jezus' dood de joden in de schoenen geschoven – niet alleen het officiële Sadducese priesterdom dat daar ongetwijfeld mede de hand in had, maar ook de mensen van het Heilige Land in het algemeen die tot Jezus' vurigste aanhangers behoorden. En Jezus zelf moest van zijn historische verband losgemaakt en in een apolitieke figuur veranderd worden – een spirituele Messias van een andere wereld die voor de keizers geen enkele bedreiging vormde. Zo werden dan alle sporen van Jezus' politieke activiteit verdoezeld, afgezwakt of uitgewist. En voor zover mogelijk werd ook elk spoor van zijn jood-zijn opzettelijk verduisterd, genegeerd of irrelevant gemaakt.

Simon Petrus

De loop en uiteindelijke grootte van Paulus' ideologische overwinning op Jakobus en de Nazareense hiërarchie kunnen worden afgemeten aan de geleidelijk veranderende instelling van Simon Petrus. Simon Petrus mag men een soort barometer van de situatie noemen. Zijn persoonlijk standpunt reflecteert vrijwel zeker dat van talloze anderen die van Jakobus overhelden naar Paulus, ofte wel van een vorm van jodendom naar de in toenemende mate zelfstandig wordende nieuwe religie die daarna christendom zou heten.

In ons vorige boek beschreven wij Jezus' directe entourage als een samenstel van twee min of meer onderscheiden groepen: 'aanhangers van de afstammingslijn' en 'aanhangers van de boodschap'. De 'aanhangers van de bloedlijn' zullen een betrekkelijk kleine kring van waarschijnlijk aristocratische of patricische kaste hebben gevormd, leden van Jezus' eigen familie en daarmee verwante families. Hun voornaamste zorg zal hebben bestaan in dynastieke legitimiteit – intronisatie van de rechtmatige koning van Israël en, zo deze niet mocht slagen: bestendiging van de koninklijke afstammingslijn. De 'aanhangers van de boodschap' zullen aanzienlijk groter in aantal zijn geweest; zij vormden 'het voetvolk' van de beweging. Hun prioriteiten zullen heel verschillend zijn geweest – wereldser, beperkter van gezichtskring, pragmatischer. Zij zullen primair op Jezus' boodschap gereageerd hebben, die louter en alleen door de aard ervan gevoelens van tegelijkertijd hoop en vrees wekte. Enerzijds zullen zij geschrokken zijn van het dringende karakter van de situatie zoals Jezus die beschreef – het vooruitzicht van de aanstaande apocalyps, een dag des oordeels, de uitdeling van straffen en beloningen. Anderzijds zullen zij zich bezield hebben gevoeld door de belofte dat hun, als trouwe aanhangers van de Messias een unieke vergoeding ten deel zou vallen voor hun trouw en voor alle leed dat ze hadden moeten doorstaan. Deze combinatie van vrees en hoop zal magnetische aantrekkingskracht hebben uitgeoefend.

Uit wat wij van hem weten zal Simon Petrus een typische 'aanhanger van de boodschap' zijn geweest en geen bijzonder onderlegd man. Hij lijkt weinig besef te hebben gehad van de diepere politieke of theologische gezichtspunten die een rol speelden. Evenmin is hij ingewijd in Jezus' intieme raadskring en vele beslissingen worden buiten hem om of achter zijn rug genomen. Zoals we al opmerkten, kan hij heel goed een militante nationalist zijn geweest die niet voor geweld terugdeinsde, een Zeloot of een gewezen Zeloot – in feite zelfs identiek aan Simon de Zeloot.[13] Gedurende de hele openbare prediking is Simon Petrus aan Jezus' zijde, bijna als een soort lijfwacht – een functie in overeenstemming met zijn bijnaam 'rots' of 'taaie'. Hoewel hij niet uitblinkt door onversneden dapperheid, is hij onwankelbaar in zijn toewijding, bij tijden welhaast kruiperig. Als Paulus in actie komt, moge dan Jakobus het officiële hoofd van de Nazareense partij in Jeruzalem zijn, het is echter Simon Petrus die, hetzij op grond van de opdracht die hem door Jezus is toevertrouwd, hetzij krachtens zijn eigen charisma, de grootste invloed uitoefent en de innigste trouw afdwingt.

Bij het begin van de Handelingen der Apostelen staat Simon Petrus zonder twijfel op één lijn met Jakobus en de Nazareense hiërarchie in Jeruzalem. Geleidelijk echter begint hij over te hellen naar Paulus' visie. En bij het slot van de Handelingen is zijn oriëntatie geheel en al paulinisch gericht. Evenals Jakobus is Simon Petrus aanvankelijk een vrome toegewijde jood, die Jezus' prediking uitsluitend in joodse samenhang beschouwt. Tegen het einde van zijn loopbaan verkondigt hij, net als Paulus, een trans-joodse boodschap aan de wereld van de heidenen. De traditie bestempelt hem anachronistisch als de eerste paus – het eerste hoofd van de kerk die Paulus' triomf zou heiligen en een bouwwerk van paulinisch denken oprichten zou.

In haar roman *The Illusionist* schildert Anita Mason een indrukwekkend en aangrijpend beeld van de persoonlijke beproeving die Simon Petrus, en vele anderen zoals hij, moet hebben doorleefd. Als eenvoudige ongevormde brute

Galilese visser moet hij Jezus' uitspraken aanvankelijk heel letterlijk hebben opgevat. Zo zien wij hem in de evangeliën – trouw, maar zo'n beetje een pummel, en stéllig niet in verfijnde en uitgekiende theologische of politieke termen denkend. Jezus is hem weliswaar toegedaan, maar men kan nauwelijks beweren dat Hij vertrouwen in hem stelt. Zoals Anita Mason laat zien, moet Simon Petrus er aanvankelijk volkomen van overtuigd zijn geweest dat de wereld met Jezus' dood letterlijk op haar eind zou lopen – dat een apocalyptische algemene slachting de gehele schepping zou verzwelgen, dat rampen zoals door de oudtestamentische profeten aangekondigd de aarde zouden teisteren en God zou neerdalen om een streng oordeel uit te spreken.

In de dagen direct na de kruisiging moet dan Simon Petrus, zoals Anita hem tekent, in toenemende mate verwonderd zijn geweest – en meer dan lichtelijk ongerust – als hij ontdekt dat de wereld om hem heen nog steeds heel is. Bij het begin van de periode die in de Handelingen beschreven staat, is zijn standpunt slechts in geringe mate gewijzigd. Evenals tal van andere Nazareeërs verwacht hij nog steeds dat de Schepping ineen zal storten. De apocalyps is weliswaar uitgesteld, waarschijnlijk om duistere technische redenen die het bevattingsvermogen van gewone stervelingen te boven gaan, maar ze is slechts zeer tijdelijk uitgesteld. Simon Petrus twijfelt volstrekt niet, of ze blijft aanstaande en zal nog in de loop van zijn eigen leven plaatsvinden. Het is deze overtuiging, deze vurige hoopvolle verwachting die zijn *raison d'être* vormt.

Doch de jaren verglijden en er gebeurt niets. Niet alleen barst er geen apocalyps los, geen kosmisch cataclysme, noch zijn er zelfs veelbetekenende veranderingen in de lokale situatie waar te nemen. Romeinse gezagsdragers worden benoemd, dan weer teruggeroepen. Marionetten-koningen worden geïntroniseerd, daarna onttroond. Ordeverstoringen nemen in aantal toe, maar waarschijnlijk meer als gevolg van ongeduld dan van wat anders. Alles gaat min of meer zijn gewone gangetje en het wordt steeds duidelijker dat Jezus' dood nergens toe heeft geleid. Voor een mens als Simon Petrus vormt dat natuurlijk een verschrikkelijk vooruitzicht. Hij heeft zich immers onvoorwaardelijk aan een geloof toevertrouwd. Na veel aarzeling heeft hij zijn leven en toekomst aan dat geloof verpand en nú gaat de geldigheid van dat geloof meer en meer twijfelachtig worden. Voor Simon Petrus moet de aansluipende twijfel, het opkomende vermoeden dat zijn geloofstoewijding vergeefs is geweest, zoals Anita Mason schildert, een gruwelijke psychische marteling zijn geweest. Het moet hem niet alleen bedreigd hebben met ontgoocheling, maar zelfs met een wanhoop die doortrokken was van gedachten aan zelfdoding. En als hij tóch voortgaat met verkondiging van de boodschap, doet hij dat welhaast als een slaapwandelaar, als middel om zich van zijn kwellende onzekerheden af te leiden.

Paulus biedt Simon Petrus dan natuurlijk een onweerstaanbare gelegenheid, een middel om zijn geloofsovertuiging te redden, om al waaraan hij zich heeft toevertrouwd te rehabiliteren. Voor Simon Petrus is Paulus' visie een bruikbaar alternatief voor wanhoop. Vanzelfsprekend staat hij aanvankelijk geheel aan de kant van Jakobus wie Paulus' optreden in hoge mate verdacht om niet te zeggen godslasterlijk voorkomt. Doch langzamerhand groeit Paulus' visie uit tot de enige waaruit een zinnige situatie lijkt te kunnen ontstaan. Zijn visie kortom levert Simon Petrus een aanvaardbaar antwoord op de vraag waarom de wereld nog níet tot een einde is gekomen, waarom ze misschien nog eens duizend of tweeduizend jaren zal voortbestaan, terwijl tegelijkertijd iemands geloofsovertuiging recht overeind kan blijven staan. Jezus wordt van dezelfde aard als God. En als Jezus van dezelfde aard is als God, behoeft het koninkrijk der hemelen niet iets te zijn dat op aarde en in de zeer nabije toekomst ligt, maar iets daarbuiten – een ander rijk, een andere dimensie, waarin iemand welkom is en waar hem een gereserveerde plaats wacht na de dood. De apocalyps moge dan zijn uitgesteld tot in ver verschiet, de zekerheid blijft bestaan dat ze uiteindelijk *zal* geschieden, bij het einde der tijden; en intussen kunnen in de hemel beloningen worden geoogst.

Uit deze doorwrochte rationalisering put Simon Petrus nieuwe stuwkracht, nieuwe inspiratie, die hem in staat stelt zijn verkondiging voort te zetten en – volgens traditionele berichten – moedig zijn martelaarschap tegemoet te gaan. Krachtens dit aangenomen martelaarschap wordt hij inderdaad de rots waarop een latere kerk – een paulinische kerk – gesticht wordt. En de latere traditie zal Simon Petrus *a posteriori* uitroepen tot eerste bisschop van Rome en grondlegger van het pausschap.

Zoals we al aanduidden, kunnen Simon Petrus' lotgevallen, zoals Anita Mason ze schetst, geen uitzondering zijn geweest. Integendeel: tal van vurige volgelingen van Jezus moeten op gelijke wijze gevoeld en doorleefd hebben: wankelend op de rand van verbijsterde ontgoocheling en dan nieuwe rechtvaardiging vindend, in Paulus. Zo valt dan niet moeilijk te begrijpen waarom Paulus' in wezen 'heidense' cultus zo overtuigend kon zijn, noch waarom deze vervolgens kon zegevieren over de minder gemakkelijke positie van de Nazareense dynastie – van Jakobus en uiteindelijk van Jezus zelf. En met de val van Jeruzalem in 70 verdween de Nazareense invloed uit het grootste deel van de mediterrane wereld. De paulinische leer zou natuurlijk concurrentie houden. Doch geen ervan zou in staat zijn het op dynastieke successie berustende gezag van Jakobus te overtroeven.

Judas Iskariot

In de loop van haar verbreiding herzag de paulinische leer veel van het oorspronkelijke verhaal waarop de evangeliën gebaseerd zijn. Ze voegde nieuw materiaal toe. Ze paste zich aan bij de wereld waarin ze verkondigd werd. In de loop van dat proces zouden sommige personages een prijs moeten betalen, al was het maar voor het oog van het nageslacht.

Simon Petrus is natuurlijk de bekendste en waarschijnlijk ook populairste van Jezus' oorspronkelijke aanhangers – degene die de traditie praktisch synoniem met het christendom zelf is gaan beschouwen. In velerlei opzichten is hij van de discipelen het duidelijkst gekarakteriseerd. En in zijn zwakheden is hij heel sympathiek menselijk. Maar er is nog iemand anders onder Jezus' eerste leerlingen die aanzienlijk meer inzicht biedt in wat zijn Meester feitelijk voor ogen stond. Zijn betekenis is door de paulinische leer verduisterd.

Bijna twintig eeuwen is de figuur die wij kennen als Judas Iskariot – Judas (de) Sicarius – vervloekt en veracht, in de rol van allersnoodste schurk geworpen. Met betrekking tot Jezus heeft de gangbare traditie hem een van de oudste en meest archetypische functies opgelegd – die van eeuwige tegenstrever, duistere tegenstelling, belichaming van alle boosaardigheden en ongerechtigheden die de held niet bezit. Symbolisch gesproken is Judas de 'broeder in het kwaad', de donkere zijde waar Jezus de lichte is. In de joods-christelijke traditie is de antithese tussen hen een andere uiting van het conflict dat teruggrijpt op Kaïn en Abel. Men vindt een vergelijkbaar conflict in andere culturen, andere mythologieën, andere kosmologieën. In de Egyptische mythe bij voorbeeld wordt diezelfde dualiteit weerspiegeld door het eeuwige conflict tussen Set en Osiris. In de leer van Zaratoestra – die door haar sporen van mitraïsme het christendom sterk heeft beïnvloed – werd dit vertolkt door Ahoera-Mazda of Ormus/Ormuzd en Ahriman. Men kan parallelle rivaliteiten over de hele aarde ontdekken, van het geloof van Azteken en Tolteken in Mexico tot de mythen van India, China en Japan. En achter dit alles ligt de archetypische tegenstelling tussen goed en kwaad, licht en duister, schepping en vernietiging, God en de duivel. Terwijl Jezus in de latere christelijke cultuur synoniem wordt met God, wordt Judas – 'de joden' in het algemeen met zich meeslepend – de belichaming van Gods tegenstander.

Judas komt naar voren als de valse vriend die, om redenen van louter gewin, zijn Meester verraadt en diens dood teweegbrengt. Het beeld is onherroepelijk zwart en verzachtende omstandigheden zijn er niet. Een nadere beschouwing van de evangeliën echter onthult dat zich daar een veel gecompliceerder drama afspeelt.

Zoals we gezien hebben, was Jezus doorkneed in oudtestamentische profetieën – vooral die van Zacharia met betrekking tot de Messias – en handelde herhaaldelijk in nauwe samenhang met die profetieën. Telkens weer dicteren en bepalen ze zijn besluiten, zijn instelling, zijn handelwijze. In feite lijkt een groot deel van zijn openbare optreden en bekende historie niet veel meer te zijn geweest dan belichaming en uitvoering van profetieën. En hoe meer hij die profetieën in vervulling doet gaan, hoe wezenlijker zijn aanspraken op messianiteit natuurlijk worden. 'Dit geschiedde om de profetie te vervullen' is een regelmatig in het Nieuwe Testament terugkerende uitspraak – het refrein van een polemist die triomfantelijk zijn bewijs levert.

Eeuwenlang, en ondanks bewijzen van het tegendeel in de evangeliën zelf, beweerde de christelijke traditie dat de samenloop van Jezus' leven en oudtestamentische profetieën 'toeval' was – niet berekend van de kant van Jezus, doch spontaan geschiedend, in overeenstemming met een goddelijk plan. Tegenwoordig echter is een dergelijke bewering volkomen onhoudbaar geworden. Voor moderne bijbelonderzoekers bestaat er geen twijfel dat Jezus in bijbelse leer en in het bijzonder die van de profetische boeken doorkneed was. Hij stemt daar echter niet per 'miraculeus toeval' mee overeen. Integendeel: hij richt zijn loopbaan en activiteiten zorgvuldig, opzettelijk, vaak methodisch en nauwkeurig naar de uitspraken van de profeten. Hij zegt het zelfs zelf. Van zijn kant zijn er blijkbaar welbewust besluit en vastbeslotenheid geweest om van zijn leven een vervulling van profetische uitspraken te maken.

Zoals we hebben gezien zijn Zacharia's profetieën met betrekking tot de Messias voor Jezus relevant en van bijzonder belang. Zijn triomf-intocht in Jeruzalem, bij voorbeeld, is een poging om met één ervan overeen te stemmen. Zacharia profeteerde echter ook dat de van David afstammende Messias doorstoken en gedood, en zijn volgelingen verstrooid zouden worden. En in een wat duistere passage wordt de Messias gelijkgesteld met een allegorische 'goede herder', die verkocht en verraden zou worden voor dertig sikkels zilver.[14] Uit de evangeliën wordt duidelijk dat Jezus besloten heeft dat ook deze profetieën *verwerkelijkt* moesten worden – niet spontaan maar volgens plan. Om dat plan te kunnen uitvoeren is een verrader noodzakelijk.

In alle vier de evangeliën bekleedt het laatste avondmaal een eminente plaats. En in alle vier de evangeliën verkondigt Jezus openlijk, in aanwezigheid van alle leerlingen, dat een van hen Hem zal verraden – omdat 'mijn uur nabij is', omdat 'Jezus wist dat zijn uur gekomen was', en ook, heel duidelijk, opdat 'de profetie in vervulling ga'. In Markus en Lukas wordt de verrader niet tijdens het laatste avondmaal zelf genoemd, bij Matteüs en Johannes daarentegen wel. In Matteüs bij voorbeeld vraagt Judas openlijk waar alle andere discipelen bij zijn: 'Ik ben het toch niet, Rabbi?' en Jezus antwoordt: 'Gij zegt het.' In het evangelie van Johannes antwoordt Jezus, als hem gevraagd wordt de man die hem zal verraden, te identificeren: 'Hij is het aan wie Ik het stuk brood zal geven dat Ik zal indopen.' Het in de schotel gedoopt hebbend geeft Hij het dan zichtbaar aan Judas en zegt erbij: 'Wat gij te doen hebt, doe dat spoedig.' En het Johannes-evangelie voegt daar, vrij inconsequent, aan toe: 'maar niemand van de aanliggenden begreep waarom Hij dit tot hem (Judas) zei.'

De beschreven volgorde roept onvermijdelijk vragen op. Waarom allereerst wordt Judas, wanneer deze als verrader van zijn Meester wordt aangewezen, toegestaan te vertrekken om zijn verraderlijke taak te gaan uitvoeren?

Waarom wordt hij niet weerhouden – bij voorbeeld door Simon Petrus die, slechts korte tijd later, niet alleen gewapend is, maar ook fel genoeg om een knecht van de hogepriester een oor af te houwen? Waarom worden er niet enkele andere voorzorgsmaatregelen genomen?

Het antwoord op deze vragen luidt dat Judas' missie noodzakelijk is. Zoals Matteüs verklaart: 'Maar dit alles is geschied, opdat de Schriften van de profeten in vervulling zouden gaan.' En nogmaals, een hoofdstuk verder: 'Aldus ging in vervulling wat de profeet... had gezegd. Zij namen de dertig zilverlingen, de prijs waarop Hij geschat is... door zonen van Israël...'[15]

Judas verraadt Jezus feitelijk niet. Integendeel: hij is met opzet uitgekozen door Jezus, waarschijnlijk tot zijn eigen verdriet, om een walgelijke plicht te vervullen, opdat het passieverhaal in overeenstemming met oudtestamentische profetieën in vervulling zou gaan. Als Jezus het in de schotel gedoopte stuk brood aan Judas geeft, legt Hij in feite Judas een taak op. Het is welhaast of de man wie de taak wordt opgelegd, door het lot is gekozen, zij het dan dat de trekking van tevoren vastgesteld lijkt te zijn geweest. En als Jezus hem opdraagt 'spoedig te doen wat gij (Judas) te doen hebt', doet Hij daarmee geen uitspraak vanuit helderziende berusting, maar geeft Hij een duidelijke instructie.

Eén ding komt bij nader onderzoek van het laatste avondmaal helder aan het licht: er is enigerlei heimelijke verstandhouding tussen Jezus en Judas geweest. Het 'verraad' kan niet geschieden zonder een dergelijke verstandhouding, een vrijwillige deelname van de kant van Jezus, zijn vastbeslotenheid – niet alleen willigheid – om verraden te wórden. Kortom de hele zaak is zorgvuldig beraamd, ook al lijken de andere discipelen niet in de afspraak ingewijd te zijn geweest. Alleen Judas lijkt in deze het vertrouwen van Jezus te hebben genoten.

Gedoemd om door het nageslacht te worden gebrandmerkt en vervloekt blijkt Judas in feite op zijn wijze evenzeer martelaar als Jezus. Voor de Griekse schrijver Nikos Kazantzákis is de rol van Judas zelfs nog moeilijker. In *De Laatste Verzoeking,* kort voor het laatste avondmaal, vindt in het geheim de volgende dialoog plaats tussen Jezus en Judas:

> 'Het spijt me, Judas, broeder,' zei Jezus, 'maar het is noodzakelijk.'
>
> 'Ik heb U al eerder gevraagd, Rabbi – ís er geen andere manier?'
>
> 'Nee, Judas, broeder. Ook Ik wilde wel dat er een was. Ook Ik hoopte en wachtte op eentje tot nu toe – maar vergeefs. Nee, er is geen andere manier. Het einde van de wereld is aangebroken. Deze wereld, dit koninkrijk van de duivel, zal vernietigd worden en het koninkrijk der hemelen zal komen. Ik zal het brengen. Hoe? Door te sterven. Een andere manier is er niet. Huiver niet, Judas, broeder. Over drie dagen zal Ik herrijzen.'
>
> 'Ge zegt me dit om mij te troosten en in staat te stellen U te verraden zonder dat het me m'n hart verscheurt. Ge zegt dat ik dit zal kunnen

dragen – Ge zegt dat om mij kracht te geven. Nee – hoe dichter we dat gruwelijke moment naderen... nee, Rabbi, ik zal níet in staat zijn dat te verdragen!'

'Ge zult het kunnen, Judas, broeder. God zal u kracht geven, zoveel als u ontbreekt, omdat het noodzakelijk is – het is noodzakelijk dat Ik gedood word en gij Mij verraadt. Wij tweeën moeten de wereld redden. Help Mij.'

Judas liet het hoofd hangen. Na enige ogenblikken vroeg hij: 'Als Gíj uw meester moest verraden – zoudt Gij dat dan doen?'

Jezus verzonk een poos in gedachten. Ten slotte zei Hij: 'Nee – Ik ben bang dat Ik er niet toe in staat zou zijn. Daarom heeft God medelijden met me gehad en mij de gemakkelijker taak opgelegd: gekruisigd te worden.'[16]

Natuurlijk is dit tweegesprek fictief. Niettemin is duidelijk dat in werkelijkheid iets van dezelfde aard als Kazantzákis' schildering gebeurd *moet* zijn. Commentatoren van het Nieuwe Testament hebben reeds lang onderkend hoe vitaal belangrijk, hoe onmisbaar Judas in het geheel van Jezus' missie is. Zonder Judas kan het passiedrama niet worden uitgevoerd. Bijgevolg moet Judas beschouwd worden als iets dat wel zeer verschilt van het beeld van gemene schurk volgens de populaire traditie. Hij komt juist als het tegendeel naar voren – als edele en tragische figuur die ten slotte met grote aarzeling instemt met het spelen van een onaangename, pijnlijke plichtrol in een zorgvuldig beraamd plan. Zoals Jezus van hem zegt: '...Ik heb over hen gewaakt en niemand van hen is verloren gegaan, behalve de man des verderfs, want de Schrift moest vervuld worden.'[17]

Wat onbeslist blijft, is of Jezus werkelijk overtuigd was dat Hij letterlijk zelf moest sterven of dat voldoende zou zijn als Hij *scheen* te sterven. Zoals we in ons vorige boek bespraken, is er een aanzienlijke hoeveelheid bewijsmateriaal ten gunste van het laatste. De waarheid zal waarschijnlijk nooit (meer) aan het licht komen. Maar het is tenminste heel wel mogelijk dat Hij het kruis overleefde – áls op de eerste plaats Hij het werkelijk geweest is en niet de plaatsvervanger zoals door de koran en vele vroege ketterijen wordt beweerd.

Maar als het de bedoeling was dat Jezus het kruis zou overleven of misschien in het geheel niet gekruisigd zou worden, kan men niet anders dan zich afvragen of Judas van dát plan eveneens op de hoogte was. Zou hij nog steeds een heimelijke verstandhouding met zijn Meester hebben gehad? Of ging hij zijn dood in in de martelende overtuiging dat hij verantwoordelijk was voor het sterven van zijn Meester?

Juda(s)

Zoals we hebben gezien, lijkt het paulinisch denken de instelling en oriëntatie van Simon Petrus wel zeer ingrijpend te hebben veranderd. De aan de paulinische leer ontspruitende tradities hebben Judas' naam zwart gemaakt en de rol van Jezus' eigen broer Jakobus als hoofd van de Nazareense hiërarchie in Jeruzalem verduisterd. Maar er is nog een andere figuur wiens belang voor het oog van het nageslacht verdraaid, verkleind en ontkracht moest worden.

In de canon van het Nieuwe Testament is één brief van Jakobus die zich identificeert als 'de broeder des Heren'. Er is ook een brief van een zekere Juda(s) die zich identificeert als 'dienstknecht van de Heer en broeder van Jakobus'. Op het eerste gezicht zou kunnen lijken dat Juda(s), evenals Jakobus, een broer van Jezus was.

Maar moderne bijbelonderzoekers zijn het erover eens dat de aan Juda(s) toegeschreven brief van té late datum is dan dat deze door enige tijdgenoot van Jezus geschreven had kunnen zijn. Men gelooft dat die brief is opgesteld in het begin van de tweede eeuw, heel waarschijnlijk door iemand die inderdaad Juda(s) heette en die, samen met zijn broer Jakobus, de Nazareense partij in die tijd leidde. Maar volgens de oudste kerkhistorici waren de Jakobus en de Juda(s) van de tweede eeuw na Christus kleinzoons van een andere, oudere Judas, die inderdaad Jezus' broer *was.*

De evangeliën maken zelf duidelijk dat Jezus een broer Judas had. Zowel het evangelie van Lukas als de Handelingen der Apostelen spreken van een zekere 'Judas van Jakobus', wat gewoonlijk vertaald wordt als 'Judas, zoon van Jakobus'. Het is echter aanzienlijk aannemelijker dat 'Judas van Jakobus' oorspronkelijk verwees naar 'Judas, broer van Jakobus'. Terwijl Lukas op dit punt vaag blijft, zijn Matteüs en Markus er beiden duidelijk over. Allebei vertellen ze dat Jezus vier broers had – Jozef, Simon, Jakobus en Judas – alsook ten minste twee zusters.[18] De context waarin ze vermeld worden is merkwaardig. Zij zouden zich over Jezus tijdens diens beginnende prediking in Galilea berispend hebben uitgelaten. Daarvan wordt geen reden opgegeven. Maar wat die ook geweest moge zijn: het was voor zover het Jakobus betreft kortstondig. Kort na Jezus' dood had hij de plaats van zijn broer ingenomen, had het leiderschap over de Nazareense hiërarchie in Jeruzalem op zich genomen en zelf een status als heilig man verworven. Er is overvloedig bewijsmateriaal voorhanden dat Judas hem weldra volgde.

Toch wordt vreemd genoeg in de Handelingen of enig ander nieuwtestamentisch document geen melding gemaakt van Judas – althans niet onder die naam. Hij moet dan ook onder een andere naam gezocht worden. Eenmaal gevonden blijkt hij inderdaad een belangrijke rol te hebben gespeeld.

7. *Jezus' broers*

Een aantal kiemkrachtige Esseense en/of Zadokitische teksten maakt gewag van niet één verwachte Messias, maar twee. Volgens deze bronnen berusten de identiteit en zuiverheid van de natie op twee parallel lopende dynastieke successies met talrijke onderlinge verbindingen. De twee Messiassen worden specifiek genoemd: de Messias van Aäron en de Messias van David.[1] De Messias van David zou een koningsfiguur zijn die het seculiere bestuur over het nieuwe koninkrijk in handen zou nemen dat hij door zijn militaire bekwaamheid in het leven zou roepen. Terwijl de Messias van Aäron, afstammend van Israëls eerste hogepriester in het Oude Testament, een priesterlijke figuur zou zijn, een 'uitlegger van de wet' die de leiding zou nemen over het geestelijk leven van het volk.

Ironie heeft gewild dat dit beginsel van tweeledig wereldsen geestelijk gezag naderhand tot uiting zou komen in West-Europa, in het heilige Roomse rijk waar de keizer wereldlijk gezag uitoefende en op afstamming van David aanspraak maakte, terwijl de paus geestelijk gezag uitoefende als vertolker van Gods wet. Zoals we echter herhaaldelijk hebben opgemerkt, waren politiek en religie voor Israël in die tijd onverbrekelijk met elkaar verbonden – waren feitelijk verschillende uitingen van eenzelfde zaak. Bijgevolg moesten de Koning-Messias en de Priester-Messias zo nauw mogelijk met elkaar verweven zijn – wat ze bij voorbeeld ten tijde van de Makkabeeën ook waren, toen beiden leden van dezelfde familie waren. Het zou ondenkbaar zijn geweest het soort schisma tussen geestelijke en wereldlijke macht te gedogen dat later het heilige Roomse rijk kenmerkte.

Stellig kan betoogd worden dat het tweeling-Messias-thema in het Nieuwe Testament voorkomt, zij het in drastisch veranderde en waarschijnlijk verdraaide vorm. Hedendaagse bijbelonderzoekers zijn het erover eens dat tot de historisch meest plausibele gebeurtenissen in de evangeliën, de gebeurtenissen die het minst waarschijnlijk door latere auteurs en bewerkers zijn bedacht, Jezus' doop in de Jordaan door Johannes de Doper behoort. Zeker is dit dé beslissende gebeurtenis in wat wij van Jezus' leven vóór zijn triomftocht in Jeruzalem weten; en de christelijke traditie bekrachtigt het belang van Johannes in dit verhaal. Hij is de pad-vinder, de voorloper, de 'stem, roepende in de woestijn' die 'de weg bereidt'. Feitelijk waren velen van Johannes' tijdgenoten bereid in *hem* de Messias te zien. Lukas schrijft: '... Omdat het volk vol verwachting was en iedereen zich aangaande Johannes de vraag stelde of hij niet de Messias zou zijn' (Luk. 3:15). En in de loop van de eerste drie eeuwen na Christus waren er bepaalde mandaeëse of johannitische sekten, vooral in het gebied van de Tigris-Eufraat-vallei, die Johannes, en niet Jezus, als profeet vereerden. Volgens hun visie was Johannes 'de ware profeet', terwijl Jezus een 'oproerling, een ketter' was 'die mensen op een dwaalspoor bracht, geheime doctrines verraadde'.

Bijbelonderzoekers zien geen reden om Lukas' bewering in twijfel te trekken dat Johannes de Doper en Jezus neven in de eerste graad waren. Algemeen aanvaard is thans dat Jezus' moeder de zuster van Elisabet was, de moeder van Johannes. Maar Lukas maakt ook duidelijk dat Johannes de Doper, door zijn moeder, van de priesterlijke dynastieke lijn van Aäron afstamde – wat natuurlijk zou betekenen dat ook Jezus daarvan afstamde. En tevens legt Lukas de nadruk op Jezus' afstamming, door diens vader, van David. Zo kan dan Johannes, als afstammeling van Aäron, aanspraak maken op de titel van Priester-Messias. En Jezus, afstammeling van zowél Aäron als David, kan aanspraak maken op de titels Priester-Messias *en* Koning-Messias. Dat lijkt Lukas' bewering te verklaren dat 'God Hem en Heer en Christus* heeft gemaakt' (Hand. 2:36).

De verwantschap van Johannes en Jezus zou extra prestige en geloofwaardigheid aan beider rol hebben verleend. Als in de algemene apocalyptische sfeer van die tijd vrome joden verlangend uitzagen naar de komst van twee Messiassen – een koninklijke uit het huis van David en een priesterlijke uit dat van Aäron – dan zouden zij hun ogen op een beperkt aantal families gericht hebben gehad. Als de verbeide figuren neven in de eerste graad bleken, zou dat des te frappanter en overtuigender zijn geweest. Vrijwel zeker zou dit beschouwd zijn als een wonderbaarlijk teken, een tastbare uiting van Godswege.

Als Jezus de koninklijke Messias was en Johannes de priesterlijke, zou de doop in de Jordaan des te meer betekenis hebben gekregen: de Priester-Messias die zijn koninklijke wedergade officiële status verleent en die tevens, door duidelijke inwerking van Gods plan, zijn nauwe verwant bleek. De tweeledige messiaanse en familiale draden zouden elkaar versterkt hebben. Naarmate de geestelijke en wereldlijke functies in hetzelfde huis meer ver-

* (gezalfde)

enigd waren, door hetzelfde bloed, zou de vereniging dubbel gewijd, dubbel gewettigd zijn en de eenheid der natie des te meer geheiligd. Dat was, zoals wij opmerkten, wat in de Makkabese dynastie – de laatste monarchie van Israël – was geschied. En zoals we eveneens opmerkten, hield de beweging waarvan Jezus en zijn volgelingen deel uitgemaakt lijken te hebben, zich de Makkabese regering voor ogen als model voor hun eigen aspiraties.

Als Johannes de Doper de Priester-Messias van Aäron *was* en Jezus de Koning-Messias uit het huis van David, dan is mogelijk dat Jezus, toen Johannes door Herodes Antipas terecht was gesteld, beide rollen op zich nam, de status en functies van de overleden profeet in zich belichaamde. Het kan zelfs zo zijn geweest dat Johannes, vooruitlopend op zijn aanstaande ondergang, een dergelijke schikking goedkeurde, mogelijk tijdens de ceremonie aan de Jordaan. Er zou duidelijk enige betekenis liggen in het feit dat pas na Johannes' overlijden Jezus serieus met zijn openbare prediking begon. In elk geval bestaat geen twijfel dat onder Jezus' grote schare volgelingen voormalige aanhangers van Johannes de Doper waren. En als Jezus de dubbele rol van koninklijke en priesterlijke Messias belichaamde, zou Hij inderdaad een figuur zijn geweest die een dergelijke aanhang waard was.

T(h)omas Tweeling

Het principe van de tweevoudige Messias heeft echter ook andere, nog provocerender implicaties. Deze implicaties betreffen niet Johannes de Doper, maar een heel wat minder grijpbare figuur, van wie de latere christelijke traditie afkerig was nader gewag te maken. Want dat zou aanzienlijke verwarring en verlegenheid met zich mee hebben gebracht.

In alle vier de evangeliën en in de Handelingen der Apostelen staat een discipel T(h)omas vermeld. Hem wordt echter weinig van belang toegeschreven; wij krijgen vrijwel niets over hem te horen. Hij treedt in geen enkel opzicht individueel vanuit Jezus' overige discipelen naar voren. Hij schijnt een volstrekt perifere figurant. Slechts in het evangelie van Johannes laat hij zich op merkwaardige, buitengewoon belangwekkende wijze uit. Als Jezus verneemt dat Lazarus ziek is, dringt Tomas er bij zijn medeleerlingen op aan dat zij allen naar het huis van Lazarus in Betanië zullen terugkeren: 'Laten ook wij gaan om met hem te sterven' (Joh. 11:1-15). Afgezien daarvan doet noch zegt Tomas ook maar iets tot na de kruisiging. Dan – in een passage in het Johannes-evangelie die waarschijnlijk later is ingevoegd – wil hij aanvankelijk niet geloven dat Jezus inderdaad vleselijk is herrezen.

Als men andere bronnen dan de canonieke schriften bekijkt, neemt de rol van Tomas bredere proporties aan. Volgens Eusebius, de kerkhistoricus die

8. Santa Maria de Bretoña, in noordwestelijk Spanje, centrum van een bisdom van de Keltische kerk van circa 569 tot de tiende eeuw.
9. Het Kidron-dal, Jeruzalem. De graftombe links, met de twee zuilen, is waarschijnlijk die van Jakobus, broer en opvolger van Jezus.

10. Het twaalfde-eeuwse Kilfenora kruis, graafschap Clare. De figuur links draagt de bekende bisschoppelijke kromstaf, terwijl de rechtse figuur de T-vormige staf voert die traditioneel door bisschoppen van de Egyptische kerk werd gedragen.

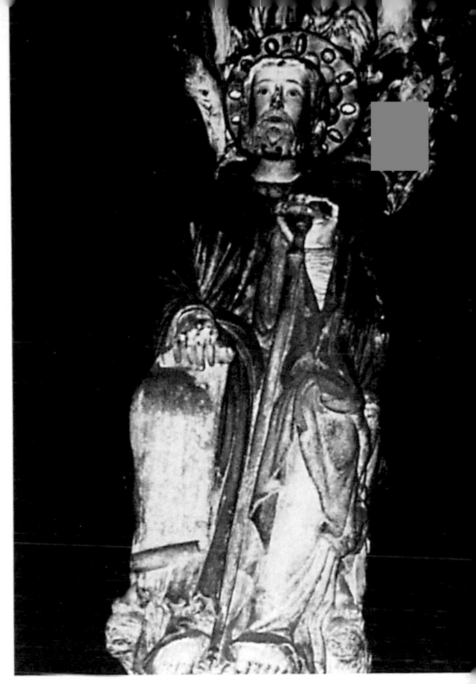

11-12. Boven links. *Detail van een afbeelding van Antonius en Paulus, in het Antoniusklooster in Egypte, met de Egyptische* T*-vormige bisschopsstaf.*
Boven rechts: *Beeld van Sint-Jakobus, Portica de la Gloria, Santiago de Compostela; wederom met de Egyptische* T*-vormige staf.*
13. Onderaan links: *Kruispaal te Tighlagheany, Inishmore, Aran-eilanden. Het rozet bovenaan is een karakteristiek dessin uit het Midden-Oosten.*
14. Onderaan rechts: *Grafsteen van Egyptische kerk uit de zevende of achtste eeuw na Christus, eveneens met de rozetversiering.*

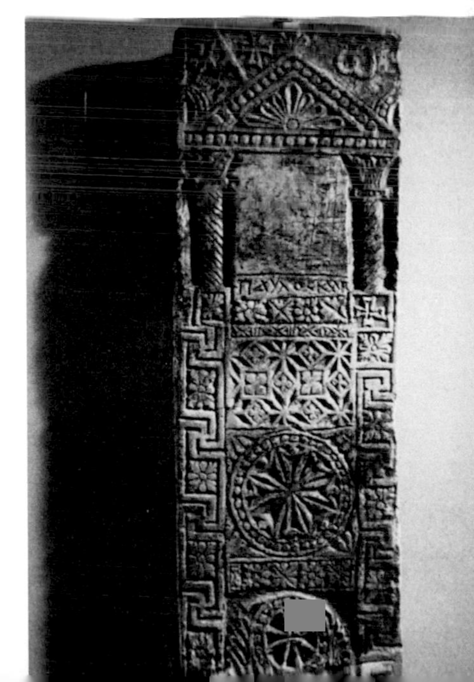

15-16. Boven: *Pagina uit het zevende-eeuwse Keltische 'Book of Durrow';* onderaan links: *Het circa zevende-eeuwse North Cross te Ahenny, graafschap Tipperary. Beide tonen de verstrengelde dessins naar Egyptische trant.*
17. Onderaan rechts: *Illustratie, uit een twaalfde-eeuws 'Bohaïrisch' evangelie van de Egyptische kerk, waarop het verstrengelde patroon te zien is.*

in de vierde eeuw werkte, trok Tomas noordoostwaarts, predikend onder de Parthen[2] – het 'barbaarse' volk dat in het gebied van de Tigris-Eufraat-vallei leefde tot in het hedendaagse Iran toe. Volgens een uit de derde eeuw daterend apocrief werk leidt Tomas' missie hem zelfs nog verder. Hij zou in India zijn gestorven, met lansen doorstoken; en het graf waarin hij was bijgezet werd later leeg aangetroffen.[3] Een vergelijkbare overlevering bestaat bij een sekte van Syrische christenen die zich 'christenen van Sint-Tomas' noemen. Volgens hen werden zij bekeerd door Tomas die ten slotte in de buurt van Madras, in Mylapore, is gestorven.

Als berichten zoals deze ook maar op enige waarheid berusten, komt Tomas als een der actiefste en invloedrijkste van alle discipelen naar voren. Als Paulus voor westelijk Europa de belangrijkste apostel van het christendom is, dan zou Tomas vrijwel in zijn eentje de verkondiging van de boodschap in oostelijke richting op zich hebben genomen. Wat Tomas verkondigde was echter geen paulinisch christendom, maar een vorm van de Nazareense leer, zoals men zou verwachten dat ze afkomstig was van Jakobus en de Nazareense hiërarchie in Jeruzalem.

Maar: wie wás die Tomas eigenlijk? We weten dat Simon Petrus en zijn broer Andreas, evenals de twee zoons van Zebedeüs, vissers uit Galilea waren. We vernemen iets over de achtergrond van diverse andere discipelen. Doch over Tomas krijgen we niets te horen. De vraag is des te meer gerechtvaardigd, omdat 'Tomas' helemaal geen eigennaam is. Net als 'Petrus' een bijnaam is, 'rots' of 'rotsachtig' betekent, voor een visser die Simon heet, is ook 'Tomas' een bijnaam; het is het Hebreeuwse woord voor 'tweeling'.

In diverse vertalingen van het evangelie van Johannes lijkt op het eerste gezicht althans enige opheldering te worden gegeven. Hij wordt daar genoemd 'Tomas Didymus' of 'Tomas genaamd Didymus'. Doch dat maakt de zaak er ook niet duidelijker op, want 'didymus' betekent eveneens 'tweeling'. Vertaald zou 'Tomas Didymus' dus 'Tweeling Tweeling' luiden. 'Tomas genaamd Didymus' wordt zelfs nog grotesker: 'Tweeling genaamd Tweeling'. Ook recentere vertalingen bieden op dit punt geen verheldering. Opnieuw blijven we met een absurditeit zitten – 'de Tweeling genaamd Tweeling'.

Wát wordt hier zo onhandig verborgen gehouden? Hoe luidde Tomas' echte naam? En met wie vormde hij een tweeling?

Deze vragen worden gedeeltelijk beantwoord, heel duidelijk, in het apocriefe Evangelie van Tomas, een zeer vroeg werk dat waarschijnlijk dateert van het eind van de eerste eeuw. Daarin wordt Tomas geïdentificeerd als 'Judas Tomas', in vertaling 'Judas de Tweeling'. In een ander, iets later apocrief werk, de Handelingen van Tomas, wordt de zaak nader opgehelderd. Ook daarin wordt Tomas specifiek aangeduid als Judas Tomas. En als Jezus bij een jongeman komt '... zag hij de Heer Jezus gelijkend op de apostel Judas Tomas... De Heer zei tegen hem: "Ik ben niet Judas die eveneens Tomas is, Ik ben zijn broer."'[4]

Hedendaagse bijbelonderzoekers zijn het erover eens dat de kerken, die in Syrië, Klein-Azië en Egypte opkwamen, een vorm van 'christendom' belichaamden die niet minder geldig was dan dat van Rome, hoe ze dan ook van het 'Roomse' christendom mochten verschillen. Men kan zelfs beweren dat de kerken in dergelijke gebieden erfgenaam waren van een 'zuiverder' traditie dan die van Rome, omdat hun 'christendom' niet door paulinische visie verwaterd en verwrongen was; het lag dichter bij wat Jezus zelf, Jakobus en de oorspronkelijke Nazareense hiërarchie gepropageerd zouden hebben. Zéker: de kerk van Egypte, om maar een voorbeeld te geven, bezat tenmínste even oude en even gezaghebbende teksten als die van het canonieke Nieuwe Testament – teksten die de samenstellers van het canonieke Testament opzettelijk verkozen uit te sluiten. Op dit punt wordt nadruk gelegd door professor Helmut Koester van de theologische faculteit van de Harvard University, die betoogt dat in de '... enorme schat aan niet-canonieke evangelie-literatuur tenminste enkele geschriften zijn die hun rechtmatige plaats in de historie van dit literaire genre niet hebben gevonden'.[5] Onder deze geschriften haalt dr. Koester vooral het evangelie van Tomas aan. Toen hij in de televisieserie *Jesus: the Evidence* geïnterviewd werd, was dr. Koester heel ondubbelzinnig in zijn uitlatingen. Op grond van het meest recente bewijsmateriaal kan er weinig twijfel meer bestaan, of Judas Tomas was inderdaad Jezus' broer – de broer die in de evangeliën als Judas vermeld staat.

Als Judas Tomas of Judas de Tweeling inderdaad Jezus' tweelingbroer was, wat zou dan zijn status onder zijn tijdgenoten zijn geweest? In de Handelingen van Tomas staat de volgende aanhaling: 'Tweelingbroeder van Christus, apostel van de Hoogste en mede-ingewijde in het verborgen woord van Christus, gij die zijn geheime spreuken ontvangt...'[6] En nogmaals, nog duidelijker, in een aanroeping van de Heilige Geest (die veelzeggend genoeg vrouwelijk is): 'Verschijn, Heilige Geest... Heilige Duif die de tweeling draagt. Verschijn, Heilige Moeder...'[7]

In een fragment van een ander apocrief werk spreekt Jezus, Simon Petrus en Judas Tomas tegemoet tredend, hen 'in het Hebreeuws' aan. Daar schijnt enige omneveling, wellicht opzettelijk, in de vertaling van de oorspronkelijke Koptische tekst te zijn aangebracht, maar wat Jezus lijkt te zeggen is dit: 'Gegroet, mijn vereerde waker Petrus. Gegroet, Tomas [Tweeling], mijn tweede Messias.'[8]

Uit dergelijke ver- en aanwijzingen komt de figuur van Judas Tomas niet alleen als Jezus' tweelingbroer Judas aan het licht; hij treedt ook aan de dag als een erkend zelfstandige Messias.

Tweelingencultus

De onderstelling dat Jezus een tweelingbroer had, was een van de hardnekkigste oude 'ketterijen'. Ook is ze nooit volledig verdwenen, ondanks herhaalde pogingen haar uit te bannen. Tijdens de renaissance bij voorbeeld trad ze telkens weer aan de dag, hoewel in enigszins verdraaide vorm. Ze trekt de aandacht in bepaalde werken van Leonardo da Vinci, vooral in zijn 'Laatste Avondmaal'.[9] Het thema keert ook bij latere schilders terug, onder wie Poussin. Ook leeft de gedachte heden voort, en wel in het werk van Michel Tournier, een der meest gerespecteerde stemmen van de hedendaagse Franse cultuur en waarschijnlijk de belangrijkste romancier die Frankrijk sinds Proust heeft voortgebracht. En in de door Bérenger Saunière voor de kerk van Rennes-le-Château vervaardigde versieringen zijn Maria en Jozef uitgebeeld, ieder aan een kant van het altaar, ieder met een Christuskind in de armen.

Voor de meeste hedendaagse christenen en zelfs voor de meeste agnostici van onze tijd zal de onderstelling dat Jezus een tweelingbroer had, natuurlijk in het gunstigste geval vergezocht lijken, in het ergste geval godslasterlijk. Het is echter van belang, van immens belang zelfs, dat men één beslissend feit voor ogen houdt. De teksten waarin Judas Tomas als Jezus' tweelingbroer verschijnt, waren ooit wijd en zijd gekend en in christengemeenten in zwang, niet alleen in Egypte en Syrië, maar eveneens, zoals we nog zullen zien, zelfs in Spanje en vermoedelijk ook in Ierland. Het waren aanvaarde werken van de Schrift, evenzeer gewettigd als de canonieke evangeliën van het Nieuwe Testament of de Handelingen der Apostelen. Dat kan alleen betekenen dat *de idee van een tweeling volledig aanvaardbaar was voor vrome christenen.* Er waren kortom godvruchtige mannen en vrouwen die die gedachte niet alleen allerminst als godslasterlijk, maar als integraal deel van hun geloof beschouwden – even integraal als, laten we zeggen, de rol van Petrus voor de kerk van Rome is.

Op dit punt heeft het zin even af te dwalen naar volledig speculatief terrein – terrein dat generlei bewijs in deze of gene zin zal opleveren, maar althans en passant enige beschouwing wettigt. In de oude wereld werden de menselijke voortplantingsprocessen niet zo begrepen en opgevat als wij dat tegenwoordig kunnen en doen. In menig opzicht was in de oude wereld het begrip van deze processen geringer dan het onze. Het is bij voorbeeld twijfelachtig of de bij de geboorte van tweelingen betrokken factoren geheel of zelfs maar voldoende werden begrepen. Om deze eenvoudige voor zichzelf sprekende reden zou de geboorte van tweelingen, en vooral die van identieke tweelingen, voor de oude wereld weleens een volslagen wonder geleken kunnen hebben – een verschijnsel dat getuigde van enige tussenkomst van goddelijke oorsprong. Het thema van tweelingbroers behoort tot het indringendste en oudste van alle culturele/religieuze motieven. Van de dageraad van de geboekstaafde historie had in het bijzonder de mediterrane wereld een cultus gemaakt rond de Dioscuren, de 'Goddelijke Tweeling'. Onder de namen Castor en Pollux/ Polydeuces had deze tweeling een uitzonderlijk belangrijke rol gespeeld in ontstaan en ontplooiing van het Grieks mythologische denken. Romulus en Remus werden vereerd als het tweelingpaar aan wie de stichting van Rome te danken was. De bijzondere aard van geboorte van tweelingen maakte deze tot een mythische gebeurtenis, die de mens verbond met enkele van zijn oudste en krachtigste mythische 'denk'beelden en uiteindelijk met zijn goden. Hoewel dergelijke tweelingen zoals we weten niet zelden aartsvijanden waren behoefde dat geen wet van Meden en Perzen te zijn. Dikwijls toch vulden zij elkaar op vreedzame wijze tot een eenheid aan.

Zo is bij voorbeeld Edessa (thans Urfa) in Turkije lang een centrum van tweelingencultus geweest waarbij het paar onder de namen van Momim en Aziz werd aanbeden. Deze tweeling werd verdrongen door Jezus en Judas Tomas, en Edessa werd centrum van de nieuwe cultus voor de tweeling-Messias. Men neemt aan dat de Handelingen/Openbaringen van Tomas in Edessa zijn geschreven. Eveneens in Edessa ontstond de oudst bekende kerk, later, in 201 na Christus, verwoest. En er bestaat overtuigend bewijsmateriaal dat Judas Tomas die stad persoonlijk heeft bezocht en zijn leer rechtstreeks aan de Edesseense koning Abgar verkondigde.

De joden in Jezus' tijd verkeerden in smartelijke afwachting van de komst van de Messias en, voor zover het velen van hen betrof, de komst van twee Messiassen. Omdat messianiteit beschouwd werd als iets van dynastieke aard, iets dat ten dele afhankelijk was van een afstammingslijn, zal de aandacht van de mensen, zoals we eerder opmerkten, gericht zijn geweest op een betrekkelijk kleine groep families die op afstamming van zowel David als Aäron konden bogen. Als in een van deze families een tweeling was geboren, zou dat dan niet inderdaad als veelbetekenend zijn gezien – als goddelijk teken, als bevestiging van verwachtingen? Zouden een koninklijke en een priesterlijke Messias, beiden gelijktijdig voortkomend uit dezelfde familie, geen welsprekend getuigenis van Gods genade hebben geleken?

De afstammelingen van Jezus' familie

In *The Holy Blood and the Holy Grail* zijn we uitvoerig ingegaan op de waarschijnlijkheid van een afstamming van Jezus in den bloede. Zou er misschien ook een afstamming van Jezus' familie bestaan? Gevestigde bronnen zijn het erover eens dat dit inderdaad het geval is. Zo schrijft bij voorbeeld de historicus Julius Africanus, die tussen 160 en 240 na Christus leefde en nauwe relaties met het Esseense vorstenhuis onderhield, het volgende:

'Herodes die in zijn aderen geen druppel Israëlitisch bloed had en wie het besef van zijn oorsprong hevig stak, verbrandde de (geslachts)registers van hun families... Enkele voorzichtige mensen hadden eigen registraties, hadden zich ofwel de namen herinnerd of ze in afschriften ontdekt, en waren er trots op dat zij de herinnering aan hun aristocratische afkomst (op die wijze) bewaarden. Onder hen waren zij die bekend stonden als *Desposyni* [dit is: 'volk' van de Meester] vanwege hun verwantschap met de familie van de Heiland.'[10]

In deze passage schijnen twee gebeurtenissen die zowat zeventig jaar uit elkaar liggen, verdraaid of ingevoegd te zijn. Enerzijds zou er Jezus' eigen aristocratische en koninklijke stamboom zijn geweest die, zoals we besproken hebben, Herodes, als usurpator, een bedreiging voor zijn legitimiteit zou hebben geacht. Onder andere zou dit tot de overlevering van Herodes' kindermoord hebben geleid. Anderzijds is betoogd dat de verbranding van geslachtsregisters waar Julius Africanus naar verwijst, niet in opdracht van Herodes geschiedde, maar door de Romeinen, na de opstand van 66. Zij zouden zich evenzeer als Herodes bedreigd hebben gevoeld door het voortbestaan van een legitieme koninklijke afstammingslijn, rondom welke de opstandige joden zich verenigd zouden kunnen hebben.

Volgens Paulus' eigen uitspraken was hijzelf getrouwd en ten tijde van zijn bekering weduwnaar.[11] Er bestond zeker geen verbod op huwelijk en vaderschap, noch in Jezus' onmiddellijke omgeving noch in de zogenaamde 'vroege kerk'. Volgens Clemens van Alexandrië waren zowel de discipel Filippus als Simon Petrus getrouwd en hadden ze een gezin gesticht.[12] En in zijn brief aan de Korintiërs lijkt Paulus er duidelijk op te wijzen dat ook Jezus' broers getrouwd waren: 'Hebben wij geen recht om te eten en te drinken? Hebben wij geen recht een christenvrouw mee te nemen zoals de andere apostelen en de broeders des Heren...?' (1 Kor. 9:4-5)

Er wordt geen specifieke melding gemaakt van een afstammeling van Jakobus, maar Jakobus wordt wel herhaaldelijk beschreven als vurig aanhanger van de wet; en een van de voorschriften van de wet was: te huwen, vruchtbaar te zijn en zich te vermenigvuldigen. Hoewel in de overgebleven documenten geen verwijzing naar hen te vinden is, is het zeker redelijk om te onderstellen dat ook Jakobus kinderen had. In Juda(s)' – of Judas Tomas' – geval bestaat bevestiging van een afstammingslijn. Zoals we eerder opmerkten, werd de Nazareense hiërarchie aan het begin van de tweede eeuw geleid door twee broers, Jakobus en Judas, specifiek geïdentificeerd als kleinzonen van Jezus' broer. Volgens Eusebius die een nog eerdere autoriteit citeert:

'... van de familie van de Heer bestonden nog altijd de kleinzonen van Judas, van wie gezegd werd dat hij zijn broer was, in menselijk opzicht. Zij werden verklikt als zijnde van Davids afstamming en gebracht... voor Domitianus Caesar... Domitianus vroeg hun of zij afstammelingen van

David waren, en zij erkenden dat...'[13]
Eusebius deelt mee dat de Desposyni – de afstammelingen van de familie van Jezus en mogelijk van Jezus zelf – voortleefden en hoofden werden van diverse christelijke kerken, in overeenstemming met een naar het schijnt strikte dynastieke successie. Eusebius spoort hen na tot de periode van keizer Trajanus, 98 tot 117. Een hedendaagse rooms-katholieke autoriteit herhaalt een bericht dat hen tot in de vierde eeuw brengt – de tijd van Constantijn I de Grote. In 318 moet de toenmalige bisschop van Rome (die wij thans kennen als paus Sylvester I) in het paleis van Lateranen een persoonlijk onderhoud hebben gehad met acht Desposyni-leiders – ieder van hen hoofd van een tak van de kerk. Zij hadden daar gevraagd: 1) om herroeping van de benoeming van christenbisschoppen in Jeruzalem, Antiochië, Efeze en Alexandrië; 2) dat deze bisdommen in plaats daarvan aan leden van de Desposyni zouden worden overgedragen; 3) dat christelijke kerken geldzendingen naar de Desposyni-kerk in Jeruzalem zouden 'hervatten', die nu als uiteindelijke moederkerk beschouwd diende de worden.[14]

Het zal niet verwonderen dat de bisschop van Rome deze verzoeken van de hand wees, stellend dat de moederkerk nu Rome was en dat Rome de bevoegdheid bezat om haar eigen bisschoppen te benoemen. Dit zou naar gezegd werd het laatste contact zijn geweest tussen de joods-christelijke Nazareeërs en de in de paulinische leer samengroeiende orthodoxie. Van toen af aan meent men algemeen dat de Nazareense traditie is verdwenen. Wij zullen echter zien dat dit allerminst het geval is.

8. *Voortbestaan van de Nazareense leer*

Na de opstand van 66 en de val van Masada in 73 na Christus was de politiek georiënteerde, door Jezus, zijn broers en directe volgelingen belichaamde, messiaanse beweging ernstig ontwricht. Maar hoewel haar dynamiek sterk aan kracht had ingeboet, kon ze nog altijd voldoende aanhangers op de been brengen om in het Heilige Land allerlei oproer te organiseren. Zo kwam tussen 132 en 135 Palestina andermaal in opstand. Leider was een zekere Simeon bar Kokhba. Er zijn aanwijzingen om te onderstellen dat hij een afstammeling was van Judas de Galileeër, de leider van de Zeloten één en een kwart eeuw daarvoor, en van de Zelotische aanvoerders van de verovering en het latere beleg van Masada. Dr. Robert Eisenman, die we eerder aanhaalden, meent dat er zeker nauwe verbindingen tussen de familie van Simeon en de afstammelingen van Jezus bestaan kunnen hebben – zo ze al niet een en dezelfde familie vormden. Opnieuw springt dan het principe van dynastieke successie in het oog.

Toen hij zijn opstand organiseerde, wendde Simeon zich tot de nu degelijk gevestigde paulinische 'christenen' om steun. Dat behoeft nauwelijks verbazing te wekken. Zoals we al onderstelden, lijken Jezus' broer Jakobus en de andere leden van de Nazareense hiërarchie in Jeruzalem hun evangelisatie als een vorm van rekrutering te hebben opgevat – een middel waarmee een leger voor de Israëlitische natie op de been kon worden gebracht. Voor Simeon bar Kokhba zou dan ook volstrekt natuurlijk zijn geweest te verwachten dat de aanhangers van een vroegere Messias – de rechtmatige koning wie bevrijding van zijn land van het Romeinse juk was opgedragen – hem in precies zo'n zelfde onderneming zouden bijstaan. Doch de paulinische 'christenen' hadden intussen hun eigen doctrine ontwikkeld, namelijk die van een apolitieke, geheel vergeestelijkte Messias. Woedend om wat hem als smerig verraad of vertoon van walgelijke lafhartigheid moet zijn voorgekomen, keerde Simeon zich toen tegen hen en vervolgde hen als verraders.

Simeons opstand werd, net als de opstand van zesenzestig jaar daarvoor, meedogenloos neergeslagen, maar niet voordat het Heilige Land andermaal was geteisterd. Opnieuw werd Jeruzalem verwoest. Nadat de stad herbouwd was, mochten joden er niet meer in terugkeren of gaan wonen. De overlevenden van het leger van Simeon weken uit, sommige groepen noordwaarts naar Syrië en Mesopotamië, andere zuidwaarts naar Egypte. En het was op die plaatsen, in die gebieden, dat de Nazareense traditie zou voortleven.

In de nasleep van Simeons opstand zullen de aanhangers van de oude Nazareense hiërarchie onder toenemende pressie van drie kanten hebben gestaan. Voor de Romeinen waren zij natuurlijk opstandige wettelozen die vervolgd, gemarteld en uitgeroeid moesten worden. Ook waren ze in die tijd de antipathie van de joden gaan wekken. Hoewel het oude collaborerende Sadducese priesterdom van Herodes' en Jezus' tijd verdwenen was, was een nieuwe vorm van jodendom in opkomst, gericht op rabbijnse leer. Dit rabbijnse jodendom, voorloper van het jodendom in zijn huidige vorm, had in zijn ontgoocheling de messiaanse beweging evenals ambitieuze politieke plannen afgewezen en – om eigen voortbestaan te waarborgen – zich achter de loutere beoefening van lering, schriftgeleerdheid en naleving van de rituele voorschriften verschanst. Het rabbijnse jodendom vatte militante activiteiten als meer dan alleen hinderlijk op. Ze vormden ook een bedreiging die 'de boot kon doen kenteren' en nóg eens een rampzalige aanval van Romeinse woede en vergelding konden uitlokken. De paulinische 'christenen' namen een vergelijkbare houding aan. Ook zij waren bedacht op eigen voortbestaan en zorgden er daarom voor de Romeinen de voet niet dwars te zetten. Ook zij wensten militaire en politieke activiteiten zorgvuldig te vermijden. Bovendien hadden zij nu hun eigen leerstellingen over wie Jezus was en wat de term 'Messias' inhield. Ze waren niet bereid deze doctrines aan te laten tasten, zelfs niet door afstammelingen van Jezus of diens familie.

Bijgevolg zagen de aanhangers van de oude Nazareense hiërarchie – van Jezus en zijn broers – zich tussen diverse partijen verdrukt en raakten ze in toenemende mate buiten bereik van de opgetekende westerse historie. Het kwam in wezen neer op een soort 'verbanning uit de geschiedenis'. Hoewel zij eertijds de echte bewaarplaats van het jodendom vertegenwoordigd hadden en aan het christendom toch het kernpunt van zijn eredienst hadden geschonken, werden zij nu door zowel joden als christenen 'onteigend'. En hun hoogst eigen definitie van Messias was gekaapt en tot iets volkomen anders verdraaid. Dit is waarschijnlijk een der wreedste ironieën in ontstaan en ontwikkeling van welke grote wereldgodsdienst dan ook.

In de tweede eeuw werd de Nazareense leer al als een vorm van ketterij gebrandmerkt. Zo zouden ook tal van christenen haar tegenwoordig beschouwen. Doch de loutere term 'ketterij' wordt constant misbruikt en moet tot zijn juiste perspectief teruggebracht worden. Onder hedendaagse gelovigen neemt men algemeen aan dat ooit een 'zuivere' vorm van door Paulus gepredikt christendom bestond, waaruit daarna diverse 'afwijkingen' – dat wil zeggen: 'ketterijen' – voortkwamen. In werkelijkheid kan niets vérder van de waarheid verwijderd zijn. De eerste werkelijke 'ketterij' was van niemand anders dan Paulus. Paulus' prediking en de paulinische leer vormden de 'afwijking', terwijl de Nazareense traditie – die door Paulus bestreden en door de paulinische leer verdrongen werd – het dichtst stond bij een ooit bestaand 'zuiver' christendom. Maar toen de paulinische leer eenmaal haar eigen positie had ingenomen, werd ze automatisch de 'gevestigde orthodoxie' en van dat punt af werd alwat daarmee botste per definitie 'ketterij'. De absurditeit van dit etiket de Nazareense leer op te plakken – een absurditeit vergelijkbaar met Marx een 'ketterse marxist' of Freud 'een ketterse freudiaan' te noemen – werd voor het gemak maar over het hoofd gezien.

Ondanks afwijzing, veroordeling en vervolging bleef de Nazareense leer voortbestaan, veel langer dan algemeen wordt vermoed. In de loop van de volgende eeuwen zou deze leer onder een verwarrende veelheid van benamingen aan de oppervlakte komen. Vroegere auteurs gebruikten veelal de benaming Ebionieten. Verscheidene tegenwoordige onderzoekers bezigen de naam Zadokiten (Sadokiden), een naam die ook in de leer zelf regelmatig voorkomt. Andere onderzoekers verkiezen de benaming joods-christenen, die in feite verwarrend, misleidend en in zichzelf strijdig is. Op grond van de evangeliserende rol van Judas Tomas spreekt dr. Herman Koester van een tomasinische traditie, in tegenstelling tot de paulinische traditie van wat wij tegenwoordig christendom noemen. Er waren natuurlijk ook latere toevoegingen, ontwikkelingen en veranderingen, latere versmeltingen met andere doctrines, en deze brachten een overmaat aan weer andere benamingen voort – gnostisch, manicheïsch, sabaeïsch, mandaeïsch, nestoriaans, elkesaïtisch. Voor ons oogmerk en om wille van de eenvoud zal het het gemakkelijkst zijn, als wij de term 'Nazareens' aanhouden. Dit zal dan echter niet langer een specifieke groep individuen betekenen, maar een algemene zienswijze, oriëntatie – een oriëntatie op Jezus en zijn leer die uiteindelijk voortvloeit uit het oorspronkelijke Nazareense standpunt, zoals dat door Jezus zelf tot uiting gebracht en daarna door Jakobus, Judas of Judas Tomas en hun directe omgeving gepropageerd werd. Deze oriëntatie laat zich karakteriseren door bepaalde fundamentele instellingen, waarvan de voornaamste de volgende zijn: 1) onafgebroken strikte naleving van de leerstellingen van de joodse wet; 2) erkenning van Jezus als Messias in de oorspronkelijke joodse zin van die term; 3) afwijzing van de maagdelijke geboorte (Onbevlekte Ontvangenis) en volharding in de opvatting dat Jezus langs natuurlijke processen geboren werd, zonder enige goddelijke tussenkomst; en 4) militante vijandigheid tegenover Paulus en het bouwwerk van de paulinische leer. Waar deze instellingen samenkomen, kan men overblijfselen van het oorspronkelijke Nazareense standpunt onderkennen – het standpunt van Jezus zelf, van Jakobus,

Judas Tomas en de hiërarchie in Jeruzalem.

Zo gewaagt Justinus Martyr, schrijvend omstreeks 150, van hen die Jezus als de Messias beschouwden, echter tevens als mens. Zij houden zich aan de joodse wet in zaken als besnijdenis, viering van de sabbat en eerbiediging van de voedingsvoorschriften. En zij worden geschuwd door heidense – dat wil zeggen: paulinische – christenen.[1]

Zowat een halve eeuw later lanceert Irenaeus, bisschop van Lyon, zijn felle en dogmatische aanval op de bestaande ketterijen van die tijd, en wel in *Adversus haereses.* Irenaeus was de stem van de samengroeiende orthodoxie; zijn opsomming van ketterijen, evenals zijn keuze van canonieke werken, zou een onuitwisbare indruk op de kerk van Rome achterlaten. In genoemd werk gaat Irenaeus tekeer tegen een groep die hij 'Ebionieten' noemt – een term die door de auteurs van de Qumran-teksten wordt gebezigd om zichzelf te omschrijven en die eenvoudig als 'de armen' vertaald kan worden. Volgens Irenaeus nu hielden de Ebionieten vol dat Jezus mens, niet God was, noch uit een maagd geboren was. Zij beweren dat hij pas Messias werd op het moment van zijn doop – dat wil zeggen: van zijn zalving of kroning. Zij gebruiken alleen het evangelie van Matteüs en beroepen zich, evenals Jezus en evenals de Essenen of Zadokiten van twee eeuwen eerder, op de profetische boeken van het Oude Testament. Zij houden zich nauwgezet aan de joodse wet. Zij verwerpen de brieven van Paulus en 'zij verwerpen de apostel Paulus, hem een afvallige van de wet noemend'.[2]

Een eeuw later, in de tijd van Constantijn de Grote, werd de Nazareense leer nog altijd verbreid. Zoals al opgemerkt had de toenmalige bisschop van Rome in 318 een ontmoeting met Nazareense of Desposyni-leiders als rechtstreekse afstammelingen van Jezus' familie. In diezelfde tijd beschuldigde de kerkhistoricus Eusebius de Nazareeërs (die hij, juist als Irenaeus, Ebionieten noemt) van ketterijen. Zij beweerden dat '... de epistels van de apostel [Paulus] geheel en al afgewezen dienden te worden, noemden hem een afvallige van de wet; zij gebruiken slechts het "evangelie der Hebreeën" en behandelen de rest met nauw verholen minachting'.[3]

Honderd jaar later, eind vierde of begin vijfde eeuw, opende een andere kerkelijke auteur, Epifanius geheten, een nieuwe aanval op wat hij ketterijen noemde. Hij gebruikt de termen 'Ebionieten' en 'Nazareeërs' door elkaar. Evenals Irenaeus beschuldigt Epifanius de Ebionieten of Nazareeërs ervan dat zij de onbevlekte ontvangenis ontkennen, dat zij leren dat Jezus een mens was, geboren uit mensen, dat zij verklaren dat Jezus slechts door zijn doop Messias werd en dat zij alternatieve versies van de Handelingen der Apostelen gebruiken. Zij 'schamen zich niet', zo schrijft Epifanius verontwaardigd, om Paulus openlijk te veroordelen; achten hem *pseudo-apostolorum* – een 'valse profeet'.[4]

In één Nazareense tekst wordt Paulus 'de vijand' genoemd. Deze tekst houdt nadrukkelijk staande dat Jezus' rechtmatige erfgenaam zijn broer Jakobus was, en doet alle moeite om aan te tonen dat Simon Petrus in feite nooit naar paulinisch denken is 'overgelopen'. Simon Petrus wordt juist aangehaald als waarschuwende stem tegen elk ander gezag dan dat van de Nazareense hiërarchie: 'Waarom ge de grootste zorg in acht moet nemen dat ge geen leraar gelooft, tenzij hij uit Jeruzalem het getuigenis brengt van Jakobus, de broeder van de Heer...'[5]

In onze jaren zestig ontdekte de mediaevist professor Schlomo Pines een in een bibliotheek te Istanboel bewaarde verzameling Arabische manuscripten uit de tiende eeuw een aantal uitgebreide en gedetailleerde letterlijke aanhalingen uit een eerdere, vijfde- of zesde-eeuwse tekst die de Arabische auteur toeschrijft aan *'al-nasara'* – de Nazareeërs. Deze vroegere tekst is naar men aanneemt oorspronkelijk in het Syrisch opgesteld en zou gevonden zijn in een christelijk klooster in Khoezistan in het zuidwesten van Iran, bij de grens met Irak. Hij schijnt een ononderbroken datering van de traditie weer te geven tot de oorspronkelijke Nazareense hiërarchie die vlak voor de opstand van 66 Jeruzalem ontvluchtte. Wederom wordt daarin Jezus voorgesteld als mens, niet als godheid, en elke suggestie van zijn goddelijkheid wordt afgewezen. Op het belang van de joodse wet wordt wederom de nadruk gelegd. Paulus wordt gegispt en zijn volgelingen wordt verweten dat zij 'de religie van Christus verlaten en zich tot de religieuze doctrines van de Romeinen gewend hebben'. De evangeliën worden van de hand gewezen als onbetrouwbare verslagen-uit-de-tweede-hand die slechts 'iets – doch weinig – van de uitspraken, de leringen van Christus en informatie over Hem bevatten'. Maar dat is nog niet alles. Het tiende-eeuwse Arabische document vervolgt met de bewering dat de sekte van welke de Nazareense tekst afkomstig is, nog steeds bestaat en wordt beschouwd als elite te midden van christenen.[6]

Een der eerste bewaarplaatsen van de Nazareense traditie vormde de 'ketterij' die wij thans als nestoriaans christendom kennen. Dit kreeg die naam door Nestorius die in 428 tot patriarch van Constantinopel werd benoemd. Evenals de Engelse bisschop van Durham in onze tijd liet hij over zijn visie al dadelijk geen misverstand ontstaan. In hetzelfde jaar waarin hij werd benoemd, verklaarde Nestorius botweg: 'Laat niemand Maria de moeder van God noemen. Maria was slechts mens.'[7]

Dat dit onmiddellijk een schandaal ontketende, behoeft wel geen betoog. Drie jaar later werd Nestorius veroordeeld en geëxcommuniceerd. De brief die hem van de over hem uitgesproken banvloek in kennis stelde, begon aldus: 'Het Heilig Concilie aan Nestorius de nieuwe jood.'

In 435 werd Nestorius naar de Egyptische woestijn verbannen, maar zijn invloed taande niet. De Perzische kerk werd in haar oriëntatie nestoriaans.[8] En toen in 451 Nestorius officieel als ketter geboekstaafd werd, weigerde de Egyptische kerk, hoewel ze niet met hem instemde, zijn veroordeling te aanvaarden. Ook zij scheidde zich van de orthodoxie van Rome af en groeide uiteindelijk samen tot de Koptische kerk. Intussen bleef de nestoriaanse leer niet alleen elders voortleven, maar spreidde tevens een verbazingwekkend taai leven tentoon. In onze twintigste eeuw leeft ze nog steeds actief voort en onderhoudt een theologische school in Nisibis in noordelijk Tweestromenland. Meer recent is de officiële patriarch samen met tal van zijn volgelingen naar San Francisco geëmigreerd waar de nestoriaanse kerk tegenwoordig gevestigd is.

Maar terwijl de nestoriaanse kerk één voertuig leverde waarmee de Nazareense leer naar latere tijdperken werd gebracht, waren er ook andere. In bronnen van de Prieuré de Sion waren wij onderstellingen tegengekomen dat sommigen van zijn vroegste leden en van hun zijtak, de tempeliers, contact hadden gelegd met bepaalde Esseense/Zadokitische/Nazareense sekten die ten tijde van de kruistochten nog altijd bestonden, meer dan duizend jaar na de tijd van Jezus. Deze onderstellingen, hoewel niet onwaarschijnlijk, werden echter niet door enig deugdelijk bewijs gestaafd en wij aarzelden dan ook om er geloof aan te hechten. De kwestie scheen uiteindelijk niet bevestigd te kunnen worden.

Kort na de publikatie van *The Holy Blood and the Holy Grail* echter ontvingen we een brief van dr. Hugh Schonfield, auteur van *The Passover Plot* en van een aantal andere belangrijke studies over de oorsprongen van het christendom. In de loop van daarop volgende ontmoetingen met hem was hetgeen dr. Schonfield ons kon vertellen meer dan verbazingwekkend. Enige tijd daarvoor had hij een geheimschrift ontdekt – hij noemde het de 'Atbash-code' – dat gebruikt was om bepaalde mensen in Esseense/Zadokitische/Nazareense teksten te verhullen. Het codesysteem was bij voorbeeld toegepast in een aantal van de in Qumran gevonden rollen.

In *Secrets of the Dead Sea Scrolls* geeft dr. Schonfield gedetailleerd uitleg hoe de Atbash-code functioneert.[9] In zijn recentste boek, *The Essene Odyssey,* beschrijft hij hoe hij, na ons boek in 1982 te hebben gelezen, geïntrigeerd raakte door het mysterieuze beginsel dat naar beweerd werd door de tempelridders onder de naam 'Baphomet' werd vereerd. Dr. Schonfield paste toen de cryptografische principes van de Atbash-code op 'Baphomet' toe. Het raadselachtige woord 'ontcijferde' zich voortreffelijk in 'Sophia' – de Griekse term voor 'Wijsheid'.[10]

Dit kon nauwelijks toeval zijn. Integendeel, het bleek zonder de minste twijfel dat de tempeliers de Atbash-code kenden en deze toepasten in hun eigen geheime heterodoxe riten. Maar: hoe kónden de tempeliers die toch in de vroege twaalfde eeuw actief waren, bekendheid hebben verworven met een cryptografisch systeem dat van zo'n duizend jaar eerder dateerde en waarvan de beoefenaren toch kennelijk allang van het historische toneel verdwenen waren? Er is daarvoor slechts één werkelijk plausibele verklaring te geven. Het lijkt duidelijk dat althans een aantal van deze kenners van de code in het geheel niet was verdwenen, maar ten tijde van de kruistochten nog altijd bestond. En ook leek duidelijk dat de tempeliers contact met hen hadden gelegd. Gezien het gebruik van de Atbash-code door de tempelridders is aannemelijk dat een Nazareense of neo-Nazareense sekte in elk geval in een of andere vorm in de twaalfde eeuw voortleefde en haar leer voor het Westen toegankelijk had gemaakt.

De Nazareeërs van Egypte

Tot dusver hebben we migratie en voortbestaan van Nazareens denken nagespoord noordoostwaarts, vanuit het Heilige Land, naar Syrië, Klein-Azië, Turkije, Perzië, delen van Zuid-Rusland en het subcontinent India – de streken waarvan de traditie en dr. Koester onderstellen dat ze tot christendom bekeerd werden door Judas Tomas, de tweelingbroer van Jezus. Maar deze gebieden – gescheiden als ze immers grotendeels waren van de hoofdstroming van zich ontwikkelende westerse ideeën – vormden niet de enige wijkplaatsen voor Nazareense gedachten. De Nazareense leer werd ook in zuidwestelijke richting doorgegeven, naar Egypte en langs de kust van Noord-Afrika waar ze in rechtstreekser contact zou komen met de groeiende orthodoxie van Rome – en, ondanks pogingen van Rome om haar te onderdrukken, toch een duidelijke invloed uit zou oefenen op de ontwikkeling van het christendom in West-Europa.

Sedert oudtestamentische tijden bestond al een druk verkeer, zowel van ideeën als van koopwaar, tussen Palestina en Egypte. In de tijd van Jezus was Alexandrië de meest eclectische, oecumenische en verdraagzame stad van het hele Romeinse keizerrijk – het belangrijkste snijpunt van mediterrane handelsroutes en als zodanig een soort doorgangshuis niet alleen voor materiële maar ook voor gedachtengoederen. Uit het oude Egypte stammende mysteriënscholen leefden op vriendschappelijke voet met Griekse mysteriën scholen, met helleense wijsbegeerte, met religieuze leringen uit Palestina en Syrië, met flarden van zoroastrische en mitraïsche tradities, met sekten en culten uit elk deel van het mediterrane gebied, zelfs met uitlopers van hindoeïsme en boeddhisme uit India. De grote bibliotheek van Alexandrië was de beroemdste en uitgebreidste van de bekende wereld en maakte de stad tot een natuurlijk studiecentrum.

Het zal niet verbazen dat Alexandrië ook een natuurlijke haven voor joden uit het Heilige Land was geworden – om handelsredenen in tijden van stabiliteit, als wijkplaats ten tijde van opstand en oorlog. Men schat zelfs dat in de eerste eeuw na Christus niet minder dan een derde deel van de Alexandrijnse bevolking jood was. Volgens de evangeliën ontvluchtten Jezus en zijn familie Herodes' vervolging en brachten zich in Egypte in veiligheid waar aan gelijkgestemde geesten geen gebrek zal zijn geweest. Filo in elk geval gewaagt van een joodse sekte of enclave met de naam 'Therapeutae' van wie visie en handelingen identiek waren aan die van de Essenen of Zadokiten in het Heilige Land – met andere woorden: identiek aan die van Jezus' latere aanhang. En na beide grote opstanden in Palestina – de oorlog van 66 tot 74 en die van 132 tot 135 – zijn aanzienlijke aantallen verslagen joodse vrijheidsstrijders naar Alexandrië gevlucht.[11]

Als Judas Tomas niet zelf naar Egypte is getrokken, belandde de Nazareense leer van de soort die hij in Syrië verkondigde daar wel degelijk. Het was in Egypte dat het evangelie van Tomas voor het eerst werd gevonden – samen met de rijkdom aan andere gnostische tomasinische of Nazareense documenten bij de verzameling handschriften van Nag Hammadi. Het Nazareense denken liet een onuitwisbare indruk na op de ontwikkeling van het Egyptische christendom. Zelfs een zo hoog geschatte kerkvader als Clemens van Alexandrië stond in velerlei opzicht dichter bij de oorspronkelijke Nazareense doctrine dan bij de paulinische orthodoxie van Rome. De zogenaamde 'ketterijen' die in Syrië en op punten in noordoostelijke richting als bewaarplaatsen voor Nazareense ideeën dienden, leefden ook in Egypte. Andere 'ketterijen' – zoals bij voorbeeld die van Arius, die Jezus mens achtte, geen God – kwamen daar op en weerspiegelden Nazareense invloed.

In de vijfde eeuw was de paulinische orthodoxie van Rome nog altijd bezig haar hegemonie over Egypte te vestigen. De grote bibliotheek van Alexandrië werd in 411 door 'christenen' in brand gestoken. De laatste grote neoplatoonse wijsgeer, een vrouw die Hypatia heette, werd toen ze van een lezing in de bibliotheek terugkeerde gestenigd – wederom door 'christenen'; dat gebeurde in het jaar 415. Niettemin bleef het heterodoxe karakter van het Egyptische christendom gehandhaafd. In 435 werd zoals al opgemerkt Nestorius van zijn functie in Constantinopel ontheven en naar de Egyptische woestijn verbannen. En in 451 weigerde de Egyptische kerk het toenemende gezag van Rome te erkennen.

Uiteindelijk echter lag het duurzaamste resultaat van het Egyptische christendom nog niet eens zozeer in zijn bestendiging van Nazareense gedachten als wel in zijn ontwikkeling van een bestuurlijk systeem voor behuizing en het doorgeven van die ideeën. Dit systeem was het kloosterwezen.[12] Terwijl Rome in de periode van Constantijn I de kenmerken van het oude Herodiaans-Sadducese priesterdom begon te vertonen, bewoog het Egyptische christendom buiten de stedelijke centra zich in toenemende mate naar het soort structuur dat de Zadokiten of Essenen van Jezus' tijd ten dienste had gestaan. Het lijkt duidelijk dat het Egyptische kloosterwezen, met zijn netwerk van woestijngemeenschappen, nauwkeurig volgens voorbeelden zoals Qumran gemodelleerd werd.

De eerste Qumran-achtige woestijngemeenschap werd omstreeks 320 gesticht door Pachomius – juist in de tijd waarin de paulinische orthodoxie van Rome voor zichzelf officiële erkenning kreeg van Constantijn. Pachomius'

Het oude Atbash alfabetische cijferschrift

א	=	ת
ב	=	ש
ג	=	ר
ד	=	ק
ה	=	צ
ו	=	פ
ז	=	ע
ח	=	ס
ט	=	נ
י	=	מ
כ	=	ל

klooster bracht al spoedig tal van uitlopers voort. Bij zijn dood in 346 leefden al vele duizenden monniken door de hele Egyptische woestijn verspreid, terwijl de beginselen van dit kloosterwezen ook naar elders werden doorgegeven. Wellicht het beroemdste voorbeeld van Egyptisch kloosterlingschap was Antonius abt. Veelzeggend is dat zowel Antonius als Pachomius wijding vermeden. De kwestie is namelijk dat het Egyptische kloosterwezen niet zonder meer spontaan opkwam. Het vertegenwoordigde tevens een vorm van oppositie tegen de straffe hiërarchische structuren van Rome.

Natuurlijk waren er ook paulinische bisschoppen van Alexandrië. Maar ondanks de nominale overkoepelende structuur van de kerk van Rome was de ware stuwkracht van het Egyptische christendom tegengesteld gericht aan de paulinische kerkelijke hiërarchie en het bestuur van Rome en vond zijn waarachtigste uiting via het kloosterwezen. Bijgevolg gingen de kloosters een soort alternatieve bestuursstructuur representeren die niets te danken had aan – en vaak rechtstreeks botste met – Rome. Zij werden bewaarplaatsen voor een parallel verlopende en vaak specifiek Nazareense traditie.

Terwijl Rome steeds ambitieuzer naar een nieuw imperialistisch ideaal streefde, gingen de Egyptische kloosters prat op een veel zuiverder, veel trouwer en getrouwer volgen van Jezus zelf, van zijn leer en zijn familie. En terwijl Rome zich ook tot een doorwrocht schaakbord van diocesen of bisdommen organiseerde, geleid door bisschoppen of aartsbisschoppen, stond het Egyptische kloosterwezen een veel lossere, veel soepelere ontwikkeling toe – evenals grotere nadruk op studie en lering. Hoewel de abt van zo'n klooster een zeker bestuurlijk gezag over zijn monniken uitoefende, was hij uiteindelijk geen 'hogere' geest(elijke) dan zij. Anders dan bisschop of aartsbisschop bezat zo'n abt geen speciale hem door God verleende prerogatieven, noch ook oefende hij enige wereldlijke macht uit. Hij was door zijn medebroeders om louter utilitaire redenen verkozen, maar in Gods oog bleef hij gewoon, net als zijn monniken-medebroeders, een nederige zoeker. Het kloostersysteem was in wezen a-hiërarchiek. En terwijl de kerk van Rome de teksten voorschreef die het canonieke Nieuwe Testament zouden vormen, verkozen de kloosters in Egypte een veel grotere verscheidenheid aan religieuze stof, zoals blijkt uit het evangelie van Tomas en de andere in Nag Hammadi gevonden teksten.[13]

De Spaanse ketterij van Priscillianus

Vanuit Syrië en Egypte begon de Nazareense traditie nog verder door te dringen. De meeste mediterrane handel met zowel Gallië als Spanje werd door Syrië beheerst. Schepen uit Alexandrië voeren dagelijks uit naar de

Atlantische kust van Europa. Het is dan ook nauwelijks een wonder dat belangrijke elementen van Nazareens denken hun weg naar die kust vonden. Tegen de tijd dat het paulinische christendom, zich vanuit Rome over land verbreidend, daar aankwam, hadden zij zich er al gevestigd.

Waarschijnlijk de belangrijkste figuur in de ontwikkeling van het vroege Spaanse christendom was de laat-vierde-eeuwse prediker Priscillianus van Ávila. Priscillianus, geboren uit een vooraanstaande familie, bleef lekeprediker, hij ontving nimmer wijding van Rome. Hoewel ze in het zuiden van Spanje begon, verbreidde zijn beweging zich al spoedig in westelijke en noordelijke richting en schoot uiteindelijk haar krachtigste wortels in Spaans Galicië dat haar kernland zou worden. Daar aan de Atlantische kust van Noordwest-Spanje lijkt ze constant nieuwe voeding en stuwkracht te hebben gekregen dank zij de maritieme handelsroutes met Egypte en het oostelijk deel van het Middellandse-Zeegebied. Geleidelijk drong ze over de Pyreneeën tot Gallië door en werd de dominante vorm van christendom in Aquitanië. Priscillianus stelde actieve pogingen in het werk om materiaal te verwerven dat zich buiten de invloedssfeer van de kerk van Rome bevond. Zo maakte een van zijn volgelingen, een vrouw, Egeria genaamd, tussen 381 en 384 een uitgebreide reis naar het Midden-Oosten. Ze selecteerde er niet-canonieke teksten. Ze bezocht Edessa, centrum van de tomasinische leer. Ze maakte een grote tournee langs de Nazareens en nestoriaans georiënteerde kerken van Tweestromenland.[14] Het belang hiervan moet niet onderschat worden. Het geeft aanwijzingen over de middelen waarmee een vorm van christendom die de paulinische orthodoxie van Rome geheel omzeilde, zich in West-Europa begon te vestigen.

Priscillianus' leer was gekenmerkt door elementen van duidelijk nestoriaans denken, alsook door elementen van gnostisch manicheïsme. Tevens ontleende ze veel aan strikt joods materiaal, met inbegrip van numerologie en andere vormen van vroeg kabbalisme – dat, zoals we eerder hebben besproken, sterk in Esseense/Zadokitische/Nazareense bronnen was geworteld. Ook schijnt Priscillianus eerbiediging van althans bepaalde leerstellingen van de joodse wet te hebben geëist. Anders dan het paulinische christendom vierde hij de sabbat op zaterdag. Hij ontkende de Drieëenheid. En hij gebruikte tal van boeken van specifiek Nazareense oriëntatie waaronder de Handelingen/Openbaringen van Tomas. Evenals zijn voorlopers in Egypte, Syrië en Klein-Azië leerde Priscillianus dat Judas de tweelingbroer van Tomas Jezus was.[15]

In 386 zijn Priscillianus en ten minste vijf van zijn discipelen de eerste ketters die terechtgesteld zouden worden. Het vonnis werd in Trier voltrokken, maar het lichaam van Priscillianus werd naar Spanje teruggebracht en in Galicië begraven. Hij werd daar als martelaar vereerd en zijn graf werd een heiligdom, een gewijd oord, centrum van pelgrimages. Professor Henry Chadwick van Oxford betoogt dat het heiligdom van Santiago de Compostela in feite het graf van Priscillianus is.[16]

Santiago de Compostela getuigt van de doeltreffendheid waarmee de Nazareense traditie zich in Spanje wist te vestigen. Zoals we gezien hebben, achtte de paulinische kerk van Rome Jezus' broer Jakobus zo iets als een hinderlijk gegeven en ze ging dat zoveel mogelijk uit de weg om hem en zijn rol te ontduiken. Slechts één fragmentarische brief van Jakobus is in het canonieke Nieuwe Testament opgenomen. Afgezien daarvan komt Jakobus slechts kort en in het voorbijgaan voor in de evangeliën en als perifere achtergrondfiguur in de Handelingen der Apostelen. Doch Santiago de Compostela – de kerk van Sint-Jakobus in Compostela – werd met uitzondering van Rome zelf het belangrijkste heiligdom en centrum van bedevaarten voor het middeleeuwse christendom. Het was van Santiago uit dat de Reconquista – de kruistocht om Spanje op de Moren te heroveren – begon. Santiago stichtte ook zijn eigen militaire ridderlijke orde, de orde van Santiago, naar het model van tempelridders en hospitaalridders (Ridders van Sint-Jan).

Volgens de Spaanse overlevering van de zevende eeuw bezocht de heilige Jakobus persoonlijk Spanje en predikte daar. Ook werd beweerd dat zijn lichaam na zijn dood van Jeruzalem naar Santiago overgebracht en daar begraven zou zijn. Beide beweringen, hoewel dubieus, getuigen van de verering die Jakobus genoot in wat gewoonlijk als een zuiver paulinische invloedssfeer wordt beschouwd. Santiago de Compostela kan op legitieme wijze gezien worden als een geheiligd teken van voortbestaan van de Nazareense leer, in stilzwijgende trotsering van Rome.

In het begin van de negende eeuw werden in Santiago beenderen van mensen opgegraven. In die tijd meende men dat zij het gebeente van Jakobus waren. Veel recentere opgravingen echter, tussen 1946 en 1959 uitgevoerd, brachten een aantal graven uit de vierde en vijfde eeuw aan het licht. De graven zijn gericht naar het oosten, naar Jeruzalem – precies zoals Nazareeërs tijdens het gebed zich naar het oosten richtten. Men gelooft thans dat die graven van vroeg-Spaanse christenen zijn, geplaatst in de directe nabijheid van het mausoleum van een onmiskenbaar heilige man. Zoals we al zeiden, houdt minstens één hedendaagse autoriteit op dit gebied vol dat het praalgraf in kwestie dat van Priscillianus is en dit wordt ook in brede kring door de plaatselijke bevolking aanvaard. Terwijl tevens van de voornaamste pelgrimsweg naar Santiago beweerd wordt dat deze dezelfde is als waarlangs Priscillianus' lichaam van Trier voor zijn begrafenis werd teruggebracht.[17]

De Keltische kerk van Ierland

Uiteindelijk echter was Spanje een tussenstation in voortbestaan en overdracht van de Nazareense traditie. Deze zette haar verbreiding voort in noordelijke richting, langs de Atlantische randen van het gezag van de kerk van Rome, totdat ze tussen medio de vijfde en medio de zevende eeuw volkomen haar Europese uiting vond in de Keltische kerk van Ierland.

Tijdens de eerste eeuwen van het christelijke tijdperk was Ierland goeddeels geïsoleerd van het overige Europa. Geografie en topografie beveiligden Ierland effectief tegen Germaanse invasies – van de Saksen bij voorbeeld die Engeland onder de voet zouden lopen en er Wodan en hun Germaanse godenhemel plaatsten tegenover een nog maar amper verbreid christendom. Geïsoleerd door de Ierse Zee bleef Ierland een veilige haven, een wijkplaats. Tijdens het hoogtepunt (nadir) van de zogenaamde donkere middeleeuwen werd het het ware centrum van studie en kennis voor geheel Europa. Terwijl het vasteland en ook Engeland door beroeringen en conflicten geteisterd werden, was Ierland een bastion van studie, cultuur en civilisatie. Van elders gevluchte geleerden kwamen er bijeen. Grote hoeveelheden handschriften werden er om redenen van veiligheid en kopiëring naar toe gebracht. Door hun uitgebreide bibliotheken trokken Ierse kloosters studenten uit de gehele wereld aan. Hoewel ook missiearbeid werd verricht, genoten studie en onderwijs nog hogere prioriteit. Christenen trokken naar Ierland, niet om anderen hun credo op te leggen, maar zich in de leringen van het verleden te verdiepen – en om, in de beslotenheid en vredigheid van het eiland, de eigen innerlijke gemeenschap met hun God te ontdekken, onafhankelijk van hiërarchisch priesterdom. Geestelijken uit de gehele christelijke wereld, evenals leden van diverse adellijke en vorstelijke huizen, oefenden zich in Ierland. Medio de zevende eeuw werd zo ook Dagobert II, een van de kernfiguren in het mysterie van Rennes-le-Château, opgevoed en opgeleid in het klooster van Slane, even ten noorden van het tegenwoordige Dublin.

In deze periode was het contact tussen Ierland en Rome spaarzaam en veelal moeilijk. Het werd echter nooit geheel verbroken, zoals negentiende-eeuwse godsdiensthistorici soms beweerden, als zij het heterodoxe karakter van de Keltische kerk trachtten te verklaren. Integendeel: deze georiënteerdheid van de Keltische kerk was vrijwillig en weloverwogen, en niet het gevolg van gedwongen isolering en doodzwijgen. Doch Rome, van Ierland door een oproerig continent gescheiden, bezat weinig middelen om haar decreten daar op te leggen. Ierland bleef vrij om ideeën op te nemen die daar, net als zijn handel, uit elk deel van de toen bekende wereld binnenkwamen. De handel met Ierland ging geheel over zee; en dit maritieme verkeer was niet alleen afkomstig uit Engeland en Gallië, maar ook uit Spanje en Noord-Afrika, evenals uit het oostelijke mediterrane gebied.

Onbekend is wanneer het christendom zich voor het eerst in Ierland vestigde – of wat dat betreft waar dan ook op de Britse eilanden. Volgens de zesde-eeuwse kroniekschrijver Gildas waren er al 'christenen' in Engeland ten tijde van keizer Tiberius die in 37 overleed. Dit kan niet geverifieerd worden en lijkt wat vroeg, maar gezien het constante maritieme verkeer toch niet geheel onmogelijk. In elk geval moet een of andere vorm van 'christendom' Brittannië hebben bereikt binnen enkele jaren na de door Gildas opgegeven tijd.

Omstreeks 200 maakt kerkhistoricus Tertullianus duidelijk dat enige vorm van gevestigd christendom in Brittannië bestaat – niet alleen in Rooms Engeland, doch ook in streken die 'voor de kerk van Rome ongenaakbaar' zijn. Onaannemelijk is dat daarmee Schotland werd bedoeld; vrijwel zeker bedoelt hij Wales en, heel wel mogelijk, Ierland. In elk geval waren er in 314, ongeveer een eeuw later, drie Britse bisschoppen op het concilie van Arles, wat van enige vorm van georganiseerde congegratie getuigt. Bij het concilie van Arminium, vijfenveertig jaar nadien, waren vier Britse bisschoppen aanwezig van wie er één kennelijk zijn eigen reis had betaald, wat op enige mate van welstand lijkt te wijzen. Ook in die tijd werd beweerd dat enkelen van de oorspronkelijke apostelen naar Brittannië waren gereisd.

Stellig had het christendom zich in het begin van de vijfde eeuw al in Ierland gevestigd, evenals de pelagiaanse ketterij die onder meer het leerstuk van de erfzonde verwierp en de mens een grotere mate van vrije wilsbeschikking toekende dan door de orthodoxie van Rome werd toegestaan. Omstreeks 431 werd Palladius de eerste bisschop van Ierland. Een jaar later werd Palladius opgevolgd door de Northumbrische monnik die wij thans als Sint-Patrick kennen. Palladius had een al georganiseerde congregatie geleid, waarschijnlijk langs de Ierse zuidoostkust, terwijl men meent dat Patricks evangeliserende activiteiten zich vooral in het noorden van het eiland hebben afgespeeld, dat nog altijd grotendeels heidens was. Interessant is dat Patricks werk evenzeer door persoonlijke teleurstelling of ontgoocheling bepaald geweest lijkt als door religieus vuur. Zijn kerkelijke superieuren hadden hem ongeschikt geacht voor het priesterschap.[18] Spreekt daar twijfel aan Patricks kunnen uit? Of aan zijn opvattingen?

Er bestaat zeker bewijs dat Patrick 'besmet' was met de ketterij van Arius – die onder andere volhield dat Jezus sterfelijk was geweest en niet maagdelijk was geboren.[19] Helaas is er geen aanwijzing in hoeverre Patrick nu precies de visie van Arius aanhing. Veelzeggend is echter dat nergens in datgene wat van zijn geschriften en leer is overgebleven, enig gewag wordt gemaakt van de onbevlekte ontvangenis – in die omstandigheden een zeer opvallende omissie voor een evangelist. Evenmin lijkt Patrick de uitspraken van de kerkvaders te hebben aanvaard of de canons van de concilies. In feite lijkt hij elke tussenkomst, hetzij van engelen, heiligen of een priesterlijke hiërarchie, te hebben afgewezen. Hij beroept zich voor zijn gezag uitsluitend op de Schrift.

Dank zij recente archeologische ontdekkingen bestaat er nu weinig twijfel meer, of het Keltisch christendom, zoals zich dat tussen de tijd van Patrick en de synode van Whitby medio de zevende eeuw ontwikkelde, had weinig aan Rome te danken. Grotendeels wist het Rome doeltreffend te omzeilen en

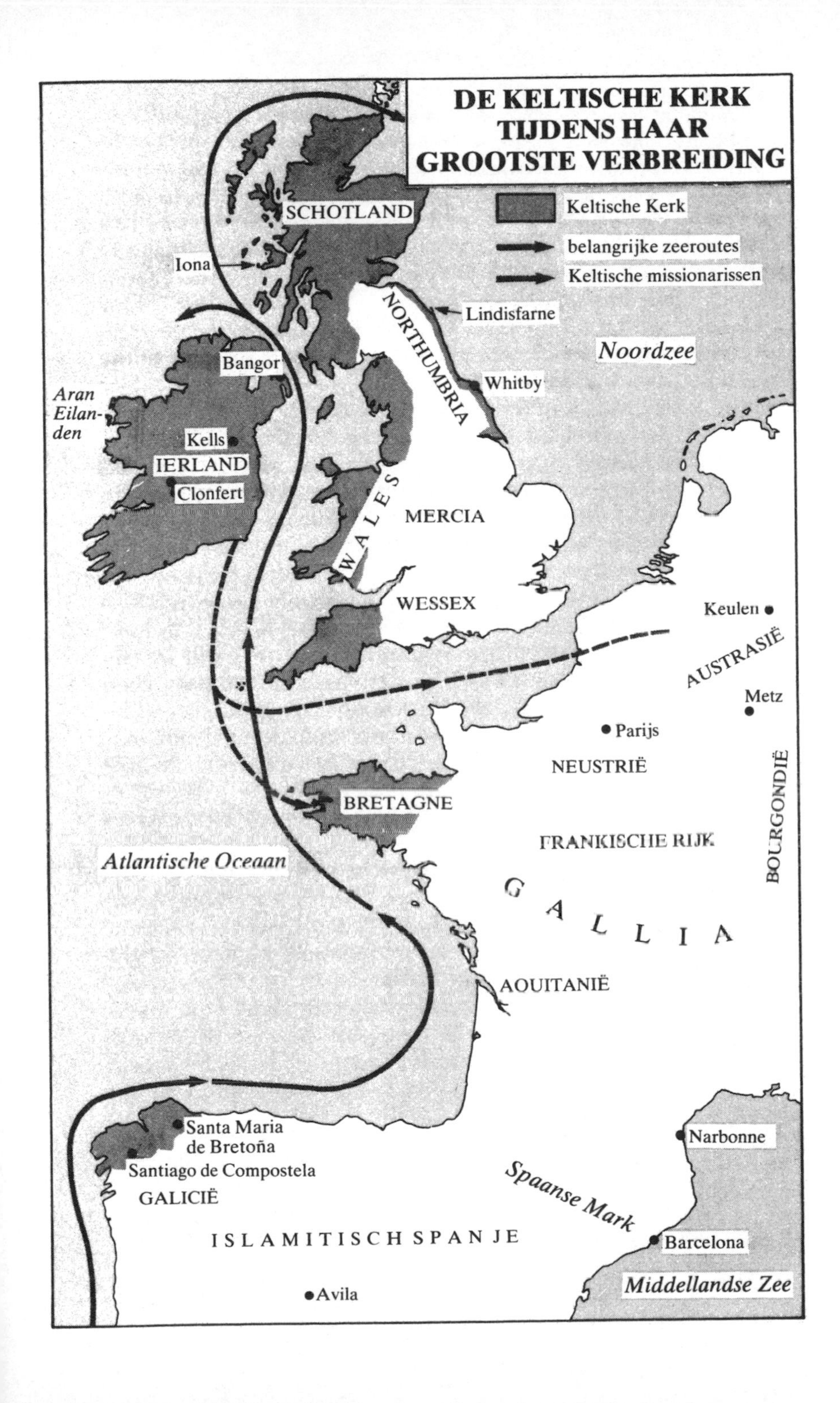
DE KELTISCHE KERK
TIJDENS HAAR
GROOTSTE VERBREIDING
Keltische Kerk
belangrijke zeeroutes
Keltische missionarissen
SCHOTLAND
Iona
Lindisfarne
NORTHUMBRIA
Noordzee
Whitby
Bangor
Aran
Eilan-
den
Kells
IERLAND
Clonfert
WALES
MERCIA
WESSEX
Keulen
AUSTRASIË
Metz
Parijs
NEUSTRIË
BOURGONDIË
BRETAGNE
FRANKISCHE RIJK
Atlantische Oceaan
G A L L I A
AQUITANIË
Santa Maria
de Bretoña
Santiago de Compostela
GALICIË
Narbonne
Spaanse Mark
ISLAMITISCH SPANJE
Barcelona
Middellandse Zee
Avila

ontleende het zijn voornaamste stuwkracht en oriëntatie aan Egypte, Syrië en de mediterrane wereld. In sommige gevallen kwam deze drijfkracht via Spanje. Zo werden bij voorbeeld priscillianistische teksten in Ierland gebruikt ondanks de ketterse staat ervan in de ogen van Rome.[20] En van uiterlijk het jaar 569 af had de Keltische kerk haar eigen bisschopszetel: het bisdom Bretoña, gevestigd in Sante Maria de Bretoña bij Mondoñedo de Galicia.[21] Dit is de streek in noordwestelijk Spanje waarvan de latere hoofdstad Santiago de Compostela was en die de leer van Priscillianus ten diepste trouw was gebleven. Maar terwijl een deel van de stuwkracht van de Keltische kerk afkomstig was van Spanje, ontleende ze een groot deel aan veel oudere bronnen. In de bewoordingen van de Zweedse auteur Nils Aberg: 'Wij zijn genoopt... rechtstreekse invloed tussen de mediterrane wereld en Ierland aan te nemen.'[22]

Bekend is dat Ierse monniken Egypte hebben bezocht. Er zijn zelfs reisdagboeken met bij voorbeeld beschrijvingen van de piramiden en nauwkeurige instructies voor de manier waarop men in het Heilige Land moet komen. Ook tekent een Ierse geschiedenis van martelaren aan dat een zevental Egyptische monniken begraven werd in Disert Ulidh in Ulster. Egyptische invloed is waarneembaar in Ierse benamingen van streken en parochies – bij voorbeeld Desertmartin nabij Londonderry of Desert Oenghus in Limerick. Er zijn in Ierland als zodanig geen 'deserts', woestijnen. Men neemt thans aan dat dergelijke benamingen gebezigd werden voor kloostergemeenschappen naar het model van woestijnvoorbeelden in Egypte.[23]

Het bewijsmateriaal van Ierse contacten met Egypte is te omvangrijk dan dat wij er hier gedetailleerd op in kunnen gaan. Enkele voorbeelden mogen volstaan. Zo is een deel van de Ierse tekst die wij als de 'Salthair na Rann' kennen, een elfde- of twaalfde-eeuwse kopie van het 'Boek van Adam en Eva', dat in de vijfde eeuw in Egypte werd samengesteld en volgens wat daarover bekend is haar weg naar geen enkel ander Europees land heeft gevonden.[24] Onmiskenbaar Egyptische motieven en versieringen zijn ontdekt in Ierse boeken en handschriften. De liturgie van de Keltische kerk bevatte duidelijk Egyptische en Syrische elementen. Episoden in een Iers 'Heiligenlevens' zijn rechtstreeks ontleend aan een Alexandrijnse bron. Missen en gebeden uit apocriefe werken, in Egypte in gebruik, waren eveneens in Ierland in zwang. De Keltische kerk vierde de feestdagen van Maria op dezelfde dagen als de Egyptische kerk, dit in afwijking van de door Rome bepaalde tijden. Glazen miskelken, identiek aan in Egypte gebruikte exemplaren, zijn in County Waterford gevonden. De vijfde-eeuwse 'klok van Sint-Patrick' is een imitatie van de klokken die in Egypte in gebruik waren. Er zijn nog talloze andere voorbeelden van dit soort te geven die dertien eeuwen van paulinische orthodoxie van Rome niet hebben kunnen uitwissen.[25]

Hoewel het Keltische christendom veel ontleende aan Egypte, putte ze ook krachtig uit de duidelijker ketterse tradities van Syrië, Klein-Azië en Mesopotamië. We hebben al besproken hoe het nestoriaanse denken diende als bewaarplaats voor bepaalde Nazareense tradities. Al in 430 was een boek waarin de leer van Nestorius uiteen werd gezet, in het Westen in omloop – in de tijd van Sint-Patrick. Nestorius had zelf aan de theologische school van Antiochië gestudeerd waar zijn mentor Theodore van Mopsuestia was. Tijdens het vijfde oecumenisch concilie in 553 werden Theodore en al zijn werken officieel veroordeeld en ketters verklaard. Als gevolg daarvan is het meeste van zijn leer sinds lang verdwenen. Niettemin komt veel van wat wij tegenwoordig nog van hem weten uit Ierland. Een van zijn voornaamste commentaren bij de Schrift bestaat alleen nog in een oud Iers handschrift.[26] Ander materiaal van Theodore komt in andere Ierse manuscripten voor, daterend uit de achtste en de negende eeuw en, in één geval, uit het einde van de tiende eeuw – meer dan vierhonderd jaar nadat Theodore was veroordeeld. Men heeft ondersteld dat de werken van Theodore vertaald en naar Ierland gebracht zijn door niemand minder dan Sint-Columbanus.[27]

De niet-Roomse, oosterse invloed op de Keltische kerk kwam het duidelijkst tot uitdrukking in het Ierse kloosterwezen. Evenals de Egyptische kerk was de Keltische kerk minder rondom het diocees georganiseerd dan rondom abdij of klooster. Zó groot was het gezag van dergelijke instellingen dat een zogenoemde 'gemijterde abt' in Ierland gewoonlijk een ongemeen hoge status werd toegekend – een status die in de kerkelijke hiërarchie vergelijkbaar was met die van een bisschop. Zelfs was het voor Ierse abten niet ongewoon dat zij bisschoppen onder hún rechtsbevoegdheid hadden.

Ierse kloosters waren in nauwe aansluiting bij die van Egypte, Syrië en elders in de mediterrane wereld buiten de invloedssfeer van Rome georganiseerd. In vele gevallen waren indeling en inrichting van de kloostergemeenschappen dezelfde. De Ierse 'kluizenaarsregel' is in wezen gelijk aan de regel die de kluizenaarspraktijk in Egypte, Syrië en het Heilige Land bepaalde. En evenals monniken in het Midden-Oosten schijnen Ierse monniken onder de hoede van de Keltische kerk getrouwd te zijn geweest.

Zoals we al opmerkten, was Ierland tussen medio de vijfde en medio de zevende eeuw een centrum van studie en geleerdheid. Met mogelijke uitzondering van Rome was er in Europa geen tweede plaats die ermee vergelijkbaar was. In velerlei opzicht werd Ierland slechts geëvenaard door Byzantium. In Ierland evenals in het Midden-Oosten vormden studie en geleerdheid een integraal deel van het kloosterwezen en Ierse boekerijen werden bewaarplaatsen voor materiaal uit de gehele toen bekende wereld. In het begin van de zevende eeuw oefenden Ierse kloosters een waar monopolie in onderwijs van Grieks uit. Ook vele heidense schrijvers werden bestudeerd. Noch ook wees de Keltische kerk Ierlands eigen voorchristelijke culturele erfgoed van de hand. De traditie van de barden bij voorbeeld vond een wijkplaats in de Keltische kerk en werd daar bewaard. Sint-Columbanus zelf woonde en werkte, nadat hij monnik was geworden, met een bard in Leinster. Later was hij ook de pleitbezorger van de zaak van de barden, toen hun scholen en leringen onder vuur kwamen te liggen.

In haar organisatie en gebruik van bepaalde teksten en in vele uiterlijke aspecten omzeilde de Keltische kerk zo de kerk van Rome en functioneerde als een bewaarplaats voor uit Egypte, Syrië en Klein-Azië ingekomen elementen. Maar wat was nu het leerstellig standpunt van de Keltische kerk? Waar stond zij met betrekking tot Rome? Was het inderdaad een vorm van ketterij die Rome om eigen redenen niet openlijk als zodanig aan de kaak durfde stellen? En welke grond was er voor het zevende-eeuwse gezegde dat 'de Keltische kerk liefde bracht, terwijl de kerk van Rome wetten stelde'?

In 664 werd de Keltische kerk tijdens de synode van Whitby uiteindelijk ontbonden en Ierland onder de wieken van Rome gebracht. In Whitby liet de Keltische kerk haar laatste aanspraak op zelfstandigheid en onafhankelijkheid varen. Van toen af aan werd het christendom in Ierland gedefinieerd en bepaald door Rome, terwijl compromitterende documenten vernietigd of in beslag genomen zullen zijn. Na Whitby was de stem van Rome de enige die sprak over de verschillen die daarvóór tussen beide kerken hadden bestaan.

Volgens deze officiële stem waren die verschillen gering geweest en gemakkelijk met elkaar in overeenstemming te brengen. Zij zouden het niet eens zijn geweest over de ceremonie van de bisschopswijding. Rome eiste de aanwezigheid van minstens drie andere bisschoppen bij de plechtigheid, terwijl de Keltische kerk één voldoende achtte – zeker een aanvaardbaar standpunt gezien de reisproblemen in het toenmalige Ierland én het geringe aantal bisschoppen dat het land telde. Ze zouden het voorts niet eens zijn geweest over de kalenderdata waarop het paasfeest jaarlijks werd vastgelegd, noch ook over de vorm van de clericale tonsuur. Rome stond namelijk op een variant van de tonsuur zoals wij die tegenwoordig kennen, terwijl prelaten van de Keltische kerk de gehele bovenzijde van het hoofd kaalschoren, van de slapen af tot het midden van de kruin, en lang haar achter lieten hangen – het hedendaagse stereotiepe beeld van de druïde. Ten slotte zou men het niet eens zijn geweest over formaliteiten bij de doopplechtigheid. De Keltische kerk achtte kennelijk één besprenkeling voldoende, terwijl Rome deze driemaal eiste. En Rome stond er bovendien op dat dit ritueel in een gewijde kerk plaats zou vinden – wat gezien de betrekkelijk weinige kerken in Ierland in die tijd en hun neiging zich in bepaalde gebieden te concentreren niet altijd mogelijk was.

Hoe weinig essentieel ze ook mogen lijken: dit zouden de gewoonlijk aangehaalde twistpunten tussen de Keltische en Roomse kerk zijn geweest. Desondanks waren ze in allerlei andere, beslissende opzichten zodanig verschillend dat men wel niet anders kan dan vermoeden dat er iets anders aan de hand is geweest – iets waarvoor de vier bovengenoemde punten als vermomming voor het oog van het nageslacht moesten dienen.

Latere commentatoren zijn dan ook begrijpelijk argwanend geworden.

John McNeill bij voorbeeld beweert dat de '... geschilpunten tussen Roomsen en Kelten veel dieper lagen dan de geboekstaafde uitwisseling van argumenten aanduidt'.[28] Hij komt tot de gevolgtrekking dat het '... uiteindelijke geschil hierin lag dat de Keltische kerkelijke autonomie tegen integratie in het kerkelijke systeem van de Roomse kerk was'.[29] Doch in feite lag het uiteindelijke geschilpunt nog dieper en was het in zijn implicaties vérstrekkender.

Een nader onderzoek van de Keltische kerk onthult een veel grotere afwijking van Rome dan algemeen erkend of zelfs maar bekend is. De Keltische kerk had bij voorbeeld haar eigen priesterwijdingsrite en deze verschilde aanmerkelijk van die van Rome. Zij had haar eigen liturgie en mis, die beide duidelijk oosterse, niet-Roomse elementen bevatten. Ze had zelfs haar eigen bijbelvertaling – een vertaling die Rome onaanvaardbaar achtte. In flagrante afwijking van de geloofsbelijdenis van Nicea lijkt de Keltische kerk het geloof in de heilige drievuldigheid constant te hebben verdoezeld, deze bij gelegenheid zelfs te hebben betwijfeld. Latere geestelijken van de Keltische kerk lijken Sint-Patrick te zijn gevolgd in zijn omzeiling van de onbevlekte ontvangenis. En nog in 754, bijna een eeuw na de synode van Whitby kwamen de paus klachten ter ore over Ierse missionarissen die 'de canons van de kerk negeerden, de geschriften van de kerkvaders afwezen en het gezag der concilies versmaadden'.[30]

Doch dat is nog niet alles. Voor Rome was het Oude Testament meer en meer bijzaak en de mozaïsche wet overbodig geworden; Jezus, geloofde Rome, had de mozaïsche wet afdoende opgeheven. In de Keltische kerk echter bleef het Oude Testament een status genieten, gelijk aan die van het Nieuwe. En als Patrick een nieuwe kerk wijdde, liet hij daar, naar beweerd werd, zowel een exemplaar van de evangeliën als een van de mozaïsche wet achter. De mozaïsche wet werd actief als belangrijk onderdeel van het Keltische christendom gepropageerd. Woeker was verboden, als zodanig echter niet door Rome. Geslachtelijke gemeenschap was verboden ten tijde van de menstruatie van de vrouw. Vrouwen werden als onrein beschouwd tijdens zwangerschap en direct na de bevalling. Huwelijkswetten waren strikt in overeenstemming met de leerstellingen van het Oude Testament.

De joodse sabbat werd geëerbiedigd. Het joodse paasfeest werd officieel gevierd. Het doden van dieren voor menselijke consumptie geschiedde in overeenstemming met de joodse regels dienaangaande. En bewaard gebleven missalen en andere documenten van de Keltische kerk blijken doorspekt met uittreksels uit joodse apocriefe boeken en aanvullende teksten die reeds lang en rigoureus door Rome waren verboden. Zo opvallend joods georiënteerd was de Keltische kerk zelfs dat ze duidelijk beschuldigd werd van jodendom en van het feit dat haar aanhangers joden waren.[31]

Niet zo'n wonder dat de documenten er niet meer zijn – dan wel dat ze nog niet aan het licht hebben kunnen komen – die erop wijzen dat de Keltische kerk in haar instelling ten opzichte van Jezus mogelijk belangrijk van de visie van Rome verschilde. Na de synode van Whitby zal dergelijk bewijsmateriaal onderdrukt of vernietigd zijn. Maar gezien het joodse karakter van de Keltische kerk kan men met redelijke zekerheid onderstellen dat haar houding tegenover Jezus in de ogen van Rome op zijn allerminst uitermate twijfelachtig moet zijn geweest. In vrijwel elk opzicht lijkt de Keltische kerk zeker wel méér te zijn geweest dan alleen bewaarplaats voor het Nazareense denken – zoals bij voorbeeld het nestoriaanse christendom was. De Keltische kerk lijkt *Nazareens te zijn geweest,* in een zuiverder, minder verwaterde vorm dan welk ander vergelijkbaar instituut van die tijd ook.

De stille invasie van Rome

Naar Roomse maatstaven was de Keltische kerk ongetwijfeld ketters. Zeker werden elders andere vormen van christendom als zodanig aan de kaak gesteld voor aanmerkelijk geringere afwijkingen van de paulinische orthodoxie. Waarom dan werd de Keltische kerk níet als zodanig gebrandmerkt? Waarschijnlijk omdat Rome geen alternatief had, wílde ze althans een kans hebben haar gezag ooit ook over Ierland te kunnen uitstrekken. De Keltische kerk te brandmerken als ketters zou gelijk staan met een oorlogsverklaring; en in geval van zo'n oorlog zou Rome geen enkel vooruitzicht hebben gehad de overwinning te kunnen behalen. Ze had geen eigen leger. En de seculiere legers die haar hegemonie voor haar op het continent vestigden, waren niet in staat een grootscheepse militante campagne tegen Ierland te ontketenen. Er was gewoon geen enkel militair of politiek apparaat waarmee Rome haar gezag met geweld over Ierland had kunnen uitbreiden. Elke poging om met geweld – met het woord of het zwaard – te veroveren had met gemak geneutraliseerd of afgeslagen kunnen worden. Er was in Ierland ook geen centraal politiek gezag – een 'sterke man' bij voorbeeld die het werk voor Rome had kunnen doen. Zo was het gewoon onmogelijk om tot het soort verdrag te komen dat Rome met de Frankische koning Clovis had gesloten.

Gezien deze factoren zou elke poging om de Keltische kerk als ketters aan de kaak te stellen slechts het volledige verlies van Ierland hebben betekend. Bijgevolg moest Rome haar toevlucht nemen tot diplomatie en onderhandeling. Langs die weg werd de Keltische kerk in plaats van door woorddwang of materieel geweld eenvoudigweg 'overgenomen'. Dat proces is wel te vergelijken met de wijze waarop in onze tijd een grote maatschappij kleinere concurrenten opslokt. Daardoor bleef Ierland ook het geweld bespaard waarmee Rome elders haar soevereiniteit oplegde.

Ook schijnt hierdoor in Ierland generlei grootscheepse kettervervolging te zijn geweest, noch schijnt algemene verbranding van boeken en manuscripten te hebben plaatsgevonden. De meeste gewijde teksten van de Keltische kerk zijn blijkbaar nog een tijdlang in gebruik gebleven waarna ze geleidelijk en stilletjes in de boekerijen van orthodoxe Ierse abdijen en kloosters werden opgeborgen. Wat dit impliceert is van wel heel bijzondere betekenis.

Want zoals reeds opgemerkt putte de Keltische kerk uit een breed spectrum van teksten van buiten de invloedssfeer van Rome – Nazareense teksten, nestoriaanse teksten, priscilliaanse teksten, gnostische en manicheïsche teksten, boeken van zowel joodse als 'christelijke' apocriefen. In één geval, in het 'Book of Cerne', is een gebed gevonden dat in laatste instantie afkomstig is uit een werk dat bij het te Nag Hammadi gevonden materiaal is aangetroffen.[32] Andere werken zijn uniek in Ierland en slechts daar bewaard gebleven. Weer andere zijn wel genoemd, ook naar bekend is in omloop geweest, doch nooit gezien. Bekend is dat honderden van dergelijke werken door de Vikingen tijdens hun overvallen op de Ierse kust zijn vernietigd. Maar van andere is bekend dat ze bewaard zijn gebleven. Een aantal ervan is uit Ierland gesmokkeld in de periode van de Viking-plundertochten en naar kloosters in Wales in veiligheid gebracht. Het is dan ook heel wel mogelijk dat zich heden ten dage in deze of gene archieven, bibliotheken of kloosters in Ierland of Wales een hoeveelheid materiaal bevindt waarvan de waarde vergelijkbaar is met die van de teksten die te Nag Hammadi zijn gevonden of met die van de Dode-Zeerollen.[33]

9. *De jongste dag*

Tijdens de kinderjaren is men vaak genoopt te geloven dat het christendom opeens verscheen, als een samenhangend, veelomvattend, geheel ontwikkeld en onveranderlijk denkgebouw, rechtstreeks voortkomend van Jezus en rondom Hem door zijn medewerkers georganiseerd. Men is genoopt zich voor te stellen dat de christelijke dogmatiek even keurig, even definitief en even onbetwistbaar geformuleerd was als een wet van Newton. Men is eigenlijk genoopt te denken dat de wereld – althans die van het Midden-Oosten – opeens een geheel nieuwe godsdienst had ontdekt, in één moment van inzicht, zo ongeveer als Newton wel wordt uitgebeeld met een op zijn hoofd vallende appel waardoor hij de zwaartekrachtwet ontdekte. Men is genoopt zich voor te stellen dat Paulus deze nieuwe godsdienst precies zo uitdroeg als Coke of Pepsi in de derde wereld aan de man gebracht zou kunnen worden – één zwaai en de inheemsen zijn aan de haak geslagen. Veel mensen nemen dergelijke ideeën, áls ze al over die dingen dieper nadenken, naar hun volwassenheid mee.

Zeker zijn er denkscholen en geloofsstelsels geweest die althans tot op zekere hoogte op een dergelijke wijze zijn opgekomen. Specifieke scholen van de islam bij voorbeeld zijn tegenwoordig nog grotendeels dezelfde als toen zij voor het eerst verbreid werden. Specifieke scholen van het boeddhisme zijn op enigszins vergelijkbare wijze rechtstreeks afkomstig van de leer van de boeddha. En in ons eigen tijdperk zijn er mensen die Marx en/of Lenin vereren en verkondigen alsof hun leer onveranderlijk zou zijn, alsof de wereld niet veranderd is sinds hun leven – en alsof zij deze in feite volstrekt accuraat in hun doctrines weerspiegeld zouden hebben.

Doch geen mens die op de hoogte is van de historische feitelijkheden, zou erover piekeren om een dergelijke bewering in verband met het christendom te uiten. Niemand zou betwisten dat hetgeen wij thans christendom noemen –

in al zijn veelvuldige en vaak onverzoenlijke gedaanten – het resultaat is van een langdurig, geleidelijk en vaak lukraak verlopend proces met veel vallen en opstaan, veel onzekerheid, veel scheuring, veel compromis, veel improvisatie, veel aanhechtsels *a posteriori* – plus een grote mate van historisch toeval. Bij elke beweging tijdens de samengroeiing van het christendom waren er willekeurige factoren, elementen, verdraaiingen en veranderingen die gedicteerd werden door het toeval of eenvoudig door maatschappelijke en politieke opportuniteit.

Ongetwijfeld zullen sommige godvruchtige christenen aanvoeren dat dit proces desondanks een goddelijk plan openbaart – een plan dat is ontworpen en vormgegeven door een hand machtiger dan mensenhand. En inderdaad kunnen de vele grilligheden, wisselvalligheden, dwalingen, valse starts en doodlopende wegen als getuigenissen van een dergelijk plan worden uitgelegd. Zelfs zou betoogd kunnen worden dat sléchts een bovenmenselijke kracht uit deze chaos van menselijke verwardheden iets kon puren dat naar samenhang zweemt.

Wij pretenderen niet dat wij dergelijke beweringen of kunnen ondersteunen of afwijzen. Wij matigen ons niet zo'n inzicht aan in de ontwerpen van de voorzienigheid of de kosmos, of welk ander principe dan ook dat verantwoordelijk moge zijn voor de vormgeving van de menselijke historie. Wij beseffen echter maar al te goed hoezeer historisch toevallig het christendom feitelijk is, hoe gemakkelijk gelegenheden of omstandigheden zijn ontwikkeling gewijzigd dan wel zelfs geheel verijdeld hadden kunnen hebben. Hadden de kaarten ook maar íets anders gelegen dan zou het bouwwerk dat wij nu christendom noemen, nooit iets meer zijn geworden dan een bijzondere school van jodendom. Waren de dingen ook maar in een íets andere richting gekanteld, dan zouden wellicht twee of meer millennia gegrond geweest kunnen zijn op de leer van Pythagoras, van Plato, van Hillel, van Apollonius van Tyana of van welke andere van de wijzen, profeten, geleerden en predikers van de oude wereld dan ook. Er was altijd sprake van een wankel evenwicht. Het had naar elk van een aantal alternatieve richtingen kunnen kantelen door het historische equivalent van een vogelveer, en wat wij thans christendom noemen, had zich heel wel kunnen ontwikkelen volgens laten we zeggen ariaanse lijnen, manicheïsche of nestoriaanse lijnen of die van tal van andere 'ketterijen' – of juist in het geheel niet. De triomf van het christendom van Rome was evenzeer 'een dubbeltje op zijn kant' als Wellington, in zijn vermaarde uitspraak, zijn overwinning bij Waterloo als 'kantjeboord' beschreef.

Van de talloze factoren die in één punt bijeenkwamen voor samengroeiing, ontwikkeling en voortbestaan van het christendom, is naar onze opvatting er één van beslissende betekenis. Die factor is het psychologische klimaat, het leefmilieu waaruit Jezus voortkwam en dat hem in staat stelde de invloed die hij tijdens zijn leven had, ook inderdaad uit te oefenen. Want Jezus was wel ten zeerste het produkt van een specifiek tijdsbestek in de historie van zijn volk. Wij hebben op dat tijdsbestek al eerder gezinspeeld, zij het en passant. Voor Jezus en zijn tijdgenoten stond die tijd bekend als de jongste dag of het laatste oordeel.

Vóór Jezus waren Messiassen voorspeld en verschenen. Zoals we opmerkten, was David een Messias evenals Salomo en de afstammelingen van hun lijn die daarna successievelijk tot en met de Makkabeeën de troon van Israël bestegen. Ditzelfde was ook het geval met de leden van de priesterlijke lijn van Zadok die op afstamming van Aäron aanspraak maakten. Wat echter de messiaanse verwachting van Jezus' tijd zo uniek maakte was dat ze onontwarbaar verwikkeld raakte in een vorm van apocalyptische hysterie.

Het Heilige Land ten tijde van Jezus bevond zich in een acute crisis van zin en betekenis van het leven. Bestaande schatkamers van het geloof werden betwist, ze werden ongeldig, ontoepasselijk en onbetrouwbaar bevonden. Johannes de Doper vermaande de mensen berouw te tonen, omdat de dag des oordeels aanstaande was, en in de hele joodse wereld waren de mensen ervan overtuigd dat deze inderdaad kon worden verwacht. Er heerste algemeen een angststemming, zowel om de wereld als om zichzelf, en een algemeen verlangen leefde om zoal niet de wereld in haar geheel dan toch zichzelf nog te kunnen redden. Er heerste een smartelijk schuldgevoel vanwege begane misstappen. Er bestond ontgoocheling over de uit Griekenland en het Romeinse imperium ingevoerde materiële waarden. Beschuldigingen van decadentie, van immoraliteit, van corruptie, van morele traagheid werden alom uitgebazuind naast bedreigingen met Gods toorn en Gods vergelding. Eindtijd-profeten verschenen, de uitspraken van vroegere profeten herhalend wier woorden, van eeuwen her daterend, als relevant voor de eigen tijd werden uitgelegd. Onder deze ijzingwekkende retoriek ontstond een algemeen gevoel van ineenstorting – bestaande wetten, regels, hiërarchieën van geestelijke waarden leken in staat van ontbinding te verkeren. Maatschappelijke en politieke instellingen verkeerden in wanorde. Terrorisme kreeg meer en meer angstwekkende impulsen. En onder het oppervlak van toenemende beroering was een wanhopig zoeken naar de zin, de betekenis van het leven, wat tot een hernieuwd verlangen naar het geestelijke leidde. Hoe kon God aan zijn Belofte worden gehouden een Messias te zenden om zijn volk te verlossen?

Uit de hernieuwde hang naar het geestelijke sloeg religieus fundamentalisme munt door zijn onbuigzame aanspraken wederom te doen gelden samen met machtige maatschappelijke en politieke krachten. Opnieuw kwam de oude mozaïsche wet in trek – niet alleen als religieus beginsel, maar evenzeer als kleefstof die het maatschappelijk weefsel tot een samenhangend geheel verbond. Samen met dergelijk fundamentalisme verbreidden zich allerlei vormen van mystiek. Wanhopig werd gezocht naar nieuwe wegen om met God in contact te treden. Sekten en culten van een verwarrende verscheidenheid en spectrum verschenen, schoten als paddestoelen uit de grond en kwamen tot bloei. Esoterische richtingen – magie, sterrenwichelarij, waarzeggerij en andere vormen van het 'occulte' – beleefden gouden tijden, doch algemeen op het oppervlakkigste niveau. Wonderen werden stelselmatig verwacht van magiërs, profeten en religieuze leraren. Het mensdom leefde onder de steeds dieper vallende schaduw van een dreigende, beslissende gebeurtenis van het einde der tijden. En in toenemende mate zagen de mensen reikhalzend uit naar een ware geestelijke leider die enigerlei opdracht of wettiging van God belichaamde, om hen voor te gaan en verlossing te bewerkstelligen.

De mechanismen achter deze situatie waren eenvoudig. Voor Jezus en zijn tijdgenoten werd God niet alleen gekenmerkt door goedertierenheid, almacht, alwetendheid en jaloezie, zoals in het Oude Testament beschreven staat. Van Hem werd ook een bijzondere gezindheid ten aanzien van het volk van Israël aangenomen – dat Hij dit met zeer bijzonder welgevallen beschouwde. Zij vormden ten slotte zijn uitverkoren volk. Hij had een uniek verbond met hen gesloten. Hun verheven status in zijn ogen stond buiten kijf. Maar toch bleek het steeds minder mogelijk het feit niet onder ogen te zien dat het volk van Israël zich in een rampzalige situatie bevond, beroofd van zijn rechtmatige monarchie en opgezadeld met een tirannieke usurpator. Het was onderworpen aan de hardvochtigheden en vernederingen van een vreemde bezettingsmacht en bestuur die hun land, hun waarden, hun cultuur, hun godsdienst en hun erfgoed met voeten traden en vertrapten.

Als God dan inderdaad almachtig was, hoe kon men dan in Israëls ongeluk ook maar enige zinnigheid ontdekken? Als God werkelijk almacht bezat, hoe kon men dan verklaren dat Hij toestond dat zijn tempel werd ontwijd? Hoe kon men verklaren dat Hij zijn gezag liet tarten door een wereldse heerser in Rome die zich goddelijkheid durfde aanmatigen? Er waren in laatste instantie twee mogelijke verklaringen. Ofwel God was uiteindelijk helemaal niet almachtig – een onderstelling die niet alleen ontoelaatbaar zou zijn geweest, maar zelfs ondenkbaar. Ofwel Israëls ongeluk geschiedde, zoal niet door Gods actieve wil, dan toch met zijn zwijgende toestemming. Het leek in die tijd duidelijk dat, hoe ook de aard van Gods gunst jegens zijn volk mocht zijn, die gunst onthouden of teruggenomen was. Kortom: Israël was door zijn God verlaten.

Waarom? Ondenkbaar was dat God zijn verbond had opgezegd. Als het verbond verbroken was, kon de fout slechts bij de mens liggen. De logische conclusies waren onontkoombaar. De mens had overtredingen begaan. De mens had Gods mishagen gewekt. God, in zijn toorn, strafte de mens dienovereenkomstig.

In de context van die tijd was dat geen kwestie van ingewikkelde theologie. Men hoefde maar om zich heen te kijken om de toestand van de wereld waarin men leefde waar te nemen. Het bleef slechts religieuze leermeesters voorbehouden kennelijke parallellen met oude profetieën te trekken. De algemene situatie kwam overeen met de uitspraken van de profeten over de periode vlak voor het einde der tijden. Het leek dan ook duidelijk dat God het einde van de wereld voorbereidde – ofwel uit verbittering om een mislukt experiment of om een nieuwe en betere wereld te scheppen voor hen die Hem trouw waren gebleven.

Dergelijke gevolgtrekkingen dreven overweldigende emotionele krachten naar de oppervlakte. Er heerste natuurlijk vrees – vrees zowel om de toekomst van de wereld als om zichzelf. Ook werd natuurlijk een besef van schuld bevorderd, vanwege werkelijk én vermeend begane zonden. Gevoelens van schuld wekten op hun beurt berouw en behoefte aan boetedoening – ofwel om het algemene cataclysme te ontlopen of, als dat niet mogelijk bleek, om toch tenminste zichzelf te redden, zich van eigen verlossing te verzekeren.

Het was aan deze turbulente chaos van emoties dat de messiaanse beweging van Jezus' tijd haar stuwkracht ontleende. En deze stuwkracht voorzag de beweging van een element van zichzelf vervullende profetie. Geloof in het aanstaande einde van de wereld droeg mede bij tot de grote opstand van 66 met de verwoesting van de tempel, de val van Jeruzalem, de verstrooiing van haar bevolking en, bijna, de uitroeiing van het jodendom. In het Heilige Land was de wereld inderdáád op haar einde gelopen – althans wat betreft de joden van die tijd.

Anderzijds was het voortbestaan van een kleine en trouwe groep uitverkorenen voorspeld. Door hun oorspronkelijke basis te verleggen en de idee van een louter vergeestelijkte Messias te aanvaarden waren Paulus en zijn aanhangers in staat zich als deze uitverkorenen te beschouwen. En door zich te beschouwen als uitverkorenen van wie het voortbestaan door God was beloofd, gingen zij in de volgende eeuwen voort zich te transformeren tot wat zij zich verbeeldden te zijn.

DEEL II

Zoekend naar de zin des levens

10. Activering van symbolen

Het is verbazend hoeveel ons eigen tijdperk gemeen heeft met datgene wat Jezus en zijn tijdgenoten als eindtijd beschouwden, hoezeer onze wereld ook van die van tweeduizend jaar geleden moge verschillen. Wij zijn wellicht thans technisch meer bedreven en met aanmerkelijk meer kennis begiftigd. Maar helaas lijken we niet wijzer, niet intelligenter geworden of dichter bij onze godheden gekomen te zijn. In wezen kennen we hun namen niet eens meer.

Wij beleven wederom een acute betekeniscrisis, een onzekerheid over richting en doel van ons leven. De diverse stelsels, programma's en ideologieën die nog geen eeuw geleden het allemaal leken te beloven, zijn alle in meerdere of mindere mate hol gebleken. Evenals in de tijd van Jezus heerst het indringende besef dat er iets rampzalig mis is. Elke nieuwe terroristische aanslag, elke nieuwe vliegramp, elke nieuwe natuurramp veroorzaakt een huivering van panische schrik. De diepgaande en snelle veranderingen in onze civilisatie, de onvrede met onze bestuursstelsels, de toenemende blindelingse moordpartijen en terroristische aanslagen als middel van politiek protest: ze hebben allemaal een gevoel van algemene ineenstorting gevoed, van totale desintegratie van waarden. De maatschappij voelt zich vaak en in toenemende mate door bommenleggers en kapers 'gebrandschat'. 'Wat is de zin ervan, wat heeft het voor betekenis?' vragen we ons af. En, ontgoocheld omdat het materialisme in het beantwoorden van de vraag heeft gefaald, zoeken we als in de tijd van Jezus het antwoord in een andere, een spirituele dimensie.

In de islam, het jodendom, in andere godsdiensten evenals in het christendom komt een nieuw fundamentalisme tot bloei. Profeten en predikers varen uit tegen decadentie, immoraliteit, corruptie, moreel verval. Enerzijds verneemt men de roep naar hernieuwde tucht en terugkeer naar de meer rigoureuze regels van het verleden, anderzijds beleeft het mysticisme weer gouden tijden. Sekten, culten, disciplines en therapieën verbreiden zich, trekken enorme aanhang, slepen verbijsterende sommen geld in de wacht en genieten steun van machtige politieke belangengroeperingen.

Als in Jezus' tijd leven we heel merkbaar in de schaduw van een dreigende apocalyptische gebeurtenis. Militante fundamentalisten kunnen verkondigen dat het einde van de wereld aanstaande is. Zelfs voor mensen die geen persoonlijke reden hebben om interventie van goddelijke toorn tegemoet te zien, is de dreiging van een semi-seniele vinger op de nucleaire knop maar al te reëel. Wij zijn allen hulpeloze gijzelaars van een realiteit die we niet langer volledig meer beheersen, van het spectrum van een vernietiging die we individueel niet bij machte zijn te voorkomen. En onder deze algemene vrees, het gek makende besef van onmacht, de desillusie om onbekwame of onverantwoordelijke politici leeft diep verlangen naar een échte geestelijke leider, een 'alwijze' en 'algoede' figuur die zal begrijpen, het heft in handen zal nemen en – zonder natuurlijk gevestigde democratische vrijheden aan te tasten – de rol van gids op zich zal nemen, zin en betekenis schenkend aan levens die in toenemende mate leger en leger zijn geworden.

Er zijn natuurlijk de afgelopen twee millennia meer van dergelijke periodes in de westerse historie geweest, om van de wereldgeschiedenis maar te zwijgen. De kenmerken van de eindtijd lijken evenzeer van toepassing op de elfde eeuw, toen West-Europa gistte aan de vooravond van de kruistochten, of op het begin van de zestiende, toen een sterrenconjunctie aan de hemel als voorteken van de aanstaande apocalyps werd beschouwd en, hoewel de wereld zelf toch min of meer heel bleef, de katholieke hegemonie over Europa de protestantse reformatie ruimte moest laten. Een eeuw later, bij de nadering van het jaar 1666, kwam er een andere golf van hysterie. Christenen verwachtten de onmiddellijke komst van de antichrist die, nam men blijkbaar aan, in strikte navolging van de gregoriaanse tijdrekening zijn komst bepaalde. Samen hiermee meenden joden in Rusland, de Oekraïne, Perzië en het Ottomaanse keizerrijk tot de Nederlanden en de Atlantische kust toe de voorspelde Messias te zien in de bedrieglijke profeet Sjabtai Zwi – thans als een van de grootste verlegenheden in de joodse historie beschouwd. Ook zijn dit niet de enige gevallen van messiaanse hysterie in de geschiedenis van het Westen geweest. Heel vaak is eindtijddenken gepaard gegaan met revolutie. Zowel in de Franse als in de Russische revolutie meenden velen, in beide kampen, een apocalyps van kosmische en maatschappelijke omvang te onderscheiden. En de omwenteling in de maatschappelijke orde werd, afhankelijk van politiek en klasse, als ofwel zegen of vervloeking van Godswege beschouwd.

In bepaalde opzichten is ons tijdperk in zijn parallellen met het jongstedaggevoel van de eerste eeuw niet uniek, in andere echter wel degelijk. Massabewegingen op basis van als profetieën uitgekreten voorspellingen hebben met verontrustende consequentie de neiging profetieën te worden die zichzelf vervullen. Zoals we gezien hebben, waren Jezus' tijdgenoten ervan overtuigd dat het einde van de wereld aanstaande was. Vanuit deze overtuiging handelend brachten zij onbewust het einde van de wereld nabij – zoal niet van de wereld *in toto* dan toch van hun eigen wereld. Op vergelijkbare wijze liep de apocalyptische hysterie van het begin van de zestiende eeuw vooruit op het einde van een wereld. Dat gold ook voor de bewegingen die op de Franse en Russische revolutie uitliepen. Wat echter onze cultuur onderscheidt van deze antecedenten is dat wij bij machte zijn, letterlijk, om het einde van de wereld op te roepen – niet slechts van een metaforische wereld, maar van de wereld als fysisch geheel. Als een Amerikaanse president in termen van Harmagedon (Armageddon) begint te denken, is men wel verplicht de zaak zeer au sérieux op te vatten. Niet zozeer omdat de betreffende president met een inzicht begiftigd zou zijn dat de rest van ons onthouden is. Noch omdat hij nader bekend zou zijn dan wie van ons ook met goddelijke plannen of blauwdrukken van de voorzienigheid. Noch ook omdat zijn heel persoonlijke geloofsvisie eerbied zou afdwingen. Maar simpelweg omdat wij aan zijn genade zijn overgeleverd; en het is technisch gesproken voor hem heel wel mogelijk op een Harmagedon vooruit te lopen, waarbij de verantwoordelijkheid God in de schoenen wordt geschoven.

De jongste dag, het laatste oordeel of de apocalyps kan als enorm krachtig symbool fungeren dat enkele der diepste snaren van de menselijke psyche raakt en op massale schaal reacties uitlokt. Maar dergelijke symbolen zullen juist om hun inherente macht vaak in handen zijn van kleine groepjes mensen die ze opzettelijk kunnen inschakelen om er anderen mee te manipuleren. Meer nog: dergelijke symbolen hebben door de hele historie heen de verontrustende neiging getoond zich te bevrijden van hen die ze trachtten te beheersen en amok te maken en, zoals de Franse auteur Michel Tournier ze noemt, 'duivelingen' te worden. Volgens Tournier is een 'duiveling' een symbool dat zich zelfstandig heeft gemaakt, dat wet of principe op zichzelf is geworden, een losgebroken monster van Frankenstein dat diezelfde mensen die het eigenlijk had moeten dienen, tot zijn slaven maakt – zo het ze al niet vernietigt. Symbolen kunnen uitermate gevaarlijk zijn; en zoals Tournier zegt: wie met het symbool zondigt zal erdoor vergaan.

Het is in dit ontnuchterende verband dat de hedendaagse messiaanse religie met haar doctrine van een nieuw laatste oordeel geplaatst moet worden. Het is *tot* dat verband dat twintig eeuwen verwachting van de Messias, hoe erratisch en verwaterd ook, geleid hebben. Want messiaanse religie functioneert primair door activering en benutting van symbolen. Zoals ook tal van andere individuele mensen, groepen en instellingen weten. En zoals ook, als we het goed begrijpen, dat moeilijk grijpbare semi-geheime genootschap weet dat zo'n belangrijke plaats in ons vorige boek innam: de Prieuré de Sion.

De beslissende vraag is natuurlijk *welk soort betekenis* met behulp van bepaalde symbolen doorgegeven wil worden, – wat verkregen wil zijn, wat kwijtgeraakt en door wie. Wat zouden bij voorbeeld de reacties kunnen zijn op een bewezen afstammingslijn in den bloede van Jezus of zijn familie, en hoe zou uit deze reacties voordeel gehaald kunnen worden? Hoe zijn, eerder in onze eeuw, andere van krachtige symbolische invloed voorziene principes benut en functioneel gemaakt? Ten einde deze kwestie recht te doen moeten wij de verbindingen tijdens de afgelopen honderd jaar verkennen tussen het speuren naar zin en betekenis van het leven, religieuze impuls, vorming van waarden en politieke macht.

11. Verloren geloof

Jezus, Deuteronomium aanhalend, verklaarde dat de mens niet bij brood alleen leeft. In recenter tijden hebben psychologen als C. G. Jung verkondigd dat er innerlijke, immateriële behoeften zijn die even diep ingrijpend, dringend en elementair zijn als de behoefte aan voeding, onderdak en voortplanting. Men zou waarschijnlijk ter verdediging kunnen aanvoeren dat dergelijke innerlijke behoeften een geldiger rechtvaardiging vormen dan 'ratio' om de mensheid te onderscheiden van het koninkrijk der dieren. Een van de fundamenteelste innerlijke noden is de behoefte aan zin, betekenis van het leven, de dringende behoefte om voor ons leven enig doel te ontdekken. De menselijke waardigheid berust op de onderstelling dat het leven van de mens op enigerlei wijze betekenis heeft. Wij zijn eerder bereid om pijn te verdragen, ontbering, kwelling en alle soorten van kwalen áls ze maar enige zin lijken te hebben, dan dat wij onbelangrijk-zijn moeten verdragen. Wij zouden liever lijden dan van nul en gener waarde zijn.

Per traditie en al dan niet terecht is de taak van definiëring van zin en doel van het leven – soms meer, soms minder doeltreffend – door de religie vervuld. Zelfs het begrip staat (die in de vorm van nationalisme eigen religieuze proporties aannam) werd nog altijd geacht te bestaan in een in wezen religieuze omlijsting. De staat, hoe seculier hij ook mocht zijn, kon niettemin beschouwd worden als een politieke entiteit die een goddelijke opdracht reflecteerde of waarborg was van bepaalde door God verleende rechten, dan wel verwezenlijking van bepaalde wettelijkheden die in laatste instantie in religieuze bodem wortelden. Zelfs de Franse revolutie die aanvankelijk de georganiseerde godsdienst volledig wilde afschaffen, bedreef haar excessen uit naam van de 'rechten van de mens' en deze berustten uiteindelijk op religieuze grondslag. En aan het einde ging Robespierre, hoewel hij de kerk en elke gangbare antropomorfe godheid nog altijd afwees, voort met de 'cultus van het opperwezen' te vestigen.

Sinds het einde van de negentiende eeuw en het begin van de twintigste eeuw heeft zich een verwarrende uitbreiding in aard en aantal gebieden van menselijke kennis voorgedaan. Deze gebieden zijn steeds verder gespecialiseerd geraakt en voortgegaan zich te vermenigvuldigen. Dit heeft een oriëntatie op de realiteit afgedwongen die wel zeer verschilt van die van onze voorouders. Namen die met deze nieuwe oriëntatie in verband worden gebracht, zijn natuurlijk Marx, Darwin en Freud – hoewel men ook talloze andere denkers in sociologie, psychologie en de natuurwetenschappen zou kunnen aanhalen. Sedert Darwin hebben de natuurwetenschappen onder bevolkingen een gezag gekregen, zoals ze nooit eerder hadden genoten. Vóór het midden van de negentiende eeuw bestond sociologie als vakgebied in het geheel nog niet, terwijl de psychologie een dergelijke status nog weer later heeft verworven. Meer nog: elk van dergelijke vakken of gebieden van kennis brengt steeds nieuwe subdisciplines en subgebieden voort. In de loop van dit proces raakte de alomvattende structuur die eens de religie leverde, onverbiddelijk onttakeld.

Voor Isaac Newton, anderhalve eeuw voor Darwin, was natuurwetenschap nog niet van religie gescheiden; integendeel: ze was een aspect van religie en in laatste instantie haar dienares. Voor Newton was natuurwetenschap een middel om Gods volmaakte ontwerp te ontdekken en te openbaren. Ze vormde één geheel met filosofie, was er onafscheidelijk mee verbonden. Ze was één uit een veelheid van activiteiten die met elkaar samenwerkten om de plaats van de mens in het universum te belichten, evenals de wetten volgens welke zowel mens als kosmos functioneerde. Maar Newton zou er niet over gepiekerd hebben om natuurwetenschappen als autonoom te beschouwen, als wet op zichzelf, laat staan dat hij alleen al de gedachte zou hebben goedgekeurd. Maar in de tijd van Darwin werden de natuurwetenschappen dat juist, zichzelf losmakend van de samenhang waarin ze daarvóór hadden gestaan en zich vestigend als een concurrerende absoluutheid, een alternatieve bewaarplaats voor zin en betekenis van het leven. Als gevolg daarvan werkten religie en wetenschap niet langer samen, maar kwamen juist tegenover elkaar te staan; het mensdom zag zich in toenemende mate gedwongen tussen die twee te kiezen. Zo begon de darwiniaanse leer een belangrijke bedreiging te vormen voor niet alleen maar het theologische recht van voorkeur op religie, maar vooral ook voor het functionele nut van religie – haar vermogen om 'dingen bijeen te houden', doel en zin aan het leven te schenken.

Een vergelijkbaar proces speelde zich af op de gebieden die wij nu als sociologie en psychologie kennen. Ook zij raakten meer en meer los van de uiteindelijk religieuze samenhang waarin ze eerst ingebed waren geweest. Ook zij vestigden zich als concurrerende absoluutheden, alternatieve bewaarplaatsen voor zin en betekenis van het leven. Ook zij begonnen de status van de religie te tarten en andere, niet zelden daarmee botsende waardenhiërarchieën aan te bieden. Ook de kunst verklaarde haar onafhankelijkheid. Van oude tijden af was kunst onverbrekelijk verbonden geweest met de religieuze impuls en de religieuze rituelen van de mens. Van Babylonische beelden die men door de goden bewoond meende, langs de schilderkunst van de renaissance tot de muziek van Bach en Händel was de kunst in feite bij de religie in de leer geweest. Tenslotte is de wortel van 'cultuur' dezelfde als die van 'cultus' – het Latijnse werkwoord *cólere:* aanbidden. In de negentiende eeuw echter begon de cultuur een cultus van zichzelf te maken – een cultus die erop uit was om de gevestigde religie te verdringen en een nieuwe absoluutheid te worden. Dit kwam tot uitdrukking in de doctrine van *'l'art pour l'art'*, 'kunst omwille van de kunst'. Het werd weerspiegeld in de esthetiek van mensen als Gustave Flaubert, James Joyce en Thomas Mann, die de kunstenaar duidelijk met God vergelijken en een analogie zien tussen het woord (met kleine letter w) als een scheppingsinstrument en het Woord (met hoofdletter W) of Logos. Dit bereikte een apotheose in de Wagner-opvoeringen in Bayreuth waar kunst een religieus ritueel of religieuze viering werd die de religie verdrong. Het bijwonen van *Der Ring des Nibelungen* bood niet minder dan een mystieke ervaring – niet alleen voor de ontwikkelde elite, maar ook voor een geest als van Adolf Hitler:

> 'Als ik Wagner beluister, komt het mij voor dat ik ritmen van een voorbije wereld verneem. Ik stel mij voor dat de wetenschap op de golven die door *Das Rheingold* in beweging zijn gebracht, ééns geheime wederzijdse betrekkingen met de wereldorde zal ontdekken. De waarneming van de wereld door de zintuigen gaat vooraf aan de door zowel exacte wetenschappen als filosofie geboden kennis.'[1]

Bedrogen geloof

Aan de vooravond van de Eerste Wereldoorlog bevond de westerse maatschappij zich in een weergaloze situatie. In het verleden was er één alles doordringende absoluutheid geweest, één alles vervullende bewaarplaats voor de zin des levens die alle andere omsloot. Nu echter was er een menigvuldigheid van botsende en onverzoenlijke absoluutheden, elk op zich pretenderend dé bewaarplaats van levensbetekenis te zijn, dé antwoorden op de belangrijkste vragen te weten en dé definitieve hoop voor de toekomst te belichamen. Elk verklaarde zich superieur aan de andere. Elk trachtte een religie op zichzelf te worden en de religieuze impuls in de mens te activeren. Geen wonder dan ook dat het menselijk intellect, genoodzaakt om deze chaos van botsende pretenties te taxeren, verbijsterd raakte. Hoe kón men tussen deze absoluutheden kiezen? Waar moest men zich aan toevertrouwen, zonder dat die betrokkenheid willekeurig leek? Een onvermijdelijke conclusie die onze eigen eeuw kenmerkt, was dat het geen zin had zich ergens aan te binden, behalve aan eigenbelang.

Omvang en ernst van deze crisis waren niet direct duidelijk. De periode voor de Eerste Wereldoorlog was er een van uitbundig optimisme – waarschijnlijk de sterkst en zeker zelfgenoegzaamst optimistische periode die de westerse civilisatie ooit had gekend. De toekomst scheen onbewolkt en rooskleurig. De pas opengelegde gebieden van kennis schenen waarlijk vruchtbaar terrein voor exploratie te beloven, dat voor de mensheid slechts weldaden zou opleveren. Kunst, natuurwetenschappen, psychologie en sociologie werden als waardevolle geleiders naar verbetering van de menselijke omstandigheden beschouwd; door hen zouden de waarden die inherent waren aan vooruitgang, cultuur, civilisatie en ongebreidelde kapitaaluitbreiding, een waar Utopia voortbrengen. Aldus was de geestesinstelling die bij de populairste schrijvers van die tijd, H.G. Wells en Jules Verne, tot uiting kwam. Voor zowel Wells als Verne was de vervolmaking van de mensheid nog slechts een kwestie van tijd en van heel precies afstemmen.

Feitelijk werden vooruitgang, cultuur en civilisatie in de periode vóór 1914 vormen van religie op zichzelf. Zij verschaften hun eigen, schijnbaar levensvatbare, samenhang voor het uitbarstende conflict tussen absoluutheden, en leken een middel voor de verzoening en oplossing ervan te bieden. In hun naam kon alles bijgelegd en gerechtvaardigd worden. En in die zin dat zij inderdaad 'dingen bijeenhielden' en het mensdom een nieuw gevoel van levensbetekenis, -doel en -rechtvaardiging schonken, *kan* men beweren dat zij de traditionele functie van een religie hebben vervuld.

De wereldoorlog zelf schokte natuurlijk niet alleen deze nieuwe 'religie', maar deed haar achteraf zelfs op wreed en bitter bedrog lijken. Vooruitgang, cultuur en civilisatie leken het geloof dat men erin gesteld had, te hebben bedrogen. De natuurwetenschappen die nieuwe vooruitzichten op de verbetering van menselijk leven geboden leken te hebben, brachten in plaats daarvan nieuwe en verschrikkelijkere middelen om het te vernietigen voort. Voor de generatie die in deze eerste grote wereldbrand dienst deed, werden natuurwetenschappen vrijwel synoniem bevonden met ontwikkelingen als onderzeeërs, luchtbombardementen en, als afschuwelijkste van alle, zenuwgas. Vooruitgang werd op de eerste plaats geboekt in de sfeer van vernietiging. Cultuur en civilisatie hadden, in plaats van de maatschappij door haar invloeden te humaniseren en haar tot vreedzame heilzame activiteiten te brengen, uiteindelijk tot de bloedigste en krankzinnigste oorlog geleid die men ooit had meegemaakt. De geestelijke gezondheid van de leiders van deze oorlog werd serieus in twijfel getrokken. De religie van vooruitgang, cultuur en civilisatie was teniet gedaan door wat voor hen die in die tijd leefden, de vervulling van een reeds lang smeulend Europees doodsverlangen scheen.

Een religie is slechts zo levenskrachtig als haar aanhangers geestelijk gerijpt zijn. De Eerste Wereldoorlog demonstreerde dat technologische ontwikkelingen psychische rijpheid overvleugeld hadden. Mentaal leefden wij nog altijd in de achttiende eeuw, zoal niet nog dieper in het verleden. Bijgevolg was de technologie als een op scherp gestelde granaat in de handen van een kind. Deze discrepantie heeft zich tot in het heden voortgezet, is als niets anders nog groter geworden. De maatschappij is niet merkbaar rijper geworden, doch de granaat in haar handen wel nóg gevaarlijker.

De periode na de Eerste Wereldoorlog was er een van diepe en bittere ontgoocheling. Het conflict van de absoluutheden, wel verre van te zijn opgelost, kwam andermaal tot uitbarsting en doemde in al zijn onheilspellende, sterk desoriënterende realiteit op. De maatschappij raakte in toenemende mate verlamd, was niet bij machte te kiezen tussen de verschillende elkaar wederzijds uitsluitende pretenties van zich meer en meer specialiserende gebieden van kennis. In het kielzog van het zojuist opgelopen trauma leek niets meer betrouwbaar of een nadere beschouwing waard. Eenmaal bitter bedrogen waren wij ons vermogen om vertrouwen te kunnen hebben kwijtgeraakt – behalve misschien in datgene wat nog het minst relevant was. Wij konden bij voorbeeld de atoomtheorie in vertrouwen aanvaarden; doch de atoomtheorie bood weinig leidraad voor levensvraagstukken of voor uitkristallisering van waarden. Tegen het eind van onze jaren twintig hadden hollende inflatie en de beurskrach van Wallstreet zelfs het geld wankel en onbetrouwbaar gemaakt. Het gevolg was een duik in nihilisme – geloof aan niets, slechts koortsachtig speuren naar afleiding van de leegte die ons als toekomst aangaapte. De wereld van direct na de Eerste Wereldoorlog staat nu bekend als die van de 'verloren generatie'.

De situatie werd verergerd en geïntensiveerd door een andere factor, aanvankelijk niet opgemerkt, die in het spoor van uitbreiding en vermenigvuldiging van gespecialiseerde kennis was ontstaan. Naarmate natuurwetenschappen, sociologie en psychologie hun respectievelijke posities geconsolideerd hadden, begonnen zij vier van de belangrijkste zuilen onder de westerse maatschappij aan te tasten: tijd, ruimte, oorzakelijkheid en persoonlijkheid. Geaccepteerde of traditionele opvattingen over zowel tijd als ruimte werden in toenemende mate betwist. De psychologie bij voorbeeld had het principe van externe meting aan het wankelen gebracht door te wijzen op het belang van innerlijke tijd en innerlijke ruimte. Tijd was niet langer beperkt tot kalender en klok, ruimte niet langer tot liniaal en kaart. Elk bezat evenzeer zijn eigen innerlijke continuüm. Bijgevolg begonnen externe metingen aan het licht te komen, niet als definitieve waarheden maar slechts als uiteindelijk willekeurige gerieflijkheden, vondsten van het menselijk intellect. En zelfs de geldigheid van dergelijke gemakken werd, door de relativiteitstheorie van Einstein, aangetast. Tijd en ruimte werden vloeiend, vluchtig, onzeker, in laatste instantie betrekkelijk.

Dat overkwam ook het geliefkoosde principe van de causaliteit. De psychologie had de onmogelijkheid aangetoond om menselijke drijfveren te kwantificeren of onder eenvoudige noemers te brengen, wijzend op een ambivalentie in menselijke gedragingen die logische vergelijkingen van oorzaak en gevolg tartten. Onbepaaldheid, onvoorspelbaarheid, toevallige elementen, onvoorziene veranderingen en wat populair wel 'kwantumsprongen' worden genoemd, begonnen in groeiende mate in het wetenschappelijk denken door te dringen. En, natuurlijk, als dan tijd en ruimte volledig relatief waren, was de tijd-elijke en ruimte-lijke basis waar causaliteit op berustte doeltreffend geneutraliseerd. Deze nieuwe onbestendigheid van causaliteit straalde door naar andere, meer praktische sferen. Moraliteit bij voorbeeld berustte in belangrijke mate op de denkbeelden over straf en beloning. Straf en beloning op hun beurt berustten op oorzaak en gevolg. Nu oorzaak en gevolg in scheve positie tegenover elkaar waren komen te staan, werden de onderliggende wetten die straf en beloning beheersen, steeds rekbaarder. Straf volgde niet langer onontkoombaar op overtreding, noch beloning op deugd. Integendeel: men kon hopen zijn verdiende straf te ontlopen en beloning te krijgen die juist niet verdiend was.

Terwijl tijd, ruimte en causaliteit drie van de belangrijkste pijlers van het westerse denken waren geweest, was de vierde gevormd door de persoonlijkheid. Sinds de tijd van Aristoteles had men het menselijk karakter als een min of meer vaste kwaliteit beschouwd, de individu als een steeds unieke entiteit. Doch nu zag het individuele karakter of de persoonlijkheid zich opeens geconfronteerd met het traumatiserende besef van haar eigen instabiliteit – zoal niet in feite van haar niet-bestaan. De sociologie presenteerde persoonlijkheid niet als iets vasts en unieks, maar als een aangroeisel, een aangewassen laag van voorwaardelijke reflexen die vrijwel geheel door milieu en overerving worden beheerst. Natuurwetenschappen droegen voor deze beweringen steun aan. En de psychologie bracht door het bestaan van het onbewuste te poneren de persoonlijkheid, zoals zij in het verleden was opgevat, de *coup de grâce* toe. Dromen, voorheen beschouwd als iets dat uit externe bronnen voortvloeide, als iets uit de periferie van de menselijke indentiteit, werden nu verklaard evenzeer een uiting van het menselijk Ik te zijn als het wakende bewustzijn. Krankzinnigheid, waanzin, was niet langer een toevallig gebeuren, zelfs geen ziekte in de gebruikelijke zin van het woord, maar veeleer een in ieder menselijk wezen aanwezig potentieel. Wij werden steeds meer gedwongen te erkennen dat wij vele Zelven behelzen, vele impulsen, vele dimensies, die niet alle zomaar met elkaar in overeenstemming gebracht kunnen worden. Áls we al bestonden, waren we zowel meer als anders dan wat we gemeend hadden te zijn. Als gevolg van toegenomen kennis werden we een zelfs nog groter mysterie voor onszelf.

Terwijl tijd, ruimte, oorzakelijkheid en persoonlijkheid steeds onhoudbaarder werden als vaste en onveranderlijke principes, gold dat ook voor de wereld waarin wij leefden. Geloof aan iets, zelfs aan zichzelf, werd meer en meer onmogelijk. Het leven raakte steeds verder beroofd van betekenis, ontdaan van zinnigheid – werd een geheel willekeurig verschijnsel dat tot geen speciaal doel werd geleefd. Overal vernam men de uitspraak die intussen gemeenplaats is geworden: 'Alles is betrekkelijk.'

De eminente Oostenrijkse auteur Robert Musil schrijft dat het tijdperk gekenmerkt werd door 'een aan epistemologische paniek grenzende relativiteit van perspectief'. Hij slaat de spijker op zijn kop. Het Westen leefde inderdaad in een toestand van paniek over kennis en levenszin, de twee primaire themata waar de tak van filosofie genaamd epistemologie, kennisleer, zich op richt. Onder de dolle genotzucht van de tijd van Charleston en bakvis school een gevoel van wanhoop, van vaak waanzinnige angst om de afwezigheid van levensbetekenis, om onzekerheid van alle kennis en de onmogelijkheid om definitief te kunnen zeggen *wat,* of zelfs maar *dat,* men wist. Levenszin en kennis werden even betrekkelijk, even veranderlijk, even voorlopig als al het andere.

12. Vervangende religies: Sovjet-Rusland en nazi-Duitsland

Het is de toestand van onzekerheid en wanhoop die voor de opwekking van de religieuze impuls het vatbaarst is. Het is in juist zo'n vacuüm dat religie, nieuw besef van levensbetekenis en samenhang schenkend, haar beweringen het doeltreffendst kan introduceren. De periode direct na de Eerste Wereldoorlog schreeuwde om uitleg van het waarom. Mensen wilden wanhopig weten 'waar het allemaal om geweest was', 'wat het te betekenen had gehad'. Doch de georganiseerde religie deed geen serieuze poging dat probleem aan te pakken, noch om antwoorden te bieden voor de noden van die tijd. Ze trachtte eenvoudig voor te geven dat er niets was gebeurd en probeerde voort te gaan zoals ze al eeuwen had gedaan – als een maatschappelijke, politieke en culturele instelling in plaats van als verklarende instantie die nieuwe betekenis en doel aan het leven schonk. In de jaren twintig was de georganiseerde godsdienst dan ook goeddeels in diskrediet geraakt, werd niet in staat geacht de leegte die de westerse maatschappij aangaapte te vullen en te vervullen.

En met het falen van de georganiseerde religie om oplossingen te bieden voor de crisis in levensbetekenis en -doel begon de samenleving, begrijpelijk genoeg, naar andere mogelijkheden om te zien. Daaruit kwamen twee nieuwe principes naar voren die de alles omvattende status van een godsdienst begonnen aan te nemen. Feitelijk zouden deze principes zélf religies worden – of toch in elk geval de surrogaat-religies van de jaren dertig.

De religie van Lenin en Stalin

De eerste van deze nieuwe religies was het socialisme, vooral in zijn marxistisch-leninistische vorm, zoals tot uiting kwam in de Sovjet-Unie van die periode en in de communistische partij. Het marxistisch denken had al zo'n driekwart eeuw geleefd, het socialisme nog langer. Maar in de woelige nadagen van de Russische revolutie nam deze leer de status van een geloofsbelijdenis aan en in het Westen voorzag ze intellectuelen en idealisten van de motivatie die zij behoefden. Vanwege dit credo sneuvelden in Spanje velen van hen. In Engeland verkozen velen van hen te spioneren.

De marxistisch-leninistische leer wijst officieel alle godsdienst af. Niettemin zijn er formele en functionele parallellen tussen het marxistisch-leninisme en de georganiseerde religie die algemeen erkend zijn en té duidelijk aanwijsbaar dan dat ze hier nadere discussie zouden behoeven. Tevens echter is niet algemeen bekend hoezeer de sovjetleer zich, als een kwestie van berekenende politiek, inspande om niet alleen vorm en functie van een religie aan te nemen, maar er feitelijk een te worden. Lenin was tenslotte een uitermate sluwe manipulator, met indringend begrip van de behoeften van de menselijke psyche. Hij onderkende de noodzaak zijn systeem aan te passen bij de religieuze impuls van de mens, hoe cynisch hij daar wellicht ook persoonlijk over gedacht mag hebben.

In dit en in tal van andere opzichten kan worden betoogd dat Lenins denken veel meer aan Bakoenin dan aan Marx te danken had. In haar organisatie, haar wervingsmethodes, haar middelen om trouw van haar aanhangers te wekken, in haar messiaanse drang, stamt Lenins revolutionaire partij rechtstreeks af van Bakoenin, zoals Lenin in zijn aantekeningen ook zelf erkende. Voor Bakoenin echter was revolutie wel meer dan een maatschappelijk en politiek verschijnsel. Ze was uiteindelijk kosmisch, theologisch, religieus van karakter. Bakoenin, die in meer dan twintig jaar zich door de rangen van de vrijmetselarij heen omhoog had gewerkt, had een metafysisch-filosofisch kader voor zijn maatschappelijke en politieke ideeën ontwikkeld. Hij had zichzelf tot satanist uitgeroepen. Volgens een commentator zag hij Satan als 'de geestelijke leider van revolutionairen, als ware creator van de menselijke bevrijding'.[1] Satan was niet alleen de opperrebel, maar ook de opperste vrijheidsstrijder tegen de tirannieke God van jodendom en christendom. De gevestigde instellingen van kerk en staat waren instrumenten van de onderdrukkende joods-christelijke God en volgens Bakoenin was het een morele en theologische plicht ze te bestrijden. Hoewel Lenin zelf zich nooit duidelijk aan dergelijke kosmologische overwegingen overgaf, lijdt het geen twijfel of hij zag het nut ervan wel degelijk in. Bakoenin en Lenin 'waren beiden apocalyptische Zeloten, terwijl hun marxistische rivalen – daarmee vergeleken – Farizeeën waren'.[2] In handen van Lenin probeerde het bolsjevisme dan ook aanmerkelijk meer te worden dan een politieke partij of politieke beweging. Het trachtte niet minder dan een seculiere religie te worden en als zodanig de behoefte aan levenszin en -doel van de mensen te bevredigen. Om die doelstelling te bevorderen aarzelde het niet zich met alle kenmerken van een religieus geloof toe te rusten.

Met wellicht nog groter cynisme stond Stalin er vervolgens op dat deze kenmerken onderhouden zouden worden. Stalin had een opleiding tot priester gevolgd aan een seminarium in Tiflis. Ook bekend is dat hij enige tijd – in 1899 of 1900 – in het gezin woonde van een van de meer invloedrijke 'magiërs' en geestelijke leiders of goeroes van de twintigste eeuw, G.I. Gurdjieff.[3] Uit dergelijke bronnen leerde Stalin niet alleen de religieuze impuls van de mens kennen, maar ook hoe deze impuls geactiveerd en bespeeld kon worden. Het is dan ook niet zó verwonderlijk dat hij zich bezighield met het ontwerpen van onmiskenbaar religieuze rituelen. De volgende liturgische tekst, met zijn responsorium-achtige refreinen, is wel meer dan slechts een parodie op een religieuze rite. Hij is bedoeld *als* religieuze rite:

> 'Bij zijn heengaan van ons droeg Kameraad Lenin ons op, de grootse roeping van Lid van de Partij hoog en zuiver te houden.
> – WIJ BELOVEN U PLECHTIG, KAMERAAD LENIN, DAT WIJ UW GEBOD EERVOL ZULLEN NALEVEN.
> Bij zijn heengaan van ons droeg Kameraad Lenin ons op, de eenheid van de Partij te bewaren...
> – WIJ BELOVEN U PLECHTIG, KAMERAAD LENIN, DAT WIJ UW GEBOD EERVOL ZULLEN NALEVEN.
> Bij zijn heengaan van ons droeg Kameraad Lenin ons op, de dictatuur van het Proletariaat te bewaren en te versterken...
> – WIJ BELOVEN U PLECHTIG, KAMERAAD LENIN, DAT WIJ UW GEBOD EERVOL ZULLEN NALEVEN...'[4]

Stalin ondernam systematische pogingen om uit de dood van Lenin zoveel mogelijk religieuze betekenis te putten. Daarom ook werd Lenin luisterrijk opgebaard in de zuilenzaal in het Huis van de Vakbonden. Vier dagen lang bleef hij daar, terwijl tienduizenden bij temperaturen van ver onder nul op hun beurt wachtten om langs de kist te defileren. Andere bolsjevistische leiders waren verbijsterd van deze uitbarsting van onmiskenbaar religieuze emotie.

Tijdens de tweede algemene vergadering van de Sovjets werd besloten Lenin te verheffen tot een status die welhaast die van een godheid benaderde. De verjaardag van zijn dood werd als dag van nationale rouw afgekondigd. Zijn standbeeld werd in elke belangrijke stad van de Sovjet-Unie opgericht. Zijn lichaam werd gebalsemd en geplaatst in een stenen structuur van specifiek religieus ontwerp dat doet denken aan de trappenpiramides van het oude Assyrië en Babylon. Zelfs nu nog is Lenins lichaam (dan wel een overtuigende wassen nabootsing ervan) tentoongesteld op het Rode Plein, het moderne equivalent van een middeleeuws centrum van pelgrimstochten. De verering die het dode lichaam geniet, is vergelijkbaar met die voor aanvaarde christelijke relikwieën, terwijl Lenins graftombe vergeleken zou kunnen worden met die van Santiago de Compostela. Dit alles is opvallend strijdig met een rationalistisch, geheel seculier geloofsstelsel dat zich niet alleen atheïstisch verklaart, maar ook vijandig staat tegenover alle vormen van religie – en tegenover 'persoonscultus'.

De aan het lidmaatschap van de communistische partij gehechte mystiek, vooral tijdens de jaren dertig, was eveneens in wezen religieus geaard – of toch tenminste surrogaat-religieus. Toelating tot de partij was even veelbetekenend, even ritualistisch, evenzeer vervuld van diepe inhoud als inwijding in een oude mysteriënschool of in de vrijmetselarij. Bij kinderen in het bijzonder werd de religieuze impuls vaak opzettelijk geactiveerd en vervolgens systematisch naar partijbelangen doorgesluisd. Zo was dan toelating tot de Pioniers op negenjarige leeftijd dé grote gebeurtenis in het kinderleven, een volslagen *rite de passage*, analoog met laten we zeggen de eerste communie – en met een levenskracht en intense betekenis en inhoud die de eerste communie reeds lang niet meer geniet. Onder allerlei quasi-liturgische plechtige beloften kreeg de nieuwe Pionier als gewijde talisman een rode zakdoek. Dit lapje weefsel werd verklaard voortaan zijn kostbaarste bezit te zijn. Hij moest het bewaren en bewaken, het vereren, zorgen dat niemand anders er met zijn handen aan kwam. De rode zakdoek belichaamde, zo werd hem verteld, het bloed van revolutionaire martelaren. Bloed symbolisch aanwezig onderstellen in een stuk weefsel verschilt niet aanmerkelijk van het min of meer symbolisch aanwezig onderstellen van bloed in wijn. De premisse is in wezen religieus, en de rode zakdoek van de jonge Pionier was bedoeld om te fungeren als een crucifix, een rozenkrans of enige andere bekende religieuze talisman.

In haar poging haar positie in de Sovjet Unie en elders te consolideren verhief de communistische partij van de jaren dertig de marxistisch-leninistische leer tot religieuze status. Hoewel ze pretendeerde de religie te hebben uitgebannen, trachtte ze in feite de ene religie te vervangen door een andere. Doch elke religie moet aantrekkingskracht uitoefenen op en reactie opwekken van méér dan alleen het verstand. Om een gemeenplaats te gebruiken: ze moet hoofd en hart of hart en ziel tegelijk aanspreken, zorg dragen voor diepe gevoelsmatige behoeften en zinnig zijn voor logisch menselijk begrip. Ze moet de irrationele dimensie van de mens onder ogen zien, antwoorden geven op vragen die uit die irrationele dimensie opwellen; en ze moet tenminste innerlijkheden als verlangen naar liefde, angst voor de dood en vrees voor eenzaamheid erkennen en er indien enigszins mogelijk soelaas voor bieden.

Er bestaat ingrijpend verschil tussen enerzijds een religie en anderzijds een filosofie of ideologie. En ondanks haar aspiraties is de marxistisch-leninistische leer toch nooit méér geweest dan een filosofie of ideologie. In haar abstractie, in haar gevoelsmatige steriliteit is ze er niet in geslaagd recht te doen aan de innerlijke behoeften van de mens – noch de geldigheid van deze noden te erkennen, laat staan ze te bevredigen. In dat opzicht moet de marxistisch-leninistische leer psychologisch naïef worden genoemd. Ze nam heel simplistisch aan dat innerlijke behoeften bevredigd konden worden als men een volle maag had plus een logisch samenhangend credo. Bijgevolg bood ze brood plus een theorie over de produktie, de economische waarde en de verdeling van brood. Ook bood ze Historie, met een hoofdletter, als verheven absoluutheid op zichzelf, en de voorstelling van Het Volk aan.

Wederom moet hier gezegd worden dat de mens niet bij brood alleen leeft, noch bij theorieën over brood. Beginselen zoals vervreemding van verrichte arbeid, de betrekking tussen arbeid en kapitaal, de dialectiek, zelfs de klassenstrijd en de ongelijke verdeling van rijkdom roepen geen innerlijke reacties op, bieden geen bevrediging voor minder tastbare, minder goed gedefinieerde, maar daarom niet minder diepgewortelde en dringende vormen van honger van de mens – zijn honger naar 'zielsvrede', naar emotionele en geestelijke vervulling, naar begrip van zijn plaats in de kosmos, naar antwoorden op vragen die buiten bereik van sociologie en economie liggen, buiten bereik van materialisme in het algemeen. Tevens is het begrip Historie als absoluutheid niet bij machte het menselijk verlangen naar en het besef van het heilige of het goddelijke te omvatten.

Zich tot het vraagstuk van levensbetekenis en -doel richtend bood de marxistisch-leninistische leer slechts provisionele oplossingen aan. Doel en richting werden slechts naar een gegeven plaats op een bepaald moment gewezen, onderworpen aan wisseling en verandering. Maar de religieuze impuls verlangt iets duurzamers. Het is niet met betrekking tot sociale of economische thema's, maar tot mysteriën als tijd, dood, eenzaamheid, liefde en geweten dat de behoefte aan levensbetekenis en -doel het dringendst is. En het zijn nu precies die *mysteriën* – mysterie is het ware domein van religie – waarin de surrogaat-religie van het marxistisch-leninisme gefaald heeft te voorzien of ze zelfs maar te erkennen. In dat opzicht is het in toenemende mate niet in staat gebleken de innerlijke behoeften van zijn mensen te bevredigen.

Het is dan ook geen wonder dat de georganiseerde religie in het sovjetimperium koppig voort blijft leven, ondanks officiële afkeuring, vervolging en ambitieuze 'indoctrinatie'-programma's om haar te neutraliseren. In landen als Polen en Tsjechoslowakije betekent de kerk een groeiende uitdaging voor het regime, juist omdat zij diepere behoeften dan het regime wil erkennen bevredigt. En in de Sovjet-Unie zelf wordt het Politburo niet alleen geplaagd door hardnekkig onuitroeibaar christendom, maar ook bedreigd door belangrijke opleving van de islam. Of nu religie 'opium voor het volk' is of niet: verslaving kan niet worden genezen door maar simpelweg de aanvoerbron te smoren en de mensenmaatschappij vervolgens hulpeloos over te laten aan de pijnen van de onthouding.

Adolf Hitler als hogepriester

De tweede belangrijke religie dan wel *ersatz*-religie van de jaren dertig was het spectrum van totalitaire bewegingen die nu gezamenlijk onder de noemer fascisme worden samengevat. In Italië bereikte de oorspronkelijke vorm van fascisme, zoals dit door Mussolini werd verkondigd, in feite nooit de status van een religie; het bleef wellicht zelfs meer dan het marxistisch-leninisme een politieke filosofie, een ideologie. De traditionele rol van de religie werd grotendeels aan de kerk overgelaten. Een gedeeltelijk gevolg hiervan was dat het Italiaanse fascisme, vooral als men dit met ontwikkelingen elders vergelijkt, een betrekkelijk holle zaak bleek.

In Spanje deed Franco's variant van het fascisme zijn best zich op één lijn te stellen met de kerk en matigde zich dan ook een vorm van goddelijke opdracht voor zichzelf aan. Bijgevolg bezat deze een veel grotere energie, een veel sterkere dynamiek dan haar Italiaanse wedergade – doch ook de wreedheid waartoe slechts religieus fanatisme in staat is. In velerlei opzicht is er iets welhaast lachwekkends aan Mussolini, althans bezien van bijna een halve eeuw afstand. Franco is echter, met de harde greep die hij op Spanje en het Spaanse volk had, een al met al veel onheilspellender figuur geweest.

Maar het alles overtreffende voorbeeld van een rechts totalitarisme dat de status van religie verwierf, is wel nazi-Duitsland. Anders dan het fascisme in Italië was het nazisme niet alleen maar filosofie of ideologie. En anders dan de Spaanse variant van het fascisme stelde het nazisme zich niet op één lijn met gevestigde religieuze belangen. Integendeel: het ondernam zeer systematisch de poging om al dergelijke belangen te verdringen en zichzélf als geheel nieuwe religie te vestigen.

Het is nu ruim veertig jaar geleden dat de Tweede Wereldoorlog tot een einde kwam. Deze jaren hebben een eindeloze stroom historische commentaren, uiteenzettingen en verklaringen te zien gegeven over het fenomeen Adolf Hitler, de nazi-partij en Das Dritte Reich. En toch blijven vragen onbeantwoord, nog altijd bestaat mysterie. Want hoe kón een geciviliseerd cultuurvolk – een volk dat de wereld toch mannen schonk als Goethe, Beethoven, Kant, Hegel, Bach en Heine om er maar enkelen te noemen – hoe kon dat volk een dergelijke verdorven rattenvanger *en masse* volgen in een zo monsterlijke, zo duivelse orgie van vernietiging? Schrijvers hebben langs allerlei wegen antwoorden op die vraag gezocht. Het nazisme werd verklaard als maatschappelijk verschijnsel, als cultuurfenomeen, als politiek fenomeen, als economisch verschijnsel. Het is geweten aan het verdrag van Versailles, aan hollende inflatie, aan verlies van nationaal zelfrespect, aan de opkomst van het communisme, aan ineenstorting van de middenklasse en aan een veelheid van andere oorzaken.

Zeker hebben al deze en nog tal van andere oorzaken een vitale rol gespeeld. Ook is zeker dat ze allemaal met elkaar verband hielden. Maar het beslissendste element in elk begrip van het nazisme is de mate waarin dit opzettelijk de religieuze impuls in het Duitse volk activeerde. Het wekte een gevoelsmatige evenals een verstandelijke reactie, op zijn eigen ontaarde wijze verstand en ziel verenigend. Het werd een volslagen religie en als zodanig verloste het het Duitsland van na de Eerste Wereldoorlog uit zijn vagevuur van onbetekenendheid. Het was de religieuze dimensie van het nazisme die inspiratie verleende aan de dynamiek, het hysterische fanatisme, de duivelse energie en wreedheid die de parallelle totalitaire bewegingen in Italië en Spanje ver te boven gingen. Men zou geredelijk kunnen betogen dat het derde rijk de eerste staat in de westerse geschiedenis was sinds het oude Rome dat uiteindelijk niet op sociale, economische of politieke beginselen berustte, maar op religieuze, op magische beginselen. En zijn zogenoemde Führer was niet zozeer politicus, zelfs niet zozeer demagoog, als wel sjamaan.

De opkomst van het derde rijk was geen min of meer 'toevallige' gebeurtenis als gevolg van het giftig charisma van één man. Integendeel, het was zorgvuldig beraamd en met uiterste precisie georkestreerd. Psychologisch uitgekiend en met een angstwekkende mate van zelfbewustzijn ondernam de nazi-partij de poging de religieuze impuls in het Duitse volk te activeren en te manipuleren, zich te richten naar het verlangen naar levensbetekenis en -doel in religieuze zin. Nazi-Duitsland bood een kosmologie evenals een filosofie en een ideologie. Het deed een beroep op hart en ziel, op het zenuwstelsel, op het onbewuste en op het verstand. Daartoe schakelde het tal van de oudste methodes van religie in – uitgebreid ceremonieel, zingen, ritmische herhalingen, betoverende welsprekendheid, kleur en licht. De beruchte bijeenkomsten in Neurenberg waren geen politieke bijeenkomsten van het soort dat het Westen tegenwoordig kent, maar gewiekst geënsceneerde schouwspelen van het soort dat bij voorbeeld integraal onderdeel van Griekse religieuze plechtigheden vormde. Alles – de kleuren van de uniformen en vlaggen, de plaatsing van de toeschouwers, het avondlijke en nachtelijke uur, het gebruik van schijnwerpers en strijklichten, de timing – het was allemaal nauwkeurig op effect berekend. Films hiervan tonen ons mensen die in trance raken, zich tot een toestand van geestvervoering en extase zingen met de mantra 'Sieg Heil!' en aanbiddend naar de Führer staren als ware hij een god. De gezichten van de menigte zijn getekend met een geestloze verzaligdheid, een betovering en bedwelming zoals men ook kan waarnemen tijdens massabijeenkomsten in of buiten kerken van vurige predikers van wie louter en alleen de naam al de massa's trekt. Het was echter geen kwestie van welsprekend-overtuigende retoriek. Juist niet: Hitlers retoriek is zelfs allerminst overtuigend te noemen. In de meeste gevallen is ze banaal infantiel, in herhalingen vervallend, zonder inhoud. Maar zijn voordracht heeft giftige energie, een ritmische bewogenheid die even hypnotiserend werkt als een tromslag in het oerwoud; en dit, gecombineerd met de besmettelijkheid van massale emotie, met de spanning van vele duizenden mensen opeengepakt op een omsloten terrein, met een opzettelijk kerkelijke vorm van praal en schouwspel die tot wagneriaanse proporties uitdijt, wekt een massahysterie op, een in wezen religieus heftig vuur. Wat men tijdens bijeenkomsten rondom Hitler waarneemt is een 'bewustzijnsverandering' zoals psychologen doorgaans in verband brengen met mystieke ervaringen. En Hitler zelf wordt een zwarte Messias, fungerend als reservoir voor de religieuze energie die hij heeft opgewekt. Om met de woorden van een commentator te spreken: 'Het duurde niet lang of het Duitse volk begon Hitler te zien als Duitse Messias. Openbare bijeenkomsten – en in het bijzonder die van Neurenberg – namen religieuze sfeer aan. Alle ensceneringen waren erop gericht een bovennatuurlijke en religieuze sfeer te creëren.'[5]

Ook waren Duitsers in die tijd niet onbewust van de religieuze dimensie van wat Hitler deed. Integendeel, ze beseften deze niet alleen, maar juichten het in sommige gevallen feitelijk toe. Zo heeft de toenmalige burgemeester van Hamburg gezegd: 'Wij hebben geen priesters nodig. Wij kunnen rechtstreeks met God communiceren, door Adolf Hitler.'[6] En in april 1937 verklaarde een vergadering van Duitse christenen: 'Hitlers woord is Gods wet, de decreten en wetten die haar representeren hebben goddelijk gezag.'[7]

Een van de waardevolste bronnen van informatie omtrent Hitlers eigen denken is Hermann Rauschning. Rauschning was een van de eerste aanhangers van de nazi-partij; hij trad in 1926 tot die partij toe. Hij werd weldra een van Hitlers trouwste medewerkers en vertrouwelingen en in 1933 president van de senaat van Danzig. Maar in 1935 was hij zeer verontrust geworden over wat in Duitsland gaande was en nam de wijk, eerst naar Zwitserland, daarna naar de Verenigde Staten. Omdat hij het van eminent belang achtte de wereld te waarschuwen tegen het derde rijk, publiceerde hij in de jaren voor de Tweede Wereldoorlog twee boeken waarin hij veel van Hitlers eigen gesprekken uit de doeken deed. Uit talrijke aanhalingen wordt duidelijk dat Hitler heel goed wist wat hij deed en dat de activering van de religieuze impuls in het Duitse volk onderdeel vormde van een zeer nauwkeurig beraamd plan. Hitlers eigen woorden parafraserend zegt Rauschning: 'Hij heeft de massa's fanatiek gemaakt, verklaarde hij, ten einde ze tot instrumenten van zijn politiek te smeden. Hij heeft de massa's opgewekt. Hij heeft ze boven zichzelf uitgeheven en *heeft ze betekenis en functie gegeven.*'[8] (Cursivering onzerzijds.)

Vervolgens haalt hij Hitler letterlijk aan:

> 'Tijdens een massabijeenkomst... is het denken uitgeschakeld. En omdat dat de geestesgesteldheid is die ik nodig heb, omdat dat me verzekert van het beste klankbord voor mijn redevoeringen, beveel ik iedereen de bijeenkomsten bij te wonen, waar zij deel worden van de massa, of ze dat nu aanstaat of niet, "intellectuelen" en "bourgeois" evenals arbeiders. Ik meng de mensen. Ik spreek tot hen slechts als massa.'[9]

En verder, zoals Hitler zelf in *Mein Kampf* schrijft:

> 'In al deze gevallen heeft men te maken met het vraagstuk van beïnvloeding van de menselijke wil. En dat geldt vooral voor bijeenkomsten waar mensen zijn wier wil tegengesteld gericht is aan die van de spreker en die tot een nieuwe manier van denken overgehaald moeten worden. 's Morgens en overdag lijkt de kracht van de menselijke wil met zijn sterkste energie in opstand te komen tegen elke poging om hem de wil of mening van een ander op de leggen. Anderzijds zal hij zich 's avonds gemakkelijk aan de dominantie van een sterkere wil onderwerpen... De mysterieuze kunstmatige schemering in de katholieke kerk dient ook tot dat doel, de brandende kaarsen, de wierook...'[10]

Hitler erkende dat hij religieuze methodes toepaste. Hij erkende ook, althans ten dele, waar hij ze had opgedaan. 'Ik leerde bovenal van de jezuïeten. Wat dat betreft net als Lenin, als ik mij wel herinner.'[11] En na een van zijn karakteristieke aanvallen op de vrijmetselarij voegt hij eraan toe:

> '[Hun] hiërarchieke organisatie en de inwijding door symbolische riten, dat wil zeggen zonder het verstand in te schakelen, maar door op de verbeeldingskracht in te werken door magie en de symbolen van een cultus – dat alles is het gevaarlijke element en het element dat ik heb overgenomen. Zie je niet dat onze partij dat karakter moet hebben?... Een Orde, dat is wat ze moet zijn – een Orde, de hiërarchieke Orde van seculier priesterschap.'[12]

Het nazisme nam niet alleen maar de kenmerken van een religie over. Het *werd* ook inhoudelijk een religie. Delen van die inhoud waren afkomstig van Richard Wagner die in de negentiende eeuw de uniek geheiligde kwaliteit van Germaans bloed had verheerlijkt en volgens de woorden van een commentator 'hartstochtelijk geloofde in de schouwburg als tempel van Germaanse kunst waar mystieke riten' het Duitse volk en de Duitse ziel 'zouden verlossen'.

Wagner was er echter slechts een uit een aantal invloeden die samenliepen naar het ontstaan van de visie van het nationaal-socialisme. Hitler ontleende ook aan de filosoof Friedrich Nietzsche, van wiens gedachten hij veel misbruikte, uit hun verband haalde en voor zijn eigen doelstellingen verdraaide. Nietzsche was echter overleden en kon niet meer protesteren. Maar toen de nazi-hiërarchie insgelijks uit de werken van de dichter Stefan George meende te kunnen roven, bleek deze zeer levend en tekende hij met vernietigende felheid bezwaar aan. Ten teken van zijn afwijzing en verachting ging hij dadelijk naar Zwitserland in ballingschap, doch niet voordat hij het zaad van het Duitse verzet tegen Hitler gezaaid had bij een van zijn liefste adepten, de jonge graaf Klaus von Stauffenberg, die in 1944 de bomaanslag tegen de Führer zou organiseren.

Hitler en zijn omgeving werden ook beïnvloed door een aantal kleine occulte groeperingen en geheime genootschappen – de zogenaamde Orde van de nieuwe tempeliers bij voorbeeld, de Germanenorden en het Thule-genootschap – die tussen het einde van de jaren 1870 en de periode na de Eerste Wereldoorlog hun activiteiten ontplooiden.[13] In de leer van deze groeperingen treft men militante vijandigheid aan tegenover het christendom evenals een vasthouden aan oud-Germaans heidendom.

De mate waarin Hitler persoonlijk bij occulte groepen betrokken was, is nooit definitief vastgesteld, en het is ook niet waarschijnlijk dat dat nog ooit kan gebeuren. Maar stellig kende hij mensen die er wel bij betrokken waren, en namen van leden van deze groepen duiken ook regelmatig op tussen die van de beginnende nazi-partij. Rudolph Hess en Alfred Rosenberg bij voorbeeld waren betrokken bij het Thule-genootschap. *Mein Kampf* is opgedragen aan Dietrich Eckart, een kleine en gestoorde poëet die een van de leidende figuren was in niet alleen het Thule-genootschap maar ook in meer van dergelijke organisaties.

Wat was nu de aard van Hitlers nieuwe religie? Hoe slaagde zij erin harten en geesten te herwinnen van hen die voor de traditionele kerk verloren waren? Volgens een commentator aan het eind van de jaren dertig 'is de totalitaire nationaal-socialistische *Weltanschauung* een heidens geloof dat het christendom slechts als vreemd en antagonistisch kan beschouwen'.[14]

In 1938 publiceerde dr. Arthur Frey, hoofd van de Zwitserse Evangelische Persdienst, een boek dat nog altijd als een van de grondigste verkenningen van het nationaal-socialisme-als-religie beschouwd kan worden. Weliswaar had Frey als christen zijn eigen gevestigde belangen en eigen bijbedoelingen te beschermen, maar zijn waarnemingen zijn daarom niet minder toepasselijk en ter zake. Volgens Frey dan streefde het derde rijk ernaar 'niet alleen een staat te zijn maar ook een religieuze gemeenschap, dat wil zeggen: een kerk'.[15] En 'de Führer is niet alleen een seculiere Kaiser die in de staat de taak van bestuurder uitvoert; hij is tevens de Messias die bij machte is een duizendjarig koninkrijk te verkondigen'.[16]

Deze bewering is geen overdrijving. Ze wordt vrijwel woordelijk herhaald door Baldur von Schirach, de leider van de Hitler Jugend en de man die met de opvoeding van een generatie jonge Duitsers belast was: '...de dienst aan Duitsland komt ons voor als de ware en oprechte dienst aan God; de vlag van het derde rijk komt ons voor als zijn vaandel – en de Führer van het volk is de Heiland die Hij zond om ons te redden'.[17] Wat het christendom in Duitsland betrof, zei Hitler zelf het volgende:

> 'Wat wij moeten doen? Precies wat de katholieke kerk deed toen zij haar geloof de heidenen opdrong: behouden wat behouden kan worden en de betekenis veranderen. Wij nemen de weg terug: Pasen is niet langer opstanding maar de eeuwige vernieuwing van ons volk. Kerstmis is de geboorte van *onze* heiland... Dácht jij dat deze liberale priesters die geen geloof meer hebben, alleen maar een ambt, zullen weigeren om *onze* God in hun kerken te prediken?'[18]

Dr. Frey vertolkt het nationaal-socialistische credo aldus: 'Voor het Duitse Geloof is het "bloed" heilig... in de loop van de eeuwen... verleent het scheppend geheim van overgeërfd bloed het ras zijn gedaante.'[19]

Het belang van het bloed wordt geïllustreerd door de nazi-ceremonie die volgens de Franse schrijver Michel Tournier op 'een bevruchting van vlaggen' neerkomt. Voor deze ceremonie werd de oorspronkelijke nazi-vlag – besmeurd met het bloed van hen die eronder marcheerden, toen Hitler in 1923 zijn eerste mislukte greep naar de macht deed – bewaard en ritueel getoond. Andere, nieuwe vlaggen werden er tegenaan gehouden, opdat ze – als door een groteske vorm van seksuele magie – iets van haar eigen gewijde kwaliteit zou doorgeven. In de volgende passage vertelt een van Tourniers figuren over deze ceremonie:

> 'Jullie weten wat er gebeurde: het salvo schoten die zestien van Hitlers makkers doodden; Goering ernstig gewond; Hitler tegen de grond gesleurd door de stervende Scheubner-Richter en ontsnappend met een ontwrichte schouder. Daarna de gevangenschap van de Führer in het fort Landsberg waar hij *Mein Kampf* schreef. Maar dat is nu allemaal van minder belang. Wat Duitsland betrof was van toen af de mens irrelevant. Het enige dat die dag in München, 9 november 1923, telde was de hakenkruisvlag van de samenzweerders die over de zestien lichamen viel en besmeurd en gewijd werd door hun bloed. Voortaan was de bloedvlag – *die Blutfahne* – de heiligste relikwie van de nazi-partij. Sinds 1933 wordt ze elk jaar tweemaal getoond: éénmaal op 9 november, als de mars naar de Feldherrnhalle in München wordt herhaald; maar vooral in september, tijdens de jaarlijkse partijvergadering in Neurenberg die het zenit van nazi-ritueel betekent. Dan wordt de *Blutfahne* gelijk een dekhengst die een oneindig aantal merries bevrucht, in contact gebracht met nieuwe vlaggen die naar bevruchting haken. Ik was erbij... en ik kan jullie zeggen dat, als de Führer de huwelijksrite van de vlaggen voltrekt, hij dezelfde bewegingen maakt als een veefokker die de penis van de stier eigenhandig in de vagina van de koe stuurt. Daarna marcheren hele legers voorbij waarvan elke man vlaggedrager is en die gewoonweg armeeën van vlaggen zijn: een enorme zee van rijzende en op de wind wapperende vlaggen, standaarden, banieren, insignes, emblemen en oriflammes. Bij avond voeren toortsen naar de apotheose, want het licht van de fakkels belicht de vlaggestokken, de dundoeken en de bronzen beelden en verbant naar de schaduwen van de aarde de grote massa mannen, gedoemd tot duisternis. Ten slotte, als de Führer het monumentale altaar betreedt, flitsen plotseling honderdenvijftig zoeklichten aan die over de Zeppelinwiese een kathedraal van zuilen van honderden meters hoogte oprichten als bevestiging van de hemelse betekenis van het mysterie dat daar gecelebreerd wordt.'[20]

Deze ceremonie van 'bevruchting van de vlaggen' was er slechts een van een reeks feesten, plechtigheden en herdenkingen waarbij de nazi's de christelijke kalender voor hun eigen specifiek heidense oogmerken herzagen en aanpasten: '... wij vieren feesten van de zon, van het jaar, de groei, de oogst, voor zover ze niet vernietigd zijn door een religie die de wereld vreemd, de aarde vijandig is'.[21] Een van de belangrijkste rituele vieringen was een oud Indogermaans feest van de jonge zonnegod. Op speciale door de SS geleide jongensscholen werd het joelfeest gevierd, niet als geboorte van Christus, maar als viering van de herrijzing uit zijn as van het 'Zonnekind' tijdens de winterzonnewende. Het is niet nodig hier nader in te gaan op het hetzij religieuze dan wel specifiek heidense karakter van dergelijke rituelen. De inhoud ervan is in wezen een twintigste-eeuwse variant van de oude Sol Invictus-cultus die Constantijn I de Grote 1600 jaar eerder had onderschreven. Het enige werkelijke verschil bestond hierin dat voor het nationaal-socialisme zélfs de zon op ondoorgrondelijke wijze uniek Germaans was.

Terwijl Hitler de Messias was van een nieuwe godsdienst, was zijn priesterdom de elitaire in zwart gehulde *Schutzstaffel* oftewel SS. Hitler gewaagde van Heinrich Himmler, de hoogste bevelhebber van de SS, als 'mijn Ignatius van Loyola' – daarmee een parallel trekkend tussen SS en jezuïeten. In diverse opzichten was de SS inderdaad naar het model van de jezuïeten gevormd en maakte opzettelijk gebruik van jezuïtische methodes op gebieden als psychologische vorming en opleiding. Maar de jezuïeten zelf hadden veel van hun structuur en organisatie afgeleid van nog oudere militair-religieus-ridderlijke ordes als de tempeliers en de *Deutschritter*. Himmler zelf vatte de SS juist in deze zin als orde op en zag hem heel specifiek als herrezen *Deutschritter* – een modern equivalent van de witgemantelde ridders met zwarte kruisen die, zevenhonderd jaar daarvoor, een eerdere Germaanse *Drang nach Osten*, naar Rusland, hadden geleid.

De oorspronkelijke SS van voor de Tweede Wereldoorlog werd inderdaad even streng selectief gerekruteerd, georganiseerd en geritualiseerd als de middeleeuwse *Deutschritter*. De uitgebreide en mysticke installeringsceremonie was bedoeld om herinneringen op te roepen aan ridderinvestituur. Kandidaten moesten een stamboom kunnen tonen die ten minste tweeënhalve eeuw zuiver 'Arisch' bloed bewees – of, in het geval van aanstaande officieren, zelfs van drie eeuwen her. Iedere kandidaat moest een in religieuze stijl gehuld noviciaat doorlopen, alvorens hij na die proeftijd tot de orde kon worden toegelaten. Van de vrijmetselarij leerde de SS het belang van rituele ordetekenen, zodat hiërarchieke ringen en dolken een gewichtige rol speelden. Ook aan runen werd bijzondere betekenis gehecht. Op de mouwen van elk SS-uniform zat een in zilverdraad geborduurd runen-opschrift. En het embleem van de organisatie zelf, de dubbele S in de vorm van twee gehoekte bliksemschichten, werd beschreven als de zogenaamde *Sig*-rune, de 'machtsrune' die volgens beweringen gebruikt werd door oude Germaanse stammen om de geslingerde bliksem van de stormgod aan te duiden – Thor of Donar volgens sommige verhalen, volgens andere Odin of Wodan.

Himmler voorzag de organisatie van steeds zonderlinger dimensies. Zo hadden SS-huwelijken minder gemeen met christelijke huwelijken dan met heidense bruidsfeesten. Volgens Himmler werden kinderen, verwekt op een kerkhof, bezield met de geesten van de daar begraven doden. Bijgevolg werden SS-manschappen dan ook aangemoedigd hun nageslacht op graven te verwekken – de graven van edele 'Ariërs' wel te verstaan. Begraafplaatsen waarvan het onderzoek had uitgewezen dat zij de gebeenten van de geschikte noordse types bevatten, werden dan ook zeer aangeprezen, en lijsten van dergelijke dodenakkers regelmatig in het officiële orgaan van de SS gepubliceerd.[22]

Rondom zichzelf plande Himmler een binnenkader van hogepriesters, een conclaaf van twaalf SS-*Obergruppenführer* (het SS-equivalent van een luitenant-generaal) die zijn persoonlijke 'Ridders van de Ronde Tafel' zouden vormen. Deze quasi-mystieke kring van dertien leden – dat aantal opzettelijk als herinnering aan occulte 'covens' (kringen van dertien heksen) evenals, natuurlijk, aan Jezus en zijn discipelen – zou zijn hoofdkwartier krijgen in het stadje Wewelsburg bij Paderborn in wat thans de Duitse Bondsrepubliek is. Hoewel de verbouwingen niet voor het einde van de oorlog gereedkwamen, was Wewelsburg bedoeld als toekomstige officiële hoofdstad van de SS, als zijn cultuscentrum. Het werd beschreven als *Mittelpunkt der Welt.*[23]

In het centrum van Wewelsburg stond een oud kasteel waarin volgens de plannen ieder der dertien zetelende hoogwaardigheidsbekleders een eigen vertrek zou hebben, elk versierd in de stijl van een specifieke historische periode – waarbij deze periodes volgens de meeste commentatoren overeenkwamen met Himmlers eigen veronderstelde voorgaande reïncarnaties. In de grote Noordertoren zouden de dertien 'ridders' elkaar op ritueel geregelde tijden ontmoeten. Beneden, juist in het midden van de crypte onder de toren, zou een heilig vuur branden dat met drie treden te bereiken was, en langs de muren stonden twaalf stenen piëdestallen opgesteld; waar die voor bedoeld waren is echter niet bekend. De getallen 3 en 12 komen herhaaldelijk in de architectuur van het verbouwingsplan voor. Symboliek bekleedde een vitale plaats: rondom het kasteel en gecentreerd vanuit het midden van de crypte zou de geplande stad zich in nauwkeurig uitgezette concentrische cirkels uitbreiden.

Himmler zelf sprak veel over geomantiek en dergelijke, en hield van fantasieën over Wewelsburg als occult 'machtscentrum', net als (zoals hij zich dat verbeeldde) Stonehenge. Het officiële orgaan van *Ahnenerbe* – om zo te zeggen het 'researchbureau' van de SS – publiceerde regelmatig artikelen die aan dergelijke onderwerpen gewijd waren.

Interessant is dat geen van de 'occulte' aspecten van nazi-Duitsland zijn weg vond naar het uitgebreide bewijsmateriaal en de documentatie voor het proces van Neurenberg. Waarom niet? Hadden de geallieerde aanklagers er in die tijd geen besef van? Of deden zij het af als irrelevant of toevallig? In feite geen van beide! De aanklagers beseften het juist maar al te goed. En wel verre van het te onderschatten vreesden zij feitelijk de potentiële invloed ervan – vreesden de psychologische en geestelijke implicaties voor het Westen, als publiekelijk bekend zou worden dat een twintigste-eeuws rijk zich had gesticht en macht die het bezat had verkregen op grond van dergelijke principes. Volgens wijlen Airey Neave, een van de aanklagers tijdens het proces van Neurenberg, werden de ritualistische en occulte aspecten van het derde rijk daarom opzettelijk buiten de orde verklaard als ontoelaatbaar bewijsmateriaal.[24] De reden hiervan was dat een slimme verdediger, zich beroepend op westerse rationaliteit, in staat geweest had kunnen zijn verminderde toereken(ingsvat)baarheid te bepleiten voor de oorlogsmisdadiger(s) die hij vertegenwoordigde.

Wij hebben vrij lang over de religieuze aspecten van Duitsland ten tijde van Hitler uitgeweid, omdat het juist die aspecten zijn die voor het hedendaagse zoeken naar levensbetekenis en -doel zo uitermate relevant zijn. De naoorlogse westerse civilisatie heeft zich aangewend het nationaal-socialisme simpelweg te beschouwen als een extremistische politieke partij, en het derde rijk als een staat die door een kleine groep geestelijk gestoorden werd geleid. Gestoord waren ze wellicht zeker, maar daar gaat het hier helemaal niet om. Het gaat er hier om dat zij in staat zijn gebleken hun geestesaberraties door te geven en te transformeren in een vorm van messiaanse energie. Het nazisme was, zoals we al eerder opmerkten, niet alleen maar een politieke filosofie of ideologie die het Duitse volk 'om de tuin leidde'. Nee, het was een religie die haar greep op de mensen kón hebben, juist omdat ze de traditioneel-religieuze functie uitoefende van het schenken van betekenis en samenhang aan een wereld waarin deze essentiële dingen kennelijk ontbraken.

Het is in dit opzicht dat het derde rijk wellicht zijn toepasselijkste les en zijn allerdringendste waarschuwing geeft. Veel hedendaagse mensen, teleurgesteld in het materialisme, bepleiten een staat die uiteindelijk op geestelijke principes berust. Dat lijkt ook de doelstelling van de Prieuré de Sion. In theorie is dat een zeer waardevol oogmerk en weinig mensen die zich van hun verantwoordelijkheid bewust zijn, zullen dat willen betwisten. Maar het derde rijk heeft gedemonstreerd dat een op geestelijke beginselen berustende staat om díe reden alleen nog niet intrinsiek wenselijk of lofwaardig behoeft te zijn. Want als 'geestelijke' beginselen worden verdraaid en verwrongen, is het vernietigend potentieel hoe dan ook groter dan dat van materialisme. De 'geest', amok lopend, is veel en veel gevaarlijker dan louter materie. 'Heilige oorlog' kan de ergst onheilige en meest heilloze oorlog van al zijn, of hij nu gevoerd wordt door islamitische fundamentalisten in het Midden-Oosten dan wel door christen-fundamentalisten in Amerika.

13. Naoorlogse crisis en maatschappelijke vertwijfeling

Op zijn ontaarde wijze schonk Hitler het Duitse volk een nieuw besef van betekenis door het een nieuwe religie te geven en het daarmee van de onzekerheid te verlossen – van de 'aan epistemologische paniek grenzende betrekkelijkheid van vooruitzichten' waar we eerder over spraken. Door dit proces schonk hij, ironisch en paradoxaal als het moge schijnen, de overige wereld eveneens een nieuw besef van levensbetekenis. Door Hitler en het derde rijk was de wereld zinnig, zij het dan slechts tijdelijk.

De Eerste Wereldoorlog was een onzinnige oorlog geweest. Wat hem vooral zo afgrijselijk maakte was dat de dolzinnigheid zowel ongebreideld als ijl en alles doordringend was als een wolk gifgas. Er waren geen echte helden, geen echte schurken. Iedereen had schuld en niemand had schuld; iedereen wilde het en niemand wilde het; en, eenmaal uitgebroken, had het geheel een grimmig verpletterende eigen macht gekregen die niemand meer kon beheersen. De dolzinnigheid van de Eerste Wereldoorlog was in wezen amorf; en iets dat geen vorm heeft, kan niet bestreden worden. De enig mogelijke oplossing lag in slijtage en uitputting.

In tegenstelling daarmee was de Tweede Wereldoorlog zinnig. Niet alleen was het een 'geestelijk gezonde' oorlog, het was misschien de geestelijk gezondste oorlog die in de moderne historie werd uitgevochten. Hij was zinnig voor zover het de geallieerden betrof, juist omdat Duitsland zo doeltreffend de last van de collectieve dolzinnigheid van het mensdom op zijn schouders had genomen. Door het vermogen van het mensdom om verschrikking te verbreiden en wandaden, gruwelijkheden en beestachtigheden te plegen op zijn schouders te laden, schonk Duitsland paradoxaal genoeg de rest van de westerse wereld gezonde zin en betekenis. Het kostte Auschwitz en Bergen-Belsen om ons de betekenis van het kwaad te leren – niet als theologische stelling, maar als concrete harde werkelijkheid. Het kostte Auschwitz en

Bergen-Belsen om ons de daden waartoe wij in staat waren in te zien en om ervoor te zorgen dat wij ze wilden uitbannen. Anders dan de oorlog van 1914-1918 werd de oorlog tegen het derde rijk een legitieme kruistocht, in de naam van fatsoen, menselijkheid en beschaving.

In die zin gaf Duitsland een hernieuwd besef van betekenis van het leven, niet alleen aan zijn eigen misleide volk, maar belangrijker nog ook aan de overige westerse wereld. En het *was* een Kwaad, niet alleen maar stompzinnigheid, zelfs niet eens conventionele tirannie zoals men deze in verband had kunnen brengen met de Kaiser of Napoleon of zelfs Stalin. Kortom: de collectieve dolzinnigheid van de wereld kreeg, door in een specifiek volk te worden belichaamd, vorm; en eenmaal vorm aangenomen hebbende kon het gericht worden aangevallen. Deze daad van bestrijding herstelde een afgegleden waardenhiërarchie.

Helaas leerde het Westen van die ervaringen niet zoveel als goed zou zijn geweest. Door het derde rijk af te doen als een sociaal, politiek en economisch fenomeen onderkenden of erkenden historici niet de psychologische noden die het, zoals ze door Hitler en zijn kliek gemanipuleerd waren, hadden voortgebracht. En het Westen is doorgegaan met de realiteit en het immense belang van deze behoeften te negéren. De kwestie is eigenlijk nog nooit echt eerlijk onder ogen gezien. Bijgevolg blijft ze zich verschuilen op de achtergrond, bij de drempel naar het bewustzijn, in een onderbewuste vorm. Nazi-Duitsland had naar het leek het irrationele aangetoond. Dientengevolge begon de westerse samenleving het irrationele te wantrouwen, alle uitingen ervan af te wijzen – met uitzondering van die enkele strikt omlijnde uren in de kerk op zondag. Er werden zelfs pogingen ondernomen de godsdienstoefeningen te demystificeren met behulp van eenvoudige gemoderniseerde versies van de bijbel en de liturgie van de anglicaanse kerk in Engeland. Omdat Hitler een valse profeet was gebleken, begon de westerse samenleving alle profeten te wantrouwen. Omdat het derde rijk zijn eigen scheve absoluutheden had verkondigd, begon de westerse samenleving alle absoluutheden te wantrouwen. Uiteindelijk zou het wantrouwen tegenover absoluutheden opnieuw culmineren in een alles doordringende relativiteit van toekomstperspectief.

Dat was niet direct duidelijk. In de eerste jaren na 1945 was het nog altijd mogelijk te hechten aan waarden die tijdens de kruistocht hadden gegolden – fatsoen, menselijkheid en beschaving. Deze werden daarna op één lijn gebracht met hernieuwd geloof in materiële vooruitgang. Per slot van rekening immers waren het materiële hulpmiddelen geweest waarmee Hitler was verslagen, en dergelijke bronnen konden daarom als krachten van 'het goede' worden beschouwd. Samen met fatsoen, menselijkheid en beschaving leken zij iets te vertegenwoordigen waar men echt aan kon geloven. Zo werd eind van de jaren veertig de atoombom nog gezien als een instrument van de vrede, in plaats van een potentiële bedreiging.

Dit geloof in vooruitgang diende om het Westen een kortstondig tijdperk van materialistische zelfgenoegzaamheid binnen te leiden. Dit kan misschien het best gekarakteriseerd worden met de 'grijsflanellen pak'-mentaliteit van de regering-Eisenhower óf door Macmillans 'jullie hebben het nog nooit zó goed gehad'. Het opvallendste kenmerk van deze nieuwe periode was de verbreiding van wat nu 'consumptiemaatschappij' wordt genoemd. Doch de waarden, voor zover zij zo genoemd mogen worden, die de 'consumptiemaatschappij' onderhielden, waren uiteindelijk provisionele waarden – het stilzwijgende equivalent van Detroits 'beraamde veroudering'. Zij werden niet als enige vorm van absoluutheid uitgedragen. Zij pretendeerden geen antwoorden te kunnen geven op de fundamentele vragen naar zin en betekenis van het leven. Het grote ideaal van die tijd lag besloten in de leuze van 'normaliteit' – die in de praktijk slechts op uniformiteit uitliep. Elke 'abnormaliteit', elk aanroeren van diepere innerlijke noden – religieuze verlangens of ervaringen, of zenuwinstortingen, neurosen, zelfs eenvoudige afwijkingen van het conventionele – werden aan de kaak gesteld, als path(olog)ische gesteldheid beschouwd.

Wat nog het dichtst betekenis en doel die die periode te bieden had, benaderde, was de zogenoemde Koude Oorlog. Voor mensen als senator Joseph McCarthy bestonden levenszin en -doel voor het Westen in het handhaven van een 'bolwerk tegen het communisme'. Met andere woorden: het Westen diende zich in wezen te definiëren krachtens zijn tegengestelde, zonder volledig te begrijpen wat dat tegengestelde wel inhield. Bijgevolg werd communisme min of meer synoniem met de ernstigste aberratie van die tijd, 'abnormaliteit'. Achteraf lijkt het allemaal vreemd en naïef, maar het was tevens gevaarlijk hol. Het is níet voldoende, als men weet waar men tegen is. Men moet ook en zelfs bovenal goed weten waar men *voor* is. Zich simpelweg definiëren als bolwerk tegen iets waarvan de feitelijke aard niet duidelijk is, is een te vage en drijfzandachtige basis om er een samenleving op te vestigen en haar levensbetekenis te kunnen schenken. Toch werd dat aangeboden als enig beschikbare ondersteuning van het nieuwe geloof van op de consument gericht materialisme. Er was in de naoorlogse westerse cultuur geen positieve creatieve energie aan het werk, niets om een alles omvattende orde en samenhang aan te geven.

Medio de jaren zestig verkeerde het Westen in verwarring en zijn waarden (voor zover ze zo genoemd kunnen worden) waren in toenemende mate in diskrediet geraakt. Nationalistische bewegingen over de hele wereld begonnen driftig op het bewustzijn van het grote publiek in te werken en de onderstelling dat de westerse maatschappij 'de beste die er is' zou zijn, aan te vechten. De moorden op John en Robert Kennedy en op Martin Luther King schokten niet alleen Amerika hevig maar ook de hele westerse wereld, doordat ze de precaire aard van bestaande structuren blootlegden. Een generatie jongeren kwam in opstand die de opvattingen van de ouderen aanvielen, hun ontgoocheling over het materialisme uitkreten en 'abnormaliteit' aanprezen als iets om prat op te gaan. 'Abnormaliteit' werd niet langer als 'abnormaliteit' gezien, maar juist als 'originaliteit', 'creativiteit', 'zelf-expressie'. En maatschappelijke woelingen – van de burgerrecht- en anti-Vietnam-bewegingen in Amerika tot de studentenopstand van 1968 in Parijs – stelden de broosheid en de leegte van materialistisch consumptiedom definitief aan de kaak. Het geloof van de naoorlogse wereld bleek weinig meer inhoud te hebben dan de Nieuwe Kleren van de Keizer.

Thans is, juist als in de periode tussen de twee wereldoorlogen, de westerse maatschappij wederom in onzekerheid gevangen. Opnieuw is 'alles betrekkelijk'. Andermaal is er geen positieve richting, doch slechts een mistig idee dat men hoe dan ook maar 'door moet modderen' en zien te overleven; en deze zijn doelstellingen op zichzelf geworden. Wederom is er een betekeniscrisis. En het onderhuidse gevoel van paniek wordt natuurlijk verhevigd door drie factoren die nog niet eerder in toekomstcalculaties waren voorgekomen. Een ervan is de dreigende overbevolking, welke dreiging met elk verstrijkend decennium ernstiger wordt. De tweede factor wordt gevormd door de een leefbaar milieu bedreigende over-industrialisatie en vervuiling van lucht, water en bodem. En de derde is het spectrum van een massaslachting als gevolg van een enorme kernramp. Dit drietal werpt een schrikwekkende schaduw over onze levens, een schaduw die ons geloof in een toekomst verdonkert, zoal niet geheel verduistert en, meer nog, een samenhangend beeld van die toekomst. En zonder geloof in de toekomst worden we des te pijnlijker teruggedrongen naar een steeds koortsachtiger heden. Zo naar het heden teruggedrongen zijn we begonnen dit te ondervragen. En het heden kan zich onder dit kruisverhoor slechts onvoldoende vrijpleiten.

Het gevolg hiervan is een hernieuwd speuren naar betekenis en doel van het leven geworden – naar iets dat in feite de taak van een religie vervult, doel en richting schenkend. De georganiseerde religie heeft weinig serieuze pogingen ondernomen om die kans aan te grijpen en het vacuüm te vullen. Op het maatschappelijk vlak is ze levendig en bedrijvig genoeg en men kan haar humanitaire en charitatieve activiteiten alleen maar toejuichen. Doch dergelijke activiteiten bevredigen niet de innerlijke noden van de mens. Wat dat betreft schijnt de georganiseerde religie goeddeels het hoofd gebogen en het veld verlaten te hebben.

In sommige gevallen is ze inert gebleven, statisch, weigerend om te groeien, weigerend om zich aan te passen en zich op een voor ons tijdperk relevante wijze op te stellen, weigerend verantwoordelijkheid op zich te nemen voor het bieden van sturende, leidende principes passend voor hedendaagse problemen. Zo verspilt bij voorbeeld de anglicaanse kerk waarmee het toch al bedroevend gesteld is, tijd en energie met het brandmerken van vrijmetselaren en het verzinken in kronkelige uitvluchten over de inzegening van vrouwen, terwijl er toch juist nu zoveel waardevoller dingen te doen zijn waaraan ook vrijmetselaren en ingezegende vrouwen zouden kunnen meewerken. Maar terwijl de anglicaanse kerk stagneert, is de Rooms-katholieke kerk onder paus Johannes Paulus II gewoon achterwaarts gegaan. De laatste jaren heeft Rome een oogkleppenbeleid gevoerd, heeft zich achter achterhaalde waarden trachten te verschansen die niet alleen niet toepasselijk zijn voor de hedendaagse wereld, maar ook een steeds zwaardere wissel trekken op haar geloofwaardigheid en dus ook op haar gezag. Het verkondigen van verouderde leerstellingen, terwijl men ijverig vraagstukken met betrekking tot de rol van vrouwen, geboortenregeling, abortus en overbevolking negeert, betekent verantwoordelijkheid van zich afschuiven. Gevolg is dat de kerk niet langer voor haar kerkvolk zorgt, de verplichtingen jegens haar kudde gelovigen niet langer nakomt, hun behoeften niet meer bevredigt. Integendeel: ze maakt hun noden ondergeschikt aan de háre – aan haar programma van zelfbehoud en voortbestaan. In die zin laat ze haar gelovigen niet alleen steeds erger in de kou staan, ze begeeft zich ook op de weg naar zelfvernietiging, naar institutionele zelfmoord.

Met deze situatie geconfronteerd is de westerse samenleving begonnen de ogen naar elders te richten, naar andere wegen te zoeken – andere wegen die, doeltreffender dan de georganiseerde religie, de diepe behoefte aan levensbetekenis en -doel in de hedendaagse maatschappij kunnen bevredigen. De aard van enkele van deze alternatieven getuigt van de wanhopige gedrevenheid van dit zoeken.

18. Overblijfselen van het oude bolwerk Megiddo, globaal 30 km zuidoostelijk van Haifa, Israël. Volgens christelijke fundamentalisten zou hier de uiteindelijke strijd tegen de antichrist – Armageddon of Harmagedon – gevoerd worden.

19. Links: *De 'Kathedraal van Licht', ontworpen door Alfred Speer voor de grote bijeenkomsten van de nazi-partij te Neurenberg.*
20. Boven: *Hitler als Graalridder. Deze aanplakbiljetten werden in de herfst van 1936 uitgebracht, maar al spoedig weer uit de omloop genomen.*

21. De crypte onder de noordelijke toren van Himmlers kasteel te Wewelsburg dat het 'cultuscentrum' van de SS had moeten worden. Drie treden leidden naar het midden van de vloer waar een heilig vuur, precies in het midden van het gehele geplande complex, zou branden. Het kasteel had 'het middelpunt van de wereld' zullen worden.

14. Vertrouwen en macht

Een van de primaire elementen van elke functionerende religie is vertrouwen. Een deugdelijke religie moet een levenskrachtige bewaarplaats voor vertrouwen zijn. En ze moet op scheppende wijze in staat zijn dat vertrouwen in het fundament van haar gezag om te zetten. Slechts door het element vertrouwen kan een religie zich van haar verantwoordelijkheid voor het schenken van levensbetekenis en -doel kwijten.

Wij hebben allen de instinctieve behoefte om vertrouwen te kunnen hebben, zowel individueel als collectief – de behoefte om vertrouwen te kunnen stellen in iemand of in bepaalde aspecten van onze diepst-innerlijke aard. In de intieme en intiemste persoonlijke sfeer verlangen we ons vertrouwen te kunnen vestigen in gezin, vrienden, huwelijkspartner, psychoanalyticus, kapelaan, biechtvader, dominee of waarzegster. Maar de behoefte om te kunnen vertrouwen strekt zich ook over minder persoonlijke gebieden uit – vertrouwen in instellingen waar we verantwoording aan verschuldigd zijn of die op een of andere manier invloed op of macht over ons leven uitoefenen. Maatschappijen, legers, regeringen, opvoedings- en religieuze structuren zijn allemaal bewaarplaatsen van vertrouwen. En de directeur van de maatschappij, de militaire commandant, het staatshoofd, de opleider en de religieuze leider moeten in staat zijn het vertrouwen van niet slechts één enkeling, ook niet maar van enkelen, doch van velen en zeer velen te winnen en te behouden.

Natuurlijk zal de aard van de verantwoordelijkheid of het gezag dat dergelijke leidende figuren is toevertrouwd, variëren. Een regerend politicus bij voorbeeld kan de bevoegdheid hebben gekregen om het leven van een man te bepalen door hem laten we zeggen ten oorlog te sturen; hem hoeft echter niet noodzakelijk de last van een schuldig geweten te zijn toevertrouwd. Een serieus te nemen religie zal met een breder vertrouwensspectrum begiftigd zijn dan welke andere instelling ook; haar gezag strekt zich niet alleen uit over maatschappelijke en culturele gebieden, maar ook over ons innerlijk leven – ons gevoel van schuld bij voorbeeld of onze geheimste verlangens en impulsen, onze onzekerheden, onze diepste angsten en, in laatste en eerste instantie, onze diepe behoefte aan levensbetekenis en -doel. Anders dan de politieke leider kan pastoor of dominee de gelovige reiniging van ziel bieden, hetzij in de gedaante van een geritualiseerd sacrament, zoals in de Rooms-katholieke kerk, of in de meer informele omlijsting van andere kerkgenootschappen.

Wat wij geneigd zijn te vergeten is dat het schenken van vertrouwen geen passief proces is. We zijn gewend, zonder daar eigenlijk verder over door te denken, te spreken van 'een daad van vertrouwen', en dat is nu precies wat het schenken van vertrouwen met zich meebrengt – *een daad*. Vertrouwen schenken is een actief, geen passief, proces. Iets wordt door de ene partij actief gegeven en door de andere partij ontvangen.

Er bestaat een intrinsieke, onverbreekbare correlatie tussen vertrouwen en macht. Het is alsof vertrouwen tijdens juist dat schenkingsproces het equivalent van een chemische omzetting ondergaat. Wat dan ook als vertrouwen begint als het de schenker verlaat, wordt in de handen van de ontvanger omgezet in macht. Als iemand actief vertrouwen stelt in iemand anders, krijgt de ontvanger daarmee en daardoor een zekere macht over de schenker. Als twintig mensen een soortgelijke daad van vertrouwen stellen in een zelfde persoon neemt diens macht evenredig toe. En toen tachtig miljoen Duitsers hun vertrouwen actief aan Adolf Hitler schonken, rustten zij hem daardoor toe met gigantische macht. Feitelijk kan dan ook Hitlers macht – of de macht van de ayatollah Khomeini of van welke andere demagoog ook – gewoon gedefinieerd worden als het vertrouwen dat actief in hem of hen gesteld wordt door een groot aantal mensen. Het is onmogelijk om aan deze transactie tussen vertrouwen en macht te ontkomen.

Er rijzen natuurlijk drie kernvragen. De eerste is hoe vertrouwen in een bepaalde situatie wordt verworven. Is dat vertrouwen op onversneden zuivere wijze gewonnen? Of is het verkregen langs andere wegen – bij voorbeeld door misleiding – of is het afgedwongen? Sommigen van de 'grote mannen' uit de historie, zoals bij voorbeeld Abraham Lincoln, boezemen een soort eerbiedige genegenheid in en worden, terecht of ten onrechte, geacht het in hen gestelde vertrouwen te hebben verdiend. Anderen, zoals bij voorbeeld Bismarck, wonnen vertrouwen via meer twijfelachtige middelen.

De tweede kernvraag betreft de aard van het bij een bepaalde situatie betrokken vertrouwen. Tot hoe ver strekt het zich uit? Onder de openbare figuren die het vertrouwen van grote groepen mensen krijgen, bevinden zich militaire bevelhebbers, politici en religieuze leiders. Doorgaans zal de aard van het in hen gestelde vertrouwen zeer uiteenlopend zijn. Een vrome katholiek zal, hoe vaderlandslievend hij ook moge zijn, toch zijn staatshoofd niet met dezelfde ogen beschouwen als waarmee hij de paus beschouwt. Anderzijds zijn er soms gevallen – Hitler bij voorbeeld of Khomeini – waarin vele verschillende soorten vertrouwen om zo te zeggen fuseren in één mens. Daaruit zal dan – als in het geval van Hitler, de ayatollah of een eeuw geleden de Mahdi – gewoonlijk een figuur van messiaanse proporties voortkomen.

De derde kernvraag is natuurlijk wat de ontvanger van het vertrouwen doet met de macht waarvan hij zo als gunsteling is aangewezen. Gebruikt hij die macht in wederkerige zin om op zijn beurt degenen die hem hun vertrouwen schonken te begunstigen, of gebruikt hij hen slechts als pionnen in een of ander eerzuchtig eigen spel? In het geval van Gandhi of dat van Martin Luther King werd het vertrouwen, eenmaal in macht omgezet, op een wel heel verschillende wijze gebruikt als die waarop Stalin het gebruikte.

Het hedendaagse zoeken naar levensbetekenis brengt een speuren met zich mee naar iemand die of iets dat het ontvangen van het breedste vertrouwensspectrum waard is – met andere woorden: speuren naar een religieus principe. In die zin dat georganiseerde of geïnstitutionaliseerde religie die in het schenken van betekenis aan het leven faalt, ook geen of minder vertrouwen inboezemt; en naarmate ze minder vertrouwen inboezemt, wordt ze in toenemende mate machtelozer. Dat is natuurlijk de situatie die voor de hedendaagse georganiseerde religie geldt. Bijgevolg is de mate van in haar gesteld vertrouwen afgenomen, terwijl artsen, psychiaters, politici en tal van andere bewaarplaatsen van vertrouwen steeds grotere stukken van de koek voor zich opeisen.

Het middeleeuwse pausdom, de anglicaanse kerk in de zeventiende eeuw of het geloof van de oprichters van Amerika oefenden allemaal zeer wezenlijke macht uit. Ze omvatten alle aspecten van het menselijk leven: van kwesties van persoonlijk geweten tot en met eminente staatszaken. Ten dele vanwege misbruiken in het verleden is de macht van hun moderne equivalenten geheel nominaal of symbolisch geworden, áls ze al bestaat. Bijgevolg is God machtiger en machtiger geworden over minder en minder, zodat men in toenemende mate onzeker wordt over waar nu precies zijn veronderstelde 'almacht' in gelegen is. Politie, rechtbanken en regeringen kunnen oren afsnijden en ledematen, kunnen gevangen zetten en martelen, eigendommen in beslag nemen, doodvonnissen uitspreken en voltrekken – niet in Gods naam, maar in die van het wetboek van strafrecht, van de partij, de staat of zelfs van zulke vage formules als 'nationale veiligheid'. Intussen is God teruggebracht tot iemand die zo nu en dan kribbig een bliksemflits slingert naar een ongelukkige kathedraal, bij voorbeeld die van York.

Welke zijn sommige van de middelen waarmee individuele mensen en/of instellingen het vertrouwen winnen van hen die hun aanhang (zullen) vormen? Het is natuurlijk niet mogelijk om in het kader van dit boek een vluchtige verkenning uit te voeren, laat staan een grondig onderzoek. Maar bepaalde methodes verdienen hier toch aandacht, gezien de wijze waarop ze ingeschakeld kunnen worden om de religieuze impuls in de mens te activeren.

Een van die methodes is het opzettelijke gebruik van intimidatie en angst. Het mechanisme is maar al te bekend en behoeft weinig nadere uitleg. Er wordt een gegeneraliseerde vijand ondersteld – Satan bij voorbeeld, de antichrist, het communisme of het fascisme. Dan wordt die vijand steeds indringender afgeschilderd, meer en meer monsterlijk van afmeting, meer en meer bedreigend voor alwat men liefheeft – gezin, de kwaliteit van het leven, het vaderland. Als de schrik of paniek er voldoende in zit, behoeft men zichzelf of het eigen instituut maar aan te bieden als bolwerk, wijkplaats of veilige haven. De zogenaamde 'lessen van de historie' zouden ons intussen geleerd moeten hebben dergelijke middelen te doorzien. Hun nog ongebroken effectiviteit wordt echter duidelijk voor wie ook maar een terloopse blik op de hedendaagse wereld werpt. Wij leven in een wereld van etiketjes en leuzen, waarvan de meeste ofwel naar een verondersteld gruwelijke vijand of naar een verondersteld bastion van verlossing van die vijand verwijzen.

Tevens bestaan meer verfijnde krijgslisten. Politici bij voorbeeld zullen vaak een beroep doen op de ratio of het gezonde verstand – of tenminste wat men vaak voorgeeft ratio of gezond verstand te zijn. Ook zullen zij, zoals iedereen wel weet, kwistig zijn met het uitdelen van beloften. Dergelijke beloften zijn specifiek afgestemd op verwachtingen en behoeften van mensen en niet zelden zullen ze weinig of geen kans op vervulling in zich hebben. Maar door een dergelijke belofte uit te spreken worden deze verwachtingen en behoeften al impliciet erkend. En die erkenning is dan maar al te vaak op zichzelf voldoende. De belofte behoeft niet noodzakelijk te worden gehouden. Eigenlijk wordt ze algemeen als 'breekbaar' aanvaard, en degene die de belofte heeft gedaan, zal bij breken ervan in het algemeen niet daarom ter verantwoording worden geroepen. De erkenning van verwachtingen en behoeften die in de belofte besloten liggen, worden opgevat als toepasselijk teken van goede bedoeling. Zó gedesillusioneerd zijn wij geworden dat louter een teken van goede bedoeling ons niet alleen tevreden stelt, maar ons zelfs een bewaarplaats van vertrouwen lijkt.

Het is tegenwoordig wel een waarheid als een koe te noemen dat de moderne politiek sterk op de media steunt. Wat dit in de praktijk betekent is dat de moderne politiek afhankelijk is van haar vermogen om het reclamepotentieel van de media voor zich in te schakelen. In de loop van het laatste kwart van deze eeuw is in toenemende mate duidelijk geworden dat het winnen van vertrouwen in hoge mate een kwestie van aanprijzing, publiciteit en *public relations* is. Politiek en politici worden nu op vergelijkbare wijze als verbruiksartikelen aangeprezen. Met andere woorden: zij moeten zich 'verkopen'. Daartoe worden alle reclamemethodes handig toegepast, met inbegrip van talloze psychologische manipulatietechnieken.

Er zit natuurlijk wél een risico in om politiek te reduceren tot het niveau van reclame. Recente onderzoeken hebben aangetoond dat televisiekijkers die over afstandsbediening voor hun toestel beschikken, tijdens onderbrekingen van het programma voor reclamespots van zender wisselen of het geluid uitschakelen. Dit heeft de reclame-industrie nogal gealarmeerd, en diverse 'tegenmaatregelen' zijn naar verluidt in overweging genomen. De onvermijdelijke conclusie van dergelijke onderzoeken is niettemin dat kijkers veel televisiereclame saai, onzinnig of zelfs zonder meer hinderlijk en ergerlijk vinden. De meeste ontwikkelde consumenten – en de meeste consumenten *zijn* tegenwoordig ontwikkeld – zijn heel wat kiener en beter bij de pinken dan de reclame-industrie kennelijk meent. Noch worden zij meer zo gemakkelijk verleid of overgehaald. Integendeel: ze zijn veel sceptischer en cynischer; en als zij al een bepaald produkt kopen, dan waarschijnlijk niet omdat ze volledig van de rooskleurige beweringen van de reclame overtuigd zouden zijn. De politiek naar het niveau van reclame voeren betekent dat ook ten aanzien van die politiek dergelijk scepticisme en cynisme worden gevoed. Mensen kunnen dan hun stem uitbrengen uit luiheid, uit nieuwsgierigheid, uit behoefte aan 'ns wat nieuws of aan een nieuw gezicht. De macht en opdracht echter die langs dergelijke weg worden verkregen, verschillen wel zeer van macht en opdracht die op vertrouwen berusten.

Anderzijds moet worden toegegeven dat de reclamemethodes enkele opmerkelijke zij het twijfelachtige successen hebben opgeleverd. Niet al die successen waren van politieke aard. In de Verenigde Staten wordt nu, zoals we nog zullen zien, ook godsdienst precies als haarlak, deodorant of kauwgom op de markt gebracht. Verlossing wordt op de televisie gebracht alsof het een soort geestelijk fluoride is, gegarandeerd beschermend tegen moreel verval. Men kan verlost worden via een postorderbedrijf of door een bezoek aan een drive in kerk. Dergelijke ontwikkelingen onthullen niet alleen een zekere mate van vertrouwen, ze leveren ook enorme sommen geld op. Verderop in dit boek zullen we proberen vast te stellen hoe doeltreffend zij de taak van het schenken van levensbetekenis vervullen – dat wil zeggen: te bepalen of zij zich als relígie in enige geldige zin kwalificeren, dan wel dat zij iets anders zijn.

Naast zijn ingeboren behoefte aan vertrouwen heeft de mens ook een ingeboren neiging om te twijfelen, zijn intellect en kritische vermogens ten dienste van scepsis in het geweer te roepen. Zo uit hij zijn individualiteit, zijn gevoel van uniek-zijn. Door de eeuwen heen heeft de religie geprobeerd de menselijke neiging tot scepsis te neutraliseren door dat intellect om zo te zeggen te verdoven, het in slaap te wiegen of het zelfs tot onderworpenheid te overweldigen. Daartoe wordt vaak een aanval op de zintuigen gedaan. Licht, kleur, geluid en geur worden ingeschakeld met een intensiteit die het besef van andere werkelijkheden doeltreffend overmeestert. Flakkerende kaarsen bij voorbeeld, verwarrende reeksen kleuren, zangen, refreinen, ritmische effecten, de geur van wierook: ze worden allemaal heel opzettelijk ingezet om een algemene sfeer van 'anders-zijn' op te roepen, een dimensie die losstaat van de gewone wereld, een kwaliteit van 'betovering'. En sommige van deze methodes werken inderdaad heel geraffineerd. Onderzoek heeft bij voorbeeld aangetoond dat, als een regelmatig herhaalde tromslag wordt gesynchroniseerd met de hartslag en daarna geleidelijk versneld, de hartslag die versnelling volgt. Zoals bepaalde popsterren sinds minstens de jaren zestig hebben ontdekt, worden aldus opwinding en spanning geïnduceerd.

Dit is natuurlijk allemaal ritueel. De functie ervan is een geestesgesteldheid te scheppen die in wezen gelijk staat met trance of met het stadium van lichte hypnose. In een dergelijke geestesgesteldheid wordt het zelfbesef van de individu tot rust gebiologeerd. Hij kan dan opgaan in iets grootsers – de groep of de menigte, de idee, de sfeer, de verkondigde waarden. Heel vaak leidt deze gewaarwording van bevrijd te zijn van zichzelf, van door een andere entiteit te zijn opgenomen, tot een zodanig intense opwinding dat ze aan extase grenst of daarin overgaat. In haar psychologische dynamiek, zij het niet noodzakelijk naar inhoud, heeft een dergelijke extase veel gemeen met wat wel 'religieuze ervaring' of 'mystieke ervaring' wordt genoemd. Dit is natuurlijk wat men kan waarnemen bij evangelische bijeenkomsten, bij voorbeeld als mensen in een toestand van vervoering raken en 'met tongen beginnen te spreken', in tranen uitbarsten of als door een epileptische aanval getroffen ter aarde vallen. Het is wat sekten of culten in bijna alle godsdiensten praktizeren. In een meer gestructureerde, geleide, geregelde en geënsceneerde vorm is het wat het kenmerk was van de Neurenbergse bijeenkomsten in het derde rijk. In minder gestructureerde, veel onvoorspelbaarder vorm is het wat tijdens vele rockconcerten gebeurt. Men behoeft maar te denken aan het effect dat allereerst Elvis Presley, de Beatles of de Rolling Stones opriepen – het hysterische gegil, de verzaligde vervoering, de razernij, de extatische bezwijmingen.

Dergelijke geestesgesteldheden brengen een tijdelijke transformatie met zich mee, zoal geen totale verduistering, van het bewustzijn. De rockstar fungeert net als Adolf Hitler als sjamaan, die in zijn auditorium een vorm van religieuze ervaring induceert. Feitelijk is hij een manifestatie van de traditionele rattenvanger. En evenals deze kan hij zijn macht ten goede óf ten kwade aanwenden. Aan het begin van het sprookje is de rattenvanger een positieve figuur die het dorpje Hameln van zijn ratten verlost door ze achter zich aan te lokken, de rivier in. Maar aan het eind van het verhaal is hij duivels, geen ratten maar de kinderen van het dorp naar hun dood lokkend. Hitler is een voorbeeld van de tweede versie van het sprookje. De meeste rocksterren streven naar de eerste versie – hoewel, zoals tijdens het concert van de Rolling Stones in Altamont in Californië in 1969, dit streven terug kan slaan, en de gewaande tovenaar slechts tovenaarsleerling blijkt die wat hij heeft opgewekt niet meer kan beheersen.

Een bestorming van intellect en zintuigen kan een toestand van religieuze extase induceren. Bij bepaalde islamitische sekten worden de namen van God onafgebroken ritmisch herhaald tot ze hun betekenis verliezen, nog slechts klanken zijn die het bewustzijn omnevelen en inpakken. Een dergelijk effect kan worden opgeroepen door elk ritmisch refrein, of het nu 'Jezus redt' is of 'All you need is love' dan wel 'Sieg Heil'. De geestesgesteldheid die eruit voortvloeit zou men kunnen omschrijven als een toestand van 'poreusheid', waarbij wel indrukken worden opgenomen en emotionele reacties ontlokt, die echter niet gefilterd worden door het kritisch apparaat van het intellect. De overgave van dit kritisch apparaat – de tijdelijke zelfverlating of het afstand-doen-van-zichzelf die tot het loslaten van dat kritisch apparaat leidt – is een bijzonder indringend voorbeeld van 'daad van vertrouwen'. In de omschreven geestestoestand wordt vertrouwen *actief* geschonken en ontvangen, en deze transactie is zowel kenbaar voor hen die erbij betrokken zijn als voor een onbevangen waarnemer.

Het was juist een dergelijke bewustzijnsverandering die de sjamaan in een 'primitieve gemeenschap' probeerde te induceren; en hoe effectiever hij daarin slaagde, hoe dieper de verering die hij genoot. In latere culturen trachtten priesters van alle religies zo'n zelfde bewustzijnsverandering te induceren en dat proberen ze thans nog steeds. Evenals bepaalde ideologen en demagogen doen. En zoals ook het militarisme doet.

Het voordeel van een dergelijke gesteldheid is dat zij van de geest tijdelijk een *tabula rasa* maakt, een 'schone lei'. Alle voorgaande programmeringen zijn voor het ogenblik uitgewist. Dat is wellicht niet van opvallend belang voor de rockstar, maar wel voor de religieuze, politieke of militaire leider. Voor hen is het de gelegenheid om als het ware een nieuw programma in te voeren dat de individu in meerdere of mindere mate transformeert. Dat nieuwe programma kan zijn samengesteld uit wat gewoonlijk religieuze bekering wordt genoemd. Maar het kan ook een vorm van hersenspoeling betekenen.

De volgende vraag is natuurlijk van welke aard het ingevoerde 'nieuwe programma' is. Voor de militair bestaat het 'nieuwe programma' in een gedragscode, een reeks reflexieve antwoorden en reacties, een beperkt aantal geesteshoudingen in een strikt omschreven sfeer. Door de politieke of religieuze leider is het 'nieuwe programma' veel meer omvattend bedoeld. In sommige gevallen zal het ook een antwoord inhouden – min of meer levensvatbaar, min of meer uitvoerbaar – op de vraag naar levensbetekenis. In andere gevallen zal het slechts afleiding van die behoefte bieden.

Archetype en mythe

Nog een andere methode die in de loop der eeuwen gebruikt is om vertrouwen te winnen en om al of niet schijnbaar in de behoefte aan levensbetekenis te voorzien, verdient aandacht. Deze methode is zo oud als het ritueel, ze is echter geraffineerder. Om die reden is ze vooral waardevol gebleken voor niet alleen religieuze en politieke instellingen, maar ook voor organisaties als bij voorbeeld de vrijmetselarij, de verschillende 'Rozenkruisers'-congregaties – en de Prieuré de Sion. Ze schakelt symbolen in op een wijze die – om in de terminologie van Jung te spreken – omschreven zou kunnen worden als 'activering en manipulering van archetypen'.

Het is in dit werk onmogelijk om een schets van Jungs denken, zelfs niet in verkorte vorm, te geven. Voor ons oogmerk zal echter voldoende zijn als wij aard en functie van wat Jung 'archetype' noemde weer te geven. Volgens Jung is een archetype (oerbeeld) een bepaalde elementaire ervaring of een ervaringspatroon dat in het onbewuste van alle mensen verankerd ligt (in het zogenaamde collectief onbewuste), kortom ervaringen of ervaringspatronen die mensen sinds onheuglijke tijden met elkaar delen. Aldus gedefinieerd zijn archetypen en archetypische patronen ons bekend. Tegenwoordig zijn we zelfs geneigd ze voor gezien te houden. Ze houden gebeurtenissen in als geboorte, puberteit, seksuele inwijding, dood, oorlogstraumata, de cyclus der seizoenen, evenals meer abstracte begrippen zoals angsten en wensen, het intense verlangen naar een 'geestelijk thuis', en natuurlijk dat zoeken naar betekenis en doel van het leven dat we hebben besproken.

Omdat dergelijke archetypen het fundament vormen van de elementairste en oeraspecten van de menselijke aard, gaat hun eigenlijke betekenis de mogelijkheden van de taal vaak te boven. Taal is een produkt van intellect en rationaliteit; archetypen en archetypische patronen echter strekken zich verder uit dan intellect en rationaliteit. Daarom vinden zij hun meest directe uitdrukking over het algemeen in symbolen, omdat een symbool zich niet alleen richt tot het intellect maar ook weerklanken oproept uit diepere lagen van de psyche – uit wat psychologen 'het onbewuste' noemen. Juist om die reden zijn symbolen altijd van eminent belang geweest, niet alleen voor de priester en de religieuze leider, maar ook voor de kunstenaar, de dichter, de schilder – vooral als hij in een priesterlijke hoedanigheid optreedt.

Er zijn natuurlijk tal van niveaus in de symbolenwereld. Iedere individu bij voorbeeld heeft zijn eigen symbolen – beelden in verband met zijn eigen unieke en eigenste ervaringen. Zo kan iemand een speciale bloem of een bijzondere steen als een soort talisman beschouwen; iemand zal een herinnering bewaren aan iemand anders van wie hij of zij hield; iemand kan een sporttrofee bewaren als symbool van een overwinning of een prestatie. Ook zijn er meer algemene culturele en nationale symbolen – de oude fleur-de-lis, de Lelie der Bourbons, van Frankrijk bij voorbeeld, het Lotharings kruis dat Charles de Gaulle als symbool koos voor de Vrije Franse strijdkrachten tijdens de Tweede Wereldoorlog; het hakenkruis van de nazi's; de adelaar in verband met de Verenigde Staten. Of specifieke personen kunnen als collectief symbool fungeren. Zo wordt bij voorbeeld Jeanne d'Arc vaak uitgebeeld als belichaming van een essentiële hoedanigheid van Frankrijk; koning Arthur in die zin van Engeland of El Cid van Spanje.

Archetypische symbolen hebben een nog breder referentiespectrum. Zij hebben geen betrekking op een specifiek personage, maar op het mensdom als geheel. De feniks bij voorbeeld, met zijn bijbetekenissen van dood en herrijzenis, is zo'n typisch archetypisch symbool. Of de eenhoorn, traditioneel in verband gebracht met maagdelijke reinheid en mystieke inwijding. Het paradijs van de christelijke traditie, het walhalla van de oude Germaanse stammen, de eilanden der gelukzaligen in Keltische legenden, en de Elyseïsche velden van de oude Grieken zijn symbolen van in wezen hetzelfde archetype of hetzelfde diepe verlangen. Archetypische patronen worden ook vaak voor antropomorfe figuren gebruikt – de held, de zwerver, de belaagde maagd, *la femme fatale,* de in de dood verenigde geliefden, de ruziënde broers of tweeling, de stervende godheid en diens opstanding, de wijze oude vrouw, de kluizenaar in het woud of de woestijn, de verlaten of verstoten koning. Dergelijke figuren belichamen principes van algemene relevantie, zijn van toepassing op alle culturen en alle tijdperken. Soms zullen zij gemaskeerd verschijnen, oppervlakkig de kenmerken van een bepaald tijdperk aannemend, terwijl ze onder die uiterlijke vermomming in wezen dezelfden blijven. Zo is bij voorbeeld de edele boef, zoals hij in Arthur Penns film *Bonnie and Clyde* geschilderd wordt, een twintigste-eeuws equivalent van een veel vroegere figuur: Robin Hood. Zo is ook Kojak, 'schoonmaak houdend in Manhattan', een moderne variant van Wyatt Earp die in Dodge City 'opruiming hield'; en die is op zijn beurt weer een uitbreiding van de middeleeuwse dolende ridder. De moderne dolende ridder echter berijdt geen paard meer, hij rijdt auto. Maar het basispatroon van zijn activiteiten is in wezen hetzelfde als dat van eeuwen her. Nu is de moderne stad het oerwoud, het grensgebied waar gevaar loert, het dreigende betoverde woud waar monsters – van menselijke of andere aard – in hinderlaag liggen en dreiging uitgaat van elke donkere steeg. Wij die de grensgebieden en de duistere wouden van het verleden hebben vernietigd, hebben nieuwe geschapen, in de kern van onze civilisatie. Doch achter de aankleding van een bepaald tijdperk leeft iets eeuwigdurends – een archetypisch symbool of beeld dat zich om zo te zeggen door de eeuwen heen reïncarneert.

Symbolen kunnen hetzij apart of samen met andere functioneren. Een religieuze plechtigheid bij voorbeeld houdt vaak een groot aantal symbolen in die te zamen optreden, gezamenlijk effect sorteren. Als symbolen in een samenhangend verhaal of intrige georganiseerd zijn, kunnen ze wat men een 'mythe' noemt worden. Het woord mythe moet echter niet gebruikt worden in de eens gangbare zin van 'fictie' of 'fantasie'. Integendeel: het betekent iets dat al met al veel complexer en diepgaander is. Mythen werden niet simpelweg ontworpen voor vermaak en verstrooiing, maar om dingen te verklaren – verklaring te geven van de werkelijkheid. Voor de mensen van de oude wereld – de Babyloniërs en Egyptenaren, Kelten en Germanen, Grieken en Romeinen – was mythe synoniem met religie en omsloot, juist als de katholieke kerk van de middeleeuwen, wat wij tegenwoordig als wetenschap, psychologie, filosofie, historie, het gehele spectrum van menselijk denken en kennis classificeren. Op die basis kan mythe gedefinieerd worden als *elke* systematische poging om werkelijkheid van verleden of heden te verklaren of te beschouwen. Op grond van een dergelijke definitie kan elk geloofsstelsel – christendom, darwinisme, marxisme, psychologie, atoomtheorie – geklasseerd worden als mythe, en de term houdt geen denigratie, geen kleinering in. Alle geloofsstelsels komen op en ontwikkelen zich voor hetzelfde doel, namelijk 'de orde der dingen' te belichten en in de wereld zinnigheid te ontdekken.

De klassieke mythologie was de wetenschap, psychologie en filosofie van haar tijd, en we zouden wel naïef zijn te menen dat wetenschap, psychologie en filosofie van onze dagen niet overeenkomstige vormen van mythe zijn en niet op enig moment in de toekomst als zodanig beschouwd zullen worden.

Evenals de symbolen die haar samenstellen, kan een mythe – afhankelijk van welke aspecten ervan naar voren worden gehaald – persoonlijk, archetypisch of alwat daartussen ligt zijn (nationaal bij voorbeeld, of stam- of groepsgericht). Persoonlijke mythe verklaart zichzelf. Iedereen heeft zijn eigen impliciete of expliciete verklaring of beschouwing van 'de' werkelijkheid. Iedereen heeft ervaringen opgedaan of avonturen beleefd die, vooral naarmate hun herinnering dieper en verder ligt, mythische afmetingen gaan aannemen – voorvallen uit de kinderjaren bij voorbeeld, oude liefdesaffaires, op school uitgehaalde streken. De stof, het materiaal van nostalgie is dan ook heel vaak de stof voor een mythe. Afstand, zowel in tijd als ruimte, is vaak een beslissende factor in het proces van mythevorming. Wij allen immers mythologiseren ons eigen verleden – onze jeugd, ouders, de figuren die in een misschien al ver verleden ons leven vorm gaven. We zijn ook geneigd dingen, plaatsen en personen te mythologiseren waarvan we gescheiden zijn geraakt, hetzij door geografische afstand, door gedwongen verwijdering of door de dood. Iedereen kent wel het soort plaats dat afwezige vrienden of geliefden in de geest gaan innemen. Vaak zijn ze tot sterk vereenvoudigde proporties teruggebracht; meer complexe elementen vallen weg, zodat men zich alleen nog bepaalde duidelijke trekken of bijzonderheden herinnert die een krachtige gevoelsmatige reactie wekken. Op collectief niveau bezaten figuren als een John F. Kennedy of Marilyn Monroe een mythische status zelfs bij hun leven. Krachtens hun dood werden zij radicaal getransformeerd en hun mythische status dijde uit en werd geïntensiveerd.

De meeste gemeenschappelijke mythen hebben zowel een archetypisch als een louter groepsgericht aspect. Elk van beide kan met nadruk naar voren worden gehaald ten koste van het andere, en de mythe zelf wordt dan ofwel archetypisch of groepsgericht. Een archetypische mythe weerspiegelt, net als de archetypische symbolen die ze belichaamt, bepaalde universele constanten van de menselijke ervaringswereld. Een archetypische mythe, wat haar oorsprong in specifieke tijd of plaats ook moge zijn, zal dergelijke factoren te boven gaan en verwijzen naar iets dat door de mensheid als geheel wordt gedeeld. De unieke hoedanigheid en waarde van archetypische mythe is dat ze gebruikt kan worden om mensen te verenigen door nadruk te leggen op wat zij gemeen hebben. De archetypische aspecten van het christendom – het principe van een verlosser bij voorbeeld, goddelijk of anderszins, die zichzelf offert om zijn volk een spiritueel geschenk deelachtig te doen worden – kan een reactie opwekken bij zowel christenen als niet-christenen. En in feite was het juist door de nadruk op dergelijke archetypische aspecten dat het christendom, in de handen van zijn missionarissen, in staat bleek zich te vestigen in gemeenschappen die er zo vreemd aan waren als het zestiende-eeuwse Mexico en Japan.

Stam- of groepsgerichte mythen daarentegen leggen geen nadruk op wat mensen gemeen hebben, maar op wat hen scheidt. Groepsgerichte mythen hebben geen betrekking op de universele en gedeelde aspecten van de menselijke ervaringswereld. Zij dienen integendeel ter verheffing en verheerlijking van een specifieke stam, groep, cultuur, volk, natie of ideologie – noodzakelijk ten koste van andere stammen, groepen, culturen, volkeren, naties en ideologieën. In plaats van zich tot het innerlijk te wenden, naar zelfbespiegeling en zelfkennis, richten groepsgerichte mythen zich naar buiten, naar zelfverheerlijking en zelfverheffing. Dergelijke mythen ontlenen hun stuwkracht en energie aan onzekerheid, verblinding, vooroordelen – en aan de gewilde creatie van een zondebok. Omdat zij innerlijk een vaste kern missen, moeten zij een externe vijand scheppen die bestreden kan worden – een vijand die moet worden opgeblazen om het gewicht en de belasting te krijgen van alwat men wenst af te wijzen en elders te projecteren. Groepsgerichte mythen weerspiegelen diep gewortelde onzekerheid over innerlijke identiteit. Zij bepalen externe identiteit door middel van contrast en ontkenning. Wit wordt aldus geïdentificeerd als alles wat niet zwart is en omgekeerd. Alwat de vijand is, is men níet. Men is alwat de vijand niet is.

Door de hele historie heen hebben religies gebruik gemaakt van zowel groepsgerichte als archetypische mythen. Of beter gezegd: ze hebben in wezen dezelfde mythe gebruikt, maar de nadruk gelegd op hetzij haar groepsgerichte hetzij haar archetypische aspecten – om vertrouwen te wekken en, in antwoord daarop, levensbetekenis en -doel te schenken of althans de schijn ervan. De levensbetekenis die door archetypische mythen wordt geschonken, kan vaak én geldig én levenskrachtig zijn – zoals bij voorbeeld wanneer de kerk de archetypische status van 'moeder' aanneemt en de moederlijke rol vertolkt van degene die heelt, verzoent, bescherming, troost en medelijden geeft. In tegenstelling daarmee is de schijn van levensbetekenis die door de groepsgerichte mythe wordt doorgegeven, maar al te vaak onecht, vals, gemaakt – niet zozeer betekenis als wel afbuiging of omleiding van een afwezigheid van levensbetekenis. Tijdens de kruistochten bij voorbeeld of tijdens haar oorlogen met het protestantisme legde de katholieke kerk de nadruk op de groepsgerichte aspecten van haar leer, zich primair definiërend door middel van haar verklaarde vijand, door de 'ongelovige' of de 'ketter' als zondebok aan de kaak te stellen. Wat de kerk in die gevallen bood was geen levensbetekenis, maar op zijn best een versluiering van haar gebrek aan betekenis – en op zijn ergst een loutere vrijbrief voor veroveringen, gruwelijkheden en verduistering. Als een religie op dit niveau van groepsgerichte mythe tewerk gaat, houdt ze geheel op religie te zijn en wordt surrogaatreligie.

De jongste dag als archetype

Een van de krachtigst weerklinkende onder alle symbolische en mythische motieven is dat van de apocalyps. Dit motief komt regelmatig voor in de geschiedenis van de meeste van 's werelds belangrijkste religies en wordt op een verscheidenheid aan manieren ingeschakeld. Soms wordt het archetypisch gebruikt om, als voorportaal van het oordeel, tot onderzoek van de ziel en zelftaxatie te stimuleren, hetzij in de enkeling hetzij in een cultuur. Soms aangevoerd als verklaring voor allerlei kwaden, werkelijke, ingebeelde of verwachte. Soms ingezet om mensen te intimideren, hun schuldgevoel te bespelen, verzet te breken en vertrouwen af te dwingen. Soms ingeschakeld op ruwweg groepsgerichte wijze, als instrument om een gewaande elite van 'uitverkorenen' te creëren als tegenstelling tot de massa der 'verdoemden'. En soms zelfs misbruikt als excuus voor vervolging van de onderstelde 'verdoemden'.

In deel I hebben we besproken hoe het archetype van de apocalyps tijdens de laatste-oordeelperiode van de eerste eeuw na Christus werd ingeschakeld – tijdens het leven van Jezus en zijn broers – en hoe krachtig een dergelijk archetype kan blijken als het geactiveerd en gemanipuleerd wordt. Die potentiële kracht is, zoals we zullen zien, uitermate relevant voor de hedendaagse wereld. Als de menselijke behoefte aan levenszin en -doel slechts bevredigd kan worden via het archetype van een aanstaande apocalyps en als die apocalyps ook letterlijk moet worden opgevat, dan zijn de implicaties inderdaad ernstig te noemen.

Het geheime genootschap als archetype

Een tweede archetype dat de aandacht verdient, is wat men 'samenzwering' of 'onzichtbare junta' zou kunnen noemen of gewoon bij de populaire naam: het 'geheime genootschap'.

Deze genootschappen kunnen overal op de wereld worden aangetroffen, in elke cultuur en in elk tijdperk. Gewoonlijk wordt het geheime genootschap gekarakteriseerd als een conclaaf van marionettenspelers, een heimelijke kring van personen die, ten goede of ten kwade, 'achter de schermen' werken, anderen manipuleren, gebeurtenissen leiden, druk uitoefenen, aan de touwtjes trekken, 'dingen laten geschieden'. In joodse esoterische traditie bij voorbeeld kent men omstreeks een dozijn (het aantal wisselt) wijze mannen of 'deugdzame mannen' die voor het grote publiek onbekend blijven en over de hele wereld verstrooid leven. Hun rechtvaardigheid behaagt God zo dat zij de enige factor vormen die Hem nog overreedt om de kosmos intact te houden. Met andere woorden: zij houden door hun macht de realiteit bijeen. In bepaalde vormen van het boeddhisme, evenals in de theosofie en de antroposofie wordt een dergelijke functie bekleed door de zogenoemde 'geheime meesters', begiftigd met bovennatuurlijke wijsheid en macht, die van tijdperk tot tijdperk reïncarneren en van wie beweerd wordt dat zij zetelen in een mystieke verborgen stad in de Himalaja.

Natuurlijk zijn dit extreme versies van het thema. Minder extreme versies kunnen in religieuze instellingen zelf worden aangetroffen. Elk priesterdom bij voorbeeld is een min of meer georganiseerd geheim genootschap. Zo kent men de binnenorde van de jezuïeten: de mysterieuze hiërarchie die de jezuïeten als geheel dirigeert en volgens geruchten een machtig geheim kent. Tot voor kort was het indrukwekkendste voorbeeld van een geheim genootschap in de katholieke kerk het heilig officie, dat wil zeggen: de inquisitie. Thans is de mystiek die zowel om de binnenorde van de jezuïeten als om het heilig officie hangt, althans tot op zekere hoogte overgenomen door Opus Dei, de krachtige doch schimmige organisatie die nu Radio Vaticaan beheerst, over immense beleggingen in grond en bedrijven in de westerse wereld beschikt en een netwerk van scholen onderhoudt waarvan de drastische opvoedingsbeginselen een tijd geleden onderwerp van een onthullende uitzending van de BBC waren. Ook zijn er natuurlijk de gelegenheden – het kiezen van een nieuwe paus bij voorbeeld – waarin de curie zelf de rol van geheim genootschap speelt.

Het element van samenzwering in verband met de tempelridders is wellicht de primaire bron van de fascinatie die zij nog altijd op veel mensen uitoefenen, eeuwen na hun ontbinding. De psychologische macht van samenzwering of geheim genootschap wordt geïllustreerd door de oorspronkelijke 'Rozenkruisers' uit het begin van de zeventiende eeuw. Zij – wie 'zij' dan ook geweest mogen zijn – verkondigden hun 'onzichtbare' bestaan via publikatie van opruiende verhandelingen en pamfletten. Hun historisch bestaan echter als organisatie is nooit bevredigend aangetoond. Niettemin was het geloof aan hun bestaan voldoende om een golf van hysterie in heel Europa te wekken en, zoals Frances Yates heeft betoogd, een vitale rol te spelen in de ontwikkeling van het denken, de cultuur en de politieke instellingen van de zeventiende eeuw. Dan kennen we natuurlijk de vrijmetselarij, waarschijnlijk het welsprekendste voorbeeld van een archetypisch geheim genootschap uit achttiende en negentiende eeuw. De vrijmetselarij fungeerde niet alleen voor oningewijden als 'samenzwering', als geheim genootschap. Binnen de gelederen van het genootschap zelf vormde de hiërarchie – vooral als deze zich toespitste in 'onbekende oversten' – een geheime kring binnen een geheim genootschap, een raadselachtige piramide waarvan de apex in schaduwen gehuld bleef.

Het archetype van het geheime genootschap speelt in de hedendaagse westerse samenlevingen een bijzonder belangrijke rol. Het doemt op waar mensen van nu een verborgen samenzwering zoeken te ontdekken, ten goede of ten kwade – in de mafia, de vrijmetselarij (opnieuw), in regeringen en politieke partijen, in de activiteiten van het internationale terrorisme, in de instellingen van *la haute finance,* in organisaties als de trilaterale commissie en de Bilderberg-conferenties. Het is vooral duidelijk in de moderne inlichtingendiensten. MI 5 en MI 6, CIA en KGB spreken alleen al door hun initialen. Zij zijn waarlijk geheime genootschappen, in de strikte zin des woords. Maar de mystiek van conspiratie waarmee zij bemanteld zijn, vergroot zowel hun verborgenheid als hun invloed. De moderne inlichtingendienst is zoiets als een 'boeman' geworden waarvan alleen al het noemen van de naam hele groepen mensen kan verschrikken of manipuleren alsof ze kinderen zijn.

Uit deze voorbeelden komen bepaalde kenmerken van het geheime-genootschap-als-archetype naar voren. Bovenal is een geheim genootschap georganiseerd, het is verborgen, en op zijn allerminst wordt er macht aan toegeschreven. Of die macht nu in werkelijkheid bestaat of niet doet uiteindelijk niet ter zake. Het kan macht verwerven louter krachtens het geloof aan die macht dat mensen eraan hechten. Sommige geheime genootschappen – de inlichtingendiensten bij voorbeeld – oefenen zonder enige twijfel zeer reële macht uit, nog versterkt door het geloof dat mensen daaraan hechten. Andere geheime genootschappen hebben wellicht geen enkele macht behalve dan die eraan wordt toegeschreven – wat op zichzelf alweer voldoende is om ze aanzienlijke macht te geven. In het begin van de negentiende eeuw stelden bepaalde figuren zich ten doel – Charles Nodier bij voorbeeld, naar beweerd wordt grootmeester van de Prieuré de Sion in die tijd, en Filippo Buonarroti, een meestersamenzweerder die zeer bewonderd werd door mannen als Bakoenin – om een aantal geheel fictieve geheime genootschappen te vormen en er informatie over rond te strooien. Deze informatie was echter zo overtuigend dat volkomen onschuldige mensen zich vervolgd en mishandeld zagen wegens verondersteld lidmaatschap van clandestiene organisaties die in het geheel niet bestonden. Geconfronteerd met dergelijke vervolging sloten de slachtoffers zich als middel ter zelfverdediging aaneen en vormden een wérkelijk geheim genootschap dat overeenkwam met de blauwdruk van zijn fictieve wedergade. Zo bracht mythe werkelijkheid voort. Zo groot is de *praktische* macht van een in beweging gebracht archetype.

Kennelijk kan het geheime genootschap of de 'samenzwering' als duister of loffelijk worden opgevat, of als beide, afhankelijk van de mate waarin zijn doelstellingen overeenstemmen met die van de beschouwer. In elk geval zal het toch een zekere gefascineerdheid uitoefenen en gewoonlijk zal het eveneens een of andere gevoelsmatige reactie ontlokken. Als iemand toevallig 'aan dezelfde kant' staat als het geheime genootschap kan het bestaan – of zelfs maar het onderstelde bestaan – ervan buitengewoon geruststellend zijn. Als men toevallig aan 'de andere kant' staat, zal het een nog (veel) sterkere reactie oproepen, omdat het in zo'n geval iemands *paranoia* in de hand werkt – en waanzin omtrent geheime genootschappen en samenzweringen is een der psychologische en culturele modeverschijnselen van onze tijd geworden. (Niet dat dergelijke paranoia altijd ongegrond zou zijn. Integendeel: we hebben in deze eeuw maar al te goed geleerd hoeveel bereikt kan worden door een kleine goed georganiseerde groep die achter de schermen werkt; en we zijn terecht argwanend jegens elke concentratie van macht in handen van dergelijke conclaven – vooral als we niet weten wat ze met hun macht doen.)

En zelfs als het geheime genootschap als vijandig wordt opgevat, zit er toch vaak een element van geruststelling in. Hoezo? Ten dele omdat het troostrijker is te kunnen denken dat verwikkelingen en beroeringen in menselijke kwesties althans door ménselijke wezens zijn veroorzaakt, in plaats van door factoren die buiten beheersing door de mens liggen. Geloof in een conspiratie of geheim genootschap is een instrument waarmee men zichzelf kan verzekeren dat bepaalde gebeurtenissen geen toeval zijn of willekeurig geschieden, doch beschikt zijn – beschikt namelijk door menselijke intelligentie. Dat maakt dergelijke gebeurtenissen bevattelijk en potentieel beheersbaar. Als men een samenzwering in verband kan brengen met een opeenvolging van gebeurtenissen is er altijd hoop, hoe vaag wellicht ook, dat men in staat zal zijn de kracht van de samenzwering te breken – dan wel om er zich bij aan te sluiten en zelf iets van die macht uit te oefenen. Ten slotte houdt geloof aan de macht van een geheim genootschap of samenzwering een stilzwijgende bevestiging in van menselijke waarde of waardigheid – een vaak onbewuste maar noodzakelijke bevestiging dat de mens niet volslagen hulpeloos is, maar althans tot op zekere hoogte verantwoordelijk voor zijn eigen lot.

Dit boek gaat ten dele over een geheim genootschap – de Prieuré de Sion. Wat de Prieuré de Sion gewichtig maakt en hem onderscheidt van vele andere hedendaagse geheime genootschappen, is zijn zeer grondige begrip en inschakeling van juist die mechanismen die wij hebben beschreven. Voor zover wij de Prieuré tijdens onze onderzoekingen hebben leren kennen, hebben we er een organisatie in ontmoet die, in het volle besef van wat zij doet – en in feite als een kwestie van berekenende politiek –, archetypen activeert, manipuleert en benut. Niet alleen werkt de Prieuré de Sion met bekende en traditionele archetypen: verborgen schat, de verloren koning, de heiligheid van een afstammingslijn, een ontzaglijk geheim dat door de eeuwen heen is doorgegeven. Hij schakelt ook heel opzettelijk zichzelf als archetype in. Hij tracht de opvattingen van buitenstaanders over hem als archetypisch geheim genootschap te orkestreren en te reguleren – zoal niet als dé archetypische 'Geheimbund'. Zo kan, terwijl zijn aard en de mate van zijn maatschappelijke, politieke en economische macht zorgvuldig verhuld mogen blijven, zijn psychologische invloed zowel bespeurbaar als wezenlijk zijn. Hij kan de indruk wekken te zijn wat hij wenst, omdat hij de stuwkrachten kent waardoor dergelijke indrukken gewekt worden. Wij hebben dan ook, zoals nog duidelijk zal worden, te maken met een organisatie van uitzonderlijke psychologische verfijning en perfectie.

15. De kunstenaar als priester, de koning als symbool

Minstens in de loop van de vorige eeuw heeft de georganiseerde religie voor wat betreft haar geloofwaardigheid in toenemende mate harde slagen moeten incasseren. Doch het religieuze besef van 'het heilige' of 'het goddelijke' – van een samenhangend patroon dat de persoonlijke ervaring van mensen te boven gaat – blijft voor zeer veel mensen in wezen ongeschonden. De traditionele hoeders van 'het godsdienstige' kunnen in opspraak zijn gekomen of hebben zichzelf in opspraak gebracht. Wij kunnen zélfs verlegen zijn geworden die uitdrukking zonder meer te gebruiken, behalve dan zoals boven tussen aanhalingstekens. Toch blijft voor zeer velen 'het godsdienstige' realiteit, zelfs als de georganiseerde godsdienst niet langer uit zijn naam spreekt.

Er bestaat een zuiver facet van denken en cultuur in de twintigste eeuw dat een streven naar levensbetekenis en 'het godsdienstige' reflecteert *buiten* de samenhang en structuur van de geïnstitutionaliseerde religie. Zo deed bij voorbeeld Einstein, in de voetstappen van Newton tredend, een poging zijn eigen monumentale en omverwerpende ontdekkingen te harmoniëren met een klaar besef van het goddelijke. En zo hebben ook steeds meer individuele mensen, het bankroet van bestaande stelsels onderkennend, gezocht naar een of ander geldig synthesemiddel voor herintegratie van een verbrokkelde werkelijkheid.

Een voorbeeld van dit proces is C. G. Jung die, in perspectief geplaatst, niet alleen als psycholoog beschouwd kan worden, maar ook als filosoof en zelfs als profeet. Jungs overheersende ideeën waren uiteindelijk religieus geaard. Zijn concentrering op universele ervaring en zijn gebruik van het beslissende instrument van de synthese, in plaats van de analyse, ontspruit aan zijn verlangen de wereld te herenigen, haar opnieuw zinnigheid te verlenen. Belangrijker nog is dat hij dat niet in zuiver theoretische (of theologische) termen probeerde te doen, maar in termen die eerder *rechtstreeks te ervaren* dan alleen als geloofsartikelen te aanvaarden zouden zijn, en die, vertaald in psychologische stuwkrachten, voor de praktijk levensvatbaar zouden zijn, zowel op zondag als tijdens het hele leven van de mens.

Anders dan Freud beschouwde Jung psychologie en religie niet als onverenigbaar. Integendeel: hij beschouwde ze als elkaar aanvullend, elkaar helpend om hernieuwd besef van betekenis en samenhang van het leven voort te brengen. En Jung beschouwde religie in haar breedste, meest diepgaande en geldigste zin – niet slechts als een bouwwerk van begripsmatig dogma, niet als enig speciaal kerkgenootschap of credo, maar als iets dat dit alles omvatte, als fundamenteel element in de vorming van de menselijke psyche. Bijgevolg begon Jung gemeenschappelijke bronnen, gemeenschappelijke maatstaven, gemeenschappelijke psychologische stuwkrachten, gedeelde patronen vast te stellen, te vergelijken en samen te stellen – niet alleen bij de voornaamste godsdiensten van de wereld, maar ook in vele andere activiteiten van de mens. Het resultaat was iets dat inderdaad als levenskrachtig religieus principe voor de moderne tijd zou kunnen fungeren en functioneren – een wijze van denken en begrip die inderdaad levensbetekenis en -doel schonk, terwijl tevens verdraagzaamheid, soepelheid en menselijkheid werden bevorderd.

Zo is de Jezus van de historie voor Jung bijkomstig, terwijl de Jezus van het geloof – de Jezus die als psych(olog)ische werkelijkheid bij de gelovige leeft – een archetype wordt. Episodes als bij voorbeeld de verleiding in de wildernis, de 'verlossing der zielen' of de opstanding worden samenstellende elementen van een archetypisch patroon dat door het hele mensdom wordt gedeeld. Verleiding, afdaling naar de onderwereld en triomferende terugkeer uit die onderwereld zijn thema's die voorkomen in elke cultuur, elke religie, elke mythologie. Krachtens deze thema's wordt Jezus in harmonieuze overeenstemming gebracht met andere archetypische figuren van de wereld. Zij hebben deel in hem en hij in hen, en allen gaan bepaalde duurzame, universele waarheden belichamen. Tegelijkertijd is Jezus als archetype ook en heel letterlijk in iedere mens aanwezig, precies zoals het christendom stelt. Ieder kan in zijn of haar persoonlijk leven verleiding ervaren. Iedereen kan de dood ervaren, hetzij letterlijk of in de figuurlijke zin van afdaling naar de diepten van de eigen psyche – naar de hel die alle individuele mensen hoe dan ook in zich dragen. En iedereen kan een vorm van wedergeboorte en vernieuwing ervaren. In die zin dat wij zijn ervaring delen, worden wij inderdaad één met Jezus en Jezus wordt één met ons. Noch rijst enig conflict met historische feitelijkheden.

Het grootste deel van zijn leven en ook in de jaren nog direct na zijn overlijden in 1961 werd Jung door het orthodoxe voornamelijk freudiaans-psychologische 'establishment' met wantrouwen bezien; men beschouwde hem als een 'mysticus' en wees hem dienovereenkomstig van de hand. Tegenwoordig echter wordt hij in brede kringen gezien als een mens die een der oorspronkelijkste en waardevolste bijdragen aan het twintigste-eeuwse denken heeft geleverd. Ook wees hij anderen de weg, op zo verschillende terreinen als antropologie, psychologie en vergelijkende godsdienststudie, en zij zijn in zijn voetstappen getreden om verzoening te vinden tussen psychologie en religie, tussen persoonlijke ervaring en diep geworteld besef van het heilige. Het zegt veel dat Don Cupitt, zich tot de crisis richtend waarmee de georganiseerde religie zich in het laatste deel van de twintigste eeuw geconfronteerd ziet, van Jung getuigt dat 'wij hem waarschijnlijk allen zullen moeten volgen'.

De schatkamer van het heilige

Doch jungiaans denken en de uitlopers ervan zijn allerminst de enige geldige pogingen om de contemporaine wereld betekenis en doel te schenken. Men treft een vergelijkbaar proces aan in de kunst, onder vele vooraanstaande culturele figuren van de eeuw. Dezen hebben de traditionele verantwoordelijkheid van de kunstenaar voor het vraagstuk van levensbetekenis staande gehouden, in hun poging verstrooide elementen weer samen te stellen en te smeden tot samenhangende werkelijkheid. In een aantal gevallen deed de kunstenaar dit spontaan, in andere als onderdeel van een zorgvuldig opgezet programma. Zo kapittelde bij voorbeeld medio de negentiende eeuw Gustave Flaubert de georganiseerde religie dat zij afstand deed van haar verantwoordelijkheid, er niet langer in slaagde als schatkamer voor levensbetekenis en 'het heilige' te fungeren. Om dit gebrek op te heffen ondernam hij methodisch een poging de kunstenaar als een nieuw soort priester in te leiden, de kunstenaar te belasten met de verantwoordelijkheid voor het geven van levensbetekenis en -doel. Kunst was voor Flaubert persoonlijk altijd al een schatkamer voor betekenis en 'het heilige' geweest. Nu echter moest dat opzettelijk zo worden, als onderdeel van een weloverwogen door de kunstenaar overgenomen politiek. Terwijl Flaubert deze principes in zijn brieven uiteenzette, verkondigde Wagner in Duitsland diezelfde principes openlijk. En in Rusland waren figuren als Dostojevski en Tolstoi volgens die beginselen gaan handelen.

Tegenwoordig wordt Flaubert misschien afgedaan als de stem van een anachronistische esthetische levensbeschouwing. Niettemin zijn tal van de grootste namen uit de twintigste-eeuwse letterkunde – Joyce, Proust, Kafka, Thomas Mann, om er maar vier te noemen – in zijn voetspoor getreden en hebben openlijk hun schuld aan hem bekend. Evenmin kan betwist worden dat de kunst inderdaad getracht heeft een religieuze taak te vervullen, om als schatkamer van 'het heilige' te dienen, om levensbetekenis te geven, om versplinterde werkelijkheid weer samen te stellen, te versmelten en zinnig te maken. In bepaalde gevallen – zoals bij voorbeeld in de mystieke katholieke poëzie van Paul Claudel – is een specifiek kerkgenootschappelijk standpunt duidelijk. In andere gevallen, zoals in dat van Tolstoi, leeft een breed gespreide 'christelijke' oriëntatie die kerkgenootschappelijke catergorieën trotseert, maar daarom niet minder diep religieus is. Dan zijn er werken – van D.H. Lawrence, Patrick White, enkelen van de hedendaagse Latijns-Amerikaanse auteurs – die zelfs niet eens noodzakelijk christelijk zijn, doch niettemin diep religieus besef en een in wezen religieuze visie tot uiting brengen. En hoewel ook Joyce, Proust en Thomas Mann in het algemeen niet beschouwd worden als 'religieuze schrijvers', richten zij zich desalniettemin tot die vraagstukken die gewoonlijk gezien worden als territoriaal prerogatief van de georganiseerde religie. Al deze aangehaalde voorbeelden proberen het vraagstuk van levensbetekenis en -doel en zinnigheid van de wereld aan te pakken en op te lossen. En ze doen dat met behulp van een 'spirituele' oriëntatie die niet anders dan als religieus omschreven kan worden.

Sedert de jaren 1880 is veel aandacht besteed aan de boeken die de 'wijsheidstraditie van het Oosten' bevatten – boeken zoals de *Bhagavadgita,* de *Ramayana,* de *Mahabharata* en de *Tao tē ching.* Zogenaamde Europese en Amerikaanse mystici hebben zich vaak afgevraagd waarom er geen vergelijkbare traditie in het Westen bestaat. Maar in feite bestaat die wel degelijk, met name in ons culturele erfgoed. De *Ramayana* en de *Mahabharata* zijn beide epische gedichten. De *Bhagavadgita* is een kruising tussen epische en dramatische poëzie. Geen van hen verschilt in belangrijke mate van werken zoals Dantes *La Divina Commedia,* Miltons *Paradise Lost* of de *Faust* van Goethe. En als ze verschillen van laten we zeggen toneelwerken van Shakespeare, werk van Poesjkin of de romans van Tolstoi of Hermann Broch, dan liggen die verschillen in wezen in literaire vorm of genre, echter niet in inhoud of visie. De *Tao tē ching* vervolgens bestaat in een reeks korte mystiek-lyrische gedichten. Hun westerse equivalenten kunnen de mystieke poëzie van een Yeats, Eliot, Stefan George zijn of, in het bijzonder, de *Sonette an Orpheus* van Rainer Maria Rilke.

Het Westen bezit inderdaad zijn eigen 'wijsheidstraditie', een traditie die ook regelmatig nieuwe loten schiet, opbloeit en zich ontwikkelt. Als dat materiaal echter van de georganiseerde religie is weggedreven, is dat primair een gevolg van haar bekrompenheid en ontoereikendheid. De schildering van Jezus in een werk als Kazantzákis' *De Laatste Verzoeking* is uiteindelijk van een diepere religiositeit en 'christelijkheid' dan het uitgezuiverde portret van Jezus dat de kerken doorgaans tekenen. In dat opzicht kan het doel dat Flaubert zich stelde, als bereikt worden beschouwd. De kunst is inderdaad schatkamer geworden voor het heilige en voor levensbetekenis en -doel.

Dat de westerse samenleving dit vaak niet inziet, is haar eigen tekortkoming en tot haar eigen nadeel en verlies. Het is vooral te wijten aan luiheid. In het geïndustrialiseerde Westen is het voor een belangrijk werk van serieuze literatuur spreekwoordelijk onwaarschijnlijk dat het een bestseller wordt. Soms, als het met een indrukwekkende prijs wordt bekroond, controverse oproept of in verband gebracht kan worden met een film of televisieproduktie waar druk reclame voor is gemaakt, zal zo'n werk het ook in commercieel opzicht goed doen. Maar zelfs dan nog wordt het voornamelijk als vorm van vermaak of verstrooiing gezien, en wanneer het als 'te lastig' wordt beschouwd – dat wil zeggen: wanneer er aan 's lezers concentratievermogen 'te' hoge eisen worden gesteld – legt men het terzijde.

De westerse maatschappij heeft haar letterkunde niet altijd zo nonchalant behandeld. Nog in de negentiende eeuw werden Goethe, Byron, Poesjkin en Victor Hugo bestsellers al tijdens hun leven, hun werk werd door miljoenen verslonden; zij gaven de waarden en geestelijke instelling van hun tijd vorm. Maar ook tegenwoordig, zij het in andere 'minder ontwikkeld' geachte delen van de wereld, wordt de kunst zeer au sérieux genomen en in staat gesteld de religieuze taak van schenken van levensbetekenis te vervullen.

In 1968 publiceerde Gabriel García Márquez *Honderd jaar eenzaamheid*. Nadat het boek in het Engels was vertaald, werd het onmiddellijk toegejuicht als een 'modern klassiek werk', een der waarlijk grootse romans van de twintigste eeuw. Het werd prompt geannexeerd door de academische wereld waar het een eigen proefschriftindustrie heeft voortgebracht. Tót echter de auteur in 1982 met de Nobelprijs werd onderscheiden, bleven zowel zijn boek als hij zelf voor het 'grote lezerspubliek' grote onbekenden. En óndanks die Nobelprijs is dat helaas waarschijnlijk nog steeds het geval. Vele westerse lezers die grif zo'n duizend bladzijden Gurdjieff doorworstelen dan wel Rudolf Steiner of verhandelingen over oosters denken, op zoek naar levensbetekenis of 'zelfverbetering', schuiven García Márquez als 'te lastig' opzij. Terwijl in Latijns-Amerika zelf *Honderd jaar eenzaamheid* gretig werd gelezen, op elk niveau van geletterdheid, van Caracas tot Santiago en Mexico City. Het werd verkocht in zodanige oplagen dat het slechts door de bijbel werd geëvenaard. Het werd besproken en geciteerd in cafés, in vergaderzalen, op straat. Naar voorvallen in het boek werd verwezen of ze gemeengoed waren. Mensen waren er evenzeer mee bekend als men in Amerika of Europa was met de laatste ontwikkelingen in *Dynasty* of *Dallas*.

Wij geven wel toe dat een dergelijk boek kennelijk, tot op zekere hoogte althans, de mensen wier wereld het rechtstreeks weerspiegelt directer aanspreekt. Maar dat alleen kan nauwelijks een verklaring zijn waarom Amerikaanse en Europese lezers het over het algemeen 'lastig' zouden moeten vinden. Of waarom, als referentiepunt en ter vergelijking, men *Dallas* en *Dynasty* zou moeten (kunnen) aanhalen – en waarom met andere woorden niet een werk van Amerikaanse of Europese literatuur, klassiek of hedendaags, in zijn milieu een vergelijkbaar algemene bekendheid zou kunnen genieten. Tijdens een lezing hadden we eens gelegenheid daarover een gast uit Latijns-Amerika vragen te stellen. Zijn antwoord was onthullend. 'Omdat wij onze letterkunde bestuderen,' zei hij trots. 'Wij bestuderen het zoals enkele eeuwen geleden mensen in Europa Luthers eerste bijbelvertaling bestudeerden. Niet in de zin van academisch bestuderen, maar als een leidraad voor leven en begrip. Boeken zoals deze helpen ons om in de moderne wereld en ons leven zin te ontdekken. Wij wenden ons tot zulke boeken om er betekenis in te vinden, op de wijze waarop mensen zich eens tot de bijbel wendden.'

Het respect waarin belangrijke letterkundige werken zich in Latijns-Amerika mogen verheugen, wordt weerspiegeld in de status die de auteurs krijgen. Latijns-Amerikaanse schrijvers zijn regelmatig belast met belangrijke politieke verantwoordelijkheden. Pablo Neruda, de Nobelprijs winnende dichter, was een naaste vriend en adviseur van president Salvador Allende in Chili. De Mexicaanse romancier Carlos Fuentes heeft in zijn land als ambassadeur in Frankrijk gediend. Sergio Ramírez, tegenwoordig vicepresident van Nicaragua, is eveneens een eminent romanschrijver. En in Peru werd de romancier Mario Vargas Llosa aangezocht om het presidentschap van zijn land op zich te nemen.

Het beste dat in dat opzicht de Britse regering wist te presteren, is Jeffrey Archer. Voor Ronald Reagan lijkt misschien de geest, of gebrek daaraan, achter *Rambo* de dichtste benadering.

Het archetypische aspect van monarchie

Zowel het jungiaanse denken als de kunst zijn gebieden waarop de traditioneel religieuze taak van zoeken, vinden of wellicht creëren van levensbetekenis nog altijd wordt vervuld. Doch tegelijkertijd blijven zowel het denken van Jung als de kunst begrensde gebieden van interesse en activiteit. Om een aantal redenen, te complex om hier behoorlijk uiteengezet te kunnen worden, raakt geen van beide de bevolking als geheel in belangrijke mate; en in die zin kan geen van beide de samenleving het soort alomvattende 'paraplu' bieden die ooit de georganiseerde religie ophield.

Maar zijn er dan geen andere positieve principes met bredere geldigheid en gangbaarheid die in onze hedendaagse cultuur functioneren? Bestaan wellicht bij voorbeeld gevestigde – dat wil zeggen: 'pasklare' – instellingen die echt archetypisch zijn, die al is het maar onderbewust het collectieve bewustzijn treffen, en daarom, althans tot op zekere hoogte, als schatkamer voor levenszin en zinnigheid van de wereld fungeren? Tenminste in een aantal aspecten ervan kan monarchie als een dergelijke instelling worden beschouwd.

In het slechtste geval kan monarchie, zoals talrijke autocratische regimes in het verleden gedemonstreerd hebben, synoniem zijn met tirannie. In het gunstigste geval echter kan monarchie inderdáád beschouwd worden als een schatkamer voor betekenis en zinnigheid van leven en leefwereld – waardoor, zij het op omgrensde wijze, minstens een semi-religieuze functie wordt vervuld. En stellig berust monarchie op een archetypische basis. Koningschap is op zichzelf al een archetype. Koninklijkheid vormt reeds door haar aard de stof voor sprookjes en sprookjes zijn een uiting van mythe – mythe zoals wij ze eerder herdefinieerden: als creatieve poging om de werkelijkheid te beschouwen en te verklaren. Welke ook de regeringsvorm moge zijn waarin men leeft: de psyche zal van kindsbeen af bevolkt worden met koningen en koninginnen, prinsen en prinsjes, prinsessen en prinsesjes. Dergelijke figuren zijn nu eenmaal, hoe 'republikeins' men ook moge zijn, deel van een collectief cultureel erfgoed met eigen psychische geldigheid. Bij ontstentenis van echt dynastiek koningschap trachten we een surrogaat-koningschap te puren uit bij voorbeeld filmsterren of popzangers – of, zoals in de Verenigde Staten, uit families als de Kennedy's. Doch dergelijke surrogaten blijven altijd bleke imitaties van de originelen waarop ze, al dan niet met opzet, berusten. Want ondanks fantasieën over het tegendeel onderkent iedereen instinctief dat het filmbeeld dat men ziet, uiteindelijk celluloid is. En de vorstelijke status van families als de Kennedy's raakt onvermijdelijk besmeurd met banaliteiten van politieke aard.

Aan de vooravond van de Eerste Wereldoorlog deed de president van de derde Franse republiek zijn beklag dat hij, als president, met zijn hoge hoed op en geklede jas aan, geen respect van zijn volk afdwong. Terwijl de eerste de beste kleine prins uit de Balkan die Parijs in goudgalon en met kleurige struisvogelveren getooid bezocht, de bevolking met drommen naar de straten trok om pracht en praal van 's prinsen voorbijrijden aan te gapen. Met andere woorden: de Franse president onderkende scherp de intrinsieke aantrekkingskracht van monarchie en schouwspel en de mate waarin het Franse volk beide elementen werd onthouden. Het feit dat hij inzag wat een weinig indrukwekkend figuur hij met zijn saaie burgerkleding sloeg, vergeleken met het majestueuze en de luister van andere staatshoofden, was geen kwestie van kleingeestige persoonlijke ijdelheid. Het was juist een kwestie van nationaal gevoel van eigenwaarde. Als Fransen zich als zodanig schaamden, omdat hun staatshoofd zo armzalig en deerniswekkend oogde, waren er echte redenen om bezorgd te zijn.

Een jaar of vijfenzestig eerder had een Franse president zich in precies datzelfde dilemma bevonden – en deze had er wat aan gedaan. In december 1848 werd Louis Napoleon – de neef van Napoleon I – gekozen als president van de tweede republiek, een ambt waaraan slechts zeer beperkte bevoegdheden verbonden waren. Ook hij zag zich diep in de schaduw gesteld door praal en schittering van andere Europese staatshoofden. Daarom pleegde Louis Napoleon op 2 december 1851 een *coup d'état* waarbij hij de regering overnam en de bevoegdheden van het presidentschap in zijn voordeel aanzienlijk uitbreidde. Vervolgens deed hij een weergaloze stap: hij onderwierp wat hij gedaan had in de vorm van een plebisciet aan het oordeel van de Franse bevolking. En zij steunden hem met overweldigende meerderheid. Een jaar nadien, op 2 december 1852, riep Louis Napoleon, gebruik makend van de naam van zijn illustere oom, zich tot keizer der Fransen uit – en onderwierp ook die daad aan een volksplebisciet. In feite vroeg Louis Napoleon het Franse volk waar zij (terwijl alle andere dingen gelijk zouden blijven) de voorkeur aan gaven: aan de gelijkheidsmystiek van een republiek of aan de hiërarchieke pracht en praal van een keizerrijk. Het Franse volk koos met nadruk voor het tweede en Louis Napoleon besteeg met de titel Napoleon III de troon van een nieuw keizerrijk dat van Frankrijk de culturele hoofdstad van de wereld zou maken.

In dezelfde tijd dat Louis Napoleon keizer werd, was het voornaamste model van een geslaagde republiek natuurlijk de Verenigde Staten van Amerika. Tenslotte hadden de Verenigde Staten een doeltreffende revolutie al gedemonstreerd, een decennium vóór die van Frankrijk, en anders dan de Franse revolutie was die in Amerika niet uitgelopen op terreurbewind of de opkomst van een nieuwe dictator. Doch de Verenigde Staten waren niet geschapen als een republiek van de soort die die term tegenwoordig inhoudt. De meeste persoonlijkheden die voor haar schepping verantwoordelijk waren, waren overtuigde vrijmetselaren, en de nieuwe natie was oorspronkelijk opgevat als de ideale hiërarchische politieke structuur die door bepaalde riten van de vrijmetselarij wordt verlangd. De staat als geheel werd beschouwd als een uitbreiding en een macrokosmos van de loge. Bovendien waren dezelfde mannen die de onafhankelijkheidsverklaring opstelden, aanvankelijk niet bij machte zich ook maar iets anders voor te stellen dan een monarchie. Amerikanen zijn geneigd te vergeten dat aan George Washington die de oorspronkelijke dertien koloniën naar onafhankelijkheid had geleid, als vanzelfsprekend en met unanieme instemming de status van koning werd aangeboden.

Wij geven toe dat de wereld sinds de vooravond van de Eerste Wereldoorlog wel zeer veranderd is, sterker nog sedert de dagen van Napoleon III en George Washington. Maar de aantrekkingskracht die een vorstenhuis nog altijd uitoefent, spreekt voor zichzelf. Men behoeft maar te denken aan de wijze waarop bij voorbeeld de prins en prinses van Wales in het buitenland worden gezien. Zij kunnen worden lastig gevallen door de media; zij kunnen behandeld worden als beroemdheden uit de showbusiness; zij kunnen onderwerp worden van roddel en onaangename speculaties. Niettemin wekken zij op een of andere onaantastbare wijze een welhaast aan ontzag grenzend respect dat ook het felst toegejuichte filmidool of popster nooit zal verwerven. Dat effect strekt zich zelfs tot Amerika uit waar republikeinse beginselen hecht in de 'Constitution' verankerd liggen en waar de 'ongelijkheid' die reeds de idee van koningschap impliceert, als schadelijk wordt ondersteld. In *The Times* van 8 november 1985 schreef Michael Binyon over de enorme opgewondenheid rondom het aanstaande bezoek van de prins en prinses van Wales aan Washington:

'...Amerikanen hebben ten aanzien van monarchie een tweeslachtige instelling. Gevormd uit mensen wier voorouders Europese tirannieën ontvluchtten, en opgevoed in een traditie van gelijkheid en vrije republikeinse geest, voelen de Verenigde Staten desondanks een gebrek aan symboliek in hun centrum, een levend brandpunt voor zijn tradities en waarden. Ze hebben natuurlijk hun vlag en hun presidentschap. Maar die vlag kan niet alle vaderlandslievende gevoelens bevredigen. En het presidentschap, omdat het politiek partijdig is, kan daarom de natie niet zo goed onpartijdig verenigen en representeren als een monarchie.'

En verder:

'Vele Amerikanen zouden de gedachte dat zij naar de oude Europese symbolen hunkeren van de hand wijzen. Toch zien ze daar vaak verlangend naar uit. Mrs. Jacqucline Kennedy bracht iets van die symboliek in het Witte Huis, en Nixon trachtte de bewakers van het Witte Huis te kleden in ceremonieel tenue, met kwasten en pompons en al. Maar ze zagen er zo lachwekkend dwaas uit dat men dat plan weer haastig liet varen. Toch blijft, in de persoon van de president, ceremonieel gezocht...'

...die, zou de heer Binyon er nog aan toe hebben kunnen voegen, in toenemende mate de afgelopen vijfendertig jaar of daaromtrent getracht heeft vorstelijk gedrag tentoon te spreiden en, door vertrouwelijk met koningshuizen om te gaan, een weerspiegeling van die luister af te stralen. Doch juist de aard van het Amerikaanse presidentschap is met een koninklijke status strijdig. Niet alleen, zoals Binyon betoogt, omdat het politiek partijdig is. En niet alleen omdat bepaalde recente bekleders van dat ambt het in diskrediet hebben gebracht; er zijn tenslotte genoeg monarchen geweest die in dat opzicht hun troon evenzéér schade hebben berokkend. Maar uiteindelijk kan het Amerikaanse presidentschap niet diezelfde weerklank wekken als koningschap, omdat koningschap continuïteit en bestendigheid impliceert; en continuïteit noch bestendigheid is verenigbaar met een vier- of uiterlijk achtjarige ambtstermijn. Achter het begrip koningschap ligt het beginsel van een dynastie die de tijd overspant en symbolisch overwint. In haar vermogen om tijden te overspannen en daardoor om zo te zeggen de tijd te neutraliseren vervult een vorstelijke dynastie dezelfde functie als laten we zeggen de kerk. Ze getuigt van bepaalde duurzame waarden, een bestendig gevoel van doel en identiteit die bij de volgende verkiezingen niet het gevaar lopen te worden herzien of verworpen. De vorstelijke dynastie belichaamt op een wijze die voor andere regeringsvormen onbereikbaar is, de mystieke bijbetekenissen van uitdrukkingen als 'Moedertje Rusland', de 'Deutsche Heimat', 'la belle France'. Deze bijbetekenissen liggen in een sfeer buiten de politiek – een sfeer die aan het religieuze grenst.

In 1981 riep het huwelijk van de prins en prinses van Wales een ware uitbarsting van trouwbetuiging en enthousiasme op onder de bevolking – een uitbarsting van juist datzelfde 'Volk' ten gerieve van welks onderstelde behoefte niet alleen het marxisme maar zelfs republikeinse gezindheid naar Amerikaanse trant koningschap afwijst. Het essentiële punt is dat deze uitbarsting zich specifiek voordeed als reactie op het ritueel van een vorstelijk huwelijk en alwat zo'n huwelijk inhoudt: nakomelingen, voortzetting van een afstammingslijn, bestendiging van een dynastie en van de waarden die door die dynastie worden belichaamd, waarden die gelijkgesteld worden aan Groot-Brittannië zelf. Iets archetypisch tijdloos werd daar vereerd, namelijk de kristallisatie in het heden van een speciale orde of verband uit een ver verleden en de belofte van voortzetting daarvan in de toekomst. Alles in verband met deze ceremonie – de eeuwenoude kleurige omlijsting, de koetsen, de fraaie uniformen, zelfs de gesproken woorden – dienden om het 'tijdloze' van het moment te accentueren. Krachtens die 'tijdloosheid' werd de tijd zelf, en alwat daaraan inherent aan dreiging voor heden en toekomst leeft, tijdelijk opgeheven.

Voor de meerderheid van hen die het prinselijke huwelijk in 1981 in drommen meemaakten, zowel de persoonlijk aanwezigen daarbij als de miljoenen anderen die de gebeurtenis op het televisiescherm volgden, vertegenwoordigde het, bewust of onbewust, een bastion van stabiliteit in een anders schrikwekkend wisselvallige en wispelturige wereld. Te midden van een kelderend pond sterling, politieke ontgoochelingen, sociale onrust, wrijvingen tussen rassen, toenemende werkloosheid, nieuwe veroveringen door microchip-technologie, stakingen, beschuldigingen over en weer in het parlement en andere uitingen van turbulente verandering vormde de monarchie – door haar belofte van zich door huwelijk te vernieuwen en te bestendigen – een bolwerk. Ze fungeerde als een beginsel van duurzaamheid en continuïteit. Dit zijn twee belangrijke aspecten van levensbetekenis. En in de zin dat monarchie duurzaamheid en continuïteit reflecteert, kan ze als bewaarplaats dienen van betekenis en doel van het leven en van de leefwereld.

Teneinde haar status in de hedendaagse wereld te onderhouden moet een monarchie bij de tijd blijven, met haar tijd meegaan. Ze kan natuurlijk niet het soort instelling meer zijn dat nog altijd door bepaalde royalistische facties op het vasteland wordt verheerlijkt. Ze kan noch ex- noch impliciet enig principe van *droit divine* meevoeren, noch een strakke maatschappelijke hiërarchie van het soort dat in het verleden vaak bestond. Ze kan geen terugkeer bepleiten naar een despotisme of absolutisme in de trant van het *ancien régime*. Ze kan zich zelfs niet bezoedelen met gedegradeerde verrichtingen van politiek en regering. Doch een constitutionele monarchie zoals in Nederland of België, Denemarken of Zweden, Groot-Brittannië of Spanje is een heel andere zaak; zo'n monarchie kan een zeer reële creatieve functie hebben.

Het wezen van zo'n monarchie is dat ze berust op een door de Prieuré de Sion toegejuichte en aan de oude merovingische dynastie van 'Frankrijk' toegeschreven basis. Bij de oude Merovingen regeerde de koning niet, hij heerste. Met andere woorden: hij was uiteindelijk een symbolische figuur. En naar de mate waarin hij onbesmet bleef door smoezelige kwesties van politiek en regering, bleef zijn symbolische status ongerept. Zoals een der schrijvers van de Prieuré de Sion in een artikel verklaart: 'De koning *is*.' Met andere woorden: zijn waarde stoelt op wat hij als symbool belichaamt, in plaats van op wat hij doet, of op enigerlei macht die hij al dan niet laat gelden. De krachtigste symbolen stralen altijd een onaantastbaar gezag uit dat slechts in opspraak kan geraken door meer tastbare vormen van macht. Zo raakte het pausdom tijdens de eeuwen waarin het wereldse soevereiniteit genoot, steeds meer in diskrediet – zelfs in zodanig onbetamelijke mate dat er op diverse tijdstippen twee of meer pausen waren die elkaar schaamteloos om de zetel van Sint-Petrus verdrongen. Pas toen het pausdom zijn aanspraken op wereldlijke soevereiniteit liet varen, herwon het een zekere mate van respect.

Juist krachtens haar officiële machteloosheid oefent een constitutionele monarchie, zoals die van Groot-Brittannië desondanks, een zeer reële maar onaantastbare invloed uit. Krachtens één enkele uitlating kan de prins van Wales voor grote krantekoppen zorgen, van de zich verkneukelende steun van de bevolking overtuigd zijn en het establishment in de architectuur op zijn kop zetten door plannen voor een voorgestelde uitbreiding van de National Gallery de grond in te boren. Eenvoudig door een interesse ergens voor te laten blijken kan hij een nieuwe en naar onze mening verdiende erkenning verlenen aan de jungiaanse psychologie en aan bepaalde vormen van alternatieve geneeskunde. Zelfs al wordt ze onjuist aangehaald of op onverantwoorde wijze weergegeven, zijn bezorgdheid om het verval van een binnenstad en de ontgoocheling van een generatie jongeren kan nieuwe drijfkracht verlenen aan de wil zulke zaken te herzien.

Het onaantastbare gezag dat door monarchie wordt uitgeoefend, kan zich echter ook verder uitstrekken dan dergelijke kwesties. Tijdens de Duitse bezetting van Denemarken in de Tweede Wereldoorlog moesten ook in dat land joodse mensen een gele ster op hun kleding dragen, wat het proces van identificatie en deportatie naar concentratiekampen vergemakkelijkte. Met verachtelijk trotseren van de bezettende macht in zijn land begon koning Christiaan toen zelf een gele ster te dragen, als geste van sympathie en solidariteit met zijn joodse onderdanen. Hun koning steunend volgden weldra vele duizenden niet-joodse Denen dat voorbeeld. Het effect van dit gebaar was méér dan symbolisch. Antisemitisme en verklikken van joden namen af en talloze levens is daardoor een gruwzaam einde bespaard gebleven.

Een recenter voorbeeld van koninklijk gezag werd in 1981 gegeven. Op 23 februari van dat jaar bestormden bepaalde contingenten van de Guardia Civil de Cortès het Spaanse parlement en samen met enkele hooggeplaatste garnizoenscommandanten trachtten zij een militaire coup te plegen. De gevolgen hadden kwalijk kunnen zijn, als niet koning Juan Carlos op de televisie was verschenen en een beroep op de samenzweerders had gedaan van hun plan af te zien. Als kóning was hij bij machte dat beroep te doen vanuit een positie boven de politiek, boven de ideologische tegenstelling van links en rechts. Als belichaming van een principe van continuïteit was hij in staat voor Spanje als geheel te spreken, niet voor deze of gene specifieke partij. Als koning Juan Carlos zijn stem niet had verheven, had Spanje nog eens in een burgeroorlog verzeild kunnen raken, even verschrikkelijk en kostbaar als die in de tweede helft van de jaren dertig – of, al even verontrustend, in precies zo'n verderfelijke rechts-militaire dictatuur als die van Franco, van generaal Pinochet in Chili of, tot de Falkland-oorlog, van de militaire junta in Argentinië.

Er is één belangrijk aspect van monarchie dat tegenwoordig goeddeels wordt verwaarloosd en dat, althans voorlopig, ook waarschijnlijk nog niet zal herleven. Toch is het de moeite waard dat aspect onder de loep te nemen, omdat het in de toekomst in ere hersteld zou kunnen worden en ook omdat het althans enige rol lijkt te spelen in de denkwijze van de Prieuré de Sion. Dat aspect betreft het dynastieke huwelijk.

Tegenwoordig lijkt natuurlijk alleen al het begrip dynastiek huwelijk – huwelijk om politieke redenen – minstens afkeurenswaardig, een wansmakelijk restant van feodaal denken. Na talloze eeuwen heeft in het Westen de gedachte postgevat dat een huwelijk uitsluitend op (romantische) liefde zou mogen berusten. Wij zelf zouden er niet over piekeren om ook maar enig kwaad woord over romantische liefdes te spreken. Toch is meer dan voldoende duidelijk dat mensen tegenwoordig, welke hun verheven gevoelens en gedachten daarover ook mogen zijn, wel degelijk trouwen om allerlei *andere soorten* redenen dan juist (romantische) liefde. Mensen trouwen omdat ze eenzaam zijn. Ze trouwen vanwege zekerheden. Ze trouwen omwille van eigenbelang, bij voorbeeld om burgerrecht of via hun partner een verblijfsvergunning te krijgen. Mensen trouwen om geld, om status, om prestige. Geen enkele van deze redenen mag bijzonder verheven worden genoemd; niettemin worden ze alle min of meer stilzwijgend gedoogd, zelfs geaccepteerd. Moet men dan als men eerlijk is de neus ophalen voor de gedachte van twee mensen die trouwen – zoals in koninklijke en aristocratische huizen in het verleden zo vaak gebeurde – teneinde twee landen dichter bij elkaar te brengen of een oorlog te voorkomen? Als een dergelijk huwelijk in de hoogste kringen nu eens laten we zeggen tot vrede in Libanon zou kunnen leiden, zou zo'n huwelijk dan zó afkeurenswaardig zijn?

Van het begin van de geboekstaafde historie af tot in de twintigste eeuw waren dynastieke huwelijken niet alleen norm, maar vormden ook een der hoekstenen van de internationale politiek. Pas sinds de afgelopen driekwart eeuw begon het Westen een politiek beginsel te minachten en te versmaden dat daarvóór zo'n dertig of veertig eeuwen de gewoonste zaak van de wereld was geweest. Van oude Egyptische en oudtestamentische tijden tot Europa aan de vooravond van de Eerste Wereldoorlog dienden huwelijken, evenzeer als hedendaagse meer aanvaarde vormen van diplomatie, om bondgenootschappen te scheppen tussen ongelijksoortige volkeren, ongelijke naties en culturen. Wij geven toe dat deze bondgenootschappen niet zelden broos waren en dat de eenheid die zij hadden bedoeld te smeden, vaak onhoudbaar bleek. En zelfs het dichtst geweven netwerk van dynastieën slaagde er niet in de catastrofe van 1941 te verhinderen. Ondanks dergelijke mislukkingen echter heeft het principe mínstens zoveel successen opgeleverd als andere vormen van diplomatie. Het blijft iets dat maar niet zonder meer helemaal kan worden afgewezen, ook heden ten dage niet.

Laat ons een zuiver hypothetisch voorbeeld bekijken. Laten we onderstellen dat op enig moment van medio of eind van de eenentwintigste eeuw de erfgenaam of erfgename van de Britse troon huwt met de erfgename of erfgenaam van de troon van Spanje. In feite zou het resultaat van een dergelijke verbintenis een Verenigd Koninkrijk van Groot-Brittannië en Spanje zijn. Dat houdt natuurlijk níet in dat men naar een autocratie terugkeert, want de koning, in overeenstemming met de regels van de constitutionele monarchie, zou heersen, niet regeren. Noch zou het betekenen dat Engeland en Spanje in een kunstmatige eenheid zouden worden gedwongen. Integendeel: beide landen zouden even onafhankelijk blijven als ze thans zijn, en de macht zou worden uitgeoefend door het Britse parlement en de Spaanse Cortès. Desalniettemin zou er een heel bijzondere relatie tussen beide naties zijn gesmeed – een relatie die in sommige opzichten analoog zou zijn met laten we zeggen die tussen Groot-Brittannië en Australië waar het nominale gezag van de koningin van Engeland nog altijd officieel wordt erkend, zolang het maar niet politiek wordt uitgeoefend.

Zou Spanje of het Verenigd Koninkrijk tegen een dergelijke schikking in opstand komen? Lijkt onaannemelijk. Op grond van de bewierokende adoratie die de huidige prins en prinses van Wales ontvangen, kan men waarschijnlijk veilig stellen dat de meeste landen van Europa heel verrukt zouden zijn dat zij de nakomelingen van het paar ook enigszins als de hunne zouden kunnen beschouwen – onder voorwaarde natuurlijk dat een en ander hun waarden, cultuur, constitutionele onafhankelijkheid, erfgoed of traditie niet op enigerlei wijze in gevaar zou brengen. De vorstelijke huwelijken van 1981 en 1986 waren internationale mediagebeurtenissen, sprookjes waar geheel West-Europa en in feite de hele wereld, geboeid gekluisterd als men was aan televisie en radio, deel aan had. Wát zou het resultaat zijn van een dergelijke gebeurtenis waar niet één, maar twee vorstelijke dynastieën bij betrokken waren?

16. *Naar omhelzing van het Armageddon*

Voor hen die bereid zijn zich te verdiepen in de denkwereld van C. G. Jung en zijn opvolgers, zou deze voor een deel een schatkamer voor levensbetekenis kunnen bieden, namelijk door psychologie en religie te integreren. Deze intergratie zou kunnen geschieden door de grenzen van beide opnieuw te definiëren en uit te breiden en zo beide gebieden te bezielen. Voor hen die bereid zijn haar als meer dan 'tijdverdrijf' of esoterische cultus op zichzelf te benaderen – dat wil zeggen: bereid zijn haar als 'instrumenten van visie' te beschouwen en te bestuderen in de zin waarin mensen in de zestiende eeuw Luthers bijbelvertaling bestudeerden – zou ook de kunst een schatkamer voor levensbetekenis kunnen zijn. Evenals, mits gegrond op bepaalde beslissende premissen, monarchie, op veel ruimer, veel toegankelijker schaal. Uiteindelijk echter zal elke schatkamer van levensbetekenis slechts zo waardevol of waardeloos zijn als mensen ervan verkiezen te maken. Christendom bij voorbeeld is maar zo levenskrachtig, relevant, veelomvattend, zo archetypisch functioneel als zijn groeperingen ervan willen maken. Verlangt en verwacht men een waarlijk besef en gevoel van levensbetekenis en -doel, dan kan dat ook heel vaak worden verkregen. Verlangt en verwacht men echter iets anders, dan zál men veelal ook iets anders oogsten.

De huidige bloei van sekten, culten, disciplines, therapieën en programma's van allerlei soort getuigt van het dringende karakter van het hedendaagse zoeken naar levenszin. Wat vroeger in de kerk werd gezocht of in georganiseerde godsdienst, wordt nu gezocht in de kolommen aan de achterzijde van tijdschriften als *Time Out* of *The Village Voice* en dergelijke. Heel vaak uit zich de behoefte aan levenszin in allerlei 'oppervlakkige' – dat wil zeggen: niet-oorzakelijke – symptomen: eenzaamheid, schuldgevoelens, zelfvervreemding, gevoel van ontoereikendheid, gebrek aan richting of motivatie, depressie, apathie, seksuele onzekerheden, identiteitscrises. Maar hoewel 'oppervlakkig' kunnen dergelijke verschijnselen niettemin zodanig verontrustend en ontregelend zijn dat veel mensen dringend behoefte voelen aan verlichting, verzachting, waarbij de onderliggende oorzaak echter niet wordt waargenomen. En vele van de sekten, culten, disciplines, therapieën en programma's waar zij zich in hun wanhoop toe wenden, richten zich in de eerste plaats, zoal niet volledig, op symptomen; ze fungeren dan ook niet als bewaarplaatsen van levenszin en -doel, maar als niet meer dan kalmeringsmiddelen, tranquillizers.

Nu zijn er natuurlijk altijd al sekten, culten en mysteriënscholen geweest, sommige zuiver en oprecht in hun streven en psycholisch waardevol in hun stuwkracht, andere echter onecht en vals in een van beide of in allebei. Ook heeft altijd al de neiging bestaan, in de relatie van de mens met zijn goden en in zijn zoeken naar levensbetekenis, om een kortere, een snellere weg naar het doel te zoeken – om iets te vinden waarmee werk, energie, psychische inspanning en de opoffering die ermee gepaard gaan zoveel mogelijk vermeden kunnen worden. In het verleden werden dergelijke pogingen om de weg te bekorten altijd zeer argwanend bekeken. Thans echter, onder de paraplu van een consumptiemaatschappij, hebben ze zelfs weergaloze legitimiteit verkregen. Het consumentendom heeft de korte afsnijdende weg respectabel gemaakt op vrijwel elk gebied. Elke kortere weg is een verkoopbaar verbruiksartikel geworden.

Op wereld niveau komt dit tot uiting in de chaos aan produkten ter besparing van tijd, werk en energie. Het is duidelijk in snelkookprodukten, diepvriesmaaltijden, in 'instant'-koffie en al wat nog meer eenvoudig en 'instant' – direct, ogenblikkelijk – kan worden gemaakt. De jaren zestig etiketteerden dergelijke produkten als 'plastic' en hadden er minachting voor; 'plastic' werd synoniem geacht met prullaria. Het hield iets in dat met een levend en zich ontwikkelend universum niet wilde harmoniëren. Het rook naar surrogaat, naar ersatz. Doch er bestaat een psychologisch of 'spiritueel' equivalent van dat 'plastic' dat door de dichter Stefan George aan het begin van onze eeuw als *das Leichte* – gemakkelijk, luchtig, gemakzuchtig – gediagnostiseerd werd. Dat woekert tegenwoordig in sekten en culten die in de westerse samenleving welig tieren en die de 'therapie en groei'-kolommen van tijdschriften vullen. Voorgebakken 'zelfverwerkelijkings'-programma's, hapklaar 'wit licht', snelbevroren of vacuüm verpakte 'verlichting' – zo zijn de beloften die door organisaties worden gedaan, in ruil voor miljoenen dollars en andere valuta's die ze uit de zakken van hun aanhang kloppen. 'Belangrijke vooruitgang' of 'plotseling inzicht' wordt gepropageerd waarbij – in de loop van een weekendje schreeuwen, huilen, scheelogig naar de punt van je neus turen, surrogaat-liefde bedrijvend met kussens of jezelf laten beledigen – de problemen van een heel leven op staande voet worden opgelost. De wijsheid en het inzicht die gewoonlijk vele jaren ervaring vragen, kunnen – wil men althans bepaalde advertenties geloven – worden ingenomen gelijk pilletjes en weggespoeld met een slok cola en een broodje-'burger'. De beloften die gedaan worden zijn altijd impliciet of expliciet buitensporig: zelfvertrouwen en zelfverzekerdheid, succes (wat dat ook moge betekenen), gezondheid, rijkdom, de romantische partner van je dromen, allerlei krachten en vermogens (van gedachten lezen tot en met je willekeurig onzichtbaar kunnen maken) en uiteindelijk één-zijn met de kosmos. En, natuurlijk, dank zij deze dingen vooruitzicht op betekenis en doel van het leven.

Veel van dergelijke activiteiten en de organisaties die ze bevorderen, zijn heel onschuldig – even onschuldig althans als naar de bioscoop of naar een voetbalwedstrijd gaan of als diverse andere manieren om geld aan uit te geven. Sommige zijn wellicht heilzaam, gesteld tenminste dat wat beweerd wordt ook werkelijk in het oog wordt gehouden. Maar er zijn ook andere, veel duisterder, veel onheilspellender activiteiten. Al jaren hebben kranten en televisie gewag gemaakt van 'hersenspoeling', psychische manipulaties en kwellingen, kidnapping, gedwongen huwelijken, diverse vormen van 'vodou', represailles tegen vermeende overlopers en soms zelfs rituele moord. Een zeer dramatisch voorbeeld hiervan heeft zich afgespeeld in Jonestown, Guyana, een Zuidamerikaanse nederzetting die gesticht werd door de zich 'reverend' noemende Jim Jones en de groep van zijn 'Tempel van het volk'. Terwijl Jones en zijn aanhang een onderzoek door het Congres boven het hoofd hing, werden daar op 18 november 1978 drie Amerikaanse journalisten en een lid van het Congres doodgeschoten, en pleegden negenhonderd volgelingen zelfmoord door met cyaankali vergiftigd vruchtesap te drinken.[1] De zogenaamde 'slachting van Jonestown' illustreert het soort macht dat een sekte of cultus over zijn aanhangers kan uitoefenen als gevolg van het vertrouwen dat zij erin stellen – en daarmee samenhangend: van zijn vermogen om hetzij betekenis voor het leven te bieden hetzij schijnbare betekenis.

Een andere bekortende weg naar zin en doel van het leven – dat wil zeggen: een andere surrogaat-religie of andere uiting van *das Leichte* – was de drugscultuur van de jaren zestig en enkele recentere uitlopers ervan. Men kan het feit niet over het hoofd zien dat psychedelische drugs een gewettigde plaats hadden in vele religieuze tradities of dat zij waardevol en verlichtend bleken voor vele kunstenaars en denkers van het Westen. Maar het gebruik van dergelijke drugs, zoals ze in de jaren zestig werden ingeschakeld – om zo te zeggen als toegangskaartjes voor 'instant'-Nirwana –, is in feite een andere manifestatie van *das Leichte*. In het ergste geval, en vooral als de begeleidende rituelen worden uitgevoerd in naam van een sekte of cultus, kunnen ze werkelijk angstwekkend zijn. Wellicht het beruchtste geval van een op drugsgebruik gebaseerde sekte of cultus is het 'psychedelisch satanisme' van Charles Manson en de slachtoffers die zijn 'gezin' vormden. Mansons groep illustreert dat er vaak een nauw merkbare grens is tussen een goeroe enerzijds en een Führer anderzijds, tussen een discipel aan de ene kant, en aan de andere een slaaf.[2]

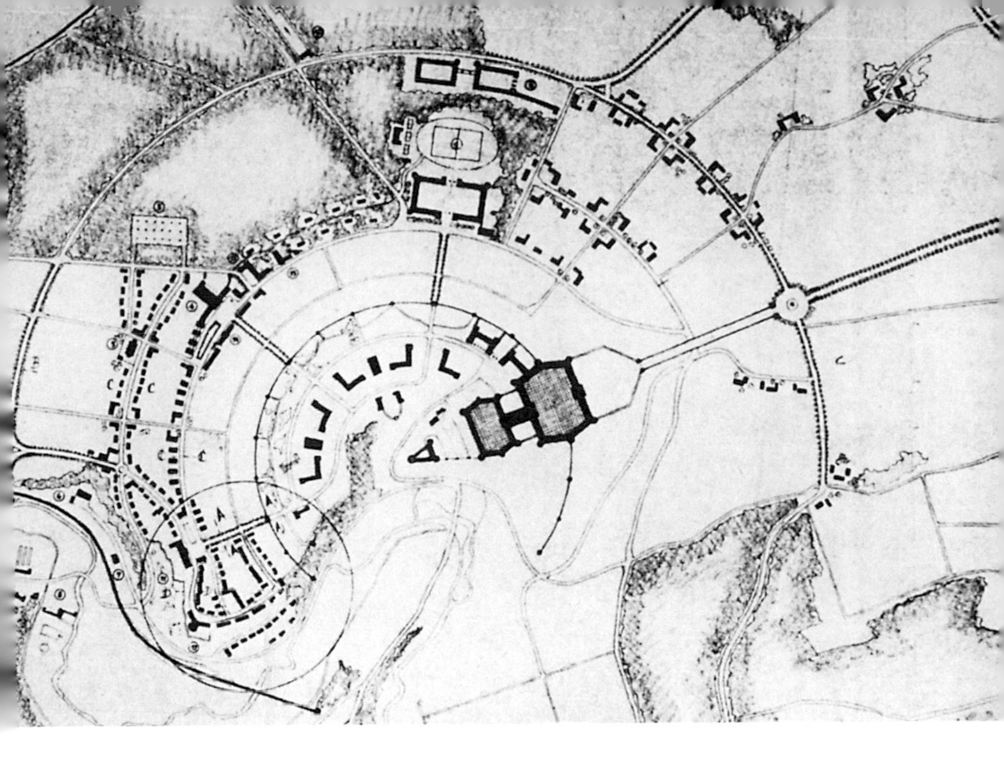

22-23. *Geplande verbouwingen en aanleg te Wewelsburg;* boven: *situatie van 1941;* onder: *1944. In beide plannen ontwikkelt de stad zich straalsgewijs vanuit het midden van de noordertoren van het kasteel. De weg ernaartoe vormt de schacht van de speerpunt, met het driekantige kasteel bij de punt ervan.*

24. Het Laatste Avondmaal, *fresco van Leonardo da Vinci. Let op de merkwaardige gelijkenis van de uitbeelding van Jezus, in het midden, en de figuur tweede van links,* en profil *weergegeven. Kan deze gelijkenis worden verklaard door de onderstelling dat Leonardo een renaissancistische versie onderschreef van de oude overtuiging dat Jezus een tweelingbroer (Judas) T(h)omas had?*

25-26. De tombe van Lenin, Rode Plein, Moskou; boven: *het eerste provisorische bouwwerk dat van januari tot juli 1924 dienst heeft gedaan;* onder: *het derde en definitieve gebouw dat uit 1930 dateert. Het ontwerp in de vorm van een trappenpiramide is een belangrijk kenmerk dat met opzet de sfeer van de religieuze bouwkunst van de oude wereld oproept.*

Het spectrum van 'esoterica' – magie in haar verschillende vormen: astrologie, alchemie, symbolische systemen van waarzeggerij zoals Taro of I-Tjing, fysieke en mentale disciplines zoals yoga en de kabbala – hebben al zo lang bestaan als de georganiseerde religie zelf, zoal niet langer. Het is minstens drie eeuwen mode geweest om op 'esoterica' af te geven. Onder hedendaagse wetenschappers en geestelijken is het chic geworden de gretigheid waarmee het esoterische vaak omhelsd wordt, ernstig te betreuren. Men hoort zelfs van tijd tot tijd zogenaamde 'morele hervormers' binnensmonds brommen over 'hekserij' en 'heidendom'. Maar de herleving van het esoterische in onze eigen tijd is niet zomaar een rage, een voorbijgaande trend. Het is een symptoom van een diepe malaise en van al te wezenlijke geestelijke nood. Het getuigt ervan in hoe ernstige mate georganiseerde religie, wetenschap en de programma's van 'morele hervormers' gefaald hebben in die dringende behoefte te voorzien. En het getuigt nogmaals van het dringende karakter van het zoeken naar levenszinnigheid in de hedendaagse maatschappij. Doch ook 'esoterica' worden maar al te vaak tot *das Leichte* teruggebracht. Ze worden op één hoop gegooid met doe-het-zelf-heksenboeken en andere vormen van 'occultisme voor iedereen'.

Tijdens het laatste kwart van deze eeuw hebben velen zich ook tot het oosterse denken gewend – tot hindoeïsme, boeddhisme en taoïsme. Nu hebben weliswaar westerlingen al sedert twee eeuwen de blik naar het Oosten gericht, en velen van hen hebben er diepere en levenskrachtigere waarheden mogen vinden dan in de joods-christelijke traditie. Maar tijdens de laatste vijfentwintig jaar van deze eeuw wenden toenemende aantallen 'verloren' mensen zich tot het oosterse denken op dezelfde wijze als zij zich tot 'esoterica' hebben gewend. Ze aanvaarden er voorverpakte, gemakkelijk te consumeren bastaardvormen van, omhelzen iedere zogenaamde meester of goeroe die een aantrekkelijke variant weet te presenteren, geven zich blindelings prijs aan een *ashram* of een andere verlichte stijl van leven. En dat doen zij zowel onderdanig en onkritisch passief als met verwachtingen die even buitensporig als ridicuul zijn. Sprekend over de generatie van de westerse jeugd die naar India dromde op zoek naar verlichting zegt de Indiase schrijver Gita Mehta het volgende: 'Nooit eerder nog is Leegte met zoveel optimisme en zoveel bombarie nagejaagd. Iedereen vermoedde dat, wát Amerika ook maar wenste, het dat ook kreeg. Waarom dan niet Nirwana?'[3] En verder: '...de verlokking lag in de chaos. Zij meenden simpele geesten te zijn. Wíj dachten dat zij *neon* waren. Zij meenden dat wij diepzinnig waren. Wij wisten dat we bekrompen waren. Iedereen meende dat ieder ander ontzaglijk exotisch was, en iedereen had het mis.'[4]

Tot de dubieuze alternatieven van religie die door de hedendaagse maatschappij worden gehuldigd – met andere woorden: tot de diverse surrogaat-religies – moet men ook het soort fundamentalistische leer rekenen dat door bepaalde sekten en kerken in Groot-Brittannië, Zuid-Afrika en de Verenigde Staten wordt verkondigd. Net als alle surrogaat-religies schuwen ook deze leren verantwoordelijkheid voor al wat een ware religie met zich meebrengt, en bieden iets anders – van potentieel gevaarlijke aard – als versluiering.

Weliswaar heeft ook het christendom net als de meeste andere religies in het verleden zijn fanatici gekend die al te simplistische uitspraken en verboden huldigden, meer gericht op afdwingen van conformiteit bij de buren dan op uitkristalliseren van eigen levensbetekenis. Men zou zelfs kunnen betogen dat sociale, culturele en politieke geschiedenis van de religie, althans in het Westen, tot op zekere hoogte de geschiedenis is van dergelijke dwingend voorgeschreven visies. Het jodendom op diverse tijdstippen in het verleden en de islam in verleden én heden zijn wat dat betreft al even schuldig. Doch het verontrustende is nu dat wij ditzelfde verschijnsel zich heden ten dage op zo grote schaal in het Westen zien ontwikkelen. Het heeft eeuwen gekost en veel bloedvergieten om althans een zekere mate van verdraagzaamheid aan te leren. Dat wij ons nu beschaamd kunnen voelen om zulke aberraties als de inquisitie of de heksenprocessen van de middeleeuwen, de renaissance en de contrareformatie getuigt tenminste van enige ware vooruitgang in aanleren, enige echte ontwikkeling van het niveau waarop ontwikkeling eigenlijk van belang is: in waarden en geestelijke instelling. Het voorspelt dan weinig goeds, als dergelijke verworvenheden bedreigd worden door een terugkeer naar fundamentalistische versimpelingen – met andere woorden: door een terugkeer naar het gebruik van religie als niet meer dan groepsgerichte mythe.

In het verleden heeft fundamentalistische versimpeling vaak als wijkplaats gediend voor verdrukte minderheden of zelfs voor een bezet land. Soms heeft ze heftige en agressieve vormen aangenomen – bij voorbeeld het Poolse katholicisme, toen in de negentiende eeuw Polen machteloos terneer lag onder het vreemde juk van lutheraans Duitsland en orthodox Rusland. Soms, en waarschijnlijk vaker, is dat fundamentalisme een troost gebleken voor de hulpelozen aan wie gelatenheid werd geraden, terwijl tevens hoopvolle verwachtingen bij hen werden gewekt. In die eigenschap speelde de fundamentalistische leer een waarlijk therapeutische rol voor negentiende-eeuwse joodse getto's in Oost-Europa en negergemeenschappen in het Amerikaanse Zuiden.

Wat tegenwoordig echter gebeurt is niet omhelzing van fundamentalistische versimpelingen door onderdrukte en vervolgde minderheden, maar door een aantal van de rijkste, machtigste en theoretisch best ontwikkelde volkeren ter wereld. En dat doet in feite veel teniet van wat de westerse cultuur zo moeizaam heeft aangeleerd – niet alleen op louter academische terreinen zoals bijbelstudie en evolutietheorie, maar ook in de meer relevante en in laatste instantie belangrijkere sferen van humaniteit en verdraagzaamheid. Sedert de excessen van zeventiende-eeuwse puritanisme – neem Cromwells protectoraat in Engeland, de heksenprocessen in West-Europa en in New England – hebben religieus fanatisme en schijnvroomheid zich nog nooit op zo grote schaal met rijkdom en macht verstrengeld. Met uitzondering natuurlijk van het gewezen derde rijk.

Het moderne fundamentalisme in Amerika stamt uiteindelijk af van het zeventiende-eeuwse puritanisme, met zijn leer van 'uitverkorenen' die een bijzonder 'verbond' met God genoten. Tot deze 'uitverkorenen' behoorden natuurlijk ook de mannen die nu als *Founding Fathers,* als stichters van de Verenigde Staten van Amerika, worden geëerd. Maar de meer directe wortels van het moderne fundamentalisme liggen in de brokkelige en vrij-asscociërende historie die door bepaalde negentiende-eeuwse theologische propagandisten werd verkondigd. In 1840 bij voorbeeld publiceerde een Londense frenoloog met de ontwapenende naam John Wilson een boek met als titel *Our Israelitish Origin.* Volgens Wilson nu had God getrouwelijk zijn belofte gestand gedaan het zaad van Abraham te doen voortleven. In ballingschap gedreven door de Assyriërs, zo beweerde Wilson, waren de Israëlieten Scythen geworden die op hun beurt de voorvaderen van de Saksen waren geworden. Met behulp van dit soort zwakzinnige logica kwam Wilson uiteindelijk tot de conclusie dat de Engelsen in feite de rechtstreekse afstammelingen waren van de stam van Efraïm. Een belangrijk onderdeel in zijn kunstig gewrochte historische bewijsvoering vormde de afbeelding van het woord *Saxon* – kennelijk gegrond op de onderstelling dat de oude Hebreeën en Scythen Engels spraken – van *Isaac's sons.*[5] En het zou allemaal heerlijk dwaas zijn, ware het niet dat Wilsons beweringen nog steeds verbreid worden in hedendaagse fundamentalistische leerboeken.

In 1842 publiceerde Wilson een tweede werk, *The Millennium* – waarin, wellicht niet verrassend, zijn redenering hem tot de conclusie bracht dat de wederkomst op handen was. Jezus' 'beloofde terugkeer' was aanstaande, betoogde hij, en die gebeurtenis zou gevolgd worden door de stichting van wat we nu een duizendjarig rijk zouden noemen. Eerst zou natuurlijk de antichrist verschijnen en de wereld zou vervallen in een periode van chaos. Doch de antichrist, hoe bedreigend hij (of het) ook mocht zijn, was a priori gedoemd het onderspit te delven. De Europese civilisatie was zó geweldig, had Wilson eerder beweerd, dat ze alleen het voortbrengsel kon zijn van een nieuw 'uitverkoren volk', hetwelk God, zijn belofte gestand doende, nooit in de steek zou laten.[6]

In de loop van de daaropvolgende honderdveertig jaar zou deze bewering van suprematie gretig omhelsd worden door Afrikaans-kolonisten in Zuid-

Afrika die haar ook tegenwoordig nog als een belangrijke hoeksteen van apartheid beschouwen.

Wilson werd gevolgd door auteurs van veelal hetzelfde slag. In 1861 bij voorbeeld probeerde een zekere dominee Glover de Britse leeuw met de leeuw van de stam van Juda in verband te brengen. Niet gehinderd door het feit dat hij daarmee met zichzelf strijdig werd, herhaalde hij Wilson door Engeland gelijk te stellen aan de stam van Efraïm, echter de Wallisers en de Schotten aan die van Manasse.[7] In 1870 publiceerde Edward Hine uit Manchester *The English nation identified with the lost house of Israel by twenty-seven identifications.* Vier jaar later kwam een herziene druk van dat boek uit; Hine had er toen nog eens twintig 'identificaties' aan toegevoegd waarmee het totaal der 'vereenzelvigingen' op zevenenveertig kwam. Voor Hine hield Brittannië nu niet langer meer alleen verband met een of twee van de verdwenen tien stammen van het oude Israël, maar met alle tien. Er kennelijk niet van op de hoogte dat het 'Tuatha de Danann' van de Ierse overlevering gewoon 'het volk van godin Danu' betekent, construeerde Hine die naam als een soort Keltische transcriptie van de stam van Dan[8] – een taalvergrijp dat niettemin door hedendaagse fundamentalisten wordt volgehouden. Verdere bevestiging voor zijn bewering scheen geleverd via de regelmaat waarmee 'Dun' – een variant van 'Dan' volgens Hine – in Ierse plaatsnamen voorkomt. In werkelijkheid echter betekent 'Dun' niet anders dan een versterkte woonplaats – waarvan er, zoals u zult begrijpen, in Ierland vele waren.

Evenals Wilson voorzag Hine een aanstaande wederkomst: 'Armageddon doemt op in de verte. Dit is de tijd waarin bijna de gehele wereld zich zal verzamelen om tegen ons te strijden, en waar we op voorbereid moeten zijn.'[9]

Men moet bedenken dat natuurlijk de ideeën van mensen als Wilson, Glover en Hine in hoge mate voortbrengsels waren van het Victoriaanse tijdperk. Wat niet wegneemt dat de meeste mensen ze zelfs in die tijd belachelijk zullen hebben gevonden. Maar toch slechts weinig minder mensen dan tegenwoordig; en tenslotte strookten de ideeën met de heersende instelling van zelfgenoegzaamheid en zelfvoldaanheid. Het Britse imperium naderde in die tijd de top van zijn *grandeur,* de kalm-vredige periode van *Pax Britannica.* De gehele wereld erkende de grootsheid van de Britse prestatie. Gewoonweg niets kon de overtuiging schokken dat de civilisatie, onder de heilzame bescherming van Engeland, een punt had bereikt dat slechts minimaal van het ideale verschilde; en dat leende zich uitstekend om er voor dat land een interpretatie van Gods zegen en instemming uit af te leiden of er zelfs een uitwerking van zijn heilig plan in te zien.

Het zal weinig betoog behoeven dat de latere uitholling van het Britse overzeese imperium de opvolgers van Wilson, Glover en Hine in pijnlijke verlegenheid bracht. Een van hen verklaarde in 1969 nogal korzelig (zij het niet al te helder): 'Wij kunnen nu niet losjes praten over het identiteitskenmerk dat wij de havens van onze vijanden bezetten. Wij kunnen niet fier stellen dat een van de kenmerken van Israël is dat wij de rijkste der naties zijn die lenen aan, doch nimmer lenen van; wij kunnen niet werkelijk met veel nadruk van *Groot* Brittannië spreken.'[10] Maar natuurlijk is daar een verklaring voor: '...de mate waarin wij tot schande en mistroostige omstandigheden zijn vervallen, is de mate waarin wij ons van God Almachtig hebben afgekeerd.'[11]

Terwijl zo Brittannië in ongenade was gevallen, gold dat voor Amerika niet. De nadruk leggend op Amerika's Britse – dat wil zeggen blank Angelsaksische protestantse – oorsprong, had Hine Amerika al geïdentificeerd als de stam van Manasse. Tegen het einde van de Eerste Wereldoorlog had de denktrant van mensen als Hine, vergelijkbaar met de griepepidemie uit dezelfde periode, zijn weg over de Atlantische Oceaan gevonden; de ontaarding van Britse uitvoerprodukten is allerminst een verschijnsel van de moderne tijd.

Het moderne Amerikaanse fundamentalisme berust op premissen die in hun anachronisme, geloofwaardigheid en naïviteit vaak verbijsterend zijn. De Schrift als zodanig wordt onveranderlijk geacht. Het Woord van God is onwrikbaar, alsof concilies zoals van Nicea nooit hebben plaatsgevonden en 'alternatieve' evangeliën niet bestaan. Nooit kan aan of van de bijbel als zodanig iets worden toegevoegd of afgedaan, noch is dat ooit het geval geweest. In haar bestaande vorm bevat de Schrift alle kennis die voor individuele verlossing nodig is. In dat opzicht heeft het fundamentalisme natuurlijk veel gemeen met andere christelijke sekten, vooral die van evangelisch karakter. Maar er zijn bepaalde specifiek fundamentalistische premissen.

De eerste hiervan is dat de huidige Verenigde Staten van Amerika en het Verenigd Koninkrijk geïdentificeerd moeten worden – soms symbolisch doch veel vaker heel letterlijk – als de verstrooide 'restanten' van het oude Israël. Men gelooft dat het moderne jodendom zijn oorsprong heeft in de bijbelse stam van Juda, maar de afstammelingen van de overige stammen worden geacht de blanke Angelsaksische protestanten van Brittannië en Amerika te zijn – en dat geldt ook voor hun verwanten in het buitenland, met name op plaatsen als Zuid-Afrika. Zij vormen de nieuwe 'elite', het nieuwe 'uitverkoren volk'.

De tweede premisse achter het moderne fundamentalisme is dat bijbelse profetieën van het hoogste belang zijn. Bepaalde specifieke gedeelten worden regelmatig aangehaald, vooral het boek Openbaring (dat uit het einde van de eerste of het begin van de tweede eeuw na Christus dateert) en de 'klassieke' profetieën van het Oude Testament (dat dateert uit de tijd tussen de achtste en vijfde eeuw voor Christus). Deze werken werden, zo is hun overtuiging, grotendeels samengesteld om gebeurtenissen in de moderne wereld te voorspellen – gebeurtenissen waarvan is 'vastgesteld' dat ze in onze tijd zullen geschieden. Ondanks talrijke gedocumenteerde blunders van oudtestamentische profeten inzake hun eigen tijdperk worden zij niettemin als onfeilbare voorspellers voor onze tijd beschouwd. Zelfs hun woedende donderpreken tegen elkaar worden uit het oorspronkelijke historische verband gelicht en voor het heden toepasselijk geacht.

Toch heeft het zin althans iets van die historische context die fundamentalisten zo achteloos over het hoofd zien, in herinnering te roepen. Het oude Israël was tenslotte een weinig samenhangende, matig afgebakende en vaak onbestuurbare politieke entiteit, kleiner dan het Engelse graafschap Yorkshire of de staat New Jersey – en met slechts een minieme fractie van de bevolking van genoemde gebieden. Het besloeg slechts een onbelangrijk onderdeeltje van wat zelfs toen de bekende wereld was. Desondanks worden de berichten over zijn interne twisten beschouwd als onfeilbare gids voor het einde van de twintigste eeuw op letterlijk elk terrein: van persoonlijk gedrag tot en met buitenlandse betrekkingen. Het lijkt wel of men de visie op de toekomst, in 1986 door een lid van een gemeenteraad in Yorkshire of van de wetgevende macht van New Jersey gegeven, heel letterlijk zou kunnen gebruiken om een verklaring te leveren voor bij voorbeeld wrijvingen tussen Canada en China of zelfs tussen aardse kolonies in de ruimte in de vijftigste of zestigste eeuw.

De derde premisse achter modern fundamentalisme heeft betrekking op de specifieke boodschap van bepaalde profetieën. Deze boodschap luidt natuurlijk dat de apocalyps aanstaande is. Voor de fundamentalisten is de wereld nu de eindtijd binnengetreden, net zoals dat in Jezus' tijd werd geloofd. De antichrist zal binnenkort verschijnen (als hij [of het] dat niet al gedaan hééft) en zich via allerlei soorten verwoestingen wreken. Een periode van rampspoed en beproeving zal volgen, uitlopend op de epische slag van Armageddon (Harmagedon) waarna de wereld totaal vernietigd zal worden in een of andere massale slachting. Na deze ramp zal de wederkomst plaatsvinden – Jezus zal in heerlijkheid uit de hemel neerdalen, de doden zullen uit hun graven verrijzen en het nieuwe koninkrijk zal worden ingewijd. Het behoeft wel geen betoog dat alleen de 'uitverkorenen' of de 'verlosten' er een verblijfsvergunning voor krijgen.

Dit is zo ongeveer het algemene vooruitzicht dat door fundamentalistische predikers wordt geschilderd. Op bepaalde punten worden sommigen van hen ook duidelijker. Zo wordt bij voorbeeld de antichrist vaak ontmaskerd als de Sovjet-Unie – het door Ronald Reagan gekapittelde 'rijk van het kwade'. Een van de rijkste en machtigste fundamentalistische organisaties echter ontmaskert het bedreigende tienhoornige en tienkronige 'Beest' uit het boek Openbaring – dat wil zeggen de antichrist – als de EEG met haar tien lidstaten.[12] (Dat er intussen twaalf zijn is vermoedelijk een nieuwe kwaadaardige en duivelse krijgslist van het 'Beest'.) Voorspeld is dat de landen van de EEG een oorlog zullen beginnen tegen de Verenigde Staten en het Verenigd Koninkrijk, dat zij ze zullen verslaan en knechten. Groot-Brittannië en Amerika zullen satellieten van een nieuwe wereldmacht worden die op weg zal gaan

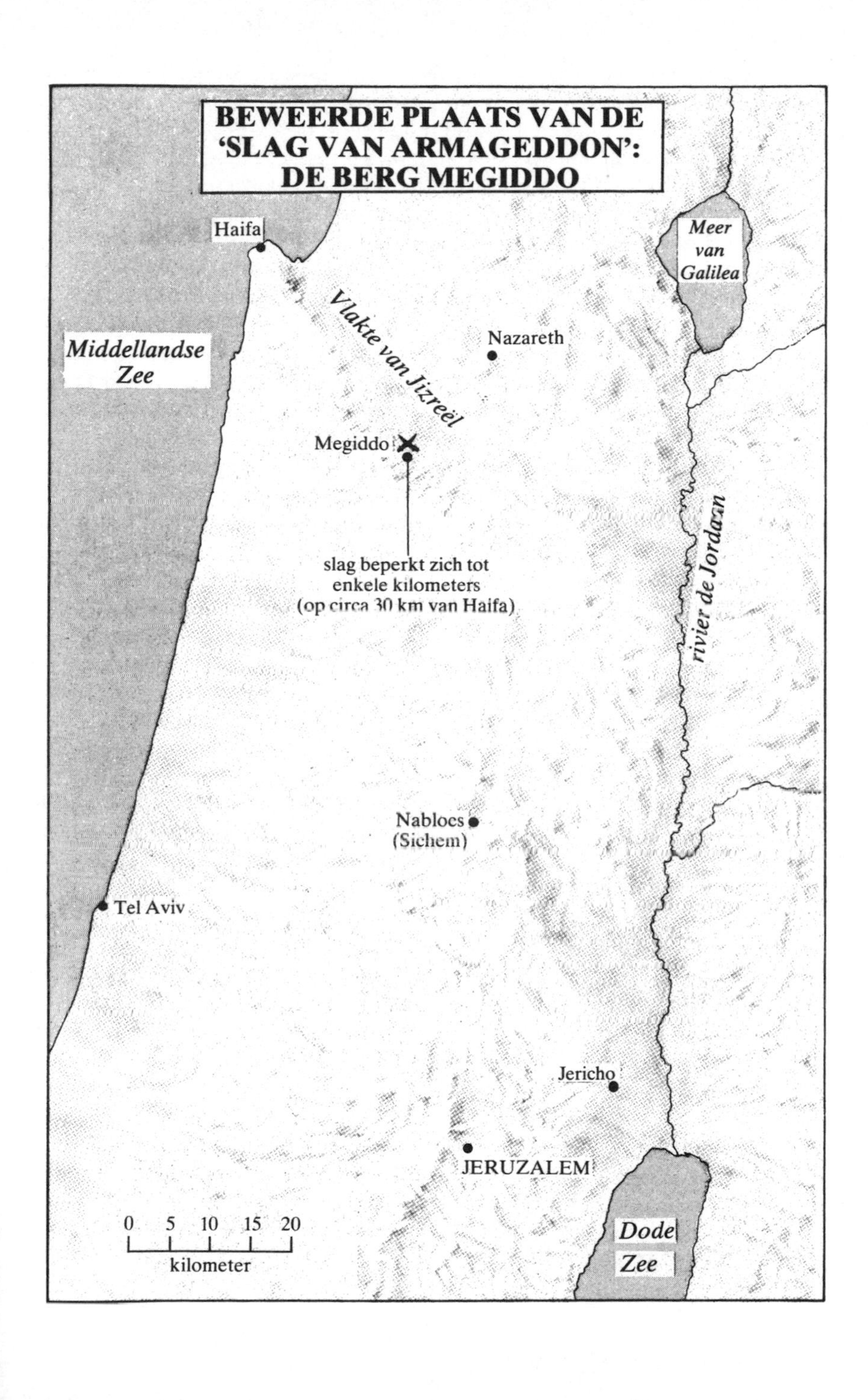
BEWEERDE PLAATS VAN DE
'SLAG VAN ARMAGEDDON':
DE BERG MEGIDDO
Haifa
Meer
van
Galilea
Vlakte van Jizreël
Nazareth
Middellandse
Zee
Megiddo
slag beperkt zich tot
enkele kilometers
(op circa 30 km van Haifa)
rivier de Jordaan
Nablocs
(Sichem)
Tel Aviv
Jericho
JERUZALEM
0 5 10 15 20
kilometer
Dode
Zee

naar de derde wereldoorlog[13] – vermoedelijk tegen de Sovjet-Unie. Bijbelse profetieën worden aangeroepen om te voorzeggen dat die oorlog tweeënhalf jaar zal duren en het leven zal kosten aan twee derde deel van de bevolking van Groot-Brittannië en Amerika: dat alles teneinde mensen tot Gods denkwijze te voeren. 'In dit afgrijselijke atoomtijdperk zal wereldoorlog III *beginnen* met nucleaire verwoestingen, zonder waarschuwing ontketend tegen Londen, Birmingham, Manchester, Liverpool, New York, Washington, Philadelphia, Detroit, Chicago en Pittsburgh!'[14] Merkwaardigerwijze zijn de voornaamste steden van de Amerikaanse westkust die toch zeker zouden voldoen aan de kwalificatie van het Sodom en Gomorra van de moderne wereld, van deze catalogus van vernietigende vergelding uitgesloten. Maar gezien het feit dat de oudtestamentische profeten nooit van een van de betreffende steden gewag hebben gemaakt, is er misschien een ruimere marge voor vergissingen van de kant van de hedendaagse vertolker. Het was heel onattent van Jeremia dat hij niets heeft gezegd over Hollywood; de bewoners daar worden daarmee in grote onzekerheid over hun lot gelaten.

Tegen het einde van de derde wereldoorlog zal de kritieke slag van Armageddon ergens in het Midden-Oosten worden geleverd. De antichrist zal wederom verschijnen – of misschien is het een andere antichrist – en optrekken tegen Gods strijdmachten. Omdat het verloop bij voorbaat vaststaat zullen deze stijdkrachten, gecommandeerd door Jezus in de rol van veldmaarschalk, er natuurlijk triomferend uit te voorschijn komen; maar de hele zaak zal een allervreselijkste kliederboel zijn geweest. Als men echter *nu* berouw toont, als men zich veroorlooft 'gered' te worden, en in het bijzonder als dat van een geldelijke bijdrage aan de kerk vergezeld mag gaan, zal de aldus 'geredde' de slachting bespaard blijven en in veiligheid gebracht worden totdat de golven der beroering tot rust zijn gekomen. In een variatie op dit thema gewagen bepaalde fundamentalistische predikers van een moment waarop de getrouwen in de huidige generatie 'in verrukking weggenomen' zullen worden.[15] Zonder enige waarschuwing zullen alle ware gelovigen plotseling verdampen, dematerialiseren, in een fractie van een seconde verdwijnen uit hun huizen, kantoren, golflinks, hun auto's (die dan toch maar opeens stuurloos door straten en over snelwegen zullen stuiteren) en pijlsnel omhoog worden gevoerd voor een persoonlijk onderhoud met Jezus. Vanuit een beschutte positie te midden van zijn hemelse entourage zullen zij ontspannen mogen neerzien op het uitbarstende cataclysme als ware het een voetbalwedstrijd.

Natuurlijk is het gemakkelijk met dergelijke overtuigingen de draak te steken, vergeleken waarmee de geloofsovertuigingen van vele zogenaamde 'primitieve gemeenschappen' zonder meer overlopen van wereldwijsheid. Een feit is echter dat een buitengewoon groot en nog steeds toenemend aantal mensen in Amerika ze heel serieus opvat en zich niet alleen neerlegt bij een aanstaande apocalyps, maar er feitelijk in zeker opzicht naar uitziet in afwachting van een gelukzalige eeuwigheid in het koninkrijk van de wederkomst. Tot dit aantal mensen behoort volgens geruchten ook de huidige president van de Verenigde Staten, Ronald Reagan. Bij voorbeeld in een artikel dat zowel in de *Washington Post* als in de *Guardian* verscheen, schrijft Ronnie Dugger, een vooraanstaand Amerikaans journalist: '... Amerikanen kunnen zich in gemoede afvragen of hun president niet... persoonlijk gepredisponeerd is door fundamentalistische theologie, door een soort Armageddon te verwachten dat met een kernoorlog in het Midden-Oosten begint.'[16] En verder: 'Als in het Midden-Oosten een crisissituatie ontstaat die op een nucleaire confrontatie dreigt uit te lopen, zou dan president Reagan geneigd zijn te geloven dat hij Armageddon ziet komen en dat dat de wil van God is?'[17]

Volgens de president zelf hebben bepaalde niet nader aangeduide en ongeidentificeerde 'theologen' hem verteld dat bij geen enkele voorgaande gelegenheid in de wereldhistorie 'zo vele profetieën samenliepen'.[18]

In een televisie-interview tijdens de verkiezingscampagne van zijn partij voor het presidentschap in 1980 zei hij: 'Wij zijn misschien de generatie die Armageddon zal beleven.'[19] Tijdens diezelfde campagne wordt hij, sprekend voor vooraanstaande joden in New York, als volgt aangehaald: 'Israël is de enige stabiele democratie waar wij op kunnen vertrouwen als zijnde de plaats waar Armageddon zou kunnen gebeuren.'[20]

In 1983 verklaarde de president dat, als hij iets las van de oudtestamentische profeten en van 'de tekenen die Armageddon voorspellen', het hem moeilijk viel niet de mogelijkheid te overwegen dat deze slag tijdens de huidige generatie zou plaatsvinden. Stellig, voegde hij eraan toe, hadden de oude profeten nauwkeurig de tijd beschreven waarin wij nu leven.[21] Volgens de *Washington Times* herinnert James Mills, een politicus uit Californië, zich een gesprek waarbij de president uitgebreid op Armageddon inging. Na aanhalingen uit de profetieën van Ezekiël moet hij gezegd hebben: 'Alles komt op z'n plaats. Het kan niet lang meer duren.[22]

In een brief aan ons van maart 1986 verklaart eerdergenoemde Ronnie Dugger: '... Ik ben nu overtuigd dat zijn Armageddon-ideologie aan de wortel ligt van zijn buitenlandse en militair-nucleaire politiek ten aanzien van de Sovjet-Unie.' De ironie wilde dat op Duggers conclusie vooruit werd gelopen door Jerry Falwell, een van de prominentste fundamentalistische predikers en voorzitter van Amerika's zogenaamde *Moral Majority* (thans overgegaan in de *Liberty Federation*) die een belangrijke rol in Reagans verkiezingscampagne speelde: 'Reagan is een goed mens. Hij gelooft wat de *Moral Majority* gelooft, wat God ons zegt.'[23] Door een interviewer gevraagd of de president bijbelse profetieën als leidraad voor de toekomst ondersteunde, antwoordde Falwell: 'Ja, dat doet hij. Hij zei me onlangs tijdens de campagne... "Jerry, soms geloof ik dat wij nu heel snel naar het Armageddon toegaan."'[24]

De president staat niet alleen in zijn veronderstelde visie op een komend Armageddon. Op de Harvard University werd Casper Weinberger gevraagd, of hij het einde van de wereld verwachtte en zo ja, of dat dan door mensenhand of door de hand van God zou gebeuren. Weinberger antwoordde dat hij bekend was met bijbelse profetieën: '...en ja, ik geloof dat de wereld op een einde loopt – door een daad van God hoop ik – maar elke dag denk ik dat de tijd opraakt.'[25] De Amerikaanse auteur Christopher Reed verhaalt dat Weinberger feitelijk verklaarde waar volgens hem Armageddon zou plaatsvinden. Hij noemde de berg van Megiddo, een kilometer of dertig zuidoostelijk van Haifa, in Israël[26] – hoewel hij geen verklaring gaf van hoe een conflict van dergelijke kosmische afmetingen zich tot zo'n miniem gebied kon beperken. Tenzij hij Ronald Reagan en Michael Gorbatsjov voor ogen heeft in een persoonlijk duel, met uit *Star Wars* geleende laser-zwaarden.

Nog een kennelijke aanhanger van apocalyptische denktrant lijkt James Watt, gewezen minister van Binnenlandse Zaken in de regering van Reagan en bekend om zijn uitspraken die in verfijning niet onderdoen voor een neerkletterende la vol zilveren lepels. Tegenover een commissie van het Witte Huis verklaarde Watt: 'Ik weet niet op hoeveel toekomstige generaties we nog kunnen rekenen eer de Heer terugkeert.'[27] En in *Sunday Times* brengt Simon Winchester verslag uit van een gesprek met een aide de camp van een Amerikaanse senator die gezegd heeft: 'Tientallen jonge mannen en vrouwen van Capitol Hill, in het Pentagon, in de verschillende afdelingen van de regering houden vol dat wij de generatie zijn die het geluk zal hebben Christus te zien weerkeren.'[28] Admiraal James Watkins, chef *Naval Operations* van de Verenigde Staten, heeft in openbare toespraken de Libanese zelfmoordcommando's aan 'de krachten van de antichrist' geweten, terwijl generaal John Vessey, voorzitter van de verenigde chefs-staf, er bij jongemannen op aandringt 'dienst te nemen in Gods Leger'. Tijdens een lunch moet hij zodanig door messiaans vuur meegesleept zijn geraakt dat hij *Hoera voor God!* begon in te zetten.[29]

Wederom zou dat allemaal nog lachwekkend zijn, als het niet zo onheilspellend is. Alle achterliggende premissen van het fundamentalisme dragen er toe bij dat massale zelfoffering moreel en theologisch aanvaardbaar wordt, zelfs wenselijk. De moslim-fundamentalist, door admiraal Watkins gebrandmerkt als een agent van de antichrist, is diep overtuigd dat hij, door zijn vijanden samen met zichzelf te vernietigen, zíjn versie van 'Satan' een klap toedient – en daarmee een expreskaartje naar het paradijs verdient. De christen-fundamentalist is van precies hetzelfde overtuigd, echter vanuit een diametraal tegengesteld oogpunt. Ieder is een spiegelbeeld van de ander en ieder zal, in een hoek gedreven, op dezelfde manier reageren. Doch als een man zijn vinger aan een nucleaire knop heeft, zal hij met deze daad van zelfoffering in naam van zijn God de hele mensheid met zich meeslepen.

Zelfs afgezien van Armageddon is voor de fundamentalist het dominerende beeld dat van oorlog, gerationaliseerd en gerechtvaardigd als een kruistocht. Onder de slachtoffers die in deze oorlog al zijn gevallen, bevinden zich ook boeken. Als het gedrukte woord kan dienen om de wil van God te verbreiden, kan het volgens de fundamentalisten ook dienen om de wil van Gods tegenstander door te geven. Het gevolg van die overtuiging is dat de afgelopen jaren een nieuwe golf van censuur over de Verenigde Staten spoelde. In gemeenten in meer dan dertig Amerikaanse staten zijn belangrijke werken, zowel op het gebied van fiction als van non-fiction, verboden. Ze zijn niet alleen verbannen van scholen, schoolprogramma's en bibliotheken, maar ook van openbare bibliotheken. Het maakt alles deel uit van wat de fundamentalistische *Liberty Federation,* eerder *Moral Majority* genaamd, als haar kruistocht tegen de 'religie van seculier humanisme' omschrijft. In theorie worden de enige redenen om een boek te verbieden verondersteld te zijn: obsceniteit, pornografie of 'ongeschiktheid voor jongeren'. Maar in de praktijk zijn ook boeken op 'de index' geplaatst om seksuele openhartigheid (zelfs in biologiestudieboeken), om onomwonden beschrijvingen van Amerikaanse autoriteiten, om kritische beschouwingen over de ethiek in zakenwereld en bedrijfsleven, om dubieuze politieke ideeën en om 'speculaties over Christus'.

Tot de lijst van boeken die zo onder vuur worden genomen behoren: *Slaughterhouse-Five* van Kurt Vonnegut; *Soul on Ice* van Eldridge Cleaver; *The Naked Ape* van Desmond Morris; *The Bell Jar* van Sylvia Plath; *Goodbye Columbus* en *Portnoy's Complaint* van Philip Roth; *Jaws* van Peter Benchley; *The Abortion* en andere romans van Richard Brautigan; *Manchild in the Promised Land* van Claude Brown; *Kramer versus Kramer* van Avery Corman; *The Godfather* van Mario Puzo; *Catch-22* van Joseph Heller; *1984* van George Orwell; *Brave New World* van Aldous Huxley; *The Grapes of Wrath* van John Steinbeck; *The Art of Loving* van Erich Fromm; *The Electric Kool-Aid Acid Test* van Tom Wolfe; *Lord of the Flies* door William Golding; *A Farewell to Arms* van Ernest Hemingway; *The Catcher in the Rye* van J.D. Sallinger; voorts bekende negentiende-eeuwse klassieken van Mark Twain, Robert Louis Stevenson, Nathaniel Hawthorne en Edgar Allan Poe; en (helemaal verbijsterend) *One Day in the Life of Ivan Denisovich* van Alexander Solzjenitsyn – om nog maar te zwijgen van *The American Heritage Dictionary* en *The Dictionary of American Slang.*

Zoals we al opmerkten, zien fundamentalisten zich betrokken in een oorlog tegen de antichrist die zij doorgaans belichaamd zien in het communisme en de Sovjet-Unie. Paradoxaal echter zijn de consequenties van vele fundamentalistische overtuigingen dat zij juist de doelstellingen van diezelfde 'antichrist' die zij beogen te bestrijden, bevorderen. Door bij voorbeeld Amerikaans isolationisme te bepleiten en ijzingwekkende uitlatingen te doen over de EEG tracht het fundamentalisme in feite de Verenigde Staten te vervreemden van zijn voornaamste bondgenoten, zodoende een wig te drijven in de NAVO. Door boeken als bovengenoemde op de index te plaatsen vervreemdt het fundamentalisme feitelijk Amerika zelf van zijn eigen culturele erfgoed en van zijn intelligentste burgers – zoal niet van intelligentie in het algemeen.

Geen enkel beraamd programma zou waarschijnlijk de doelstellingen van de KGB beter in de hand werken. Men kan zelfs redelijkerwijze betogen dat het fundamentalisme de KGB het werk uit handen neemt.

De absurditeit van de apocalyps

Ondanks tweeduizend jaar van 'verlossing' is de wereld tegenwoordig geen aanmerkelijk veiliger, geestelijk gezonder of menselijker plaats dan in de tijd van Jezus, noch is de mens aanmerkelijk verantwoordelijkheidsgezinder of mentaal rijper geworden. Daarmee bedoelen we natuurlijk niet het christendom te bekladden of zijn geldigheid voor het individuele geloof aan te tasten. Op het vlak van historische feitelijkheden echter kan weinig twijfel bestaan, of Jezus was als 'verlosser' een uitgesproken mislukking. Dat mag natuurlijk amper zijn fout worden genoemd, want het lag niet in zijn bedoeling als 'verlosser' te fungeren in de betekenis die hem naderhand is toegeschreven. Doch tweeduizend jaar lang hebben mensen hem een onmogelijke verwachting op de schouders geschoven, en verklaringen gezocht voor zijn onvermogen om aan die verwachtingen te voldoen. Iemand of iets is gezocht om voor hun ontgoocheling als zondebok te fungeren.

In dat opzicht is weinig veranderd, is heel weinig 'lering uit de historie getrokken' en leeft de mentaliteit die tijdens de eindtijd van de eerste eeuw heerste, nog onverminderd krachtig voort. Evenals toen is het gewoon onmogelijk het feit te miskennen dat er iets ernstig mis is. En net als destijds leeft instinctief de onderstelling dat, omdat dit met geen mogelijkheid aan God kan worden geweten, de ménsheid wel schuldig moet zijn. Dientengevolge heerst ook nu weer – en juist als toen – een indringend gevoel van schuld. Doch de schuld wordt doorgeschoven, geprojecteerd in de anderen wier waarden en instelling van de eigen afwijken en die daarom veilig als 'zondig' en 'zondaars' aan de kaak gesteld kunnen worden. Het zijn *andere mensen* die schuldig zijn, niet men zelf. En het is niet de wereld die men tracht te redden, noch de zielen van andere mensen, maar de eigen ziel. De overige mensheid wordt zelfgenoegzaam verlaten om het lot te ondergaan dat het schuldige eigen geweten voor zichzelf vreest. 'Naar de hel met de verdoemden,' wordt als wachtwoord verkondigd, 'maar niet ik.'

We hebben eerder het onderscheid behandeld tussen groepsgerichte en archetypische mythen. We bespraken hoe archetypische mythen de mens richten op zijn innerlijk, op zelfbespiegeling en op inzicht en erkenning van wat mensen gemeen hebben, terwijl groepsgerichte mythen, door een zondebok te creëren die als 'vijand' kan dienen, mensen leiden naar uiterlijkheden, naar zelfverheffing en zelfverheerlijking, naar conflict en nadruk op verschillen. Elke mythe, hebben we gezegd, kan hetzij groepsgericht hetzij archetypisch worden, afhankelijk van het feit op welke aspecten de nadruk wordt gelegd en op welke wijze ze wordt ingeschakeld.

Naar haar wezenlijke aard is de mythologie van het christendom archetypisch. En het is in die archetypische dimensie dat de diepste waarde van het christendom is gelegen. Of men nu Jezus' goddelijkheid onderschrijft of niet: zijn verhaal, zoals het met zijn leer verweven is, in de evangeliën en in de Handelingen van de apostelen, is een reservoir van archetypische implicaties. Op dat niveau moet het christendom veel leren – over aard en betekenis van het offer, over de betrekking tussen de mensheid en haar goden, over persoonlijke integriteit, over de verlatenheid van de ziener, over de onverenigbaarheid tussen spiritueel streven en de dingen van het wereldse, over fatsoen, naastenliefde, vergevensgezindheid, menselijkheid en nog een serie andere waarden die de mens op zijn best tot uiting doen komen of weerspiegelen. Als díe aspecten van christendom, christen-zijn, nadrukkelijk worden beleden – zoals om maar één voorbeeld te geven door een vrouw als *Moeder Theresa* – dan wordt het christendom zelf archetype, iets dat zich tot het gehele mensdom richt en dit omvat. Het wordt een ware religie, in de strikte zin des woords, betekenis en richting schenkend aan de chaotische ervaringswereld, begrip bevorderend, en niet alleen tot kennis leidend maar tot een heel wezenlijke wijsheid – inzicht in zichzelf, in anderen, in de wereld.

Anderzijds is het evenzeer mogelijk nadruk te leggen op de groepsgerichte aspecten van christendom; de elementen die een autocratische impuls aanwakkeren om eigen waarden anderen op te leggen, die een overtuiging van elitair-zijn, van eigen superioriteit aanmoedigen, een gevoel van zelfrechtvaardiging en zelfgenoegzaamheid, en schijnheiligheid bevorderen. Dat is de oriëntatie van Amerikaans fundamentalisme en zijn verwante geloofsovertuigingen in het buitenland. Fundamentalisme berust níet op de erkende christelijke deugden van naastenliefde, vergevensgezindheid en begrip, doch op strijd – op een denkbeeldig episch conflict tussen wat 'legers van God' wordt genoemd en die van zijn vijand. Werkelijkheid wordt gereduceerd tot een simpele kwestie van 'wij' en 'zij'. Dit credo definieert zich krachtens zijn tegengestelde, bepaalt zijn aanhangers op grond van al wat en iedereen die zíj níet zijn. Wat ook maar in strijd lijkt met bepaalde fundamentele leerstellingen – niet die van Jezus doorgaans, maar van de groepering en haar eigen zeer persoonlijke uitleggingen van de Schrift – is *ipso facto* verdoemd.

Door dit proces wordt het christendom feitelijk ontdaan, beroofd van zijn universele toepasselijkheid. Het wordt integendeel slechts een bekrachtiging van iets dat veel meer kleinsteeds-bekrompen van aard is. Christendom wordt feitelijk synoniem gemaakt met de waarden van Midden-Amerika; God wordt opgevat als patroon van laten we zeggen Peoria in Illinois, en dergelijke plaatsen gaat men zien als blauwdrukken van het paradijs. Dostojevski's beroemde parabel van de grootinquisiteur wordt zo mogelijk zelfs toepasselijker dan toen *De Gebroeders Karamazow* ruim een eeuw geleden werd geschreven. Als Jezus inderdaad zou terugkeren, wandelend door de straten van Peoria en er predikend, zou Hij onmiddellijk gearresteerd worden wegens (onder meer) on-Amerikaanse houding en revolutionair-ondermijnende taal. Zelfs als Hij herkend en geïdentificeerd werd, zou Hij verworpen, gemuilkorfd en verzwegen moeten worden. Het lijdt geen twijfel, of Hij zou op zijn minst een acute ernstige verlegenheid betekenen voor de in zíjn naam verkondigde geloofsovertuigingen. Als maatschappelijke, culturele en politieke instelling zouden die overtuigingen niet het risico kunnen lopen om door zijn aanwezigheid in opspraak te komen of, waarschijnlijker nog, om openlijk door Hem te worden afgewezen.

Maar hoewel er in het moderne fundamentalisme veel is dat Jezus zelf – de historische Jezus *en* de Jezus van het geloof – verschrikkelijk, ergerlijk en zonder meer godslásterlijk zou vinden en volgens zijn eigen leer volslagen immoreel, is er in elk geval één ding dat Hem bekend zou voorkomen en dat Hij zou herkennen. Dat is de Messias-verwachting, de aan de eindtijd waarin hij leefde herinnerende apocalyptische hysterie. Zo, op welhaast ouderwetse simplistische wijze – een zienswijze van tweeduizend jaar her en reeds lang door historische ontwikkelingen achterhaald – trachten vele moderne Amerikanen zin en betekenis te geven aan de hedendaagse wereld. Het loutere feit dat zij dit zo kúnnen doen, reflecteert het gebrek aan alternatieven, aan andere beginselen om samenhang te bieden aan een werkelijkheid die buiten controle lijkt te komen liggen.

Zoals reeds opgemerkt kan apocalyptische hysterie een functionele rol spelen, namelijk door een tijdperk een dominante mythe te bieden en zo enigerlei vorm van zin en betekenis te geven aan een overigens versplinterde werkelijkheid. Stellig heeft ze dat in het verleden gedaan met – afhankelijk van de omstandigheden – meerdere of mindere doeltreffendheid. Maar wij kunnen ons niet veroorloven haar de beheersende mythe van onze tijd te laten worden, omdat het mensdom van heden heel wel bij machte is zijn eigen apocalyps te creëren, zijn eigen Armageddon, en de verantwoordelijkheid daarvoor God in de schoenen te schuiven. Als de hysterie van het Amerikaanse fundamentalisme de kans zou krijgen een zichzelf vervullende profetie te worden, aanvaard en omhelsd tot in het Witte Huis toe, dan zou het gevolg weleens, heel letterlijk, het einde van de wereld kunnen betekenen – en dan niet in de zin van vervoerde terugkeer van lang verleden Zadokiten die hand-in-hand door Elyseïsche velden huppelen, maar in die van de langzaam verstikkende foltering van een barre nucleaire poolwinter. Dat wij als auteurs over een dergelijk vooruitzicht kunnen schrijven zonder daar overmatig theatraal door te worden moge een aanwijzing zijn van de mate waarin de mensheid als geheel de mogelijkheid van massale zelfdoding is gaan aanvaarden, zelfs verwachten. Als dát de enige zin en betekenis is die in de moderne tijd gevonden kan worden, is het mensdom inderdaad bankroet, en dan heeft God

– hoe Hij confessioneel ook opgevat mag worden – gewoon zijn tijd verknoeid.

En toch moet het nauwkeuriger gesteld worden. Het is uiteindelijk geen kwestie van 'zichzelf vernietigend mensdom'. 'Het mensdom' heeft geen enkele behoefte om iets dergelijks te doen. Als 'het mensdom' wordt vernietigd, zal dit niet door 'de mensen' gebeuren, maar door een handvol specifieke individuen die hun macht, ontleend aan het in hen gestelde vertrouwen, verkeerd uitoefenen en misbruiken. De Arabieren wénsen niet *en masse* Israël te vernietigen, noch wensen de Israëli's *en masse* Libanon te bezetten. De Argentijnen besloten niet collectíef de Falkland-eilanden te bezetten, noch de Russen Afghanistan, noch de Amerikanen *en masse* oorlog in Vietnam te voeren. Noch ook staan wat dat betreft *de* Amerikanen *en masse* achter elke daad van Ronald Reagan of de Russen achter elke daad van Michael Gorbatsjov, de Britten achter elke handeling van Margaret Thatcher of de Fransen achter al wat François Mitterrand doet. Het is uiteindelijk niet 'de mensheid', maar een angstwekkend kleine groep van politieke figuren – sommigen min of meer 'democratisch verkozen', anderen niet – die gezag uitoefenen over leven en dood op de hele planeet. Sommigen van hen zijn intelligent en zich van hun verantwoordelijkheden zeer bewust, doch anderen hebben geen enkel voorstellings- of inlevingsvermogen, zijn zelfs duidelijk stompzinnig. Sommigen zijn onmiskenbaar onbekwaam. Weer anderen zijn in meerdere of mindere mate niet wel bij het hoofd, om het nog maar voorzichtig uit te drukken. Toch zijn zij het die, door een handtekening op een document of zelfs door een enkel gesproken woord, mensen ten oorlog kunnen sturen, nationaliteiten van mensen kunnen bepalen, de omstandigheden kunnen voorschrijven waaronder men zal leven, kunnen bepalen waar mensen kunnen gaan en staan of niet, wat mensen mogen en niet mogen. Het zijn zij die, bij voorbeeld door een streep te trekken op een papieren kaart, een 'grens' kunnen opleggen, een barrière even ondoordringbaar en onoverkomelijk als een werkelijke muur. Zelfs kunnen zij de bouw bevelen van een stenen muur om de door hen bedachte 'grenslijnen' te markeren. En zíj zijn het, niet 'het mensdom', die, als inderdaad een apocalyps zal komen, haar zullen veroorzaken.

Het behoeft wel geen betoog dat deze situatie eigenlijk een monsterlijke absurditeit inhoudt. Er is iets intrinsiek, innerlijk, *mis,* in de diepste morele zin van dat woord, met zulke mensen, zo'n klein aantal van die mensen wie niet alleen toegestaan is de toekomst van 'de mensheid' te vertegenwoordigen, maar feitelijk haar toekomst te bepalen – vooral als zij er zo voortdurend niet in slagen hun geschiktheid of bevoegdheid voor die taak te demonstreren. Tegelijk echter is nauwelijks waarschijnlijk dat in die stand van zaken enige verandering komt. Vele regimes van verleden en heden lieten en laten de weelde van kiezen niet toe; en zelfs waar keuzemogelijkheden waren, bestonden ze veelal alleen tussen verschillende vormen van middelmatigheid. In de westerse 'democratieën' zijn we in toenemende mate onze machteloosheid gaan aanvaarden, zo ongeveer als wij wisselvalligheden van het klimaat slikken. Hoe verderaf en ontoegankelijker bestuur wordt, hoe meer het het onontkoombare karakter aanneemt van een natuurkracht. Men berust morrend in een verdroging van levensbetekenis en 'levensvuur', zoals men berust in een door weersgesteldheden veroorzaakte droogte.

Maar waar men het geluk heeft om althans in deze kwestie énige stem te kunnen verheffen, moet men niet door stilzwijgendheid ongerijmdheden gaan sanctioneren. Zelfs door het weer veroorzaakte droogten (of hongersnoden) kunnen verzacht en gelenigd worden, zoals bij voorbeeld de 'Live-Aid'-kruistocht van Bob Geldof demonstreert – een waardevolle kruistocht, gepredikt ten behoeve van wat de mensheid als geheel gemeen heeft, in plaats van ten dienste van groepsgerichte verschillen en zondebokken/vijanden. Als wij de energie kunnen vergaren zoals in 'Live-Aid' tot uiting komt om aan de afschuwelijkheden van een 'natuurramp' het hoofd te bieden, zijn wij dan niet eveneens bij machte een vergelijkbare inspanning te leveren om het hoofd te bieden aan de catastrofes die wij, door onze eigen onachtzaamheid, in onze eigen zaken gecreëerd hebben? Dat betekent natuurlijk géén 'revoluties', geen stakingen, demonstraties, petities of andere in wezen op leuzen gebaseerde 'massabewegingen' – leuzen die even loos en hol zijn als de politieke retoriek die zij bedoelen te bestrijden. Het betekent veeleer persoonlijke verantwoordelijkheid op zich nemen voor het scheppen en verbreiden van levensbetekenis en -doel.

De meeste politieke en religieuze leiders van tegenwoordig zijn zelf bevreesd, onzeker, missen eigen besef en gevoel van levensbetekenis. Velen van hen kunnen hun aanhang slechts surrogaten voor levensbetekenis bieden. Als wij dergelijke surrogaten onkritisch aanvaarden, zullen we in onze eigen machteloosheid gevangen blijven. Als vertrouwen op een te onzorgvuldige, op onverschillige of roekeloze wijze wordt geschonken, zal het worden geschonden, verraden, en macht zal verheven en verheerlijkt worden ten koste van hen die dóór zulk vertrouwen macht verleenden. Het wordt tijd dat mensen zelf de verantwoording voor het scheppen van levensbetekenis en -doel en zinnigheid van de wereld op zich nemen, en wel vanuit hun innerlijk; dat ze niet maar passief tweedehands surrogaten blijven aanvaarden. Hoe meer wij ertoe komen onze eigen beslissingen te nemen, hoe minder ruimte er voor anderen overblijft ze voor en over ons te nemen. Tegelijkertijd zien wij als auteurs goed in dat dergelijke 'vermaningen' en aansporingen al 'sinds onheuglijke tijden' zijn gegeven en dat zij toch niets veranderden. Wij zijn dan ook niet zo naïef om te menen dat ónze aansporingen enig beter succes beschoren zou kunnen zijn. De maatschappij zal voortgaan met te wensen dat haar werkelijkheden en de betekenis van haar werkelijkheden voorgefabriceerd zijn. De maatschappij zal voortgaan met het zoeken van kortere en kortste wegen. De maatschappij zal voortgaan zich van deze of gene 'kruk' te voorzien. Van die realiteit uitgaande is het dan zaak zijn 'krukken' wijselijk te kiezen. Wat dan nog vast te stellen blijft, is het soort kruk – aangenomen dat er een bestaat – en mogelijk heeft de Prieuré de Sion dat te bieden.

DEEL III

De intrigerende broederschap

17. *Fragmenten per post*

Zelfs toen *The Holy Blood and the Holy Grail* al in produktie was, kwam nog voortdurend nieuwe informatie binnen – informatie die slechts in de vorm van nagekomen aantekeningen in het boek kon worden opgenomen of in het geheel niet meer. Een deel van deze informatie was van de eigen bronnen van de Prieuré de Sion afkomstig, vooral uit een aantal brochures van de hand van Marquis Philippe de Chérisey. Een ander deel werd aan ons eigen onderzoek ontleend. En nog een deel werd bijgedragen door anderen die, van ons project op de hoogte, eigen onderzoeken hadden ingesteld en ons hun gevolgtrekkingen laten weten.

Nadat het boek was uitgekomen, begon de stroom informatie het karakter van een wolkbreuk aan te nemen. Materiaal van de kant van de Prieuré de Sion werd aanmerkelijk meer gericht, minder vaag. Ook ons eigen onderzoek werd natuurlijk voortgezet. En een aantal lezers kwam al spoedig met gegevens aandragen die zij toevallig bezaten. De ongelooflijke hoeveelheden post verrasten ons en van de algemene strekking van de brieven waren we verrukt. Het leeuwedeel ervan getuigde van intelligent en weloverwogen redeneren; en er waren ook brieven bij die voor ons geheel nieuwe en waardevolle fragmenten bevatten, uit een veelheid van uiteenlopende bronnen vergaard.

Doch de publikatie had ook een onvoorziene hoeveelheid komkommertijdgeschriften ten gevolge; een aantal van de meer uitzonderlijke brieven zou op zichzelf een apart boek verdienen. Minstens een tiental zichzelf Messias noemende mensen haastten zich met ons in contact te treden, om redenen die echter geen van hen bevredigend uit de doeken deed. Een van hen hield zelfs een koppige sit-in in de kantoren van onze uitgever. Een ander stuurde ons een foto van zichzelf, kennelijk halverwege hangend in de lucht en zich vastklampend aan een voetbaldoelpaal – 'om niet weg te zweven'. Een derde sloot een stamboom in die bedoeld was om niet alleen zijn afstamming van Jezus te documenteren, maar zelfs van Robin Hood. 'Ik ben degene waar u naar uitkijkt,' verklaarde een aantal van hen, hoewel wij er zelf geen idee van hadden dát wij naar iemand hadden uitgekeken. Weer anderen, opgaand in het eeuwig spel van 'Zoek en stél de antichrist', verklaarden ons hun baarlijke reïncarnatie(s). Sommigen spuwden vervloekingen uit, ons niet alleen betichtend van godslastering maar ons ook opzadelend met verantwoordelijkheid voor allerlei maatschappelijke en morele misstanden, van werkloosheid tot en met naaktstranden. Sommigen verlangden, hoffelijk dan wel botweg, een of ander 'rechtmatig aandeel' – een deel van een verbeelde 'schat', een percentage van onze royalties of, in één geval, simpelweg een niet nader gespecificeerd 'stuk van de koek'. Sommigen verzochten officiële erkenning van ons of herkenning dan wel bekrachtiging of zegel van goedkeuring. Te midden van deze aandrang van Messias-kandidaten was het een verademing ook een brief te ontvangen van God zelf die ons vanuit een Engels kuststadje schreef. Zijn wereldse naam, informeerde hij ons, luidde Ian. En hoewel zijn spelling wat gebreken vertoonde, bleek hij prijzenswaardig terughoudend – en over het geheel genomen heel wat sympathieker dan bepaalde openbare figuren die onder een of ander altruïstisch mom naar goddelijkheid streven.

Behalve de gewaande Messiassen waren er ook talrijke briefschrijvers die op Merovingische afstamming aanspraak meenden te mogen maken, gewoonlijk op grond van een achternaam die van iets Frans werd afgeleid of af te leiden was – of in één geval op grond van een vrijwel onleesbaar achttiende-eeuws perkament dat uiteindelijk een document bleek waarin iemands aanstelling in het leger van Lodewijk XV werd bekrachtigd. Sommigen van deze neo-Merovingen eisten ook een deel van welke 'schat' er dan ook mee gemoeid mocht wezen op, verklaarden er de rechtmatige eigenaren van te zijn; en eentje wilde nadrukkelijk dat wij zijn aanspraken op de Franse troon zouden verkondigen. Anderen vroegen slechts een introductie voor de Prieuré de Sion en zijn grootmeester: Pierre Plantard de Saint-Clair.

Ook werden we belaagd door schatzoekers en occultisten. De eerste groep had de omgeving van Rennes-le-Château afgestroopt met alle mogelijke werktuigen, van schoppen en pikhouwelen tot en met metaaldetectors. Bij ons weten vonden zij niets dan gaten in de grond waar sommigen van hen ongetwijfeld nog nieuwe bij hebben gemaakt. Verscheidene mensen schreven ons of maakten via tussenpersonen contact met ons, om te verkondigen dat zij een grot hadden ontdekt. Gezien echter het feit dat die streek een ware gatenkaas van grotten, verlaten mijnen en onderaardse gangen is, vormden dergelijke ontdekkingen uiteindelijk toch zeer beperkte reden tot juichen.

Bij gelegenheid waren wij zelfs de overwoekerde ruïnes van enkele oude gebouwen aan het onderzoeken, misschien overblijfselen van een Romeinse of zelfs pre-Romeinse tempel die zich in een bijzonder ontoegankelijk gedeelte van de streek bevinden. We hadden even gerust om wat koffie te zetten. Opeens vernamen we vanuit de dichtbeboste heuvelhelling onder ons geweldig, steeds dichterbij komend gekraak in het onderhout. Het bleken twee heren van gevorderde leeftijd van wie de een een vervaarlijke machete zwaaide en voor zich uit een ouderwets koperen kompas hield dat mogelijk nog tot de uitrusting van de Maginot-linie had behoord. Terwijl ze ons doordringend aankeken, gingen ze voorbij en bleven kwiek omhoogstreven door het woud, hun weg kappend door het struweel, niet gebrand op alleen maar ruïnes, doch op iets anders – sporen vermoedelijk waarvan ze hoopten dat ze hen naar een of andere 'schat' zouden leiden. Later die middag ontmoetten wij hen opnieuw. Ditmaal namen ze de tijd voor een praatje. Inderdaad hadden ze naar ze vertelden al jarenlang de omringende bergen en wouden doorkruist op zoek naar 'schatten'. Ze hadden allerlei soorten hulpmiddelen ingeschakeld waaronder metaaldetectors en walkie-talkies. Ze waren honderden meters door oude Romeinse mijngangen gekropen, voortdurend bedreigd door instortingen op plaatsen waar de gangen slechts een paar voet hoog waren. Ze hadden steile rotswanden, kliffen en gevaarlijke spleten getrotseerd en talloze grotten onderzocht. Maar tot die dag had hun speurtocht weinig anders opgeleverd dan de beenderen van een geit, te midden van allerlei rommel in een oude mijn. Hoewel zij dit ook minzaam als weinig verheugend toegaven, bleven ze ongebroken en weldra gingen ze dan ook weer met hun hardnekkige zoektocht voort.

Wat betreft de occultisten: zij weigerden te geloven dat wij níet bekend waren met een of ander mystiek geheim dat wij opzettelijk voor onze lezers hadden achtergehouden; en ook dat we hier en daar verspreid enkele veelbetekenende aanwijzingen in de tekst hadden gevlochten, alleen voor 'ingewijden'. Er was eveneens een brief van een zogenaamde 'magiër' die – verklarend dat hij zijn stiel geleerd had van zekere illustere mentor (wiens naam ons in het geheel niets zei) – aanbood, op grond van onze loffelijke onderneming, ons als zijn adepten te aanvaarden. Een week later ontvingen we een brief van 's mans illustere mentor persoonlijk die verzocht ónze leerling te mogen worden. Hadden we een eigen cultus, co(n)ven(t) of geheim genootschap willen stichten – aan gegadigden zou geen gebrek zijn geweest.

Ook waren er mensen die – eigenlijk onverklaarbaar – ons beslist met de lijkwade van Turijn wilden confronteren. 'Wat denkt u van de lijkwade van Turijn?' werd ons herhaaldelijk gevraagd. Of: 'Hoe beïnvloedt de lijkwade van Turijn uw these?' *Non sequitur* – dat volgt er niet uit – werd dan ook opvallend vaak vernomen. Waar is dat een van ons betrokken was bij David Rolfes met een prijs bekroonde film over de lijkwade: *The Silent Witness* en er het scenario voor schreef. Ook dat er aanwijzingen zijn dat de lijkwade ooit in het bezit van de tempelridders is geweest. Maar afgezien daarvan heeft de lijkwade van Turijn geen enkele betrekking op onze materie. Wat de lijkwade bewijst of niet bewijst is heden nog onbeslist. En wat ze uiteindelijk al dan niet zal aantonen, staat niet in relatie tot Jezus' politieke activiteiten of met de mogelijkheid van een rechtstreekse afstammingslijn van Hem.

Eveneens kwamen er brieven die classificering trotseerden. Eén voorbeeld hiervan kwam van een dame in de Verenigde Staten die de zin 'Et in Arcadia Ego' (Ook ik [leefde ooit] in Arcadië) op haar televisiescherm had gezien – een reclame voor de Amerikaanse uitzending van *Brideshead Revisited.* Onze correspondente echter was overtuigd dat met behulp van onderbewuste boodschappen via ethergolven de Prieuré de Sion een poging ondernam de westerse civilisatie te hersenspoelen.

Maar door de bank genomen waren dit toch uitzonderingen op de regel; de meeste brieven die we ontvingen waren, zoals we al opmerkten, helder, serieus, en ook als ze deze of gene kritiek bevatten, altijd degelijk beredeneerd. En een groot aantal briefschrijvers droeg inderdaad waardevolle brokjes informatie aan.

The Holy Blood and the Holy Grail leek ook een bescheiden industrie voor uitgevers voort te brengen inzake het thema Rennes-le-Château. Slechts enkele weken nadat ons boek was verschenen, kwam een dun maar fraai en rijk geïllustreerd werkje in Frankrijk uit dat snel was gedrukt. Onder de titel *Rennes-le-Château: capitale secrète de l'histoire de France* werd dit boekje in een oplage van 200 000 exemplaren gepubliceerd en net als tijdschriften gewoon in kiosken verkocht. Een aantal mensen in verband met de Prieuré had de hand in de produktie gehad. Volgens sommige verklaringen vormde de schikking van de foto's in het werkje een gecodeerde boodschap. Als dat zo is, schijnt tot nog toe geen mens die code gebroken te hebben.

In Engeland verscheen een dun deeltje, getiteld *The Holy Grail Revealed,* waarvan de omslag een 'vernietigende weerlegging' van ons boek beloofde. In werkelijkheid vernietigde of weerlegde het helemaal niets. Integendeel: er werd een voorzichtig proefballonnetje in opgelaten, of de graal misschien niet een of ander concreet object kan zijn geweest – misschien een merkwaardige artefact of 'krachtbron' die door een 'oude, lang vergeten technologie' geconstrueerd en per ruimteschip naar de Aarde gebracht was.

Een enigszins vergelijkbare benadering vonden wij in *The Sign of the Dove* van Elizabeth van Buren die zich als een soort neo-zoroastrica zag en ons boek als een uitleg van de kosmische strijd tussen licht en duister. Jezus, de Merovingische dynastie en haar afstammelingen werden geschilderd als gewetensvolle werktuigen van de krachten van het licht. Het hoofdkwartier van deze krachten was blijkbaar in een transgalactische sfeer gevestigd. Het mythische zeebeest 'quinotaurus' dat in legenden over de Merovingen voorkomt, was volgens Elizabeth van Buren 'vrijwel zeker een buitenaardse astronaut die in een der oceanen van deze aarde neergekomen was'.

In een ander boekje, *Rebirth of a Planet,* spreidde Ruth Leedy een andere gedachtengang tentoon. Haar boek werd ons toegestuurd met een voorgedrukte brief erbij waarin werd aangekondigd dat de ontvanger – in dit geval wij zelf – 'zorgvuldig geselecteerd' was om mee te helpen een einde te maken aan het 'grootste en gevaarlijkste stille geheim van onze tijd'. Dit geheim bestond in een samenzwering van de kant van de gevestigde autoriteiten om de waarheid over de zogenoemde 'holle-aardetheorie' te verbergen. In haar tekst betoogde de schrijfster dat wij op grond van ons eigen boek – als men maar 'tussen de regels door' las – als proponenten van de betreffende theorie beschouwd konden worden. Veel van haar logica was afgeleid uit een nijvere en kritische analyse van het gedicht van Jehan l'Ascuiz dat wij als opdracht voor *The Holy Blood and the Holy Grail* hadden gekozen.

Ten slotte combineerde David Wood in een boek met de titel *Genisis* (sic!) enkele strakke geometrische berekeningen met numerologie, Egyptische mythologie, flarden van allerlei esoterische overleveringen en verwijzingen van Plato naar Atlantis. Deze elementen gebruikend of ze een Rorschachtest vormden, voerde hij 'bewijsmateriaal' aan dat Rennes-le-Château getuigenis aflegde van het historische bestaan van Atlantis, evenals van een soort 'superras' – buitenaards – waar de mensheid van zou afstammen.

Wij stonden eigenlijk versteld dat zovelen kennelijk de drang voelen zich in de bovenmaanse sferen van science fiction te begeven. Wat ons betrof lagen de mysteriën waar wij ons mee bezighielden, geheel en al binnen de sfeer van de historie van de mensheid. Het feit dat er geen gedocumenteerde verklaring was voor enkele van die mysteriën, wettigde nog geen geloofsovertuigingssprongen naar deze of gene andere dimensie. In elk geval zijn wij in ons onderzoek geen enkel bewijs tegengekomen van betrokkenheid van iets of iemand die niet van menselijke oorsprong zou zijn. Dat zóveel mensen zó dringend in tussenkomst van iets bovenmenselijks willen geloven – of dat nu bezoekers uit het heelal zijn of geheime meesters in de Himalaja – lijkt naar onze mening eveneens te getuigen van de hedendaagse levensbetekeniscrisis. Naarmate de georganiseerde religie en haar dogmatische opvattingen over God aan geloofwaardigheid blijven inboeten, gaan mensen 'hogere intelligentie' steeds meer elders zoeken – desnoods voorbij de sterren. Het is of zij, zich verlaten voelend door de goden van het verleden en handelend uit loutere paniek, gedreven worden tot het fabriceren van een nieuwe vorm van zekerheid 'dat wij niet alleen staan'. Het is juist dit soort 'herkanalisatie' van religieuze impuls naar science fiction die de populariteit verklaart van films als *Star Wars* met zijn mystieke, quasi-taoïstische 'Macht' en *Close Encounters of the Third Kind*. Wederom zoeken mensen buiten zichzelf naar oplossingen, in plaats van de blik binnenwaarts, naar het innerlijk, te richten.

Een onzichtbare bewerker

Zoals we al opmerkten, bevatte een aantal brieven die we ontvingen informatiefragmenten van wezenlijk belang. Ons onderzoek van die fragmenten leidde soms naar fascinerend terrein, hoewel van zeer gespecialiseerde aard. Het was echter niet zo'n wonder dat het boeiendste nieuwe materiaal afkomstig zou zijn van de Prieuré de Sion zelf of uit bronnen die rechtstreeks of indirect met die Orde verband houden.

Tegen eind 1981 bij voorbeeld ontvingen we diverse pakketten documenten van de Marquis de Chérisey, naaste vriend en medewerker van de grootmeester van de Prieuré de Sion. Een deel van het materiaal dat De Chérisey ons toezond, was van puur historisch belang en had betrekking op bepaalde gebeurtenissen of personen in ons juist uitgekomen boek. Maar er was ook ander materiaal bij, van meer eigentijds karakter en meer direct ter zake dienend. Een ervan verwees specifiek naar de perkamenten die volgens bewering in 1891 gevonden zijn door Bérenger Saunière in de kerk van Rennes-le-Château. We hadden tegenstrijdige berichten vernomen over wat met deze documenten was gebeurd, doch ze waren alle te vaag om geverifieerd te kunnen worden. Hoewel naderhand duidelijk werd dat De Chérisey ze niet persoonlijk had gezien, leverde hij toch naar zou blijken enkele tastbare aanknopingspunten. Volgens De Chérisey waren de betreffende aanknopingspunten hem toevertrouwd door de bejaarde edelman Henri, graaf de Lenoncourt. Over de ontdekking door Saunière sprekend moet de graaf de Lenoncourt volgens De Chérisey gezegd hebben:

> 'Saunière vond het – en scheidde er nimmer van. Zijn nicht, Madame James, te Montazels, erfde het in februari 1917. In 1965 verkocht ze het aan de internationale Vereniging van antiquarische boekverkopers. Ze wist niet dat een van beide achtenswaardige juristen captain Ronald Stansmore van de Britse Inlichtingendienst was en de ander sir Thomas Frazer, de "grijze eminentie" van Buckingham (*sic*). De perkamenten van Blanche de Castille bevinden zich thans in een kluis van Lloyds Bank Europe Ltd. Sedert het artikel in de *Daily Express,* een dagblad met een oplage van 3 000 000, is er wel niemand meer in Groot-Brittannië die niet op de hoogte is van de eis tot erkenning van Merovingische rechten die in 1955 en 1956 werd ingediend door sir Alexander Aikman, sir John Montague Brocklebank, major Hugh Murchison Clowes en negentien anderen ten kantore van notaris P. F. J. Freeman.'[1]

Naarmate ons onderzoek vorderde, begonnen deze namen meer en meer gewicht te krijgen. Ook werd later duidelijk dat De Chérisey (dan wel De Lenoncourt) met enkele van zijn gegevens en ten minste met één naam geknoeid had. Niettemin had hij ons voorzien van iets tastbaars om na te gaan, zelfs al was de volledige toepasselijkheid ervan niet direct duidelijk. Hij voorzag ons ook van iets dat nog intrigerender en verbijsterender was.

In 1979 was onze eerste ontmoeting met Pierre Plantard de Saint-Clair gearrangeerd door een BBC-medewerkster, de in Parijs wonende journaliste Jania Macgillivray. Bij deze eerste ontmoeting met representanten van de Prieuré de Sion was Jania aanwezig, evenals bij de verfilming van ons programma voor BBC's *Chronicle* dat herfst 1979 als *The Shadow of the Templars* werd uitgezonden.

In de nazomer van 1979, terwijl *The Shadow of the Templars* nog in bewerking was, had Jania een artikel geschreven vanuit haar eigen gezichtspunt. Met een wat sceptische maar gefascineerde journalistieke reserve beschreef ze haar rol als intermediair alsmede onafhankelijke eigen interviews met die vertegenwoordigers van de Prieuré die haar te woord wilden staan. Eén kopie van haar artikel stuurde ze naar een persagentschap dat het ter vertaling in het Frans en mogelijke publikatie toezond aan het Franse tijdschrift *Bonne Soirée*. Een andere kopie, met de oorspronkelijke Engelse tekst, zond ze naar ons, via onze BBC-produktieleider – die ons echter om redenen die hij zelf het beste weet, die tekst nooit overhandigde. Bijgevolg wisten wij niet wat Jania had beweerd of zelfs maar dat ze een artikel had geschreven, tot de Marquis de Chérisey er ons in 1981 een Franse vertaling van zond. Die Franse tekst wekte onze verbazing. We namen contact op met Jania en kregen toen bevestigd wat we al vermoed hadden: een andere hand dan de hare was aan het werk geweest.

De eerste elf van de twaalf pagina's van het artikel in het Frans kwamen – hoewel met een aantal korte toevoegingen – min of meer overeen met wat Jania in het Engels had geschreven. Maar de laatste pagina was helemaal niet door Jania opgesteld. Volgens de titelpagina was de Engelse versie in het Frans vertaald door een zekere Robert Suffert – die wij ondanks veel moeite in die richting tot dusver nimmer hebben kunnen opsporen. Zowel *Bonne Soirée* als het persagentschap en Jania ontkenden ook maar iets van hem te weten. Zelfs is niet duidelijk, of Suffert eigenlijk wel bestaat en of zijn naam niet een pseudoniem is – misschien van de Marquis de Chérisey persoonlijk. Ook is niet duidelijk, of de veranderingen in en aan de tekst van Jania door 'Suffert' of door iemand anders zijn aangebracht. In elk geval was de laatste pagina van haar artikel onmiskenbaar door iemand anders geschreven. Zij noch wij hebben tot nog toe kunnen vaststellen waarom een volstrekt onschuldig artikel dat aan een Frans tijdschrift werd gegund, op zodanige wijze werd vervalst.

Een belangrijk punt in de vervalste tekst had betrekking op een vraag waarover wij ons al enige tijd het hoofd hadden gebroken – namelijk wie tussen 1963 en 1981 grootmeester van de Prieuré de Sion was geweest. Volgens eigen verklaringen en documenten van de Prieuré was van 1918 tot zijn overlijden in 1963 Jean Cocteau grootmeester geweest. En in 1981 was Pierre Plantard de Saint-Clair als grootmeester gekozen, zoals toen ook in de Franse pers was gemeld. Maar wie nu in de tussenliggende periode het grootmeesterschap op zich had genomen – dat wil zeggen: tijdens de beslissende periode waarin men berichten over het bestaan van de Prieuré en veel van zijn eigen documenten stukje bij beetje naar het publiek liet 'uitlekken' – dat was een vraag die nog steeds onbeantwoord was gebleven. In 1979 was ons verteld dat de grootmeester een invloedrijke Franse bellettrist en geestelijke was: abbé François Ducaud-Bourget. Deze suggestie liet allerhande verbijsterende vragen en tegenstrijdigheden opkomen, vooral omdat Ducaud-Bourget zelf, zowel tegenover ons als tegenover interviewers van *Bonne Soirée* enige betrokkenheid bij de Prieuré ontkende. Terwijl de Marquis de Chérisey in een brief aan ons verklaarde dat Ducaud-Bourget niet 'met volledig quorum' was gekozen en trouwens zichzelf daarna ongeschikt voor de functie had verklaard.

De ondergeschoven laatste pagina van Jania's artikel gaf althans ten dele antwoord op de vraag inzake het grootmeesterschap van de Prieuré de Sion tussen 1963 en 1981:

> 'Onbekend is wie de huidige grootmeester is, hoewel men meent dat sinds de dood van Cocteau het gezag is uitgeoefend door een driemanschap, bestaande uit Gaylord Freeman, Pierre Plantard en Antonio Merzagora.'

Volgens de onvindbare vertaler en bewerker van Jania's artikel was er in feite dus niet een enkele grootmeester in de ons interesserende periode van achttien jaar geweest; de verantwoordelijkheden waren kennelijk gedeeld door een triumviraat. Op dat moment zeiden de namen Gaylord Freeman en Antonio Merzagora ons niets. Die van Merzagora trouwens nog steeds niet. De naam Gaylord Freeman echter zou weldra grote betekenis krijgen.

Wellicht de belangrijkste toevoeging aan de oorspronkelijke tekst van Jania's artikel was een aanhaling van iemand die slechts als 'lord Blackford' werd vermeld. Jania had nog nooit van hem gehoord, laat staan dat ze hem ooit had ontmoet of een interview had afgenomen. Niettemin werd in de vervalste tekst beweerd dat dit alle drie het geval was geweest:

> 'Enkele jaren geleden was ik in de gelegenheid een interview te maken met een der 121 hooggeplaatste leden van de Prieuré de Sion, de hoogwelgeboren lord Blackford.'

In de dan volgende hem toegeschreven verklaring toont Blackford zich ongemeen goed ingelicht en tevens ongewoon toeschietelijk over de Prieuré de Sion. Hij maakt zelfs een toespeling op een mogelijke belangrijke scheuring in de orde in 1955 of 1956:

> 'Inderdaad werd omstreeks 1956 in Frankrijk een vereniging met de naam Prieuré de Sion opgericht, met bepaalde doelstellingen. Ze leidde een wettig bestaan, was geregistreerd in de *Journal officiel**, toen Plantard de Saint-Clair secretaris-generaal was van de comités voor Openbare Veiligheid. Deze nieuwe organisatie van 1956 weerspiegelde een interne crisis in de eerbiedwaardige Sionis Prioratus, omstreeks 1099 in Jeruzalem gesticht. Het waren de hervormingen van Jean Cocteau in 1955 die de oorzaak waren van de oprichting [van de nieuwe organisatie], doordat ze leden van de Orde hun anonimiteit ontzegden. In die tijd waren alle

* Franse staatscourant.

leden gedwongen een geboorteakte en een notarieel gewaarmerkte handtekening over te leggen. Noodzakelijk wellicht... maar een inbreuk op de vrijheid.'

Toen wij in 1981 deze verklaring voor het eerst lazen, was de naam Blackford, net als die van Antonio Merzagora en Gaylord Freeman, ons nog geheel onbekend. Noch was op dat moment de betekenis van zijn verklaring duidelijk. Maar zowel Blackford als de hem toegeschreven woorden zouden weldra wel degelijk relevant blijken.

Onderhoud met monsieur Plantard

Terwijl wij aan ons boek werkten, hadden we van de inhoud niets meegedeeld aan de representanten van de Prieuré de Sion met wie we contact hadden. We konden niet op hun reacties vooruitlopen, maar hadden in elk geval voldoende redenen om aan te nemen dat die reacties niet geheel en al gunstig zouden zijn. Wij zouden bij ons weten weleens dingen openbaar kunnen maken die de Prieuré niet onthuld wenste te zien; zelfs konden we eventueel een tijdschema in de war sturen volgens welk de Orde had laten doorschemeren te werken.

Nadat het boek eenmaal klaar was, waren we natuurlijk heel benieuwd wat de reactie van de Prieuré zou zijn. We vroegen ons zelfs gekscherend af, of de heren Plantard en De Chérisey of enkele anderen die als mogelijke afstammelingen van Jezus in den bloede genoemd waren, misschien een proces tegen ons zouden aanspannen. Maar dan: op welke gronden? Wegens smaad? Kon men een juridische constructie bedenken waarbij de suggestie dat iemand van Jezus afstamt, als smaad aan de kaak wordt gesteld? Als er geen andere grond was, zouden we misschien een of ander vreemdsoortig juridisch precedent scheppen. En daarmee 'Merovinger' tot een algemeen gekende naam maken.

De eerste reacties van de Prieuré waren niet alleen tweeslachtig, maar opmerkelijk ongecoördineerd. In 1979, toen we monsieur Plantard voor het eerst hadden ontmoet, was onze contactman de schrijver Jean-Luc Chaumeil geweest – overigens zoals hij zelf liet weten geen lid van de Orde. Tegen de tijd dat ons boek verscheen, was monsieur Chaumeil van het toneel verdwenen, en de rol van ambassadeur van de Prieuré was nu toevertrouwd aan een andere schrijver, Louis Vazart. Monsieur Vazart bracht een bezoek aan een Parijse vriend van ons. Opmerkend dat hij de visie van monsieur Plantard vertolkte, verklaarde monsieur Vazart dat deze 'ingenomen' was. Maar terwijl monsieur Vazart zo het boek steunde, ontvingen we een in opvallend krasse termen gesteld schrijven van monsieur De Chérisey en een zeer boze en hautaine brief van monsieur Plantard. Laatstgenoemde was vooral geërgerd door het feit dat wij zijn wapenspreuk onjuist hadden weergegeven. Wij hadden deze wapenspreuk als 'Et in Arcadia Ego' in het boek opgenomen. Maar monsieur Plantard wees er ons op dat die woorden door een drietal puntjes gevolgd dienen te worden: 'Et in Arcadia Ego...' Enerzijds kon zijn bezwaar natuurlijk als onbelangrijk worden afgedaan. Maar anderzijds bood het een intrigerend aanknopingspunt. Want met drie puntjes erachter werd, zoals monsieur Plantard zelf stelde, de mysterieuze uitdrukking het begin van een zin.

Wij waren niet bereid aan ons boek iets toe te voegen of af te doen in overeenstemming met wat de Prieuré de Sion voorschreef. Van de andere kant hadden we geen bezwaar dat monsieur Plantard onze aandacht richtte op vergissingen die we misschien met betrekking tot de Orde hadden begaan, opdat we die voor herdrukken en/of vertaalde uitgaven konden herstellen. Bovendien waren we in de loop van onze voorgaande ontmoetingen met monsieur Plantard met hem op goede voet komen te staan; wij hadden geen enkele behoefte hem nodeloos tegen ons in het harnas te jagen. We wilden ten slotte de communicatieroute met hem openhouden ten behoeve van verder onderzoek. Daarom besloten we enig diplomatiek herstelwerk in te leiden.

Op een februari-avond in 1982 belden we monsieur Plantard vanuit Londen op. We verwachtten van hem een onvriendelijk en hooghartig antwoord, min of meer in overeenstemming met zijn brief. Maar tot onze verrassing was monsieur Plantard bijzonder beminnelijk en zijn stem klonk oprecht verheugd. Hij berispte ons weliswaar over dezelfde punten als in zijn brief, maar hij deed dat op een vriendelijke, welhaast vaderlijke toon. Hij vertrouwde ons toe dat zijn brief een officieel document was geweest, waarvan kopieën naar alle andere leden van de Orde waren gegaan. Persoonlijk was hij bereid heel wat minder kil te reageren. Vervolgens klaagde hij, tot onze geamuseerde verbazing, dat de foto van hem en zijn zoon in het boek niet zo goed geslaagd was. Wij waren dat met hem eens en verklaarden dat deze door onze BBC-produktieleider tijdens een van onze ontmoetingen in 1979 was genomen. Monsieur Plantard bood aan ons een betere te zenden voor volgende drukken. Zelfs een grootmeester van de Prieuré de Sion kon naar het scheen wel eens een lichte ijdelheid tonen.

In de daaropvolgende twee maanden hadden we nog diverse malen telefonisch contact met monsieur Plantard, terwijl Louis Vazart onze bevriende relatie in Parijs bleef bezoeken. Toen ten slotte tegen eind maart de publiciteit rondom het uitkomen van ons boek wat begon te luwen en we niet langer om de haverklap voor interviews klaar moesten staan, spraken we af naar Parijs te komen voor een persoonlijke ontmoeting. In de tussentijd was in *Newsweek* een artikel over ons boek verschenen, met citaten van Jean-Luc Chaumeil.[2] Aangezien monsieur Chaumeil eerder van het toneel verdwenen was, stelde dit ons nogal voor een raadsel. Wat was zijn belang bij de zaak? Op wiens of met welk gezag sprak hij? Louis Vazart liet echter weten dat de uitlatingen van deze monsieur Chaumeil niet au sérieux genomen moesten worden. Monsieur Vazart verklaarde nadrukkelijk dat monsieur Chaumeil niet langer als zegsman voor de Prieuré fungeerde.

Medio april hadden we dan onze ontmoeting met monsieur Plantard in Parijs. Zoals gewoonlijk werd hij vergezeld door een aantal mensen, ditmaal door Louis Vazart en twee journalisten, met name Jean-Pierre Deloux en Jacques Bretigny die *Rennes-le-Château: capitale secrète de l'histoire de France* hadden geschreven. Zoals u zult begrijpen, was Jean-Luc Chaumeil niet aanwezig. Toen we naar hem informeerden, waren de heren Plantard en Vazart vaag, afwijzend, kortaf, een enkele keer bruusk. Er werd even op gezinspeeld dat monsieur Chaumeil in het bezit zou zijn van documenten waarvan beweerd werd dat ze van de Prieuré de Sion afkomstig zouden zijn en dat hij deze wellicht voor een ongelooflijk bedrag zou trachten te verkopen – hoewel niemand opheldering gaf van wat deze documenten dan wel waren of hoe monsieur Chaumcuil eraan had kunnen komen. En, voegde monsieur Plantard eraan toe, op de avond dat we hadden opgebeld om onze ontmoeting met hem te regelen, had hij nog een ander telefoontje gekregen van iemand die beweerde een van ons te zijn en ook als een redelijke stem-imitatie daarvan had geklonken. De opbeller had gezegd dat hij zojuist in Parijs was gearriveerd, en hij verzocht monsieur Plantard ons nog die avond in een hotel te ontmoeten. Omdat we net met hem vanuit Londen hadden gesproken, had monsieur Plantard dat niet al te vreemd gevonden. Hij had echter toen twee afgezanten naar het aangeduide rendez-vous gestuurd. Nauwelijks waren dezen daar gearriveerd, of ook de politie verscheen die een anoniem telefoontje had gekregen. Iemand had gebeld en gewaarschuwd voor een bom in het gebouw.

Wij wisten niet wat we ervan moesten denken. Bestond er echt verband tussen dat bedrieglijke telefoontje naar monsieur Plantard en de bommelding? Monsieur Plantard giste dat iemand hem misschien ter plaatse had willen fotograferen. Maar wat zou dat hebben opgeleverd? Tenzij er een kant aan die episode zat waarvan we geen weet hadden, leek het nogal onzinnig – een daad van kleinzielige infantiele wrok die geen feitelijke schade veroorzaakte, alleen verlegenheid en ongemak.

Tijdens onze ontmoeting in april 1982 nam monsieur Plantard tegenover ons boek een tweeslachtige houding aan. Over het geheel steunde hij het en bood aan om voor de Franse editie bepaalde vage of onduidelijke verwijzingen te corrigeren. Maar tevens wilde hij onze stelling dat de Merovingische bloedlijn van Jezus afstamt noch bevestigen noch ontkennen. Er was geen bewijs voor het een of het ander, zei hij opzettelijk vaag; het was allemaal 'te diep in het verleden', allemaal 'te lang geleden'. Er waren geen betrouwbare genealogieën. Bovendien heeft Jezus broers gehad. Niettemin erkende hij dat de Merovingen van joodse afkomst waren, afstammend van de koninklijke lijn van David.

Ook betwistte monsieur Plantard onze suggesties aangaande betrokkenheid van de Prieuré bij hedendaagse politiek. Hij verklaarde gladweg dat de Prieuré de Sion geen politieke aspiraties had. Maar in het verleden was dat toch wél het geval geweest? zo vroegen wij hem.

'In het verleden wel,' erkende monsieur Plantard, 'maar niet tegenwoordig. Tegenwoordig heeft de Prieuré de Sion filosofische doelstellingen.'

'Wat wil dat zeggen?' vroegen wij. 'Wordt politiek bepaald door filosofie of filosofie door politiek?'

'Politiek door filosofie natuurlijk,' verklaarde monsieur Plantard met een ironische glimlach.

In de loop van dit onderhoud kwamen nog twee andere interessante punten aan het licht. Op zeker moment merkte monsieur Plantard als terloops op dat tijdens de oorlog afgezanten van Heinrich Himmler hem de titel van hertog van Bretagne hadden aangeboden, als hij trouw aan het derde rijk wilde bepleiten. Monsieur Plantard had dat aanbod van de hand gewezen. In plaats daarvan gaf hij, zoals we nog zullen zien, een curieus geschrift uit met de titel *Vaincre* dat als een 'verzetsorgaan' is omschreven; en ook wordt gezegd dat hij door de Gestapo gearresteerd en gefolterd is. Maar waarom zou hem, als zijn bewering op waarheid berustte, het hertogdom Bretagne zijn aangeboden? Alleen al het idee zou op het eerste gezicht absurd lijken. Maar in feite is dat echter niet helemaal onaannemelijk. Zeker stond de SS de uiteindelijke stichting van een eigen staat voor ogen, gebaseerd op het middeleeuwse vorstendom Bourgondië, berustend op in naam feodale of ridderlijke grondslag en onderverdeeld in kleinere eenheden die bepaald zouden worden door oude politieke grenzen en traditioneel regionalisme. De rest van Frankrijk zou Gallië heten, en een hertogdom Bretagne kan heel wel een plaats hebben gehad in SS-plannen. Maar waarom dit monsieur Plantard zou zijn aangeboden, is een ander kapittel.

Het laatste interessante punt dat tijdens onze ontmoeting met monsieur Plantard in april 1982 aan de orde kwam, was zelfs nog vager. Diverse malen tijdens ons gesprek leverde hij commentaar op de 'timing' van ons boek. Kennelijk was het ongelegen gekomen. We hadden het 'te vroeg' uitgebracht, kregen we van hem te horen. 'Het moment,' zei monsieur Plantard zeker driemaal, 'was nog niet juist.' Er klonk iets van bitter verwijt in deze uitlatingen door, alsof wij inderdaad het een of andere tijdschema volgens hetwelk de Prieuré de Sion werkte, in de war hadden gebracht. Niettemin gaf hij toe – alsof hij er nog maar het beste van wilde maken – dat ons werk waardevol zou blijken als 'het juiste ogenblik gekomen zou *zijn*'.

We vroegen wanneer dat dan het geval zou zijn? Maar we kregen geen concreet antwoord, slechts mistige algemeenheden. Tijdens diverse volgende gelegenheden, bij ontmoetingen en telefoongesprekken met zowel monsieur

Plantard als anderen, werd sterk gezinspeeld dat 1984 een beslissend jaar in de plannen van de Prieuré de Sion zou zijn. In 1984 hielden we dan ook het oog scherp gericht op gebeurtenissen in Frankrijk. Er geschiedde echter niets dat op enigerlei wijze verband leek te houden met de Prieuré de Sion. In dat opzicht, althans wat publieke gebeurtenissen betrof, was 1984 zelfs een duidelijke anticlimax. Maar wat de interne zaken van de Prieuré de Sion betrof, zou 1984 een jaar van grote beroeringen blijken.

18. De Britse connectie

Het onderzoek dat in *The Holy Blood and the Holy Grail* uitmondde, was begonnen met een schijnbaar plaatselijk mysterie in het zuiden van Frankrijk, in het dorpje Rennes-le-Château in de aanloopheuvels van de Pyreneeën. Daar had in 1891 de parochiegeestelijke Bérenger Saunière een aantal oude perkamenten ontdekt. Blijkbaar als gevolg van deze ontdekking werd hij uitzonderlijk rijk en kon over enorme sommen geld beschikken. Men zou aanvankelijk vermoeden – zoals ook wij en andere schrijvers over dit thema deden – dat de betreffende perkamenten Saunière naar een of andere schat hadden geleid.

Inderdaad was er enige reden om aan te nemen dat Saunière aldus de schat uit de tempel van Jeruzalem had gevonden die daar door de Romeinen in 70 na Christus was geroofd en naar Rome overgebracht, en vervolgens in het jaar 410 op hun beurt door de Visigoten uit Rome was geroofd en overgebracht naar de omgeving van Rennes-le-Château. Toen we de zaak echter nauwkeuriger nagingen, bleek meer en meer dat, zelfs *als* er een schat bij betrokken was, toch Saunières voornaamste ontdekking een geheim was – een geheim dat, zoals we zeiden, van een klein en onbetekenend dorpje uitstraalde en de hele westerse cultuur omspande, en in de tijd teruggreep door tweeduizend jaar historie heen.

Tegelijkertijd was er nog altijd een aantal kwellende vragen. Enkele daarvan hadden specifiek betrekking op de perkamenten die naar verluidde door Saunière zouden zijn gevonden. Volgens elk verslag van het verhaal dat we zowel uit documenten van de Prieuré de Sion als uit andere bronnen hadden gelezen of gehoord, had Saunière *vier* perkamenten ontdekt. Drie ervan waren heel nauwkeurig beschreven. Ze worden herhaaldelijk aangehaald als: 1) een in het jaar 1244 gedateerde stamboom met het zegel van koningin Blanche de Castille, de moeder van koning Lodewijk IX, die de bestendiging van de Merovingische afstammingslijn bevestigt; 2) een bijgewerkte genealogie die de periode 1244 tot 1644 beslaat en op 1644 gedateerd is door François-Pierre d'Hautpoul, in die tijd heer van Rennes-le-Château; en 3) het zogenaamde 'testament' van Henri d'Hautpoul, gedateerd 1695, van de inhoud waarvan beweerd wordt dat het een officieel 'staatsgeheim' is, maar waar nimmer melding van is gemaakt. Waarom deze speciale stukken zo gewichtig zouden zijn, bleef onduidelijk. Stond misschien iets van veel belang op de achterzijde van de originele perkamenten? Of bevatten zij ander explosief materiaal, behalve dan twee stambomen en een 'testament'?

Maar wat ook het antwoord op deze vragen mocht zijn: altijd werd van *drie* documenten gesproken. Tegelijk had de Prieuré de Sion al in 1967 'laten uitlekken' wat als *twee* van de perkamenten die door Saunière gevonden zouden zijn, werd aangeduid. Dat waren de raadselachtige bijbelteksten die in code gestelde boodschappen bevatten en die zijn afgedrukt in boeken met betrekking tot dit verhaal, in tijdschriftartikelen en in onze eigen televisiedocumentaires. Eén tekst is een uittreksel van het evangelie van Johannes, bestaande uit de verzen 1 tot 12 van het twaalfde hoofdstuk. De andere is een samenstelling uit Lukas 6: 1-5, Matteüs 12: 1-8 en Markus 2: 23-28. In beide gevallen zijn woorden van de teksten door elkaar geworpen, hoewel ze soms mogelijk toevallig aan het eind van de regels zijn afgebroken. Mysterieuze puntjes staan onder bepaalde letters. Andere letters staan iets boven de omgevende letters uit of zijn opzettelijk kleiner geschreven. Overbodige letters zijn toegevoegd. Ontcijferd komt de tekst uit Johannes op de volgende boodschap neer:

> A DAGOBERT II ROI ET A SION EST CE TRESOR ET IL EST LA MORT.
>
> (AAN KONING DAGOBERT II EN AAN SION BEHOORT DEZE SCHAT TOE EN HIJ IS DAAR DOOD.*)

De uit de evangeliën van Lukas, Matteüs en Markus samengestelde tekst is veel ingewikkelder gecodeerd. Deze bevat de volgende boodschap:

> BERGERE PAS DE TENTATION QUE POUSSIN TENIERS GARDENT LA CLEF PAX DCLXXXI PAR LA CROIX ET CE CHEVAL DE DIEU J'ACHEVE CE DAEMON DE GARDIEN A MIDI POMMES BLEUES.
>
> (HERDERIN GEEN VERLEIDING DIE POUSSIN TENIERS BEZIT DE SLEUTEL VREDE 681 BIJ HET KRUIS EN DAT PAARD VAN GOD VOLEINDIG IK [OF: MAAK AF] DEZE DEMONISCHE BEWAARDER TE MIDDAG [12 UUR] BLAUWE APPELS.)[1]

Toen we monsieur Plantard in 1979 voor het eerst ontmoetten, was ons verteld dat beide gecodeerde teksten in feite vervalsingen waren, in 1956 door de Marquis de Cherisey verzonnen ten behoeve van een kort televisieprogramma. Wij betwistten die bewering. De geweldige inspanning die het ontwerpen van zo'n code vergde, leek totaal niet in evenredigheid met een

* De Frankische koning uit het Merovingische huis Dagobert II werd op 12 december 679 in het Bois de Woëvre bij Stenay vermoord.

dergelijk doel, om niet te zeggen belachelijk. Monsieur Plantard gaf toe dat de vervalsingen heel dicht bij de originelen bleven. Met andere woorden: ze waren helemaal niet door monsieur De Chérisey verzonnen. Ze waren *gekopieerd* en monsieur De Chérisey had slechts enkele dingen toegevoegd. Als deze toevoegingen geschrapt werden, bleven de oorspronkelijke door Saunière gevonden teksten over.

Maar als die twee bijbelse teksten authentiek waren en als er drie andere perkamenten waren – twee genealogieën en het 'testament' van d'Hautpoul – betekende dat een totaal van *vijf*. Vijf aparte documenten, terwijl Saunière er vier zou hebben gevonden.

Een tweede en nog klemmender vraag was wat er met de perkamenten was gebeurd. Volgens de ene lezing zouden ze 'via bedrog zijn aangekocht' en in handen van de Vereniging van antiquarische boekverkopers zijn beland – of in elk geval in handen van enkele mensen die algemeen 'Roland Stansmore' en 'sir Thomas Frazer' werden genoemd en zich als vertegenwoordigers van deze Vereniging hadden voorgesteld. Volgens een andere lezing zouden ze gestolen zijn uit de bibliotheek van een geestelijke in Parijs, abbé Emile Hoffet, kort na diens overlijden in 1946. Daarna zouden ze hun weg hebben gevonden naar de archieven van de Maltezer ridders. Tijdens onze eerste ontmoetingen met hem had monsieur Plantard een bewering bevestigd – gedaan in een aantal specifieke bronnen van de Prieuré de Sion – dat de documenten zich toen (1979) in een kluis in de gewelven van Lloyds International in Londen bevonden. Maar monsieur Plantard ging niet in op de vraag hoe ze daar terecht waren gekomen. Ten slotte, in een andere mysterieuze toevoeging aan het vervalste artikel van Jania Macgillivray, werd beweerd dat de perkamenten uit hun Londense bewaarplaats waren weggehaald en overgebracht naar een kluis in een aan de Place de Mexico nummer 4 gevestigde Parijse bank. Als dat op juistheid berustte, waren de perkamenten in elk geval wat eind 1979 betreft terug in Frankrijk. Maar er was geen enkele aanwijzing wie ze had overgebracht of waarom, wie erover beschikte of wie verantwoordelijk was voor de schimmige transacties in verband met de perkamenten.

Notarieel gewaarmerkte documenten

Tijdens onze ontmoeting met hem op 17 mei 1983 ging monsieur Plantard uitvoerig in op twee van de klemmendste vragen met betrekking tot de door Saunière ontdekte perkamenten en schiep daarbij op kenmerkende wijze verdere mystificatie. Hij zei dat Saunière inderdaad niet meer dan vier documenten had gevonden. Naar drie ervan was herhaaldelijk verwezen – een uit

1244 daterende stamboom met het zegel van koningin Blanche de Castille, een uit 1644 daterende stamboom van d'Hautpoul en het uit 1695 daterende 'testament' van d'Hautpoul. Het vierde perkament, zei hij, was het origineel op basis waarvan de Marquis de Chérisey een gewijzigde versie had ontworpen. Volgens monsieur Plantard nu stond een gecodeerde boodschap op beide kanten van het perkament. Op een of andere manier bestond kennelijk een wisselwerking tussen beide teksten – als ze bij voorbeeld tegen het licht gehouden en als het ware over of door elkaar bekeken werden. Eigenlijk werd gesuggereerd dat de voornaamste 'wijziging' die monsieur De Chérisey had aangebracht, gewoon in reproduktie van beide kanten van hetzelfde perkament had bestaan, maar dan als afzonderlijke bladzijden en niet op de oorspronkelijke schaal.

Dat deed natuurlijk meteen een vraag rijzen waar we eerder al eens mee hadden gespeeld. Konden de andere drie door Saunière gevonden perkamenten wellicht van belang zijn niet zozeer om wat zij beweerden, maar om iets anders – iets in verband met de feitelijke, concrete bladen waarop ze waren geschreven? Wat bij voorbeeld kon op de achterzijde staan? Want een stamboom van de familie d'Hautpoul, zelfs voor mensen die bekend waren met hen en hun bezit van Rennes-le-Château, zou wel amper alle opwinding kunnen verklaren die hij kennelijk had gewekt. Maar als nu eens iets ánders op de achterzijde van het perkament stond?

Er bestaat bepaalde documentatie over de genealogie van d'Hautpoul van 1644 die suggereert dat deze inderdaad van groot belang was. Bekend is dat ze op 23 november 1644 geregistreerd werd door een zekere Captier, notaris van het stadje Esperaza, niet ver van Rennes-le-Château. Na enige tijd verdwenen te zijn geweest werd ze teruggevonden door Jean-Baptiste Siau, notaris te Esperaza in 1780. Om niet nader omschreven redenen achtte hij de documentatie dermate van belang dat hij ze weigerde aan de familie d'Hautpoul terug te geven. Hij verklaarde ze tot een document van 'groot gewicht' en wilde het niet uit handen geven. Hij bood aan het mee te nemen en persoonlijk te tonen aan wie het recht had het in te zien, maar hij stond erop het daarna weer in zijn eigen kluis weg te bergen.[2] Bij gelegenheid is de term 'staatsgeheim' in verband met dit document gebruikt. Enige tijd na 1780 is het document andermaal verdwenen. Of, waarschijnlijker nog, noodzaakte het uitbreken van de Franse revolutie tot verberging. Er zijn aanwijzingen dat latere leden van de familie d'Hautpoul van het bestaan ervan op de hoogte waren en getracht hebben achter de verborgen bewaarplaats te komen; ze schijnen daar echter niet in geslaagd te zijn.

Monsieur Plantard weigerde commentaar te geven op de d'Hautpoul-perkamenten, evenals op de genealogie van 1244 met het zegel van koningin Blanche de Castille. Hij beweerde slechts dat het vierde door Saunière ontdekte perkament in de twee gecodeerde bijbelteksten bestond, een aan elke kant van het blad. Doch daarna haalde hij zonder enige inleiding uit zijn tas twee indrukwekkend van zegelstaarten en zegels voorziene documenten te voorschijn en legde die voor ons op tafel. De tekst die we toen lazen leek de gehele kwestie van de perkamenten opeens uit de sfeer van hypothese en speculatie te lichten en haar in zeer concreet, zeer specifiek Brits territorium te verankeren.

De documenten die monsieur Plantard ons toonde en waarvan hij ons foto's gaf, waren twee officiële notarieel gewaarmerkte verklaringen. De eerste, gedateerd op 5 oktober 1955, was een verzoek aan het Franse consulaat-generaal te Londen waarin toestemming werd gevraagd voor de uitvoer van drie perkamenten – een op 1244 gedateerde genealogie met het zegel van koningin Blanche de Castille, een op 1644 gedateerde genealogie voor François-Pierre d'Hautpoul en het 'testament' van Henri d'Hautpoul van 1695. De tekst begon als volgt:

> 'Ik, Patrick Francis Jourdan Freeman, notaris... bevestig hierbij... dat de handtekening R. S. Nutting onder aan het aangehechte verzoek waarlijk die is van captain Ronald Stansmore Nutting...'

Notaris Freeman verklaarde dus dat hij de echtheid van Nuttings geboorteakte bevestigde die gezegd werd te zijn aangehecht – hoewel de op de foto aangehechte geboorteakte niet die van captain Nutting was maar van ene viscount Frederick Leathers.

Op dat moment was de naam Leathers ons nog onbekend. Het leek echter duidelijk dat captain Nutting degene was wiens naam verdraaid was tot 'Roland' of 'Ronald Stansmore' in een aantal verwijzingen die we eerder waren tegengekomen. In 1981 bij voorbeeld had de Marquis de Chérisey in een hier eerder aangehaalde passage gesproken van 'captain Ronald Stansmore van de Britse Inlichtingendienst' die, voorgevend een achtenswaardig jurist te zijn, Saunières perkamenten had aangekocht, naar beweerd werd ten behoeve van de internationale Vereniging van antiquarische boekverkopers. En in diezelfde passage was gewag gemaakt van het volgende:

> '...de eis tot erkenning van Merovingische rechten die in 1955 en 1956 werd ingediend door sir Alexander Aikman, sir John Montague Brocklebank, major Hugh Murchison Clowes en negentien anderen ten kantore van notaris P. F. J. Freeman.'

De eerste bladzijde van de documenten die monsieur Plantard ons toonde, droeg als kop 'Verzoek om toestemming aan het consulaat-generaal van Frankrijk'. In de daaropvolgende tekst werden drie Engelsen genoemd: de Right Honourable viscount Leathers, CH, geboren op 21 november 1883 te Londen; major Hugh Murchison Clowes, DSO, geboren op 27 april 1885 te Londen; en captain Ronald Stansmore Nutting, OBE, MC, geboren op 3 maart 1888 te Londen. Dit drietal heren verzocht toestemming van het consulaat-generaal van Frankrijk om uit dat land uit te voeren:

> '...drie perkamenten waarvan de waarde niet te berekenen is, ons om redenen van historisch onderzoek toevertrouwd door madame James,

wonende in Frankrijk te Montazels (Aude). Zij kwam in het wettige bezit van deze stukken krachtens een legaat van haar oom, pastoor Saunière, parochiegeestelijke van Rennes-le-Château (Aude).

Dan volgt een specificatie van de drie betreffende stukken – de genealogie van 1244, die van 1644 en het 'testament' van 1695. Daarna verklaart de tekst:

'Deze genealogieën bevatten bewijs van de rechtstreekse afstamming, langs de mannelijke lijn van Sigebert IV, zoon van Dagobert II, koning van Austrasië, door het huis Plantard, graven van Rhédae, en zij mogen op geen enkele wijze gereproduceerd worden.'

De tekst is voorzien van de handtekeningen van viscount Leathers, major Clowes en captain Nutting. Boven aan de bladzijde staan zegel en stempel, gedateerd op 25 oktober 1955, van Olivier de Saint-Germain, de Franse consul. Feitelijk is echter al wat Saint-Germain bevestigt dat handtekening en zegel van notaris P. F. J. Freeman echt zijn.

Monsieur Plantard liet ook nog andere documenten zien, overeenkomend met de eerste, maar een jaar later gedateerd. Deze leidden een nieuwe en op zijn manier doorluchtige persoonlijkheid in wiens geboorteakte was aangehecht. Die geboorteakte was van Roundell Cecil Palmer, graaf van Selborne. Op de voorzijde bevestigde notaris Patrick Freeman, van het kantoor van John Newman & Sons, gevestigd 27 Clemens Lane, Lombard Street te Londen, dat de handtekening onder aan het aangehechte rekest inderdaad die van lord Selborne was en in persoonlijke aanwezigheid van hem, de notaris, geplaatst. Notaris Freeman bevestigde ook echtheid en geldigheid van de geboorteakte van lord Selborne. Deze verklaring was gedateerd op 23 juli 1956. Onder de handtekening van notaris Freeman waren zegel en stempel van de Franse consul-generaal in Londen die toen, een jaar later, niet Olivier de Saint Germain meer was, maar ene Jean Guiraud. Diens zegel en stempel waren voorzien van de datum 29 augustus 1956.

Ommezijde van die verklaring droeg als kop 'Derde Originele Exemplaar' wat inhield dat er nog ten minste twee andere waren. Als ondertitel stond er 'Verzoek aan het consulaat-generaal van Frankrijk te Londen voor het vasthouden van Franse perkamenten'. In de dan volgende tekst verklaarde lord Selborne, 'geboren op 15 april 1887 te Londen', dat hij vanuit het kantoor van notaris Patrick Freeman een verzoek aan het consulaat-generaal van Frankrijk richtte om bepaalde Franse documenten vast te houden. Hij vervolgde met, 'op mijn eer', de betreffende documenten te specificeren. In overeenstemming met de wensen van madame James die hem ermee 'begiftigd' had, verzekerde lord Selborne voorts dat deze documenten na vijfentwintig jaar wettig zouden toebehoren aan monsieur Pierre Plantard, graaf van Rhédae en graaf van Saint-Clair, geboren op 18 maart 1920. Mocht monsieur Plantard ze niet opeisen, dan zouden ze aan de nationale Archieven van Frankrijk worden gegeven.

In de volgende paragraaf verklaarde lord Selborne dat de betreffende documenten, door captain Nutting, major Clowes en viscount Leathers gedeponeerd bij de internationale Vereniging van antiquarische boekverkopers, gevestigd 39 Great Russell Street te Londen, 'op deze dag' geplaatst zouden worden in een kluis van Lloyds Bank Europe Ltd. Er mocht geen enkele melding van de documenten worden gemaakt. Onder aan het blad stond de handtekening van lord Selborne.

Uit deze twee notarieel gewaarmerkte documenten kan een zekere gang van zaken worden afgeleid. In 1955 schijnen viscount Leathers, major Clowes en captain Nutting drie van de vier door Saunière in 1891 ontdekte perkamenten te hebben bezeten. Van deze perkamenten werd beweerd dat zij verkregen waren van de nicht van Saunière, madame James, destijds wonende in Saunières geboortedorp Montazels, niet ver van Rennes-le-Château. Toestemming werd gevraagd en vermoedelijk verkregen om deze perkamenten naar Engeland uit te voeren. Op 5 oktober 1955 waren de drie Engelse heren in het kantoor van notaris Patrick Freeman waar ze hun verzoek om uitvoer notarieel lieten waarmerken of, als het niet dat verzoek betrof, toch een of ander document in verband daarmee, al waren het alleen maar hun geboorteakten en handtekeningen.

In 1956 verzocht lord Selborne toestemming de perkamenten in Engeland te houden. Zijn verzoek werd kennelijk wederom door notaris Patrick Freeman op 23 juli van dat jaar gewaarmerkt en getekend door de Franse consul-generaal op 29 augustus. De perkamenten, aanvankelijk gedeponeerd bij de internationale Vereniging van antiquarische boekverkopers, werden toen ondergebracht bij Lloyds Bank Europe Ltd. Vijfentwintig jaar nadien – dat wil zeggen: in 1980 of 1981 – moesten ze terug naar Pierre Plantard de Saint-Germain dan wel, als deze ze niet zou opeisen, aan het Franse gouvernement worden overgedragen.

Heren van de Londense City

Van het allereerste begin van ons onderzoek naar het mysterie van Rennes-le-Château af waren we verwijzingen tegengekomen naar twee Engelsen die naar verluidde Saunières perkamenten hadden verworven. Zoals boven verklaard waren hun namen eerder aangehaald als sir Thomas Frazer en captain Roland alias Ronald Stansmore – die nu captain Ronald Stansmore Nutting was gebleken. De verbastering van Nuttings naam deed veronderstellen dat de bronnen die jaren geleden voor het laten 'uitlekken' ervan verantwoordelijk waren, zelf niet zeker waren en van onnauwkeurige informatie uit waren gegaan.

In 1981 waren we in de vervalste tekst van het artikel van Jania Macgillivray een andere Engelse naam tegengekomen – die van zekere lord Blackford. En eveneens in 1981 had toen de Marquis de Chérisey de lijst van Engelsen in verband met het verhaal aangevuld. Via materiaal dat monsieur De Chérisey ons leverde, waren we de namen tegengekomen van sir Alexander Aikman, sir John Montague Brocklebank en major Hugh Murchison Clowes die, samen met negentien anderen, een 'eis tot erkenning van Merovingische rechten' zouden hebben ingediend – en wel 'ten kantore van notaris P.F.J. Freeman'.

Nu, in 1983, werd dank zij de notarieel gewaarmerkte documenten die monsieur Plantard ons had getoond, de rol van althans enkelen van deze heren concreter, meer herkenbaar. Bovendien was de verwarring om Nuttings naam opgehelderd. En twee nieuwe namen waren toegevoegd – die van viscount Frederick Leathers en van de graaf van Selborne. Vanuit diverse bronnen hadden we daarna kennis gekregen van de namen van acht Engelsen die naar beweerd werd op deze of gene wijze met de door Saunière ontdekte perkamenten in betrekking zouden staan – Frazer, Nutting, Aikman, Brocklebank, Clowes, Blackford, Leathers en Selborne. Ook was er notaris P. F. J. Freeman. En 'negentien anderen'.

Wie waren deze mensen? Wat kon de aard van hun belangstelling voor de door Saunière in 1891 in Rennes-le-Château ontdekte perkamenten zijn? Waarom zouden deze perkamenten voor deze speciale groep Engelsen zo belangrijk zijn geweest? En wat moesten we denken van de suggestie van enig verband met spionage en de wereld van de inlichtingendiensten? Nutting was, zoals u zich zult herinneren, omschreven als lid van de Britse Inlichtingendienst, terwijl Frazer de 'grijze eminentie van Buckingham' werd genoemd. (Omdat dit uit het Frans werd vertaald, doelde men hier waarschijnlijk op Buckingham Palace.) Frazer was onderscheiden met de OBE (Officer of the British Empire) en in 1947 geridderd. Voor zover wij konden nagaan, beperkten zijn activiteiten zich voornamelijk tot de zakenwereld. Onder andere was hij een der directeuren van de (scheepvaart)verzekeringsmaatschappij North British and Mercantile Insurance.

Nutting, gewezen kapitein van de Ierse Garde, had eveneens belangrijke functies in de zakenwereld vervuld, vooral in scheepvaartwezen en bankbedrijf. Hij behoorde tot de directies van niet minder dan veertien maatschappijen waaronder de Arthur Guinness en de Guardian Assurance. Hij was president-directeur geweest van de British and Irish Steam Packet Company. En tot 1929 was hij president van de Bank van Ierland. Volgens een van zijn zakenrelaties die wij persoonlijk interviewden, was hij ook medewerker geweest van MI 5.[3]

Sir Alexander Aikman was president-directeur geweest van EMI van 1946 tot 1954 en had een aandeel gehad in de oprichting van de Independent Broadcasting Authority (ITV). Onder de maatschappijen waarvan hij directielid was, behoorden Dunlop en, wederom, Guardian Assurance.

Evenals Nutting was sir John Brocklebank in scheepvaart- en verzekeringswereld werkzaam geweest. Zijn familie zat zelfs al tweehonderd jaar in de scheepvaart en hij zelf was president-directeur van Cunard. Ook was hij voorzitter geweest van de Liverpool Steamship Owners' Association en directielid van twee verzekeringsmaatschappijen – waarvan een een dochtermaatschappij van Guardian Assurance.

Major Hugh Clowes was werkzaam geweest in het drukkersbedrijf van zijn familie, William Clowes & Son, gespecialiseerd in het drukken van bijbels. Tot de maatschappijen waarvan majoor Clowes als directeur deel uitmaakte, behoorde Guardian Assurance.

Voor de Tweede Wereldoorlog werd viscount Frederick Leathers beschouwd als een internationaal expert in scheepvaartzaken. Tijdens de oorlog was hij een naaste vriend van Winston Churchill en diende als minister van oorlogstransport, een functie waar zijn ervaring in scheepvaartzaken hem bijzonder geschikt voor maakte. Hij speelde een belangrijke rol in de voorbereiding van de logistiek van de invasie in Normandië. Hij behoorde tot de directies van onder meer P & O, National Westminster Bank en Guardian Assurance.

Tijdens de Eerste Wereldoorlog had Glyn Mason baron Blackford als bevelhebber van een legerafdeling gediend onder generaal Allenby in Palestina. Van 1922 tot 1940 was hij lid van het Britse parlement voor de conservatieven. Tijdens de Tweede Wereldoorlog was hij districtscommandant van de Home Guard. Later werd hij ondervoorzitter van het Hogerhuis. Baron Blackford was president-directeur van Guardian Assurance.

Evenals viscount Leathers was de graaf van Selborne een naaste vriend van Churchill en hij zal zeker met Leathers hebben samengewerkt. Van 1942 tot 1945 was hij minister van economische oorlogvoering en werkte in die functie nauw samen met sir William Stephenson, de man die men 'de Onverschrokkene' noemde.[4]

De voornaamste taak van het ministerie van Selborne was, de vijand alles te onthouden wat voor zijn oorlogsinspanning bruikbaar kon zijn. Als minister van economische oorlogvoering was Selborne algemeen hoofd van de SOE – Special Operations Executive – die agenten boven bezette gebieden neerliet, contacten onderhield met plaatselijke verzetsgroepen, punten uitzette voor luchtaanvallen en ontregelingen en sabotage achter de vijandelijke linies organiseerde. De SOE werkte nauw samen met de Amerikaanse OSS, de voorloper van de CIA. En direct om de hoek van het hoofdkwartier van de SOE aan 64 Baker Street bevond zich het geheime Londense hoofdkwartier van alle speciale agenten van de Vrije Fransen die eveneens onder bevel van Selborne werden geplaatst. Een groot gedeelte van het personeel van de SOE was afkomstig uit de kringen van bankwereld, scheepvaart en journalistiek – en verzekeringswezen. In zijn oorlogsfunctie zal lord Selborne noodzakelijkerwijs nauw contact hebben onderhouden met verzekeringsmaatschappijen. Sir William Stephenson zegt:

'Als men inzage heeft in dossiers van verzekeringsmaatschappijen, zal men gedetailleerde studies tegenkomen over de zwakke plekken in elk fabricageproces of in de mijnbouw. Verzekeringsmaatschappijen moeten opkomen voor enorme bedragen als gevolg van ongelukken, en zij nemen derhalve deskundigen in dienst om elke mogelijkheid dat dingen mis kunnen lopen te onderzoeken. Hun rapporten zijn dan ook handboeken voor saboteurs.'[5]

En sir Colin Gubbins, het laatste hoofd van de SOE, omringde zich gewoonweg met verzekeringsexperts: 'In vredestijd hebben zij te maken met schadeclaims van bedrijven. Zij weten dus wat een machine buiten bedrijf stelt – en wel meteen.'[6]

Na de oorlog raakte lord Selborne steeds meer geïnteresseerd in religieuze kwesties, in de betrekkingen tussen kerk en staat en in de benoemingsprocedures van dekens en bisschoppen van de anglicaanse kerk. In het Hogerhuis was hij voorzitter van het kerkelijk lekencomité. Tegen het eind van de jaren vijftig werd hij in toenemende mate conservatief – soms in zodanige mate dat het als louche en/of ziekelijk kon worden beschouwd. In 1956 bij voorbeeld diende hij een wetsvoorstel voor persbeheersing in, ontworpen om alle Britse kranten te conformeren aan de normen van *The Times* van mei van dat jaar. Volgens zijn dochter die wij interviewden, zag hij zich 'een achterhoedegevecht voor het imperium leveren'. Dit schijnt zich te hebben uitgestrekt tot omhelzing van royalistische bewegingen op het vasteland. Zijn dochter verklaarde ook dat hij bijzonder geïnteresseerd was in genealogieën en dat hij zijn vakantie vaak in de omgeving van de Pyreneeën doorbracht. Tot zijn zakelijke activiteiten behoorde directeurschap van de North British and Mercantile Insurance Company – de maatschappij waarvan sir Thomas Frazer eveneens een der directeuren was.

Kón lord Selborne iets met betrekking tot de door Saunière ontdekte perkamenten te weten zijn gekomen op grond van het werk van zijn organisatie in Frankrijk tijdens de oorlog? Monsieur Plantard en de Prieuré de Sion waren tenslotte volgens de beweringen actief bij de Franse Résistance betrokken geweest of hadden op enige andere wijze De Gaulle geholpen. Als dit juist was, zou Selborne ongetwijfeld van hen geweten hebben en de SOE zou vrijwel zeker enige vorm van contact met beiden hebben gehad. Zo'n contact zou via André Malraux tot stand gebracht kunnen zijn, die in het Franse verzet een beslissende rol speelde en contacten onderhield met de Britse Inlichtingendienst en sabotagenetwerken tijdens de oorlog. Zijn broer was bij de SOE en van monsieur Malraux wordt gezegd dat hij een hooggeplaatst lid van de Prieuré de Sion was. Maar waarom zou lord Selborne in zaken van de Prieuré de Sion verwikkeld zijn geraakt – meer dan tien jaar láter?

Er leek in elk geval een of ander 'leidpatroon' te bestaan achter de betrokkenheid van de Engelsen wier namen we waren tegengekomen. Er bestonden betrekkingen op papier tussen de meesten van hen en hoogstwaarschijnlijk betrekkingen tussen de anderen. Een aantal van hen was niet alleen betrokken bij oorlogsplanning op hoog niveau, maar ook bij geheime operaties van deze of gene soort. Alle acht waren ze werkzaam in kringen van scheepvaart en/of verzekeringswezen. Twee van hen – Frazer en Selborne – waren directeur geweest van North British and Mercantile Insurance. De overige zes behoorden tot Guardian Assurance (thans: Guardian Royal Exchange Assurance), vier van hen als directeur, een als president-directeur en een als directeur van een dochtermaatschappij.

Doch dit 'leidpatroon' deed als zodanig alleen maar verdere vragen rijzen. Wat bij voorbeeld had Guardian Assurance in 1955 en 1956 gedaan? Had ze als camouflage of façade gediend voor iets van geheime aard? Of hadden bepaalde leden van haar directie de maatschappij voor hún camouflage of façade gebruikt? En hoe stond het met Frazer en Selborne die niet tot Guardian Assurance behoorden? Waarom, bovenal, zouden acht mensen, allen directeuren van verzekeringsmaatschappijen, kennelijk zo geïnteresseerd zijn in genealogieën die de wettigheid van een Merovingische aanspraak op de Franse troon staafden? Kon een verklaring misschien liggen in Franse of in Engels-Franse kwesties uit die periode?

Stellig was het een tijd van woelingen geweest. Een jaar eerder, in mei 1954, was het Franse leger in Indo-China verslagen bij Dien Bien Phoe. Intern leefde Frankrijk in grote beroering met vooruitzichten op vallende regeringen, *coups d'état* en zelfs misschien een burgeroorlog. Begin 1955 waren al een twintigduizend man Franse troepen naar Algerije gezonden en de situatie begon daar snel uit de hand te lopen. Schokgolven van de escalerende crisis in Noord-Afrika begonnen naar het Franse moederland terug te kaatsen. Groot-Brittannië intussen was steeds dieper verwikkeld geraakt in de situatie op Cyprus waar in 1955 officieel de noodtoestand voor werd afgekondigd. In datzelfde jaar trad Churchill af en werd als minister-president opgevolgd door Anthony Eden. In juli 1956 annexeerde Nasser het Suezkanaal. In oktober brak in Hongarije de opstand uit die toen door de sovjetinvasie bloedig werd gesmoord. Nog geen maand later ontstond de Suez-crisis en rukten Britse en Franse troepen samen met de Israëli's Egypte binnen.

In diezelfde periode waren ook andere ontwikkelingen aan de gang die pas later openbaar werden en achter de schermen in 1955 en 1956 aan kracht wonnen. In januari 1957 bij voorbeeld werd door het Franse leger een complot ontdekt om een deel van Algerije over te nemen. Plannen voor de EEG werden voorbereid die tot het verdrag van Rome in 1956 zouden leiden.

Ten slotte moeten wij opmerken dat 1956 een beslissend jaar voor kwesties binnen de Prieuré de Sion lijkt te zijn geweest. In dat jaar 'trad hij voor het eerst naar buiten' en liet zich in de Franse *Journal officiel* registreren.[7] Eveneens in 1956 werd successievelijk materiaal met betrekking tot de Prieuré bij de Bibliothèque Nationale ondergebracht.

Kon wellicht de transactie die Saunières perkamenten naar Engeland voerde in verband hebben gestaan met bepaalde gebeurtenissen in die tijd – in het bijzonder met ontwikkelingen in Franse kwesties en/of die van de Prieuré de Sion? Maar als dat het geval was: in welk opzicht? En waartoe? Werden de door Saunière gevonden perkamenten naar Engeland overgebracht om ze uit handen van iemand te houden? Zo ja: uit wiens handen? Om gebruikt te worden voor iets? En zo ja: voor welk doel? Of, anders, om er zeker van te kunnen zijn dat ze *niet* ergens voor gebruikt konden worden? En wederom: zo ja, waarvóór dan wel niet? En ten behoeve van wie werkten Selborne, Nutting, Leathers en hun collega's? Was hun belangstelling misschien louter persoonlijk – de belangstelling van onderzoekers van oudheden die erop gebrand waren de perkamenten om zuiver academische redenen te verwerven? Of zat er misschien enigerlei officiële betrokkenheid achter, met betrekking tot internationale politiek op hoog niveau?

Gezien hun oorlogsactiviteiten zou het nauwelijks verbazen als, tien jaar later, Selborne, Nutting, Leathers en hun collega's nog altijd contacten onderhielden met bij voorbeeld de wereld van de geheime diensten en, zij het slechts nu en dan, betrokken werden bij regeringszaken. Er kan ook een formele structuur voor hun werk buiten de officiële inlichtingendiensten hebben bestaan. Aan het eind van de oorlog richtte Colin Gubbins van de SOE een Vereniging van gewezen SOE-medewerkers op. Deze was méér dan een gebruikelijke veteranenorganisatie. Haar doel was ervoor te zorgen dat in een noodgeval in de toekomst mensen met bijzondere gaven en ervaringen snel contact met elkaar zouden kunnen opnemen. André Malraux wiens broer Roland, zoals we eerder al opmerkten, SOE-agent was geweest – richtte in Frankrijk een vergelijkbare vereniging op. In 1947 had hij met die organisatie een soort privéleger op de been gebracht: de RPF (Rassemblement du Peuple Français), met als doel de positie van De Gaulle te ondersteunen en eventuele pogingen van de communisten om in Frankrijk de macht te grijpen, te verijdelen. In 1958 werd deze organisatie omgedoopt tot Vereniging tot steun aan generaal De Gaulle. Deze nam de taak op zich eventuele hindernissen die dat jaar uit De Gaulles terugkeer naar de macht zouden voortvloeien, uit de weg te ruimen. Malraux' organisatie zou nauw hebben samengewerkt met de Comités voor openbare veiligheid in het Franse moederland die eveneens een belangrijke rol speelden bij de terugkeer van De Gaulle naar de macht en waarvan Pierre Plantard beweerde secretaris-generaal te zijn geweest. In 1962 werd Malraux' Organisatie van voormalige verzetsstrijders herdoopt in Associatie voor de vijfde republiek. Als Malraux inderdaad, zoals beweerd werd, lid van de Prieuré de Sion was, zouden hij en zijn organisatie naar alle waarschijnlijkheid de kanalen zijn geweest voor behartiging van Prieurés belangen in Engeland. En natuurlijk zullen er betrekkingen hebben bestaan tussen de organisaties van Malraux en Colin Gubbins van voormalige SOE-medewerkers. Van Gubbins zou het dan slechts één stap naar Selborne zijn geweest.

In elk geval zouden wij tijdens ons onderzoek al spoedig overtuigende aanwijzingen tegenkomen van mysterieuze krachten die op de achtergrond aan het werk waren. Die krachten waren niet geheel en al die van de Prieuré de Sion. Het begon ons steeds moeilijker te vallen geen betrokkenheid van een of andere geheime dienst te vermoeden – van Engeland, Frankrijk of zelfs misschien de Verenigde Staten.

Inleidende onderzoekingen

Doch eer wij enigerlei eigen gevolgtrekkingen konden maken, moesten we natuurlijk de echtheid van de notarieel gewaarmerkte documenten bevestigd zien en meer te weten komen over de transactie die blijkbaar Saunières perkamenten in 1955 naar Engeland had gevoerd. De informatie waar we al over beschikten, leverde een aantal sporen die gevolgd konden worden. Het was nu een kwestie die sporen systematisch na te gaan.

Eén spoor leidde naar Lloyds Bank International waar, volgens het in 1956 notarieel gewaarmerkte en door lord Selborne ondertekende document, de door Saunière ontdekte perkamenten gedeponeerd waren – en vanwaar ze, volgens in 1981 van de Marquis de Chérisey ontvangen inlichtingen, 'kortgeleden' naar een safeloket van een Parijse bank waren overgebracht. Wij voerden gesprekken met twee contactpersonen in de bankwereld en zij leverden ons twee belangrijke brokken informatie.

Het eerste was dat de firma van notaris Patrick F. J. Freeman dezelfde was als die van welker diensten Lloyds Bank International zelf gebruik maakte. Als derhalve de betreffende transactie feitelijk ook inschakeling van een safeloket van die bank inhield en er een kantoor van notarissen bij betrokken was, dan zou dat zeer waarschijnlijk het kantoor van notaris Freeman c.s. zijn geweest.

Het tweede belangrijke brok informatie dat wij door onze contacten kregen, was dat Lloyds in 1979 gestopt was met het aanbieden van aparte safeloketten – het jaar waarin volgens monsieur De Chérisey de perkamenten naar Frankrijk waren teruggebracht. Van 1979 af had men bij Lloyds één kluisruimte in gebruik waar kostbaarheden opgeborgen konden worden. Kennelijk hadden vele mensen hun bezittingen daar weggehaald, toen deze gewijzigde bankpolitiek werd ingevoerd. Het was dan ook heel aannemelijk dat ook de perkamenten, als ze bij Lloyds opgeborgen waren geweest, daar in 1979 waren weggehaald en overgebracht naar Parijs. Wij hadden natuurlijk graag geweten, of er feitelijk een betreffend safeloket bij Lloyds was geweest, maar er was geen manier om erachter te komen onder welke naam – echt of aangenomen – de perkamenten daar eventueel geregistreerd waren geweest.[8]

In het door lord Selborne ondertekende document van 1956 werd beweerd dat de perkamenten aanvankelijk waren ondergebracht bij de internationale Vereniging van antiquarische boekverkopers. Bij ons vorig onderzoek hadden we die Vereniging al eens onder de loep genomen en onze onderzoekingen van nu leverden weinig nieuwe informatie op. Het notarieel gewaarmerkte document van 1956 had het adres van de Vereniging aangegeven als 39 Great Russell Street – tegenover het British Museum. In 1956 was op dat adres een boekverkopersfirma gevestigd: Henry Stevens, Son & Stiles. En in die tijd diende deze winkel inderdaad als hoofdkwartier van de Britse afdeling van de internationale Vereniging van antiquarische boekverkopers. Doch dat spoor was sinds lang doodgelopen.

De staf van het Franse consulaat bleek gaarne bereid ons te helpen. Wij toonden foto's van de notarieel gewaarmerkte documenten aan een viceconsul. Zij bevestigde dat, voor zover zij kon beoordelen, het officiële zegel en de handtekening van Jean Guiraud op het document van 1956 echt waren. De handtekening op het document van 1955 was haar onbekend. Uit een korte controle bleek echter dat Olivier de Saint-Germain (de naam op het document) inderdaad in die tijd tot de staf van het consulaat had behoord, en de vice-consul zag geen reden om aan de echtheid van diens handtekening te twijfelen. Aan de andere kant vond ze eigenaardig dát het consulaat zich met die zaak had ingelaten. Want, verklaarde ze, een dergelijke transactie waarbij oude manuscripten betrokken waren, had toestemming moeten krijgen niet van het consulaat, maar van het Franse ministerie van cultuur in Parijs.

Op ons verzoek wilde de vice-consul nagaan, of er misschien nog een verslag was van een bezoek van de genoemde heren aan het Franse consulaat op de relevante data in 1955 en/of 1956. Helaas – en dat bleek trouwens ook het geval ten aanzien van andere punten van ons onderzoek – waren aantekeningen die van zo'n tijd geleden dateerden, vernietigd. Er was geen hoop ook maar iets met betrekking tot een transactie die ruim een kwart eeuw geleden had plaatsgevonden, op te diepen.

Met het Franse consulaat evenals met Lloyds en de Vereniging van antiquarische boekverkopers *leek* alles uiterst aannemelijk en ook bijkomende aanwijzingen leken de echtheid van de notarieel gewaarmerkte documenten te bevestigen. Doch het was de tijd zelf die erin slaagde ons te beroven van zowel nadere opheldering als definitief bewijs. Materiaal kwam ons ter beschikking recht evenredig met de mate waarin de juistheid of onjuistheid ervan niet of niet meer was na te gaan. Werden sporen toegedekt of was het simpel een onvermijdelijk gevolg van het verstrijken der jaren?

Notaris Patrick F. J. Freeman, de man die de documenten gewaarmerkt had, was nog altijd in het ambt en wij zochten hem op. Nadat hij onze kleurenfoto's goed had bekeken, toonde hij zich verbijsterd. Het papier leek het zijne, verklaarde hij. Het zegel was onmiskenbaar het zijne, evenals de handtekening en blijkbaar ook de schrijfmachine. Alles wees erop dat het document in zijn kantoor was opgemaakt. Maar hij herinnerde zich niets van enige transactie inzake perkamenten die uit Frankrijk naar Engeland waren gekomen.

Korte tijd later ontmoetten we notaris Freeman andermaal. Hij had intussen zijn dossiers nagekeken en ontdekt dat op 5 oktober 1955 er inderdaad een bijeenkomst was geweest met Nutting, Clowes en Leathers – de mannen wier handtekeningen op het document van die datum stonden. Volgens de boeken had notaris Freeman voor ieder van hen apart een verklaring getekend en gezegeld waarin bevestigd werd dat de door hen geplaatste handtekeningen echt waren. Dat was, legde hij uit, in die tijd de normale procedure. Want in 1955 had de Franse regering bepaald dat ieder die een verzekeringsmaatschappij wettig vertegenwoordigde, in Frankrijk een notarieel gewaarmerkte handtekening moest kunnen overleggen. Notaris Freeman kon dus bevestigen dat een gedeelte van het ons interesserende document – namelijk zijn waarmerking van een handtekening – authentiek was. Maar de dossiers van notaris Freeman vermeldden niets met betrekking tot de perkamenten van Saunière, genealogieën of invoer van dergelijke stukken in Engeland.

De heer Freeman bevestigde voorts dat er op 23 juli 1956, de datum van het tweede notarieel gewaarmerkte document, inderdaad een zitting met lord Selborne was geweest. Maar wederom bleek hier uit het dossier dat dit niets anders had behelsd dan het waarmerken van een handtekening; opnieuw werd nergens anders gewag van gemaakt.

Notaris Freeman uitte nogmaals zijn verbijstering over al het andere dat in verband stond met de documenten, namelijk het verzoek van 1955 om de perkamenten van Saunière naar Engeland te mogen uitvoeren en dat van 1956 om ze gedurende vijfentwintig jaar in Engeland te mogen houden. Hij kon er zo, zei hij, eigenlijk geen touw aan vastknopen. Hij zei een uitstekend geheugen te hebben, vooral wat betreft ongewone transacties van het soort waarvan hier sprake scheen te zijn. Ook wees hij erop dat hij altijd kopieën bewaarde van al wat onder zijn verantwoordelijkheid werd opgemaakt. Hij erkende dat althans een deel van de betreffende documenten slechts in zijn kantoor en door hem kon zijn opgesteld. Maar noch zijn boeken noch zijn geheugen waren in staat ook maar iets naders over de zaak te onthullen.

We waren in een impasse beland. Enerzijds gaf de heer Freeman toe dat de documenten wel in zijn kantoor opgemaakt moesten zijn, met zijn papier, zijn zegel en op zijn schrijfmachine. Maar anderzijds ontkende hij ook maar iets te weten van de inhoud ervan en hij herhaalde nogmaals nadrukkelijk dat hij niets anders had gedaan dan voor ieder van de betrokken heren afzonderlijk hun handtekening te waarmerken. We overwogen de mogelijkheid dat hij misschien om de tuin geleid kon zijn – bij voorbeeld doordat men hem gevraagd zou hebben iets onschuldigs, iets van onbelang, te tekenen, terwijl later op de achterzijde van het blad iets belangrijks was getypt. Doch zulke verklaringen leken weinig aannemelijk. De tekst met betrekking tot de perkamenten leek stellig op dezelfde schrijfmachine getypt te zijn als de tekst waarin notaris Freeman de echtheid van de handtekeningen bevestigde. Noch leek mogelijk dat het blad naderhand in een schrijfmachine kon zijn gedraaid zónder dat het zegel van de notaris werd beschadigd. Maar hoe kon dán het ongewettigde deel van de tekst naderhand zijn aangebracht? Wat gewoon een intrigerend probleem had geleken waarvoor echter een oplossing zou worden gevonden, begon op dit moment onverwachte afmetingen aan te nemen.

Vermoeden van vervalsing

We waren een en ander nu ter plekke nagegaan ten aanzien van Lloyds Bank, de Vereniging van antiquarische boekverkopers, het Franse consulaat en notaris Patrick F. J. Freeman. Bleef natuurlijk Guardian Assurance zelf nog over – de maatschappij van welker directie zovelen van de betrokkenen lid waren. In 1968 was de oude Guardian Assurance Company een fusie aangegaan met Royal Exchange en versmolten tot de tegenwoordige Guardian Royal Exchange Assurance maatschappij. In oktober 1983 hadden we een ontmoeting met de directiesecretaris van deze maatschappij en toonden hem foto's van de notarieel gewaarmerkte documenten, samen met de handtekeningen van de gewezen directeuren van zijn maatschappij. Ook hij was natuurlijk verbijsterd en stelde voor dat we zouden spreken met een gewezen president-directeur, de heer Ernest Bigland, die in 1955 en 1956 directiesecretaris was.

Er werd een ontmoeting met mister Bigland voor ons georganiseerd. Intussen werden we in contact gebracht met de zittende directeur van de maatschappij. Deze bleek ons vorige boek te hebben gelezen, hij kende het verhaal en greep de gelegenheid graag aan ons met ons onderzoek te helpen. Persoonlijk ging hij oude dossiers van de maatschappij na. Daaruit kwam een belangwekkend feit naar voren. Op de dag waarop het eerste document notarieel gewaarmerkt was – 5 oktober 1955 – had een buitengewone directievergadering van Guardian Assurance plaatsgevonden.

Enkele dagen later leverde Guardian Royal Exchange Assurance ons fotokopieën van het presentieboek van de directie van herfst 1955 – met inbegrip van de datum waarop de buitengewone vergadering was gehouden: 5 oktober. De fotokopieën toonden de handtekeningen van de directeuren van de maatschappij, zoals zij het presentieboek voor begin van de vergadering hadden getekend. Boven aan de pagina stond de handtekening van president-directeur lord Blackford. En daaronder de handtekeningen van viscount Leathers, major Clowes en captain Nutting. Maar tot onze consternatie leken die handtekeningen helemaal niet op die op de notarieel gewaarmerkte documenten!

We stonden voor een raadsel. Opeens was ons onderzoek scheef gelopen – zoal niet ontspoord – door iets waar geen duidelijk, logische verklaring voor was. Waren de notarieel gewaarmerkte documenten nu echt of waren het vervalsingen? Maar als het vervalsingen betrof, wat was dan de opzet van dat bedrog? En waarom was dat bedrog dan zo opvallend? Als iemand een handtekening wil vervalsen, dan probeert men die toch zo goed mogelijk na te maken? Men gebruikt dan geen handtekening die geen enkele overeenkomst met de originele vertoont. Het zou vrij gemakkelijk zijn geweest de originele handtekeningen te vinden – bij voorbeeld in Companies House, in jaarverslagen van Guardian Assurance, in diverse andere bronnen. Als bovendien de handtekeningen op de documenten vervalsingen waren, waarom had notaris Patrick F. J. Freeman daar dan niets van gezegd? Hij had niets van dien aard gedaan. Integendeel: hij bevestigde dat op de in de notarieel gewaarmerkte documenten aangegeven data hij de echtheid van de betreffende handtekeningen had bekrachtigd.

En dan, als de gewaarmerkte documenten vervalst waren, wie kon die vervalsingen hebben gemaakt? En waartoe? Wat kon een verklaring zijn voor de keuze van deze speciale groep Engelsen? Was het louter toeval dat zovelen van hen aan Guardian Assurance verbonden waren of was die connectie op enigerlei wijze van belang voor de vervalser?

Het mysterie ontraadseld

In februari 1984 hadden we een ontmoeting met de heer Ernest Bigland, gewezen directiesecretaris en later president-directeur van Guardian Assurance. Deze was gefascineerd door wat hij vernam. Maar bovendien kwam het hem niet helemaal onzinnig voor – of in elk geval leek het hem niet helemaal onverklaarbaar. Op de eerste plaats was hij minder dan wij geneigd aan vervalsing te denken. Hij maakte een wegwerpend gebaar waar het ging over de grote verschillen tussen de handtekeningen in het presentieboek van de directie en die op de gewaarmerkte documenten. Zulke verschillen, verklaarde hij, zeiden niets. Dergelijke mensen gebruikten vaak meer dan één handtekening. Ze konden een terloopse snelle krabbel of een paraaf zetten bij dagelijkse routinezaken of dingen van louter intern belang. Voor belangrijke of officiële gelegenheden bewaarden ze meer formele handtekeningen – zoals de handtekeningen op de gewaarmerkte documenten. Het was zelfs mogelijk dat een speciale versie van een handtekening voor een of andere specifieke transactie zou worden gereserveerd – en dienovereenkomstig gewaarmerkt. Over het geheel genomen was de heer Bigland die alle betrokkenen bij hun leven had gekend en uitgebreid met hen te maken had gehad, naar hij zei geneigd de handtekeningen op de gewaarmerkte documenten als echt te beschouwen. En ook hij stelde de vraag die wij ons al hadden gesteld: als de handtekeningen vervalsingen waren, waarom had notaris Freeman daar dan niet meteen aanmerking op gemaakt?

De heer Bigland zei bovendien dat hij zich vagelijk herinnerde – noodzakelijk vaag omdat het tenslotte dertig jaar geleden was – dat lord Blackford, de toenmalige president-directeur, eens had gepraat over bepaalde uitzonderlijk belangrijke documenten of perkamenten die uit Frankrijk kwamen. Ook herinnerde hij zich dat lord Blackford had gezegd dat het noodzakelijk zou zijn de stukken in een safeloket op te bergen. Maar die opmerkingen waren, als hij het zich goed herinnerde, informeel gemaakt tijdens een babbeltje na een directievergadering. En daar had de heer Bigland toen natuurlijk niets achter gezocht. Hij had gewoon aangenomen dat het betrekking had op iets van louter antiquarisch belang. Dergelijke dingen werden tussen directeuren van Guardian Assurance in de jaren vijftig vaak bepraat. De heer Bigland haalde twee anderen van de directie aan die bijzondere belangstelling voor antiquarische zaken hadden. Een van hen bezat in het zuiden van Frankrijk een château en was een verwoed verzamelaar van oudheden en kostbare manuscripten. De ander was eveneens collectioneur en bezat onder meer een originele Magna Charta met een waarde van zeker een half miljoen pond sterling.

Ten slotte sprak de heer Bigland over captain Ronald Stansmore Nutting. Te midden van de andere directeuren van Guardian Assurance had deze volgens de heer Bigland de nauwste relaties onderhouden met sir Alexander Aikman, major Hugh Clowes en lord Blackford. En Nutting had ook op bijzonder vriendschappelijke voet gestaan met sir John Montague Brocklebank van de Cunard. De heer Bigland verklaarde dat captain Nutting inderdaad een gewezen medewerker van MI 5 was – evenals trouwens minstens één afdelingschef van Guardian Assurance dat was. En, voegde hij eraan toe, hun vertegenwoordiger in Frankrijk was in die tijd een agent van de SOE.[9]

De informatie die de heer Bigland ons, hoe vaag ook, verschafte, leek de echtheid van de notarieel gewaarmerkte documenten te ondersteunen. En als de gewezen directiesecretaris bereid was de handtekeningen als echt te aanvaarden, waarom zouden wij er dan iets anders van denken. Wat ons betreft was de slinger eerst van aanvaarding naar twijfel gezwaaid en toen terug naar andermaal aanvaarding. Maar er zou nog een, zij het gedeeltelijke, slingerzwaai volgen.

Nogmaals hadden we een bespreking met notaris Patrick F. J. Freeman. Wederom ontkende hij met nadruk ook maar iets te weten van de transactie waar de notarieel gewaarmerkte documenten naar verwezen. En opnieuw bracht hij zijn verbijstering over de zaak tot uiting. Nog weer eens vroegen hij en wij ons af, of de tekst met betrekking tot de perkamenten hoe dan ook niet naderhand toegevoegd had kunnen worden, misschien wel jaren nadien getypt bíj een andere tekst die weliswaar onbelangrijk, doch gewettigd was. Tot nog toe hadden we die mogelijkheid uitgesloten geacht op grond van het zegel van notaris Freeman. Er zou gewoon geen manier zijn om het vel in een schrijfmachine te draaien zonder dat het zegel beschadigd zou worden. Laat staan dat iemand er overheen zou kunnen typen. Daarmee had het onmogelijk geleken dat veranderingen in de documenten waren aangebracht, nadat notaris Freeman ze uit handen had gegeven. Maar ditmaal vroegen we notaris Freeman speciaal naar zijn zegel. Nee, zei hij, het is geen wassen zegel; toch betwijfelde hij of men het in een schrijfmachine kon draaien en er overheen typen. Maar hij haalde er een voor de dag. Het bleek een dun papieren schijfje dat op het papier werd geplakt waarna het werd gestempeld. We namen met het papier en de schrijfmachine van notaris Freeman ter plaatse de proef op de som. En nu bleek dat, als men heel voorzichtig tewerk ging, men een blad papier mét zegel van de notaris erop zonder beschadiging in een schrijfmachine kon draaien en er overheen typen.

Terwijl we deze nieuwe ontwikkeling overdachten, peinsde notaris Freeman door over de teksten die hij en wij nu al zovele keren hadden gelezen. Plotseling trof hem iets. Het leek van geen belang, een minieme vergissing die anders geen mens, dus ook ons niet, zou zijn opgevallen. Maar toch bleek dit een beslissende aanwijzing, althans wat het document van 1956 betrof.

Dat document van 1956 droeg de handtekening van lord Selborne. De tekst van het document gewaagde van Saunières perkamenten die in een safeloket in Lloyds Bank Europe waren opgeborgen. Maar, zoals notaris Freeman zich plotseling realiseerde en wij daarna bevestigd zagen toen we dit bij Lloyds zelf natrokken: in 1956 bestond Lloyds Bank Europe nog helemaal niet. In dat jaar heetten de Europese agentschappen van Lloyds nog Lloyds Bank Foreign. En Lloyds Bank Foreign was pas op 29 januari 1964 Lloyds Bank Europe geworden. Bijgevolg kon dat deel van de tekst dus onmogelijk uit 1956 dateren. Het kon alleen van een datum na 29 januari 1964 zijn.

Daarmee kon definitief worden aangetoond dat althans een van de twee documenten die monsieur Plantard ons had laten zien, niet geheel authentiek was. Dat riep natuurlijk eveneens twijfel op aan het document van 1955; doch daarover bleek niets te bewijzen, noch omtrent volledige echtheid, noch omtrent gedeeltelijke vervalsing.[10] Al wat wij veilig konden zeggen was dat een deel van het document van 1956 na notariële opmaking toegevoegd én vroeger gedateerd was. Het zegel, de tekst en de handtekening van notaris Freeman, de handtekening van lord Selborne en het stempel van het Franse consulaat – die waren kennelijk volkomen echt. Doch minstens acht jaar nadien moesten deze geldige en wettige aspecten van het document zijn uitgebreid met een ongewettigde tekst. Maar: waartoe? En: hoe vooral had de vervalser het geldige deel van het document in handen gekregen? Bovendien zou hij dan een voorbeeld van de gebruikelijke handtekening van captain Nutting vlak voor zijn neus hebben gehad. Waarom was er dan zo'n opvallend verschillende handtekening onder geplaatst?

Voorlopige opheldering

In *The Holy Blood and the Holy Grail* publiceerden wij de tekst van wat beweerd werd de statuten van de Prieuré de Sion te zijn. De tekst droeg als titel 'Sionis Prioratus', was op 5 juni 1956 gedateerd en voorzien van de handtekening van de veronderstelde grootmeester van de Orde in die tijd, Jean Cocteau. De statuten bestonden uit tweeëntwintig artikelen. De meeste ervan waren zorgvuldig opgesteld, soms bureaucratisch, soms ritualistisch, maar een ervan, artikel x, sprong er door zijn wereldse eenvoud uit: 'Bij toelating moet het lid een geboorteakte en een specimen van zijn handtekening verschaffen.'

Dat is natuurlijk wat de door notaris Patrick F. J. Freeman gewaarmerkte documenten uiteindelijk bevatten: officieel gewaarmerkte geboorteakten en handtekeningen. Een deel van het document van 1956 was onmiskenbaar frauduleus toegevoegd. Het overeenkomstige deel van het document van 1955 was nu noodzakelijk eveneens verdacht, ook al kon daar niets ter bevestiging of ontkrachting over bewezen worden. Maar wat wel buiten kijf stond was dat notaris Patrick F. J. Freeman de betreffende geboorteakten en handtekeningen *had* gewaarmerkt.

Als wij dit in gedachten houden, moeten we nog eens teruggrijpen op de aan lord Blackford toegeschreven bewering in de vervalste tekst van het artikel van Jania Macgillivray die wij op blz. 219 hebben aangehaald. Volgens die tekst zei lord Blackford:

> 'Het waren de hervormingen van Jean Cocteau in 1955 die de oorzaak waren van de oprichting [van de nieuwe organisatie], doordat ze leden van de Orde hun anonimiteit ontzegden. In die tijd waren alle leden gedwongen een geboorteakte en een notarieel gewaarmerkte handtekening over te leggen. Noodzakelijk wellicht... maar een inbreuk op de vrijheid.'

Deze verklaring was moet u bedenken voor het eerst verschenen, toen het artikel van Jania werd vervalst, en wel tussen 1979 en 1981. We hadden een kopie ontvangen van de Marquis de Chérisey in 1981 – twee jaar voor monsieur Plantard ons de notarieel gewaarmerkte documenten toonde met handtekeningen van de mannen die tot Guardian Assurance behoorden en waarvan lord Blackford de directie presideerde.

Zouden de bij de kwestie betrokken Engelsen misschien al een tijdlang lid van de Prieuré de Sion zijn geweest? Misschien door hun verbindingen met het Franse verzet tijdens de Tweede Wereldoorlog? Wie weet waren ze ook al langer aan de Orde verbonden. En hoewel lord Blackford in de hem toegeschreven verklaring kennelijk in opstand kwam tegen artikel x in Cocteaus statuten, hadden wellicht Blackfords collega's, hoe aarzelend dan ook, zich erin geschikt. Dat zou zeker de notarieel gewaarmerkte geboorteakten en handtekeningen verklaren.

Een aantal bronnen, waaronder enkele van de Prieuré de Sion zelf, had herhaaldelijk melding gemaakt van een crisis of onenigheid binnen de Orde in 1955 en 1956. Een volledige scheuring had toen slechts voorkomen kunnen worden dank zij het diplomatieke vernuft van Pierre Plantard de Saint-Clair die de Orde zou hebben 'hersteld'. Is het mogelijk dat in verband met de wrijvingen van 1955-1956 bepaalde leden van de Orde, om redenen die waarschijnlijk nooit voor buitenstaanders opgehelderd zullen worden, zich geroepen hadden gevoeld om op bepaald waardevol materiaal waaronder de perkamenten van Saunière, beslag te leggen? Zoal niet iets anders in het spel was, had dat iets geweest kunnen zijn waarmee gemarchandeerd kon worden.

Wij menen dat die mogelijkheid niet helemaal buiten beschouwing kan worden gelaten. Indien mannen als viscount Leathers, major Clowes en captain Nutting zich in artikel x van de statuten hadden geschikt – zoals inderdaad het geval schijnt te zijn geweest –, zouden zij dus voor notarieel gewaarmerkte kopieën van hun geboorteakten en handtekeningen hebben gezorgd. In de praktijk zou dat betekend hebben dat de Prieuré de Sion een aantal wettig gewaarmerkte geboorteakten en handtekeningen verkreeg. Vermoedelijk zouden deze in dossiers zijn opgeborgen. Op enig moment in de toekomst, en in het bijzonder als de mensen die ze verschaften goed en wel overleden waren, konden ze wederom gebruikt worden. Lord Selborne bij voorbeeld overleed in september 1971. Een poos later konden zijn geboorteakte en zijn handtekening uit de dossiers zijn gehaald, van een tekst voorzien en op 1956 gedateerd zijn – en het bedrog zou, het abuis ten aanzien van Lloyds Bank Europe even daargelaten, nooit aan het licht zijn gekomen.

Stellig waren hierin schimmige sporen van een opzet te herkennen. Artikel x van de statuten, lord Blackfords veronderstelde verklaring waarin hij dat artikel veroordeelde en Nuttings, Clowes', Leathers' en Selbornes mogelijke schikking in dat artikel, dat alles kon niet geheel en al op toeval berusten. Maar het scenario dat wij geweven hadden, onderstelde dat enigerlei vervalsing in de gewaarmerkte documenten door de Prieuré de Sion moest zijn gepleegd – dan wel in elk geval door bepaalde leden van de Orde. Hoe aannemelijk het scenario óns ook voorkwam, konden we echter toch niet aanwijzingen van een andere hand in het spel over het hoofd zien – een hand die niet vóór maar tégen de Prieuré de Sion leek te werken.

Hoewel er eerdere verwijzingen naar de gewaarmerkte documenten waren geweest, had monsieur Plantard nooit beweerd dat hij ze had gezien; en hij hield vol dat hij ze pas in 1983 had gekregen, korte tijd voordat hij ze ons liet zien. Wij waren geneigd aan die bewering geloof te hechten. De verbastering van captain Nuttings naam voor 1983 en de algemene vaagheid wat details betrof deden inderdaad het vermoeden rijzen dat leden van de Prieuré de Sion in Frankrijk de documenten niet feitelijk gezien en er slechts op grond van geruchten over gesproken hadden. Daar kwam bij dat, toen we op het toenmalige niet-bestaan van Lloyds Bank Europe wezen, monsieur Plantard zichtbaar ontdaan en geschokt was geweest. Hij smeekte ons gewoonweg ons onderzoek voort te zetten en hem al wat we aan nieuws ontdekten, mee te delen. Hij stelde ook zelf een onderzoek in waarna hij grif maar spijtig toegaf dat het document van 1956 was vervalst. Op grond van dat alles werd steeds duidelijker dat, als er een poging was gedaan ons om de tuin te leiden, die poging niet door monsieur Plantard was ondernomen. Integendeel zelfs: het bleek dat hij zélf doelwit van de beoogde misleiding was en dat wij daar slechts bij toeval medeslachtoffer van waren. Wij waren gewoon verstrikt geraakt in een of andere mistige intrige, een schaakpartij tussen de Prieuré de Sion en een onzichtbaar iemand.

Bij het soort problemen als die van de gewaarmerkte documenten is men instinctief geneigd om mogelijkheden te polariseren, de kwestie terug te brengen tot elementaire onderstellingen van 'het een óf het ander'. Ofwel de documenten zijn echt en gewettigd óf ze zijn dat niet. Als ze het niet zijn, kunnen ze niet au sérieux worden genomen en moeten dienovereenkomstig van de hand worden gewezen. Toch was in dit geval wel duidelijk dat de zaak niet zó eenvoudig lag. Een van de documenten was althans ten dele onmiskenbaar vervalst. Anderzijds waren er té veel aspecten aan de hele kwestie die op een zodanig degelijke basis berustten dat verder onderzoek gewettigd was. Om maar één voorbeeld te geven: de verklaringen van de heer Bigland tegenover ons. Hoe meer we ons in de kwestie verdiepten, hoe meer we ons begonnen te realiseren dat we hier niet te maken hadden met ofwel zonder meer wettige documenten *óf* 'slechts' met vervalsingen. We hadden integendeel met iets anders te maken, iets van een categorie ergens tussen waarheid en onwaarheid in. Die categorie is geheime diensten genoegzaam bekend. Ze vormt zelfs een van hun belangrijke activiteiten. Het gaat bij dit soort misinformatie – zoals ze wel wordt genoemd – om het opzettelijk rondstrooien of doorgeven van dubbelzinnige gegevens. Deze zijn ten dele juist, ten dele onof minder juist, en hebben tot doel iets te verbergen, mensen van iets weg te leiden, aandacht af te leiden naar een of andere perifere of zijdelingse richting. De beste leugens zijn altijd verfraaiingen of varianten van de waarheid, geen volslagen nieuwe constructies. De doeltreffendste misinformatie wordt altijd rondom een kern van waarheid geweven. Van die kern gaat de doolhof van dwaal- en doodlopende wegen uit.

Zowel wij als monsieur Plantard waren slachtoffer van zo'n misinformatie geworden. Wie deze misinformatie had ontworpen, wist precies wat monsieur Plantard in de notarieel gewaarmerkte documenten verwacht had te vinden – kende dat goed genoeg om hem te overtuigen dat hij het inderdaad had gevonden. Wie er ook verantwoordelijk voor was, hij kende niet alleen monsieur Plantard bijzonder goed, maar ook de Prieuré de Sion, kende de achtergrond van de zaak uitstekend en had toegang tot enkele belangrijke bronnen. Het bedrog kon niet het werk zijn geweest van een amateur. Daarvoor was het té geraffineerd opgezet, té professioneel ook.

Onvermijdelijk gingen onze vermoedens in de richting van geheime diensten – van Engeland, Frankrijk of zelfs (hoewel we geen idee hadden van het waarom in dat geval) de Verenigde Staten. Captain Nutting had via een medewerker connecties met de Britse Inlichtingendienst. Wij hadden ook redenen om betrokkenheid te vermoeden van de kant van de Franse Binnenlandse Veiligheidsdienst. Een journalist die we kenden uit de tijd dat hij in Parijs werkte, had van een officier van de Franse Veiligheidsdienst te horen gekregen dat hij *The Holy Blood and the Holy Grail* eens moest lezen, omdat, had hij er cryptisch aan toegevoegd, het voor contemporaine politieke kwesties relevant was. Men moet bovendien bedenken dat vertegenwoordigers van verzekeringsmaatschappijen die in Frankrijk medio de jaren vijftig zaken deden, wettelijk verplicht waren om notarieel gewaarmerkte geboorteakten en handtekeningen te verschaffen. Het Franse gouvernement kon dus gemakkelijk de beschikking hebben over de geboorteakten en handtekeningen van mensen wier namen in gewaarmerkte documenten voorkwamen.[11]

Maar er was nog een andere inlichtingendienst die onder even sterke verdenking kwam te staan. Deze had tijdens de Tweede Wereldoorlog met de Britse Inlichtingendienst en de Amerikaanse OSS samengewerkt. Die dienst was tot in het heden actief gebleven, onderhield nauwe relaties met zowel de CIA als het Vaticaan. Hij had krachtens zijn aard rechtstreeks en intens belang bij alles met betrekking tot het christendom in het algemeen en Jezus in het bijzonder. Hij telde – tenminste dat hoorden we later – bepaalde leden van de Prieuré de Sion, zelfs al leken de twee organisaties in velerlei opzicht diametraal tegenover elkaar te staan. En van de door Saunière ontdekte perkamenten werd beweerd dat ze op speciale wijze hun weg naar zijn archieven hadden gevonden. De betreffende inlichtingendienst was die van de Maltezer ridders.

19. *Anonieme verhandelingen*

Toen monsieur Plantard ons voorjaar 1983 de originelen van de notarieel gewaarmerkte documenten voor het eerst toonde, bedong hij dat we er met niemand over zouden praten, noch ze in publikaties zouden afdrukken. Als er ook maar iets van uitlekte, zei hij, konden de gevolgen onaangenaam zijn. Bepaalde belanghebbende partijen – waarvan er een, liet hij doorschemeren, de Franse regering was – zouden kunnen proberen de door Saunière ontdekte perkamenten te verwerven of ze door list te bemachtigen, en dan zouden ze misschien nooit meer voor de dag komen. Ze zouden eenvoudig als staatsgeheim in een of ander archief verdwijnen. En anders dan Engelse en Amerikaanse archieven plegen de Franse doorgaans potdicht te blijven.

Wij beloofden aan het verzoek van monsieur Plantard te zullen voldoen. We kwamen overeen niet in het openbaar over de documenten te zullen spreken, totdat de Prieuré de Sion of mensen die er verbinding mee hadden, dat als eerste gedaan zouden hebben. En we kwamen ook overeen dat we noch de documenten noch de tekst ervan zouden laten afdrukken tot ze openbaar waren gemaakt.

In november 1983 zond Louis Vazart ons een tekst die hij zojuist had voltooid over Dagobert II en diverse andere historische aspecten van de geschiedenis. Deze bestond uit het typoscript voor een boek, gefotokopieerd en gebonden. Tot onze grote verbazing bevatte het – en zelfs zonder daar veel woorden aan te besteden – wazige foto's van de gewaarmerkte documenten.

We stonden paf. Waaróm had monsieur Vazart de documenten gepubliceerd, als ze voor de Prieuré de Sion schadelijk waren? En waarom had monsieur Plantard ons bezworen ze geheim te houden, lang voor er ook maar sprake van kon zijn de documenten in een boek van ons af te drukken, terwijl nu monsieur Vazart dit in een eigen boek wél deed? Wij konden ons gewoon niet voorstellen dat hij zoiets zou doen zonder voorkennis en instemming van monsieur Plantard. En we stonden net op het punt om deze vragen monsieur Plantard voor te leggen, toen de gebeurtenissen opeens een dramatische wending namen in totaal andere richting.

Medio december 1983 ontvingen we per post een anoniem geschrift – een schotschrift van het soort dat in de Franse en Italiaanse politiek niet ongebruikelijk is. We kwamen er naderhand achter dat het betreffende schotschrift niet alleen óns was toegezonden, maar op ruime schaal in Frankrijk circuleerde. Het bestond uit een enkel vel papier, zeer slordig getypt en daarna gefotokopieerd. De tekst bedoelde een vooraankondiging te zijn van een boek dat door Jean-Luc Chaumeil werd geschreven, de man die als afgezant van de Prieuré de Sion had gefungeerd, toen wij in 1979 voor het eerst contact legden met de Orde. Zoals we eerder opmerkten, was daarna monsieur Chaumeil door de Orde buiten spel gezet.

Er bestaat geen wezenlijk bewijsmateriaal dat monsieur Chaumeil het schotschrift zelf heeft geschreven. De bedoeling is echter duidelijk dat de lezer die indruk moet krijgen. In de linkerbovenhoek van het blad staat een logo – een gezwaaide vuist met een roos erin – een bekend symbool van de Franse socialistische partij. En dan bovenaan in hoofdletters de aankondiging: 'VERSCHIJNT AANSTAANDE JANUARI IN ALLE BOEKWINKELS: DE DOCTRINE VAN DE PRIEURÉ DE SION (VIJF DELEN) DOOR JEAN-LUC CHAUMEIL.' Daaronder dan de volgende tekst:

> '"Ik werd door de Prieuré de Sion in mijn werk *The Treasure of the Golden Triangle* gemanipuleerd" – verklaart J.-L. Chaumeil – "Ik zal nu de hele waarheid over deze zaak uit de doeken doen."
>
> Het werk zal onthullen dat *L'Enigme sacrée* [titel van de Franse vertaling van *The Holy Blood and the Holy Grail*] niets anders is dan een kolossale mystificatie die op geen serieuze basis berust. Verder is sinds 1981 Pierre Plantard niet langer grootmeester [en] de Prieuré wordt geleid door een Engelse met de naam Ann Evans, de echte auteur van dit paranoïde verdichtsel!
>
> Pierre Plantard is niets anders dan een... [dan volgt een lasterlijke bewering over monsieur Plantard, monsieur Vazart en de curator van het museum te Stenay die heel waarschijnlijk ongerechtvaardigd is].[1]
>
> Noodzakelijk moet in herinnering worden geroepen dat in 1952 monsieur Plantard clandestien de overdracht van Frankrijk naar Zwitserland (naar de Union des Banques Suisses) bewerkstelligde van baren goud ter waarde van meer dan honderd miljoen [francs]...'

Dan volgt een kwaadaardige belastering van monsieur Plantard die we hier niet legaal kunnen herhalen en geen enkel verband houdt met ons verhaal. Daarna vervolgt de tekst:

> 'Deze affaire werd net als de andere onder tafel geveegd, omdat Pierre Plantard begin 1958 een geheim agent was van De Gaulle en zich het secretariaat van de Comités van openbare veiligheid had aangematigd. In

1960 sloot hij zich aan bij... Gérard de Sède en verkreeg ook de steun van André Malraux teneinde de kwestie-Gisors te accentueren waar... nog een... personage, Philippe de Chérisey, bij betrokken was...[2]
In 1980 richtten zekere J.P. Deloux en Brétigny [de tijdschriften] *Inexpliqué, Atlas* en *Nostra* op onder auspiciën van een lid van de Prieuré de Sion, Gregory Pons, en publiceerden *Rennes-le-Château, capitale secrète,* een boekje in kleur met een oplage van 220 000 exemplaren. Toen dat karwei geklaard was, was het aan *Nostra* om Plantard tot toekomstig groot-monarch uit te roepen, en nu steunt *Hebdo-Magazine* Jacques Chirac die zich best verzoent met de klinkende aantrekkingskracht van de Prieuré...'

Zoals men kan zien, bevat alleen de inleidende passage van deze tekst een zogenaamde rechtstreekse aanhaling van monsieur Chaumeil. Al wat dan volgt is bedoeld om de indruk te wekken dat het weergeeft wat monsieur Chaumeil op zijn lever heeft. Maar er is geen aanwijzing, of deze dit nu feitelijk beweert of dat het hem wordt toegeschreven door de anonieme schrijver van het schotschrift.

Er zijn punten in de tekst die enige uitleg vereisen en die de lezer in de aantekeningen aan het slot van dit boek gelieve aan te treffen. Er zijn ook punten die duidelijk correctie behoeven. In ten minste één geval konden wij constateren dat de schrijver van het smaadschrift niet alleen voorbarige conclusies trekt, maar de plank gewoon lelijk misslaat. In ons dankwoord voor *The Holy Blood and the Holy Grail* haalden we speciaal Ann Evans, onze literaire agent, naar voren – 'zonder wie', schreven we, 'dit boek niet geschreven had kunnen worden'. Vermoedelijk op grond van die verklaring had de schrijver van het schotschrift geconcludeerd dat een 'ongrijpbare' Engelse, Ann Evans, in feite de primaire bron van onze informatie en de eigenlijke auteur van ons boek was. Dit soort ongepastheden deed meteen twijfel rijzen over de aannemelijkheid van hetgeen volgde. Toch heeft het zin enkele dingen op te merken.

Op de eerste plaats was het geschrift duidelijk van zodanige aard dat een actie ingesteld had kunnen worden. Hadden we dat gewild, dan zouden wij zelf een aanklacht hebben kunnen indienen. Ook Ann Evans had dat kunnen doen. De beledigingen en aantijgingen aan het adres van de heren Vazart, De Chérisey en Plantard waren zelfs nog sterker vatbaar voor het instellen van een actie. Wie de tekst dan ook geschreven heeft, moet stellig hebben geweten dat hij aanzienlijk risico nam en dat ontmaskering ernstige gevolgen kon hebben. Waarom werd die tekst dan opgesteld en in omloop gebracht? Om de visie van monsieur Chaumeil naar voren te brengen? Of om hem in een val te lokken? En zo ja, waarom dan?

Het tweede punt is de duidelijke bedoeling van het schotschrift monsieur Plantard en de Prieuré de Sion van hun voetstuk te stoten. En toch bereikt het, hetzij door loutere dommigheid hetzij door listig opzet, precies het tegenovergestelde. Ondanks de beweerde morele overtredingen van monsieur Plantard komt deze naar voren als een machtige figuur – 'geheim agent van De Gaulle' en man die als secretaris-generaal van de Comités van openbare veiligheid kan fungeren, kan rekenen op steun van niemand minder dan André Malraux en grote sommen geld kan verhandelen. Monsieur Plantard moge als gevolg van deze beschuldigingen een meer louche figuur lijken, hij wordt er echter stellig niet kleiner op, noch ook de Prieuré de Sion. Volgens het schotschrift is de Prieuré – op niet nader omschreven wijze – bij machte iemand bij het schrijven van een boek te 'manipuleren'. De Prieuré kan de inhoud van een aantal tijdschriften bespelen en materiaal willekeurig publiceren of achterhouden. Hij heeft blijkbaar toegang tot de media en kan – zou men zo aannemen – over aanzienlijke middelen beschikken. Hij ontlokt Jacques Chirac een gunstige reactie. Nogmaals, men krijgt de indruk van een organisatie die duisterder wordt voorgesteld dan misschien de bedoeling was, maar die daarom nog niet minder invloedrijk of machtig is. Indien het schotschrift bedoeld was om monsieur Plantard en de Prieuré de Sion omlaag te halen en te kleineren, dan is de anonieme schrijver op een wel heel zonderlinge manier te werk gegaan.

Gestolen archieven

In opdracht van ons belde een van onze medewerkers in Parijs monsieur Chaumeil op, sprak een ontmoeting met hem af en ondervroeg hem toen over het schotschrift. Bij een volgende ontmoeting met hem deden we dat zelf nogmaals. Bij beide gelegenheden betuigde monsieur Chaumeil heftig zijn onschuld. Hij zei nadrukkelijk niet voor het geschrift verantwoordelijk te zijn. Hij wees geen der beweringen af, maar hij ontkende ze te hebben geschreven. Hij hield vol dat hij in een val was gelokt. Inderdaad was dit een mogelijkheid die niet over het hoofd gezien mocht worden. Monsieur Chaumeil is gewoon, zich in sommige verklaringen in nogal krasse termen uit te drukken, om niet te zeggen venijnig, zowel privé als publiekelijk. In een van zijn eigen boeken (*Du premier au dernier templier*) waarvan hij ons minzaam een exemplaar schonk, had hij ons aangevallen met een taalgebruik waarvan een kapelaan zou verschieten. Andere slachtoffers van zijn uitdrukkingswijze die minder gevoel voor humor hadden dan wij, zouden weleens overgelukkig geweest kunnen zijn hem 'een loer te kunnen draaien'.

Tijdens de ontmoeting met onze medewerker was hij, naar deze vertelde, duidelijk nerveus. Blijkbaar had monsieur Plantard gedreigd met wettelijke maatregelen wat monsieur Chaumeil, hoe dwars ook, natuurlijk zorgwekkend had gevonden. Als hij – zoals hij betuigde – onschuldig was, zou hij zich nu weleens gedwongen kunnen zien dat voor de rechtbank te bewijzen.

Enkele dagen nadat we het schotschrift van een anonieme bron hadden ontvangen, kregen we een pakje brieven van monsieur Plantard. Vermoedelijk niet wetend dat wij het schotschrift hadden ontvangen, sloot monsieur Plantard er een exemplaar van bij in. Hij sloot ook een scherp weerwoord in op het schotschrift in de vorm van een planodruk, getiteld *La Camisole Bulletin 'Torchon-Réponse' No. 1,* met een door Louis Vazart vervaardigde tekst – een tekst die even grof was als die van het schotschrift, maar in samenhangender proza gesteld. Ook ingesloten was een kopie van een brief van monsieur Plantard aan monsieur Chaumeil. Hierin beschuldigde de briefschrijver monsieur Chaumeil ervan het schotschrift te hebben geschreven en eiste formele openlijke herroeping van de aantijgingen. Zou dit niet gebeuren, zo verklaarde monsieur Plantard, dan zou hij een aanklacht indienen wegens aantasting van goede naam en faam. Eveneens zouden Louis Vazart en de Marquis de Chérisey zulks doen. Er volgde toen een pauze, omdat de kerstdagen voor kortstondige vrede zorgden, zoal niet op aarde in het algemeen dan toch tussen de ruziënde partijen in Parijs. De vijandelijkheden werden heropend met het nieuwe jaar. In de eerste week van februari kregen we een ander pakket documenten van monsieur Plantard die evenals de vorige zending bedoeld waren om ons van de ontwikkelingen op de hoogte te houden. Het belangrijkste stuk in deze nieuwe zending was een op 17 januari 1984 gedateerde tekst van twee pagina's. Bovenaan de eerste bladzij was een officieel briefhoofd van de Prieuré de Sion – het eerste dat we ooit zagen. Dit ging vergezeld van een symbool met de letters R + C, vermoedelijk met de betekenis Rose-Croix. Ook stond erop wat het rubberstempel van een officieel zegel leek – het R + C-teken omsloten door twee concentrische ringen met daarin 'Prieuré de Sion – Secrétariat Général' en eronder de handtekening van monsieur Plantard. In de linkerbovenhoek stond een soort referentienummer: 3/3/6/84. Het document heette 'Mise en Garde' ('Wees op uw hoede') en begon met kenmerkende vrijmetselaarsafkortingen aldus: 'CONFIDENTIELLE à nos F .·.' – 'Vertrouwelijk, aan onze Broeders.' Waarom, zo vroegen wij ons af, was dit gestuurd aan buitenstaanders zoals wij? Waarom werden wij betrokken in het geschil tussen de heren Plantard en Chaumeil?

De tekst van dit 'mise en garde' was nogal in disharmonie met de plechtige formaliteiten bovenaan de bladzijde. Wederom bevatte hij een stortvloed van schimpscheuten aan het adres van Jean-Luc Chaumeil. Het bedoelde voor alle leden van de Prieuré de Sion een soort verklaring te leveren voor de beschuldigingen. De eigenlijke tekst begon aldus:

> 'Wij zijn genoodzaakt deze 'mise en garde' te doen uitgaan tegen de... als Jean-Luc Chaumeil bekend staande persoon, geboren op 20 oktober 1944 te Lille... tegen wie een actie wegens smaad is ingesteld bij de rechtbank te Nanterre 92 000 door onze G.·.M.·. [grootmeester] op 16 december 1983.'[3]

Dan volgde een lijst van de 'belasteringen' waarvan Chaumeil werd beschuldigd – en, om zijn betuigingen van onschuld te ontkrachten, gefotokopieerde uittreksels van wat als zijn eigen handschrift werd beschouwd. Op de tweede pagina stonden meer van dergelijke excerpten waarna de tekst van de verklaring vervolgde met de bespreking van twee uit de periode tussen 1935 en 1955 gedateerde archiefdozen van de Prieuré de Sion:

> 'Deze twee dozen werden in 1967 gestolen uit de toenmalige woning van onze broeder Philippe de Chérisey. Door wie?... Dit bescheiden pakketje bevatte brieven van wijlen onze G[root]M[eester] Jean Cocteau, van onze broeders Alphonse Juin, André Malraux, enzovoort. Was de oningewijde J.L. Chaumeil soms ontvanger van deze gestolen goederen? Dit zij zo het wil, hij trachtte ze ook onze vriend Henry Lincoln aan te smeren...'

Dat was zonder meer onwaar, zoals u zult begrijpen. Tijdens onze ontmoeting met hem had Chaumeil ontkend enig Prieuré-document te bezitten of zelfs ook maar enige verdere belangstelling voor de Prieuré meer te koesteren. En noch tijdens die ontmoeting noch op enig ander moment heeft hij getracht ons documenten van welke soort dan ook te geven, te verkopen of aan te smeren. Waarom werden wij, nogmaals, zo bij die zaak betrokken? In elk geval leek de Prieuré zodanig bezorgd over de kwestie dat hij een waarschuwing gaf:

> 'De Prieuré de Sion en zijn leden hebben geen belangstelling voor het onsamenhangende gepraat van... J.-L. Chaumeil, en zij die zich tot medeplichtigen maken in dit verkeer van documenten en lasterlijkheden, lopen gevaar dat ten deze een aanklacht tegen hen bij de rechtbank wordt ingediend.'

Van daaraf gaat de tekst voort met woedende uitvallen tegen monsieur Chaumeil. Doch er trad een opvallende inconsequentie aan het licht. Enerzijds werd het vooruitzicht van een door monsieur Chaumeil te schrijven boek over de Prieuré de Sion met verachting bejegend. Deze, zo beweerde men, kon met geen mogelijkheid iets van belang over de Prieuré te berde brengen. Niettemin werd beweerd dat twee archiefdozen van de Prieuré over de periode 1935-1955 gestolen waren, en men moest sterk de indruk krijgen dat monsieur Chaumeil daar inzage van kon hebben. Hoe kon men dan zo zeker zijn dat wat hij beweerde inderdaad alleen 'mystificatie' was en 'louter verzinsel'? Het kwam ons voor dat de Prieuré hier misschien wat te hard van stapel liep. Duidelijk was dat ze om iets bezorgd waren. Afgezien van kwesties van persoonlijke belediging en aantasting van goede naam en faam waren ze kennelijk verontrust.

De tekst van dit 'mise en garde' bood heel wat stof tot overdenking. Maar er was nog een aspect aan dit document, belangrijker en intrigerender dan al wat de tekst zelf beweerde. Onderaan de tweede bladzij verschenen de twee zegels – een voor de Prieuré de Sion als geheel en een voor zijn 'secrétariat général' – wederom. En onder die zegels stonden van links naar rechts de handtekeningen van John E. Drick, Gaylord Freeman, A. Robert Abboud en Pierre Plantard.

In de vervalste versie van het artikel van Jania Macgillivray, daterend uit de periode tussen 1979 en 1981, had een verwijzing naar Gaylord Freeman gestaan. Na de dood van Jean Cocteau in 1963 verklaarde de vervalste tekst dat de macht in de Prieuré de Sion uitgeoefend was door een driemanschap, bestaande uit Pierre Plantard, Gaylord Freeman en Antonio Merzagora. Krachtens die verwijzing was althans de naam Gaylord Freeman ons bekend. Dat gold niet voor de namen John E. Drick en A. Robert Abboud. We waren ze nooit eerder tegengekomen.

De bijeenkomst in La Tipia

We hadden het pakketje met het 'mise en garde' op 3 februari 1984, een vrijdag, ontvangen. Op 6 februari, de maandag daarop, zouden we naar Parijs vliegen voor een bespreking die we met monsieur Plantard georganiseerd hadden. Voor ons vertrek was er geen tijd meer de identiteit van de heren Drick, Freeman en Abboud na te trekken.

Op verzoek van monsieur Plantard ontmoetten we hem in een La Tipia geheten brasserie aan de Rue de Rome, direct grenzend aan het station Saint-Lazare. Monsieur Plantard merkte op dat dit voor hem een gemakkelijk ontmoetingspunt was. Hij kwam per trein naar de stad. En na onze bespreking kon hij dan meteen weer vertrekken, zonder dat hij buiten de onmiddellijke omgeving van het station behoefde te gaan. In de daaropvolgende maanden zouden we monsieur Plantard wederom in La Tipia aan de Rue de Rome ontmoeten. Maar pas later zou die plek een bijzonder intrigerende betekenis gaan krijgen.

In tegenstelling tot alle voorgaande keren was monsieur Plantard ditmaal alleen, zonder zijn gebruikelijke entourage van medewerkers. Bovendien leek hij ons werkelijk bezorgd om een aantal kwesties en erop gebrand ze ons niet alleen toe te vertrouwen, maar ook, althans in zeker opzicht, onze hulp in te roepen. In de loop van het gesprek kwam een aantal uiteenlopende punten aan de orde. En als gewoonlijk riepen de antwoorden die we kregen nieuwe reeksen vragen op.

1. Het behoeft wel geen betoog dat wij monsieur Plantard vroegen wie Gaylord Freeman, John E. Drick en A. Robert Abboud waren. Monsieur Plantard antwoordde kortaf, maar met iets verontschuldigends in zijn stem, dat hij niet bereid was die speciale vraag te beantwoorden. Het had betrekking, zei hij, op interne zaken van de Prieuré de Sion waarover hij met buitenstaanders niet kon spreken. We probeerden niettemin iets naders te weten te komen,

vroegen of de betrokken heren Engelsen of Amerikanen waren. Monsieur Plantard herhaalde echter wat hij even tevoren had gezegd – dat hij niet over interne zaken van de Prieuré kon praten.
2. Desalniettemin praatte hij er *toch* over of althans over minstens één aspect van de interne zaken van de Prieuré. Dat gebeurde tijdens een moment van scherts, toen monsieur Plantard even niet op zijn hoede was. Grootmeester-zijn was soms een hele last, zei hij gekscherend, op de toon van een liefhebbende ouder die zich over het ouderschap beklaagt. Wij uitten lichte verbazing; monsieur Plantard ging er kort op in. Het was geen groot probleem, zei hij luchtig, maar er bestond juist enige wrijving binnen de gelederen van de Orde en hij moest zorgen dat dit niet in ernstige onenigheid ontaardde. De voornaamste moeilijkheid, zei hij, zat 'm in de 'Anglo-Amerikaanse groep' van de Prieuré die blijkbaar een andere richting wenste in te slaan dan hun broeders op het continent. Monsieur Plantard weigerde er verder op in te gaan. Hij werd zelfs opvallend terughoudend, alsof hij meende al te veel gezegd te hebben. We vernamen dan ook geen nadere informatie over wie deze 'Anglo-Amerikaanse groep' dan wel vormden, noch over wat nu eigenlijk de twistappel precies was. We moesten in het duister blijven tasten over wat – gegeven de Prieuré de Sion zoals wij hem beschouwden – in de gelederen van de Orde onenigheid zou kunnen veroorzaken.
3. Even na dit deel van het gesprek verzonk monsieur Plantard in gepeins. Er waren momenteel twee vacante plaatsen in de Orde, merkte hij nadenkelijk op. Het zou een groot voordeel zijn, als deze vacante plaatsen ingenomen konden worden door 'buitenlanders' die welwillend jegens het Franse en het continentale standpunt zouden staan. Dat zou een tegenwicht vormen voor de invloed van de 'Anglo-Amerikaanse groep'. Er viel toen een lange en veelzeggende stilte; wij zeiden niets. Daarna gleed het gesprek naar een ander thema. Maar het had er feitelijk een ogenblik op geleken dat monsieur Plantard op het punt had gestaan ons het lidmaatschap van de Orde aan te bieden. Als onze indruk juist was en hij inderdaad van plan was dat te doen, waarom vatte hij de koe dan niet duidelijker bij de horens? Vermoedelijk besefte hij dat we zoiets onmogelijk hadden kunnen aanvaarden, ons onmogelijk hadden kunnen verplichten tot de geheimhouding die een dergelijke toelating toch met zich mee zou hebben gebracht. Bovendien had monsieur Plantard van twee vacante plaatsen gesproken, terwijl wij met ons drieën waren. In elk geval kwam en ging dat moment. Het bleef ons bij als een fascinerend ogenblik – een ogenblik waarop een deur althans op een kier was opengedaan en toen weer gesloten.
4. Monsieur Plantard erkende de juistheid – of beter gezegd halve juistheid – van een van de beschuldigingen die in het aan Jean-Luc Chaumeil toegeschreven schotschrift waren gedaan. Volgens die tekst had monsieur Plantard in 1952 een hoeveelheid goud clandestien van Frankrijk naar Zwitserland overgebracht. Monsieur Plantard gaf toe dat hij inderdaad aanzienlijke fondsen naar

27. Het graf van Jean Cocteau, Milly la Forêt, kapel van Saint-Blaise des Simples. Cocteau versierde zelf het interieur en ontwierp de gebrandschilderde ramen.

N° 1 - 1ère Année

21 Septembre 19

VAINCRE

POUR UNE JEUNE CHEVALERIE

DIRECTION-RÉDACTION, 10, Rue Lebouteux, PARIS (XVIIe)

VAINCRE...

par

Pierre de FRANCE

« Vaincre », mot prestigieux ...ut toujours le pouvoir de ...sembler les peuples, est au-...rd'hui le titre de cet organe ...oit redonner à la patrie la ...issance de vivre, avec un idéal ...valeresque et l'abnégation du ...i.

Le plus beau parti, voyez-...us, c'est l'ensemble de tous ... hommes penchés sur leur ...vail, à l'atelier, dans les Fa-...ltés, dans les bureaux, coor-...nnant leurs volontés dans un ...me idéal d'entr'aide et qui ...rfois lèvent la tête en son-...nt qu'ils doivent *vaincre* ...ur assurer leur avenir.

L'avenir pour eux, ce n'est ni ... intrigue politique, ni un ...quenard de vendu, ce n'est ... la haine, ni l'anarchie, ce ...st ni la guerre, ni la révolu-...n avec leurs cortèges san-...ants; il est beaucoup plus ...ple.

L'avenir, c'est vaincre pour ...re dans la sécurité, avec la ...rtitude que le salaire ne sera ... synonyme de mauvaise sur-...se, que le travail aura des ...ndemains réconfortants.

Vaincre, c'est en rentrant ...ez soi, le soir, après le travail, ...ouver une présence sous la ...mpe, et, dans un coin, le ber-...au sur lequel deux fronts vont ...cher.

Vaincre, c'est constituer, sou ...sou, le petit pécule qui assu-...ra la quiétude aux heures de ...aladie et permettra peut-être ...chat de la petite reine de la ...ute même de la petite maison ...nt on rêve, ou d'un supplé-...ent à la ration journalière. ...est aussi constituer une dot ...ur les filles ou les fils qui, le ...moment venu, devront s'établir ...leur tour.

Vaincre, c'est organiser sa vie ...mme on trace un sillon en ...rofondeur et en rectitude.

Vaincre, c'est l'entr'aide nationale et l'entente des Peuples, unis dans un véritable socialisme, bannissant à jamais les querelles créées par des intérêts capitalistes.

Je connais beaucoup de ces braves travailleurs qui doutent du lendemain, qui vont, chancelant, de déception en déception, durement éconduits par les riches de ce monde aux égoïsmes confortables, ou bien douloureusement déçus par des meneurs cyniques travestis en apôtres.

Ceux-là, que pensent-ils donc?

Ils songent avec anxiété au pain quotidien, à l'avenir proche, à leur sort et à celui des leurs.

Pierre de FRANCE

C'est toute cette grande famille que je veux grouper sans distinction d'origine ou de parti.

L'âge lui-même n'est pas une limite, parce qu'il y a de faux vieillards et de faux jeunes gens. Il y a des hommes d'âge pour qui le nombre des années n'est jamais que de la jeunesse accumulée, et des jeunes qui ont toujours eu le sens de la direction.

Il faut d'abord être unis, être groupés; il faut être nombreux, c'est-à-dire former un Grand Ordre de Chevalerie, parce que, si nous sommes *nombreux et disciplinés, nous serons forts, parce que, si nous sommes forts, nous serons craints et pourrons vaincre*, **c'est-à-dire imposer aux foules une doctrine et un idéal.**

En outre, je veux ouvrir le cahier des revendications des travailleurs, centraliser leurs doléances, leurs récriminations, en dégager leurs aspirations communes, les traduire, en être devant les foules, le porte-parole tenace et passionné. *Je veux vaincre avec eux, pour eux.*

C'est pourquoi je veux d'abord créer un état d'esprit, puis appeler les hommes à l'action.

Il s'agit de cristalliser les volontés.

Il s'agit de grouper tous les hommes que n'a pas atteints le microbe politique, *dans une coalition qui dominera le présent et sauvera l'avenir.*

Qu'on le sache bien, pour poursuivre cette tâche, je n'ai pas besoin de l'aide de partis organisés, de ...entaires complaisants, de fanatiques politiciens.

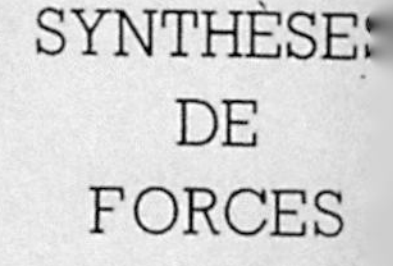

SYNTHÈSES DE FORCES

« ...Quand un ruisseau ... pollué, il est nécessaire ... trouver l'eau pure de rem... à la source; il en est de ... pour la *tradition*, elle n'es... tée pure qu'à son origine. ...

Paul LECOURT,
Directeur de l'*Atlan...*

« ...La nouvelle *constru... d'Occident* puisera ses ... dans le vieil ordre Celtiq... la Bretagne qui conserve ... pôt inaltéré de la science s... sera très certainement le ... ceau de l'Ordre Chevaleres...

G. TRARIEUX D'EGM...
Ecrivain et Poète

« ...C'est très beau les ... cours, mais quelle est leu... lité? Voyez-vous ce qu'il f... notre Patrie, c'est l'action ... *action chevaleresque*, dé... des intrigues politiques o... éminences s'embo...bent...

Henry COSTON
Directeur de la *Libre Par...*

« ...Un Ordre de Chev... mais c'est la pierre de ... d'une nation, la France es... tement morte pour avoir ... placé ses *Chevaliers par de... valiers...* »

FRANCHET D'ESPÈ...
Maréchal de Fra...

« ...Certes, une Chevaler... indispensable, car notre pa... peut *renaître que par ses ... valiers...* »

Geneviève ZAPE...
Directrice
de l'*Arche Natio...*

Notre ordre n'est p... quête d'hommes avide... titres ou de rubans.

Ces lignes s'adressent u... ment aux forces saines d... pays, à ceux qui sont c... de faire don de leur p... pour une cause désintére... ceux qui ont juré, comme ... de vaincre pour sauv... France.

— ORGANE GRATUIT —

28-29. Deel van tekst en illustraties van het eerste nummer van Vaincre, *van 21 september 1942.*
Links: *De voorpagina, met een foto van de uitgever-redacteur van het tijdschrift, 'Pierre de France', pseudoniem van Pierre Plantard de Saint-Clair.*
Boven: *De weg naar de 'Verenigde Staten van het Westen: – 1937-1946', tussen Bretagne en Beieren.*

30. Rechts: *Pierre Plantard de Saint-Clair, grootmeester van de Prieuré de Sion van 17 januari 1981 tot 10 juli 1984; foto genomen te Parijs in 1982.*

31. Oorkonde waarin koning Lodewijk VII in 1152 de abdij van Saint-Samson te Orléans aan de Ordre de Sion schenkt.

Zwitserland had gebracht. Maar terwijl zoiets in 1984 illegaal was onder de regering van president Mitterrand, was dat in de jaren vijftig een volstrekt legale actie. Bovendien verklaarde hij dat de transactie niet voor hem persoonlijk was geweest. De bij de overdracht betrokken middelen hadden niets met hem persoonlijk te maken en hij had er in geen enkel opzicht voordeel uit getrokken. Integendeel: ze hadden een bijzonder fonds gevormd ten behoeve van de Comités van openbare veiligheid en hij, als secretaris-generaal, had namens hen de transactie op zich genomen, in uitdrukkelijke opdracht van Charles de Gaulle.

Maar er zat meer aan vast dan alleen dat. De hele kwestie was, zei monsieur Plantard, strikt vertrouwelijk geweest. Hóe had de schrijver van het schotschrift daar dan kennis van gekregen, al was het maar in verdraaide vorm? Monsieur Plantard beweerde dat dit alleen mogelijk was via een of andere bron in het huidige Franse gouvernement. Bovendien, zo zei hij, waren de afgelopen maanden aanvullingsbedragen naar die Zwitserse rekening overgemaakt. Waarom? Vermoedelijk om hem in een kwaad daglicht te stellen, zoal niet hem in een val te laten lopen. Dergelijke transacties waren in 1984 inderdaad illegaal en men kon daardoor in grote moeilijkheden geraken. De vermoedelijke 'inside'-kennis van de zaak, de hoogte van de bedragen die onlangs waren overgemaakt en kennis van het bankrekeningnummer waarop ze gestort waren, getuigden volgens monsieur Plantard wederom van betrokkenheid van een of ander regeringsbureau of -dienst.

5. Monsieur Plantard overhandigde ons een boekbespreking uit een tijdschrift. De kritiek was geschreven door iemand die zich eenvoudig 'Bayard' noemde. Het ging over een boek van (vernamen we naderhand) een Frans-Canadese geestelijke, Père Martin genaamd. Martins boek was getiteld *Le Livre des compagnons secrets du Général de Gaulle* ('Het Boek over de geheime makkers van generaal De Gaulle) en uitgekomen bij Éditions du Rocher. De bedoeling van het boek was onderzoek te doen naar een beweerde groep geheime adviseurs en medewerkers van De Gaulle die georganiseerd waren in een samenhangend verband of orde die Martin 'les Quarante-Cinq' noemde ('de Vijfenveertig'). Feitelijk leken, zoals we ontdekten toen we het boek van Martin lazen, 'les Quarante-Cinq' geen enkele verbinding met de Prieuré de Sion te hebben. In zijn boekbespreking echter beschuldigde 'Bayard' Martin duidelijk van een poging om verwarring te zaaien bij de lezer door 'les Quarante-Cinq' en de Prieuré door elkaar te halen. Op die vernuftige manier trachtte hij informatie over de Prieuré te publiceren – en wel zodanig dat de indruk werd gewekt dat die algemeen bekend was. We halen met het laatste deel van de bespreking van 'Bayard' de meest relevante tekst aan:

> 'Men kan zich dus ook afvragen, of dat boek geen verborgen oogmerk heeft dat in het verwarren van 'les Quarante-Cinq' met de Prieuré de Sion lijkt te liggen. Er zijn talrijke verwijzingen naar laatstgenoemde

Orde die echter nooit wordt genoemd door wie R.P. Martin dan ook mag zijn (en die geen lid is), hoewel hij, sprekend over 'les Quarante-Cinq', ons wenst te wijzen op de vijfenveertig Franse leden van de Prieuré de Sion in de periode van Jean Cocteaus grootmeesterschap, toen maarschalk Juin en André Malraux 'croisés' waren [seniorleden].
Na het overlijden van Cocteau in 1963 en dat van maarschalk Juin in 1967 bleven nog maar drieënveertig Franse leden over. Het was in die tijd dat op aandringen van generaal De Gaulle (die geen lid was van de Prieuré de Sion) Pierre Plantard de Saint-Germain tot de rang van 'croisé' werd bevorderd.
Bij de dood van André Malraux in 1976, toen de Amerikanen suprematie in de Orde probeerden te verwerven, bleven er nog altijd niet meer dan drieënveertig Franse leden over.
Zo moet men begrijpen – al was het maar door het spel met het aantal Franse leden – dat een van de doelstellingen van R.P. Martin, voor hen die op de hoogte zijn van contemporaine geheimen, ook is dat hij zinspeelt op de Franse afdeling van de Prieuré de Sion en haar tevens een specifieke politieke instelling toeschrijft.
Het is wel een gewiekst spelletje: beginnend met betrouwbare feiten (een van de Franse commanderijen van Sion wordt inderdaad door een vrouw geleid) of met globaal betrouwbare feiten gaat de auteur dan voort met van daaruit de gedachte van een bepaalde 'gaullistische' visie op de wereld vorm te geven.
Is dat echter geen poging om het interne evenwicht van de Prieuré de Sion te beïnvloeden, door de Franse afdeling een politiek toe te dichten die de hare niet is – juist op het moment waarop zij probeert tegenwicht te vormen voor de Amerikaanse en Engelse invloed, en een natuurlijk evenwicht te herstellen?'[4]

Wij vroegen monsieur Plantard, of de beweringen inzake de Prieuré de Sion juist waren. Hij antwoordde dat dat het geval was. We vroegen hem naar 'Bayard'. 'Misschien R.P. Martin,' antwoordde monsieur Plantard, met een grijns die suggereerde dat 'Bayard' ook wel op hemzelf kon doelen. De aan 'Bayard' toegeschreven beweringen waren, wie deze dan ook mocht zijn, buitengewoon interessant. Op de eerste plaats legde hij nadruk op dezelfde punten die monsieur Plantard ons mondeling had meegedeeld – de wrijving binnen de Prieuré de Sion, veroorzaakt door een 'Anglo-Amerikaanse groep'; ook herhaalde hij met nadruk zijn eerdere bewering dat de Prieuré niet politiek was. Hij verklaarde, bij ons weten voor de eerste keer, duidelijk dat maarschalk Juin en André Malraux leden van de Prieuré waren, en noemde ook hun rang binnen de Orde, namelijk die van 'croisé'. Volgens de statuten was 'croisé' de op een na hoogste rang in de Orde, direct onder die van grootmeester. Er waren drie 'croisés', daarna negen 'commandeurs' als daaropvolgende rang.

'Bayards' opmerking over De Gaulle was in het bijzonder belangwekkend. Hij verklaarde duidelijk dat De Gaulle *geen* persoonlijk lid van de Prieuré de Sion was. Tevens echter liet hij doorschemeren dat De Gaulle niet alleen op de hoogte was van de zaken van de Prieuré, maar ook zodanige invloed op de Orde uitoefende dat hij er na het overlijden van maarschalk Juin op kon aandringen dat monsieur Plantard tot de rang van 'croisé' werd verheven. Als dat echter juist was, zou dat betekenen dat monsieur Plantard vóór 1967 een lid van deze of gene lagere rang was geweest. Terwijl toch volgens de Marquis de Chérisey monsieur Plantard al in 1956 door zijn diplomatie een echte scheuring in de Orde had weten te voorkomen. En volgens de vervalste tekst van het artikel van Jania Macgillivray was na de dood van Cocteau in 1963 de macht in de Prieuré uitgeoefend door een triumviraat, bestaande uit de heren Plantard, Gaylord Freeman en Antonio Merzagora. Nu is weliswaar niet ongewoon dat een ondergeschikte, vooral tijdens momenten van crisis, een gezaghebbende of leidende taak op zich neemt of kan nemen. Maar in het geval van monsieur Plantard zou dat betekenen dat hij in al zijn activiteiten tussen 1956 en 1967 als ondergeschikte had gefungeerd – en dan geen ondergeschikte van de tweede maar van de derde of nog lagere rang.

6. Wij ondervroegen monsieur Plantard over de notarieel gewaarmerkte documenten met de handtekeningen van viscount Leathers, captain Nutting, major Clowes en lord Selborne. Wij herinnerden monsieur Plantard eraan dat hij ons had verzocht deze documenten te bespreken noch te publiceren. En niettemin had Louis Vazart er foto's van gepubliceerd in zijn boek over Dagobert II. Waarom had monsieur Plantard, als de documenten dan toch openbaar werden gemaakt, óns gevraagd ze in woord en beeld geheim te houden? Monsieur Plantard keek nu oprecht ontdaan. Hij had, zei hij bitter, niet geweten dat monsieur Vazart reprodukties van de documenten in zijn boek zou opnemen. Had hij daar eerder van geweten, dan zou hij er een stokje voor hebben gestoken. Dus monsieur Vazart had hem er niet over geraadpleegd? Nee, antwoordde monsieur Plantard, hij wist wel dat monsieur Vazart aan dat boek werkte, maar had geen idee dat dit ook maar enige verwijzing naar de documenten zou inhouden. Maar monsieur Plantard had toch de documenten aan monsieur Vazart gegeven of ze hem althans laten zien? En had hij hem dan niet net als ons om geheimhouding verzocht? Monsieur Plantard antwoordde hierop dat hij op de eerste plaats de documenten *niet* aan monsieur Vazart had gegeven. Hij had geen idee waar deze ze vandaan had. Zijn eerste aanwijzing dat monsieur Vazart er iets van wist, was toen ze in druk verschenen, als *fait accompli.*

We zaten paf. Monsieur Plantard had ons de originele documenten in april van het vorig jaar laten zien. Als hij ze níet aan monsieur Vazart had getoond, dan moest iemand anders duplicaten hebben. Waar had monsieur Vazart ze vandaan? Monsieur Plantard schudde langzaam het hoofd en haalde zijn schouders op. Ik weet het werkelijk niet, zei hij. Hij vond de hele situatie uitermate onaangenaam. Hij smeekte ons gewoon de zaak verder uit te pluizen. Hij zou, zei hij, dankbaar zijn voor elke informatie die ons onderzoek mocht opleveren.

Dat waren de voornaamste punten die tijdens ons onderhoud met monsieur Plantard in februari 1984 aan de orde kwamen. Niets was opgelost, geen van de vragen die in onze hoofden rondwaarden, bevredigend beantwoord. Tegelijkertijd was een vloed nieuwe vragen gerezen. Wie waren John E. Drick, Gaylord Freeman en A. Robert Abboud? Welke was de rol van de 'Anglo-Amerikaanse groep' in de Prieuré de Sion en waarom zouden zij een bron van wrijving vormen in de Orde? Had monsieur Plantard inderdaad op het punt gestaan ons het lidmaatschap van de Orde aan te bieden om tegenwicht te vormen voor de invloed van deze 'groep'? Waarom zou iemand in het Franse gouvernement gelden naar een geheime Zwitserse bankrekening overmaken, teneinde monsieur Plantard in diskrediet te brengen? Welke betekenis konden we hechten aan de informatie van 'Bayard' in zijn bespreking van het boek van R.P. Martin? En van wie, als het dan niet van monsieur Plantard zelf was, had monsieur Vazart de gewaarmerkte documenten met de handtekeningen van viscount Leathers, captain Nutting, major Clowes en lord Selborne gekregen?

Tijdens ons verblijf in Parijs hadden we ook nog een aantal ontmoetingen met Louis Vazart. Deze beaamde de beweringen van monsieur Plantard. Nee, zei hij, hij had de gewaarmerkte documenten niet van monsieur Plantard gekregen. Maar van wie had hij ze dan wél gekregen? Hij antwoordde dat ze hem met de post waren gestuurd. Anoniem, 'in een bruine enveloppe', met Engelse postzegels en in Londen afgestempeld. Opnieuw stonden we paf. Wie speelde daar wat in de kaart? Probeerde iemand soms *ons* in een val te lokken, *onze* omgang met monsieur Plantard en de Prieuré de Sion in zeker daglicht te stellen? In elk geval was, als monsieur Vazart de waarheid vertelde, één ding wel duidelijk: iemand in Londen was van de hele zaak *au fait,* was steeds direct op de hoogte van ontwikkelingen, hield alles in de gaten en kwam op bepaalde beslissende momenten op mysterieuze wijze tussenbeide.

20. *De ongrijpbare 'Amerikaanse groep'*

De identiteit van respectievelijk Gaylord Freeman, John E. Drick en A. Robert Abboud bleek heel gemakkelijk vast te stellen. Alle drie stonden in een aantal adresboeken en andere standaardbronnen vermeld. Gezien dit feit was monsieur Plantards ontwijkende houding des te raadselachtiger. Waarom 'mondje-dicht' over mannen wier gegevens en bezigheden zo gemakkelijk konden worden nageslagen?

Alle drie waren verbonden aan de First National Bank of Chicago dan wel daaraan verbonden geweest. John E. Drick was bij die bank in 1944 begonnen als hulpkassier en had het binnen drie jaar tot plaatsvervangend ondervoorzitter gebracht. In 1969 werd hij voorzitter van het bestuur van de bank en tevens een van haar directeuren. Ook zat hij in het bestuur van een aantal andere Amerikaanse maatschappijen – Stepan Chemical, MCA Incorporated, Oak Industries en Central Illinois Public Service.

Gaylord Freeman was oorspronkelijk advocaat. Hij trad in 1934 toe tot de balie in Illinois en kwam in 1940 als jurist in dienst van de First National Bank of Chicago. In 1960 werd hij er directeur, van 1962 tot 1969 was hij vice-president en van 1975 tot 1980 voorzitter van het bestuur van die bank. Hij was ook voorzitter en directeur van de First Chicago Corporation en zat in de raad van bestuur van Atlantic Richfield, Bankers Life and Casualty Company, Baxter Travenol Labs en Northwest Industries. In de jaren 1979-1980 had hij voor de American Bankers' Association de leiding gehad van een 'selecte eenheid' die onderzoek deed naar inflatoire aspecten. Hij was verbonden aan de MacArthur Foundation en commissaris van het Aspen Institute of Humanistic Studies. Dit Aspen-instituut was in 1949 gesticht om vooraanstaande mensen uit de zakenwereld in te wijden in humanistische vakgebieden, vooral literatuur. Tegenwoordig beschikt het over een hoofdkwartier in New York, een landgoed van ruim 800 ha aan de Chesapeake-baai en conferentiecentra in Hawaï, Berlijn en Tokio.

Robert Abboud was Gaylord Freeman als voorzitter van het bestuur van de First National Bank of Chicago opgevolgd, maar enkele jaren later vervangen. Daarna werd hij president van Occidental Petroleum Corporation. In 1980 waren hij en anderen in een actie van aandeelhouders ervan beschuldigd beleggers te hebben misleid omtrent de financiële positie van de bank medio de jaren zeventig. Volgens de *Herald Tribune* verdedigde hij zich nadrukkelijk met te zeggen dat de bank in gevaarlijke financiële wateren was verzeild, toen hij het voorzitterschap op zich nam – in feite zei hij dat de problemen van 1974 'verborgen waren gehouden om het vertrouwen in het bankwezen niet te schokken'.[1]

Maakten déze mannen deel uit van de 'Anglo-Amerikaanse groep' waar monsieur Plantard op zinspeelde? Als dat zo was, dan strekte die groep zich uit tot in de ijle sferen van *la haute finance,* niet alleen in de Verenigde Staten, maar vermoedelijk ook elders. Doch tevens werd de groep, mocht de heer Abbouds *contretemps* met de bank als aanwijzing dienen, door eigen interne 'partijtwisten' geplaagd.

Kort nadat we de identiteit van respectievelijk de heren Drick, Freeman en Abboud hadden vastgesteld, belden we monsieur Plantard op. Heel terloops merkten we op dat we hun verbintenis met de First National Bank of Chicago hadden ontdekt. *'Vraiment?'* (Werkelijk?) gaf monsieur Plantard laconiek, met lichte ironie in zijn stem, terug alsof hij ons om onze grondigheid prees. We verklaarden toen dat we natuurlijk met de drie betrokkenen contact zouden opnemen. Monsieur Plantard werd opeens merkbaar nerveus. Hij verklaarde dat een aantal hoogst gewichtige belangen op het spel stond. Zouden we zo goed willen zijn om *geen* contact met betrokkenen op te nemen, tot we hem nogmaals persóónlijk hadden ontmoet? Met de nodige aarzeling stemden we met dit verzoek in; stelden echter nog een aantal andere vragen. Monsieur Plantard kon, zo zei hij, daar telefonisch geen antwoord op geven. De hele kwestie zou gedetailleerd besproken kunnen worden, maar opnieuw 'face à face'. Maar kon hij dan, drongen we aan, niet ten minste érgens iets nader op ingaan? 'Face à face,' herhaalde monsieur Plantard.

Wij achtten ons gebonden aan de belofte die we monsieur Plantard hadden gedaan, probeerden dus geen contact te leggen met de heren Drick, Freeman en Abboud, althans niet rechtstreeks. Wel schakelden we vrienden in de Verenigde Staten in en verzochten hun zoveel mogelijk informatie in te winnen over deze drie mannen en hun activiteiten. Enkele dagen later werden we uit New York opgebeld. Hij was er niet helemáál zeker van, zei onze informant, maar als zijn geheugen hem niet in de steek liet, herinnerde hij zich gelezen te hebben dat John E. Drick een jaar of twee terug was overleden. Hóe kan dan 's mans handtekening op een op 17 januari 1984 gedateerd stuk voorkomen – tenzij de Prieuré de Sion inderdaad over uitzonderlijke macht beschikte?

Als John E. Drick overleden was, moesten de handtekeningen op het 'mise en garde' vervalsingen zijn. Aangezien ook monsieur Plantard het 'mise en garde' had ondertekend en er ons een kopie van had gestuurd, konden we niet anders dan hem van betrokkenheid op een of andere wijze verdenken. Maar op grond van wat we intussen van hem wisten, leek het ons onwaarschijnlijk dat hij zo'n onvoorzichtige en domme blunder had begaan. De handtekening van een overledene plaatsen op een blijkbaar in brede kring verspreid document was niet alleen verbazend slordig, doch zonder meer gevaarlijk; men stelde zich dan immers bloot aan allerlei wettelijke repercussies. Hoewel we nooit eerder van hem gehoord hadden, was John E. Drick tenslotte een vooraanstaande figuur in de financiële wereld. Noch zijn identiteit noch zijn overlijden was een geheim en wie het 'mis en garde' ook had opgesteld, moest dat geweten hebben.

Als bovendien de handtekeningen vervalst waren, waarom dan déze speciale handtekeningen? Zij waren noch in een opwelling geplaatst, noch zomaar willekeurig uit een hoge hoed getoverd. De naam van Gaylord Freeman was enkele jaren eerder in de vervalste tekst van Jania Macgillivrays artikel verschenen. Om een of andere reden werd onze aandacht heel specifiek naar de First National Bank of Chicago getrokken.

We belden het Londense filiaal van de First National Bank op. Onze vraag kwam ongetwijfeld wat zonderling over – we vroegen of John E. Drick inderdaad overleden was – en we werden dan ook van het ene toestel naar het andere doorverbonden. Ten slotte echter kregen we een van de stafleden van de bank aan de lijn en deze vroeg waarom wij dat wilden weten. We legden uit dat we gehoord hadden dat John E. Drick een jaar of twee terug overleden was, maar dat wij niettemin een document bezaten dat kennelijk door de overledene getekend was op 17 januari 1984. De man in de bank werd nu voorzichtig-vaag. Ja, zei hij, ook hij herinnerde zich wel er iets van gehoord te hebben dat de heer Drick overleden was, doch hij was er niet zeker van. Maar in de loop van die dag zou hij iemand spreken die deze kwestie beslist kon ophelderen. Als we ons nummer wilden opgeven, zou hij zorgen dat de betrokkene terugbelde.

Die middag werden we uit Amerika opgebeld. De opbeller – die wij op zijn verzoek gewoon maar 'Samuel Kemp' zullen noemen – stelde zich voor als een van de leidende persoonlijkheden van de bank. Hij had ook en vooral met bankveiligheidsdiensten te maken die nauwe contacten onderhielden met Interpol.

Wij legden de situatie uit – die uiteraard de belangstelling van 'mister Kemp' wekte. Er volgde een uitermate lang gesprek waarin we zoveel van de achtergrond probeerden te belichten als per telefoon mogelijk was. 'Mister Kemp' was openhartig, zeer gefascineerd en alleszins bereid om elk onderzoek in te stellen dat we hem wilden toevertrouwen. Maar hij kon, en wel heel duidelijk, bevestigen dat John E. Drick inderdaad overleden was, namelijk op 16 februari 1982. En in de loop van dit eerste gesprek met 'mister Kemp' kwam nog een ander belangrijk punt aan het licht. Tot 1983 had de First National Bank of Chicago haar Londense filiaal gedeeld met Guardian Royal Exchange Assurance!

Dat kon nauwelijks toeval zijn. Maar wat betekende het? Had iemand van de bank documenten en handtekeningen van de verzekeringsmaatschappij verdonkeremaand? Of had iemand van de verzekeringsmaatschappij handtekeningen van de bank gegapt? In elk geval bestond een chronologische discrepantie. De Guardian Assurance-handtekeningen zouden van 1955 en 1956 dateren. Maar zelfs als ze later geplaatst waren, kon dat niet na 1971 zijn geweest, omdat Lloyds Bank Europe dat jaar Lloyds Bank International werd. Bovendien was in 1956 major Hugh Murchison Clowes overleden. Anderzijds dateerde de gezamenlijke verbintenis van Gaylord Freeman, John E. Drick en A. Robert Abboud met de First National Bank of Chicago van medio de jaren zeventig. Eén ding leek – welke de antwoorden op al deze vragen dan ook zouden zijn – duidelijk: in Londen zat iemand die belang bij de zaak had, niet stil.

In de loop van de volgende weken onderhielden we regelmatig contact met 'mister Kemp'. Na ons eerste gesprek had hij een exemplaar van ons eerste boek gekocht om zich van de hele achtergrond op de hoogte te stellen. Wij van onze kant stuurden hem een uitgebreid stel documenten met betrekking zowel tot materiaal voor ons vorige boek als tot ons huidige onderzoek – met inbegrip natuurlijk van al wat verband hield met de Guardian Assurance-connectie en de First National Bank of Chicago. Dit hield niet alleen het 'mise en garde' in met de handtekeningen van John E. Drick, Gaylord Freeman en A. Robert Abboud, maar ook de vervalste tekst van het artikel van Jania Macgillivray waarin we de naam Gaylord Freeman voor het eerst tegen waren gekomen.

Toen hij zich door deze stapel gegevens heen had gewerkt, was 'mister Kemp' geïntrigeerd én verbijsterd. Hij had, zo zei hij, behoorlijk wat ervaring opgedaan in het aantonen van fraudegevallen. Het verhaal boeide hem dan ook uitermate en hij werd al even nieuwsgierig als wij. Hij beloofde zelf op onderzoek uit te zullen gaan en er tevens bij de eerste gelegenheid de beste Gaylord Freeman persoonlijk over aan te spreken. Intussen kon hij ons wel één ding zeggen: de handtekeningen leken wel degelijk echt. Ze kwamen overeen met elk ander voorbeeld van de handtekeningen van de drie mannen die te vinden waren.

Wij bleven 'mister Kemp' voorzien van aanvullend materiaal en nieuwe informatie, zodra er iets aan het licht kwam. En hij zette intussen zijn eigen onderzoek voort, hield ons op de hoogte van zijn vorderingen en stelde een gedetailleerd rapport op. Dit alles leek monsieur Plantard en de Prieuré de Sion hopeloos te compromitteren.

Uit de jaren waarin de heren Drick, Freeman en Abboud gezamenlijk aan de bank verbonden waren geweest, kon 'mister Kemp' slechts één document vinden waarin de handtekeningen van alle drie voorkwamen. Dat was het jaarverslag-1974 van de First National Bank of Chicago en haar moedermaatschappij, de First Chicago Corporation. Dat jaarverslag was op 10 februari 1975 uitgekomen en alle bankfilialen en alle aandeelhouders toegezonden. Daarin kwamen de handtekeningen van John E. Drick, Gaylord Freeman en A. Robert Abboud gezamenlijk voor. Doch dat niet alleen: ze stonden er in precies dezelfde volgorde in als op het 'mise en garde'.

'Mister Kemp' had ook de handtekeningen op beide documenten nagemeten. Die in het jaarverslag-1974 bleken precies even groot als die op het 'mise en garde'. Als dát geen bewijs was! Het is immers gewoonweg onmogelijk voor iemand bij twee gelegenheden elke letter, elke haal en elke krul van een handtekening precies dezelfde vormen en afmetingen te geven. Het was dan helemaal onbegrijpelijk dat dríe mensen een dergelijke onmogelijkheid op twee documenten gepresteerd zouden hebben. Er leek dan ook weinig twijfel te bestaan, of de handtekeningen op het 'mise en garde' waren op een fotokopie gebaseerd. Iemand had kennelijk de laatste pagina van het jaarverslag-1974 gefotokopieerd en daarna de handtekeningen op het 'mise en garde' gereproduceerd.

Maar wederom was daar die vraag naar het waarom. Waarom juist deze drie mannen? En waarom het toch niet geringe risico lopen dat het gebruik van de handtekeningen van deze mensen met zich mee zou brengen? Voor zover ons bekend was het 'mise en garde' in vrij ruime kring in omloop gebracht – niet alleen bij leden van de Prieuré de Sion, maar ook bij ons en andere onderzoekers van het thema in Frankrijk, en naar doorschemerde als deel van een dossier dat de Franse justitie was overgelegd. Het leek onmógelijk dat monsieur Plantard zich op een dergelijke wijze bloot zou geven, zich zo kwetsbaar zou opstellen ten opzichte van de gevolgen van ontdekking van dat bedrog. Anderen konden dit evenzeer nagaan en ontdekken. Zou het dus niet een kwestie van enige tijd zijn dat de bedriegerij aan het licht kwam? Het 'stelen' van drie handtekeningen waarvan er nota bene een toebehoorde aan een overledene, was een ernstige zaak. Het was niet langer een poets die omwille van mystificatie werd gebakken. En al evenmin was het erg sluwe misinformatie.

'Mister Kemp' bracht ook verslag uit van zijn ontmoeting met Gaylord Freeman. Hij had de heer Freeman het 'mise en garde' met de drie handtekeningen laten zien, evenals andere documenten met betrekking tot de Prieuré de Sion en monsieur Plantard. Hij had de heer Freeman vervolgens op de man af gevraagd, of deze lid was van de Prieuré de Sion, of hij ooit lid was geweest van de Prieuré de Sion en of hij ooit gehoord had van de Prieuré de Sion of van Pierre Plantard de Saint-Clair.

In het dossier dat wij 'mister Kemp' toestuurden, bevond zich ook een kopie van de statuten van de Prieuré. Artikel XXII van deze statuten luidde:

'Loochening van het lidmaatschap van de Prieuré de Sion, in woord of geschrift, zonder noodzaak of persoonlijk gevaar, zal uitsluiting van dat lid ten gevolge hebben, een uitsluiting die door het convent zal worden uitgesproken.'[2] Als derhalve de heer Freeman inderdaad verbonden was aan de Prieuré, zou dit artikel van de statuten hem verplichten dat te erkennen; daarover waren 'mister Kemp' en wij het eens.

Volgens 'mister Kemp' nu had de heer Freeman ontkend ook maar iets van deze zaak te weten. Hij was géén lid van de Prieuré de Sion. Hij was ook nooit lid geweest van de Prieuré de Sion. Hij had zelfs nog nooit van de Prieuré de Sion gehoord, noch van Pierre Plantard de Saint-Clair.

Toch was de houding van de heer Freeman wat raadselachtig geweest. Hij had, werd ons verteld, licht spottend gekeken bij de vragen die hem werden gesteld, maar dit slechts éven. Over het geheel genomen had hij een wat verveelde indruk gemaakt. Hij scheen in het geheel niet verrast – noch door de vragen, noch door het feit dat zijn naam in zo'n zonderling verband werd genoemd. En zeker had hij geen boosheid of verontwaardiging laten blijken over de wijze waarop zijn naam en handtekening gebruikt waren. Hij had zelfs geen nadere informatie gevraagd en niet anders gereageerd dan wanneer de vragen louter routinekwesties hadden betroffen.

Hoewel een dergelijke nonchalance misschien toch wel wat opvallend was, zei 'mister Kemp' dat hij aan de ontkenningen van de heer Freeman niet twijfelde. Maar, zei hij, dat maakte de zaak er voor hem alleen maar nog verbijsterender op. Hij vermoedde dat achter de hele kwestie iets belangrijks schuilging, maar hij had geen idee van wat dat wel kon zijn. Door zijn connecties met Interpol zei hij gelegenheid te hebben gehad om letterlijk duizenden gevallen van fraude te onderzoeken. Volgens elke maatstaf die hij in zulke gevallen aanlegde, kon hij aan deze zaak werkelijk geen touw vastknopen. Fraude, verklaarde hij, werd over het algemeen gepleegd om een van twee redenen óf om beide: namelijk macht en financieel gewin. Wat nu echter de Prieuré de Sion betrof en vooral in het specifieke geval van het 'mise en garde', leek geen van beide drijfveren in het spel. Hij kon moeilijk inzien hoe de kwestie te maken zou hebben met enigerlei strijd om macht. Feitelijk was de Prieuré zelfs gecompromitteerd in plaats van versterkt door het gebruik van onwettige handtekeningen waarvan het gebrek aan echtheid zo relatief gemakkelijk kon worden vastgesteld. Noch herkende hij enig spoor van streven naar geldelijk gewin. Zoals wij al veel eerder hadden ontdekt, was de volgens ons onverschillige instelling van de Prieuré ten aanzien van geld een van de overtuigendste dingen. Wel verre van naar vergaren van rijkdommen te streven leek de Prieuré juist bereid er afstand van te doen, het geld zelfs ruimschoots uit te geven, teneinde bepaald materiaal te verspreiden.

'Mister Kemp' vertelde dat hij soms weleens bizarre en ingewikkelde mystificaties was tegengekomen. Nu en dan konden gewezen leden van inlichtingendiensten bij voorbeeld een of andere geraffineerde krijgslist verzinnen met het doel er zich onderling mee te vermaken of jongere collega's mee op de proef te stellen. Doch ook dat leek op dit geval niet van toepassing. De moderne Prieuré had zijn mystificaties nu al bijna dertig jaar volgehouden, namelijk sinds 1956 toen monsieur Plantard zesendertig was. Bovendien getuigden namen als die van Malraux, Juin en De Gaulle tegen een alleen frivool *jeu d'esprit.*

Kortom er was iets gaande dat niet alleen ons verbijsterde, maar zelfs een beroepsexpert in zulke zaken, met jaren en jaren ervaring. 'Mister Kemp' besloot zijn onderhoud met ons met een dubbelzinnige opmerking die we ons naderhand zouden herinneren: 'Vertrouw niemand,' zei hij, 'zelfs mij niet.'

Intussen hadden we er bij monsieur Plantard op aangedrongen nu het 'face à face'-onderhoud te hebben waarvan hij zelf had gezegd dat het noodzakelijk was. Om redenen die ons later duidelijk werden, bleek monsieur Plantard 'ongrijpbaar'. Veelal konden we hem telefonisch niet bereiken. En als het een keer lukte, verontschuldigde hij zich met een overbezet programma of iets in verband met de studie van zijn zoon, dan wel moest hij op reis of had hij kou gevat. In het verleden was hij altijd blij geweest ons te ontmoeten. Nu echter leek hij een ontmoeting duidelijk uit de weg te gaan. Wij hadden natuurlijk zelf de nodige dingen om handen, druk bezig als we waren met onderzoek naar de historie van het Nieuwe Testament, naar het Keltisch christendom en het materiaal dat het eerste deel van dit boek vormt. Maar toch waren we teleurgesteld, want de tijd verstreek en de ontmoeting met monsieur Plantard werd steeds maar weer uitgesteld. Zowel hij als de Prieuré begon ons in toenemende mate verdacht voor te komen.

Ook op andere fronten was weinig beweging te bespeuren. Onze informatie naar de strafzaak tegen monsieur Chaumeil leverde slechts de verklaring op dat deze nog hangende was. Er verscheen inderdaad een door monsieur Chaumeil geschreven boek, maar dat bleek een herdruk waar alleen een nieuwe inleiding en een nieuwe epiloog aan toe waren gevoegd. Het bevatte in elk geval geen scandaleuze onthullingen van het soort dat in het anonieme schotschrift was aangekondigd.

Maar ten slotte kregen we een brief van monsieur Plantard. Koel formeel deelde hij mee met het lang uitgestelde rendez-vous in te stemmen, zij het onder voorbehoud: 'Het zal mij genoegen doen u eind september te ontmoeten, op vriendschappelijke basis, doch tot mijn spijt kan ik u geen informatie voor uw publikatie verstrekken.'

In dezelfde brief verklaarde monsieur Plantard dat de echtheid van het gewaarmerkte document van 1955 – dat met de handtekeningen van viscount Leathers, major Clowes en captain Nutting – nu was aangetoond. Het was, deelde hij mee, door 'experts' onderzocht en geverifieerd. Anderzijds erkende hij dat met het document van 1956 – met de handtekening van lord Selborne en de verwijzing naar Lloyds Bank Europe – geknoeid was. Daarna herhaalde hij met hoofdletters dat de gewaarmerkte documenten 'vertrouwelijk blijven en niet gepubliceerd dienen te worden' – wat des te meer verbaasde, omdat de documenten, zoals hij zelf toegaf, immers al gepubliceerd wáren door Louis Vazart en daarom moeilijk nog langer als vertrouwelijk beschouwd konden worden. Bovendien schreef hij: 'Ik heb in Frankrijk alle publikatie verboden met betrekking tot de Prieuré de Sion en mijzelf, en wel sinds maart 1984...'

De uitdrukkingswijze van deze verklaring was interessant. Wij konden natuurlijk niet geloven dat monsieur Plantard een dergelijke censuurmacht bezat. Wat hij vermoedelijk bedoelde was dat hij alle leden van de Prieuré stilzwijgen had opgelegd. Zijn verbod zou zich wel niet tot de gehele pers uitstrekken, maar stellig de verschillende interne bronnen omvatten die bijna dertig jaar informatie hadden laten uitlekken.

Er was in de brief van monsieur Plantard nog een andere belangwekkende verklaring. Deze was als postscriptum toegevoegd: 'Ik verzet mij formeel eveneens tegen publikatie van correspondentie tussen generaal De Gaulle en mij, evenals van die met maarschalk Juin of met Henri, graaf van Parijs. Deze documenten, gestolen uit 37 Rue Saint-Lazaire, Parijs, zijn vertrouwelijk en blijven "staatsgeheimen", ook al zouden ze te koop worden aangeboden...'[3]

Had hier monsieur Plantard, in de veronderstelling dat wij tot dergelijke briefwisseling toegang hadden, onopzettelijk het feit verklapt dat ze bestond – en wellicht dat ze op enigerlei wijze compromitterend zou kunnen zijn? In die tijd waren we onderhand overal iets achter gaan zoeken. Niets leek recht door zee; niets kon zomaar in goed vertrouwen worden aangenomen; alles liet ruimte voor meer dan één uitleg. De Prieuré de Sion begon ons voor te komen als een holografisch beeld, veranderend al naargelang van het licht en de hoek waaronder het wordt bekeken. Vanuit het ene oogpunt leek de Prieuré een invloedrijk, machtig en rijk internationaal geheim genootschap waartoe als leden vooraanstaande mensen uit de wereld van kunst, politiek en *la haute finance* behoorden. Vanuit een ander oogpunt echter leek hij een verwarrend ingenieuze mystificatie, ontworpen door een kleine groep voor verborgen eigenbelangen. Misschien was de Prieuré in sommige opzichten wel beide.

Monsieur Plantard geconfronteerd

Toen de ontmoeting met monsieur Plantard naderde, verzamelden we alle verkregen bewijsmateriaal. Dit bevatte ten minste drie behoorlijke bezwarende punten. We konden ons niet voorstellen hoe monsieur Plantard ook maar een van die punten bevredigend zou kunnen verklaren, laat staan alle drie. Terwijl híj er natuurlijk geen idee van kon hebben in welke richtingen wij ons onderzoek hadden gedaan, noch van wat we aan de weet waren gekomen. We hadden het volste vertrouwen dat we hem gewoon zouden overrompelen.

Het eerste punt betrof de dood van John E. Drick. Hoe wilde monsieur Plantard verklaren dat de heer Drick op 17 januari 1984 een document tekende, terwijl de man twee jaar eerder was overleden?

Het tweede punt had ook betrekking op de handtekeningen op het 'mise en garde'. Hoe zou monsieur Plantard het feit kunnen verklaren dat ze volstrekt identiek waren aan die in het jaarverslag-1974 van de First National Bank of Chicago?

Het derde punt betrof een heel andere kwestie. In 1979 was monsieur Plantard – tot dan toe eenvoudig Pierre Plantard – begonnen met klinkender naam en titels aan te nemen: Pierre Plantard de Saint-Clair, graaf van Saint-Clair en graaf van Rhédae (de oude naam van Rennes-le-Château). In *The Holy Blood and the Holy Grail* hadden we ironisch commentaar geleverd op dat plotselinge verwerven van adellijke status en monsieur Plantard had zich beledigd getoond. Om te bewijzen dat hij maar niet onwettig titels verzon of zich die toeëigende, had hij ons zijn paspoort laten zien en een fotokopie van zijn geboorteakte. In beide documenten werd hij inderdaad Plantard de Saint-Clair, graaf van Saint-Clair en graaf van Rhédae genoemd, en op de laatste stond ook zijn vader zo vermeld. Wij zelf echter hadden kort daarna een kopie van de geboorteakte van monsieur Plantard gevraagd bij het gemeentehuis van het zevende arrondissement van Parijs. De informatie die we van dat gemeentehuis daarover kregen, was in vrijwel elk opzicht identiek aan wat monsieur Plantard ons had getoond. Doch op de kopie van de geboorteakte die wij van dat gemeentehuis kregen, had monsieur Plantard in het geheel geen titels, noch stond zijn vader er te boek als graaf van Saint-Clair of graaf van Rhédae, maar simpel als 'kamerbediende'.[4]

Nu bewees dat op zichzelf nog niets. En zelfs als het 'kamerbediende'-geboortebewijs geldig was, bleven bepaalde vragen nog onbeantwoord. Hoe bij voorbeeld was monsieur Plantard erin geslaagd een zo perfecte 'officiële kopie' van het origineel te verkrijgen? Hoe waren het papier, de officiële zegels en de handtekeningen gedupliceerd – áls dat al was gebeurd? In elk geval wettigde de onverenigbaarheid van een kamerbediende met een graaf van Saint-Clair en graaf van Rhédae een vraag om nadere uitleg. Die zou, meenden wij, vooral als we daar monsieur Plantard abrupt mee confronteerden zonder dat hij ook maar even tijd had een antwoord voor te bereiden, minstens een onthullende reactie ontlokken. Zelfs een ogenblik van verwarring zou veelzeggend zijn.

Er zou nóg een raadsel opduiken, voordat we monsieur Plantard met onze bevindingen konden confronteren. Wij meenden namelijk dat het nog verpletterender zou overkomen, als wij een kopie hadden van het jaarverslag-1974 van de First National Bank of Chicago – als we dus de oorspronkelijke bron van de handtekeningen van de heren Drick, Freeman en Abboud bezaten, teneinde die monsieur Plantard onder de neus te wrijven. We belden een week voor onze geplande reis naar Parijs 'mister Kemp' op en vroegen hem, of hij ons misschien een fotokopie kon sturen van dat document; en we legden hem ook precies uit waarom we die fotokopie wilden hebben. 'Mister Kemp' antwoordde dat het geen probleem was en dat we de volgende dag de fotokopie met de post konden verwachten.

De volgende dag kregen we een wat zorgelijk telefoontje van de secretaresse van 'mister Kemp'. Hij had haar, zei ze, opgedragen ons een fotokopie te sturen van de laatste pagina van het jaarverslag-1974 – die met de drie betreffende handtekeningen. Ze had herhaaldelijk geprobeerd die opdracht uit te voeren – maar de fotokopie wilde niet pakken! Ze had alle kopieerapparaten van de bank geprobeerd, maar de handtekeningen lieten zich niet reproduceren.

De dag daarna spraken we weer met 'mister Kemp'. Hij had de zaak zelf onderzocht en de verklaring bleek eenvoudig. De handtekeningen in het jaarverslag – mogelijk ter beveiliging tegen onwettige reproduktie – waren met lichtblauwe inkt gedrukt, inkt die geen grafiet bevat. En zonder grafiet in een inkt 'pakt' een fotokopie niet.

Dat was natuurlijk een simpele verklaring. Maar daaruit vloeide een geheel nieuwe vraag voort. Evenals 'mister Kemp' waren wij tot de conclusie gekomen, met vrij grote zekerheid zelfs, dat de handtekeningen op het 'mise en garde' van de Prieuré de Sion gewoon van het jaarverslag-1974 gefotokopieerd waren. Nu het onmogelijk was gebleken een dergelijke fotokopie te maken, hoe was dan monsieur Plantard wél in staat geweest er een te verkrijgen?

Er waren natuurlijk ook andere verklaringen denkbaar. Bij voorbeeld: de handtekeningen in het jaarverslag hadden eerst gefotografeerd kunnen zijn waarna van die foto een fotokopie was gemaakt. Maar waarom zóveel moeite en inspanning om wille van juist deze handtekeningen? Waarom geen andere gebruikt die wél zonder enige moeite gefotokopieerd hadden kunnen worden? Als een vervalser dan zo nonchalant of slordig was om ook de handtekening te nemen van iemand die al twee jaar was overleden, waarom had hij het zich dan zo moeilijk gemaakt, als elke andere handtekening wellicht evengoed zijn oogmerken diende?

De volgende dagen bleef dit raadsel ons bezighouden. Desalniettemin beschikten we over drie klinkende bewijsstukken waarmee we monsieur Plantard konden confronteren. Hoe kon John E. Dricks handtekening op een document geplaatst worden twee jaar na zijn overlijden? Hoe kon monsieur Plantard de volstrekte gelijkheid verklaren van de handtekeningen op het 'mise en garde' van de Prieuré de Sion en in het jaarverslag-1974 van de bank? En hoe kon hij een geboorteakte verklaren, uit de geëigende officiële bron verkregen, waarin zijn vader niet als graaf maar als kamerbediende vermeld stond? Met deze vragen gewapend gingen we op weg naar wat wij, naar de vermaarde Amerikaanse western van die naam, zuurzoet 'High Noon' noemden.

High Noon

Op zondag 30 september hadden we ons rendez-vous met monsieur Plantard in wat intussen een soort stamcafé was geworden, de brasserie La Tipia aan de Rue de Rome. Bij voorgaande gelegenheden waren we altijd vroeg gekomen en hadden er op hem gewacht. Ditmaal echter, hoewel we zelf tijdig aanwezig waren, zat híj op ons te wachten. Binnen enkele ogenblikken werd duidelijk dat hij ons ook om andere redenen verwachtte. Eer we zelfs de compromitterende vragen konden afvuren, beantwoordde hij ze al.

We hadden elkaar op de gebruikelijke wijze begroet en daarna koffie besteld. We haalden een kleine bandrecorder voor de dag en zetten deze op tafel. Monsieur Plantard keek er wat weifelend naar, maar maakte toch geen bezwaar. Daarna diepten we uit een tas het 'mise en garde' van de Prieuré de Sion op met de handtekeningen van John E. Drick, Gaylord Freeman en A. Robert Abboud. Voordat we er onze mond ook maar over open konden doen, wees monsieur Plantard al naar de drie handtekeningen.

'Weet u, die zijn met een stempel gezet,' zei hij, met zijn hand een beweging makend of hij iets stempelde.

Wij drieën wisselden een snelle steelse blik. Die mogelijkheid was nog nooit bij ons opgekomen, noch had 'mister Kemp' daar blijkbaar aan gedacht. Maar inderdaad, een stempel kon verklaren waarom de handtekeningen op het 'mise en garde' en in het jaarverslag aan elkaar identiek waren. Grote bedrijven, ministeriële bureaucratieën en andere instellingen die grote aantallen documenten moeten uitgeven, gebruiken inderdaad dergelijke stempels. Een directeur van een groot bedrijf behoeft gewoonlijk geen honderden salarisstroken stuk voor stuk te tekenen. Monsieur Plantard liet echter duidelijk doorschemeren dat hij zo'n stempel had of er althans over kon beschikken – hetzelfde stempel dat voor het jaarverslag-1974 van de bank was gebruikt.

'Maar,' zeiden we toen vlug, 'een van degenen wier handtekeningen daar staan...'

'...was overleden,' vulde monsieur Plantard als terloops aan, ons de woorden uit de mond nemend. Ja, John E. Drick was begin 1982 overleden. Maar bij wijze van routine was de Prieuré die handtekening blijven gebruiken op interne stukken, tot de door zijn dood opengevallen plaats in de Orde weer bezet zou zijn.

Voor ons was dit van mogelijke verklaringen niet de meest waarschijnlijke of bevredigende. Voortgaan met gebruik van de handtekening van een overledene kan amper in welke instelling dan ook als 'gewone gang van zaken' worden aangemerkt. Doch wij konden de bewering van monsieur Plantard moeilijk aanvechten. We konden op geen enkele wijze met hem redetwisten over de interne gewoonten en procedures van de Prieuré de Sion, hoe ongebruikelijk die misschien ook waren.

We hadden tegen monsieur Plantard nooit gewag gemaakt van onze contacten met 'mister Kemp', noch van diens onderhoud met Gaylord Freeman. Ook liet monsieur Plantard niet blijken, of hij iets van die twee dingen afwist. In plaats daarvan, als om ons met die vraag vóór te zijn – of misschien gewoon om ons duidelijk te maken dat hij tóch op de hoogte was –, merkte hij terloops op dat met ingang van vorige december artikel XXII van de statuten van de Prieuré officieel was herroepen. Sinds de afgelopen negen maanden waren leden van de Prieuré niet langer verplicht hun lidmaatschap te erkennen. Integendeel: ze hadden nu opdracht elke bekendheid met de Orde te loochenen en geen enkele informatie te verstrekken.

Wij waren doeltreffend ontwapend. Tegen al onze verwachtingen in had monsieur Plantard een verklaring gegeven voor elk punt waarmee we hem naar onze vaste overtuiging beentje hadden kunnen lichten. Hij had geen moment geaarzeld met het geven van die uitleg, had niet ook maar even hoeven na te denken, was zelfs geen ogenblik in verwarring geweest. Sterker nog: hij was ons duidelijk telkens een slag voor geweest. Daar leken maar twee verklaringen voor mogelijk: ofwel was de man helderziend, wat ons onwaarschijnlijk leek, óf hij was 'getipt'. Maar de bronnen voor dergelijk 'tippen' waren uitermate klein in aantal en wij vertrouwden nog altijd op de stilzwijgendheid van 'mister Kemp'.

Nu bleef alleen de kwestie van de strijdige geboorteakten nog over. We haalden ze voor de dag. Monsieur Plantard vertrok geen spier van zijn gezicht. Wederom aarzelde hij geen ogenblik, toonde hij geen zweem van onzekerheid of verrassing. Hij schonk ons een korte zij het wat treurige glimlach – alsof hij ons prees om onze ijver, zelfs al had die tot schending van zijn privacy en tot graverij in zijn persoonlijk leven geleid. Ja, zei hij wijzend op de geboorteakte waarin zijn vader als kamerbediende vermeld stond, dat stuk is tijdens de oorlog in het bevolkingsregister gedeponeerd. Dat was toen, merkte hij losjes op, schering en inslag. De Gestapo ging alle papieren na. Het was toentertijd helemaal niet ongebruikelijk – vooral niet als men op een of andere wijze in contact stond met 'la Résistance' – om authentieke gegevens te vervangen door valse teneinde er de Duitsers mee te misleiden.

Die uitleg konden we tenminste natrekken. De volgende dag gingen we persoonlijk naar het gemeentehuis van het zevende arrondissement en lieten de strijdige geboorteakten zien. Veel papieren zijn tijdens de oorlog vervalst, kregen we te horen, om de Duitsers te bedriegen of te misleiden. Veel oorspronkelijke documenten waren vernietigd of ergens veilig verborgen.[5] Men kon instaan voor de echtheid van al wat na de oorlog was opgesteld. Maar voor stukken van vóór 1945 was dat op geen enkele wijze meer na te gaan. Al wat ze konden zeggen was, of iets misschien overeenstemde met wat zij in hun archieven hadden. Als de vader van monsieur Plantard graaf was geweest, zou maar al te begrijpelijk zijn dat dat feit voor de Gestapo verborgen was gehouden, want die had alle moeite gedaan om aristocraten op te sporen. Heel waarschijnlijk had monsieur Plantard zijn geboorteakte door een andere laten vervangen. En als hij natuurlijk na de oorlog de gegevens in het gemeentehuis niet had laten rectificeren, was de enige informatie die het gemeentehuis daarover bezat, natuurlijk vals.

Toekomstplannen van de Prieuré de Sion

In de loop van ons onderhoud in La Tipia passeerde een aantal andere punten de revue. Evenals bij vorige gelegenheden orakelde monsieur Plantard over komende belangrijke gebeurtenissen. Alles was nu op z'n plaats, zei hij eens. Alle stukken op het schaakbord stonden in de juiste positie. Niets kon 'het' meer stoppen, verklaarde hij, zonder dat hij nader inging op wat 'het' was. Mitterrand, voegde hij eraan toe, was een noodzakelijke tussenstap geweest. Nu echter had Mitterrand aan zijn doel beantwoord en was niet langer noodzakelijk. De tijd van zetten was aangebroken en niets kon 'het' verhinderen zulks te doen.

Op de man af vroegen wij monsieur Plantard of hij Gaylord Freeman persoonlijk kende. Nogal nadrukkelijk antwoordde monsieur Plantard hier bevestigend op, wel wetend dat zijn woorden op de band werden vastgelegd. We vroegen dan hoe een belangrijke Amerikaanse financier zich op welke wijze dan ook zou bekommeren om een restauratie van de Merovingen in Frankrijk. Monsieur Plantard aarzelde. Voor mannen als de heer Freeman, antwoordde hij toen, was het primaire oogmerk Europese eenheid een Verenigde Staten van Europa die de landen van het continent aaneensmeedde tot een samenhangend machtsblok, vergelijkbaar met de Sovjet-Unie en de Verenigde Staten van Amerika. Ook sprak monsieur Plantard kort van een soort verruimde Gemeenschappelijke Markt – een financiële of economische schikking die met de EEG vergelijkbaar was, maar ook de Verenigde Staten zou omsluiten. Monsieur Plantard zweeg weer een ogenblik waarna hij er als met tegenzin iets aan toevoegde dat op bittere kritiek leek. Momenteel, zei hij, zou het een misvatting zijn de rechtstreekse doelstellingen van de Prieuré de Sion te verwarren met een terugkeer van de Merovingen.

Dat laatste was iets nieuws, een ontwikkeling die zich leek te hebben voorgedaan na de publikatie van ons vorige boek. Zou dat, vroegen wij ons af, misschien de bron van moeilijkheden zijn die door 'de Anglo-Amerikaanse groep' binnen de Prieuré de Sion werden veroorzaakt? Was misschien interne onenigheid ontstaan waarbij Engelse en Amerikaanse leden op verlegging van prioriteiten stonden – ván de monsieur Plantard zo dierbare monarchale gedachte naar meer direct praktisch economische en politieke beginselen? Toen we er bij monsieur Plantard op aandrongen wat nader op die zaak in te gaan, weigerde hij.

'Wat denkt u van het Vaticaan?' vroegen we, hengelend naar een of ander aanknopingspunt dat monsieur Plantard tot enige onthulling zou kunnen verleiden. Was de huidige paus een potentiële bondgenoot of een potentiële tegenstander in hangende plannen, welke deze dan ook mochten zijn? Monsieur Plantard antwoordde dat er 'goede' noch 'slechte' pausen waren. Het – wat 'het' dan ook mocht wezen – was veeleer een kwestie van een beheersende politiek voor het Vaticaan waar individuele pausen aan gehouden waren. In elk geval, zo besloot monsieur Plantard, was met het Vaticaan toenadering bereikt. Rome zou meewerken. Bepaalde concessies waren noodzakelijk geweest, maar in wezen waren die miniem.

Tussen twee haakjes: jullie boek heeft nogal wat deining in het Vaticaan veroorzaakt, voegde monsieur Plantard eraan toe – het leek wel of hij ons alleen wilde laten weten dat hem dergelijke informatie bekend was.[6]

21. Verruimend uitzicht

Al waren monsieur Plantards antwoorden vaag geweest, toch waren we getroffen door de bereidwilligheid waarmee hij de politieke belangen van de Prieuré de Sion had besproken. In het verleden had hij niet alleen geweigerd over dergelijke belangen te spreken, hij had zelfs ontkend dat zulke belangen bestonden. Waarom zou hij dan nu zo praatgraag zijn? Verlangde hij werkelijk vertrouwen in ons te stellen of waren misschien andere factoren in het spel?

Nog verbazingwekkender was het feit dat monsieur Plantard min of meer effectief alle potentiële bewijzen waarmee we hem hadden willen confronteren, *had* ontkracht. Maar dat niet alleen, hij was er zelfs in het geheel niet door verrast of ontdaan geweest. En alles leek erop te wijzen dat hij van tevoren gewaarschuwd was. Toch kon van het een noch het ander iets worden aangetoond en 'mister Kemp' stond, toen we hem verslag uitbrachten, al evenzeer voor een raadsel.

In elk geval voelden we ons nu ontheven van de belofte die we monsieur Plantard eerder dat jaar hadden gedaan. We hadden toen tijdens dat telefoongesprek beloofd niet rechtstreeks met Gaylord Freeman in contact te zullen treden, tót monsieur Plantard en wij het door hem verlangde 'face à face'-onderhoud hadden gehad. Dat gesprek, hoe onbeslissend ook, had nu dus plaatsgevonden. We schreven dan ook naar Gaylord Freeman in Chicago, verwezen naar zijn gesprek met 'mister Kemp' en verzochten hem het standpunt dat hij toen had ingenomen, schriftelijk te willen bevestigen. We kregen een wat kortaf antwoord. Evenals in zijn onderhoud met 'mister Kemp' ontkende mister Freeman in zijn brief aan ons het lidmaatschap van de Prieuré de Sion, loochende monsieur Plantard te kennen en ontkende ook maar enige betrokkenheid bij de gebeurtenissen die er ons toe geleid hadden contact met hem op te nemen. Hij erkende dat de handtekeningen uit het jaarverslag-1974 van de First National Bank of Chicago 'genomen waren'. Hij wenste in geen enkel boek te worden geciteerd. In zijn brief bleek hij net als tijdens zijn onderhoud met 'mister Kemp' niet in verder uitspitten van de zaak geïnteresseerd. De brief bevatte geen verzoek om nadere inlichtingen over de wijze waarop zijn naam en handtekening gebruikt werden.

Drie weken na ons onderhoud met monsieur Plantard in Parijs ontvingen we een pakketje van hem. Het bevatte een kort aan ons gericht begeleidend schrijven en tevens kopieën van twee aan de leden van de Prieuré de Sion gerichte brieven. De eerste brief droeg het briefhoofd van de Prieuré de Sion dat ook op het 'mise en garde' stond. Deze was uitgegaan van Cahors en gedateerd op 10 juli 1984 – tweeënhalve maand voor ons onderhoud in La Tipia.

In die brief deelde monsieur Plantard de leden van de Prieuré mee dat hij formeel als grootmeester aftrad en afstand deed van zijn lidmaatschap van de Orde. Hij voelde zich, nadat hij op 17 januari 1981 te Blois tot grootmeester was gekozen, nu verplicht 'om gezondheidsredenen' en 'om redenen van persoonlijke en familiale onafhankelijkheid' van zijn rechten en die van zijn familie in de Prieuré de Sion afstand te doen. Het aftreden zou over zestig dagen in werking treden, 'in overeenstemming met de interne regels van de Orde'. Onderaan de bladzijde haalde hij 'het decreet van 16 december 1983' aan waarbij blijkbaar artikel XXII van de statuten van de Orde herroepen was. Alle leden van de Prieuré waren nu 'verplicht hun anonimiteit te bewaren' en 'ontkennend te antwoorden' op vragen over hun betrokkenheid bij de Orde. Daarna volgde een cryptische verklaring dat 'erkenning van documenten slechts per code zal geschieden' – waarbij onduidelijk was, of dit op een geheime code sloeg dan wel op een gedragscode.

De tweede brief was eveneens vanuit Cahors verzonden en op 11 juli, een dag later dus, gedateerd. Ditmaal was het briefhoofd dat van monsieur Plantards persoonlijke briefpapier, met zijn wapen in karmozijn: een cirkel die een gouden lelie omsloot en, daaronder, de woorden 'Et in Arcadia Ego...'. In de dan volgende tekst, gericht tot de 'beminde broeders' van de Prieuré, herhaalde monsieur Plantard dat hij zojuist zijn aftreden als grootmeester bekend had gemaakt; hij had nu de afgelopen eenenveertig jaar tot de Orde behoord – waarin hij, naar hij zei, op 10 juli 1943 op aanbeveling van abbé François Ducaud-Bourget geïntroduceerd was. Tijdens de drieënhalf jaar van zijn grootmeesterschap had hij een enorme hoeveelheid werk op zich genomen, had ook veel moeten reizen, en zijn huidige gezondheidstoestand liet niet toe daar nog langer mee door te gaan.

Hij voegde eraan toe dat zijn aftreden ook door andere factoren was bepaald. Hij had, zei hij, afstand gedaan omdat hij 'bepaalde manoeuvres' van 'onze Engelse en Amerikaanse broeders' niet kon goedkeuren, en ook om de onafhankelijkheid van hemzelf en zijn familie te verzekeren. En er was, verklaarde hij, nog een ander motief dat tot zijn besluit had bijgedragen –

namelijk de publikatie 'in de pers, in boeken en in verspreide brochures die in de Bibliothèque Nationale gedeponeerd waren' van diverse 'valse of vervalste documenten' met betrekking tot hemzelf. Als voorbeelden hiervan haalde hij geboorteakten en reprodukties van papieren van de Prieuré de Sion met meer dan tien jaar oude handtekeningen aan, en aantijgingen aan het adres van hem persoonlijk. Deze hadden hem genoodzaakt op 16 december 1983 te Nanterre een aanklacht in te dienen. Hij besloot met zijn broeders de beste wensen 'voor uw zegepraal in het scheppen van een betere maatschappij' aan te bieden.

Wat moesten we van die twee brieven denken? Oppervlakkig bezien leken ze maar al te duidelijk. Doch een van de dingen die opvielen, was de wijze waarop ze in feite heel nauwkeurig overeenstemden met de punten die wij bij onze ontmoeting van drie weken geleden mondeling naar voren hadden gebracht – toen, zoals nu bleek, monsieur Plantard niet langer meer als grootmeester of zelfs als gewoon lid van de Prieuré de Sion had gesproken. Het leek welhaast of de brieven waarin hij zijn aftreden bekend maakte, *na* die ontmoeting waren opgesteld. Anderzijds leed het geen twijfel, of er had de afgelopen zevenenhalve maand iets in de lucht gehangen. Er waren al eerder toespelingen geweest op problemen met de 'Anglo-Amerikaanse groep'. Evenals er al eerder verwijzingen waren geweest naar herroeping van artikel XXII van de statuten. En alleen al de moeilijkheden die wij hadden ondervonden om tijdens voorjaar en zomer met monsieur Plantard in contact te komen, laat staan een definitieve datum voor ons onderhoud af te spreken, konden heel wel een afspiegeling zijn geweest van enige beroering binnen de Prieuré.

In dat opzicht was vooral het aan ons gerichte begeleidende schrijven bij de twee brieven over zijn aftreden van belang. Hij had ons geschreven, zei hij, om kopieën in te sluiten van zijn vertrouwelijke aftredingsdocumenten en om te verklaren dat *hij sinds maart 1984 officieel alle bijeenkomsten of interviews welker thema op enige wijze betrekking had op de Prieuré de Sion, had geweigerd.* De hier cursief gedrukte verklaring was in de brief van monsieur Plantard zelf nadrukkelijk onderstreept. Het leek wel, of deze brief een officiële verklaring vertegenwoordigde die gelezen en goedgekeurd (dan wel afgekeurd) moest worden door andere leden van de Orde. Monsieur Plantard maakte niet ons, maar iemand anders duidelijk dat hij sinds verleden maart niets met betrekking tot de Prieuré had besproken. Toen hij ons eind september ontmoette was dat nadát de zestig dagen, voor effectuering van zijn aftreden vereist, waren verstreken. Toen hij met ons sprak, was dat niet als grootmeester of zelfs maar gewoon lid van de Prieuré geweest, doch als particulier. Terwijl wij aan een tafeltje in La Tipia converseerden, was een nieuwe grootmeester vermoedelijk al gekozen of tenminste voorgedragen.

Het aftreden van monsieur Plantard ging gepaard met algemene opdroging van informatiebronnen. Louis Vazart die we, nadat we het nieuws ontvangen hadden, opbelden, was merkbaar ontdaan. Hij wilde er echter verder niets van zeggen, behalve dat het een bittere slag was en dat zich nu waarschijnlijk belangrijke veranderingen zouden voordoen die 'niet allemaal goed zijn'. De Marquis de Chérisey gaf op geen van onze talrijke brieven antwoord en bleek ook telefonisch onbereikbaar. Monsieur Plantard zelf werd eveneens 'ongrijpbaar', met uitzondering van een gebruikelijk kaartje met groeten en beste wensen voor Nieuwjaar.

Tegenstrijdige verklaringen

Er leken ons ten minste vier verklaringen voor het aftreden van monsieur Plantard mogelijk.

1. Wij hadden een historische Prieuré de Sion gedocumenteerd, van de twaalfde tot de zeventiende eeuw. Na 1619 echter was de Orde in toenemende mate ondergedoken, soms onder namen van andere organisaties optredend en soms geheel en al uit het zicht verdwijnend. Misschien had de Orde opgehouden te bestaan en was de in 1956 geregistreerde Prieuré de Sion slechts een moderne constructie – een of ander *jeu d'esprit,* uit onbekende motieven ontwikkeld door monsieur Plantard en enkele naaste vrienden die gebruik maakten van documenten uit de tijd van de oorspronkelijke Prieuré. Wat de opzet dan ook geweest mocht zijn en welke doelstellingen beoogd werden – een en ander was al sinds minstens dertig jaar aan de gang, hoewel er geen kennelijke pogingen waren ondernomen om figuurlijk munt te slaan uit de geldelijke mogelijkheden die eruit voort waren gevloeid. Maar (als dat scenario tenminste juist was) op enig moment in 1984 had monsieur Plantard gevonden dat hij te ver was gegaan – misschien als gevolg van onze onderzoekingen, misschien van iets anders. De namen in verband met Guardian Assurance, meer nog die in verband met de First National Bank of Chicago, hadden wellicht een stap te ver betekend en vooruitzicht geopend op ernstige wettelijke repercussies of misschien onwelkome publieke onthullingen. Bijgevolg had dan monsieur Plantard een manoeuvre bedacht om de hele zaak te sussen. Door te verklaren dat hij uit de Prieuré trad, kon hij beweren verder niets van activiteiten van de Orde af te weten. In feite echter zou dan met monsieur Plantards 'aftreden' de Prieuré de Sion opgehouden hebben te bestaan.
2. De Prieuré bestónd als echte en bonafide organisatie van onbestemde hulpbronnen en invloed, doch monsieur Plantard was persoonlijk gecompromitteerd geraakt. Misschien was hij over de schreef gegaan, toen hij ons de documenten zond met de handtekeningen van de heren Drick, Freeman en Abboud waarmee hij iets van de activiteiten van de Orde had onthuld die hij

niet gerechtigd was openbaar te maken. Misschien beschikte monsieur Chaumeil of iemand anders over materiaal dat, als het gepubliceerd zou worden, ernstige verlegenheid zou veroorzaken in politieke of andere zin. Misschien begon het Franse gouvernement of wie dan ook naar verluidde gelden op de Zwitserse bankrekening stortte, moeilijkheden te maken. In elk geval was dan monsieur Plantard voor de Orde een al dan niet potentieel blok aan het been geworden en kon hij de belangen van de Orde het best behartigen door op te stappen. Er kan zelfs op heengaan zijn aangedrongen – ofwel via externe factoren, zoals machinaties van een of andere inlichtingendienst, of door interne facties, zoals de 'Anglo-Amerikaanse groep'.

3. De brieven waarin hij zijn aftreden aankondigde, moesten áls zodanig beschouwd worden en men moest er geen andere visie uit lezen. Om de in de twee brieven genoemde redenen had monsieur Plantard uit eigen vrije wil besloten af te treden. De broeders waren al even ontsteld geweest als Louis Vazart en wijzelf, en een nieuwe grootmeester zou weldra gekozen worden of was al gekozen.

4. De in 1956 geregistreerde Prieuré kon een bedenksel van monsieur Plantard zijn geweest. Hij kon een invloedrijk internationaal geheim genootschap zijn geweest. Hij kon alles tussen die twee uitersten zijn geweest. Maar wat ook de werkelijkheid was, monsieur Plantard achtte het opportuun zich tegen naspeurende buitenstaanders te beschermen, met inbegrip van ons. Bijgevolg had hij een absurditeit verzonnen. Ondanks het beweerde aftreden zou de Prieuré als tevoren functioneren; en monsieur Plantard – nog steeds lid en mogelijk zelfs grootmeester – kon elke kennis van activiteiten van de Orde loochenen. In december 1983 had hij artikel XXII van de statuten herroepen. Feitelijk had hij dat artikel in zijn tegendeel verkeerd, want alle leden van de Prieuré hadden nu opdracht hun betrokkenheid te ontkennen. Door een brief van ogenschijnlijk aftreden te doen uitgaan had hij zich in overeenstemming gebracht met zijn eigen decreet. Als dat het geval zou zijn, was zijn schijnbare aftreden in feite komedie.

Voor zover wij konden zien, waren er deze vier mogelijkheden, met natuurlijk allerlei variaties op en combinaties van dat viertal. Zeker leek vanuit de Orde druk op monsieur Plantard te worden of te zijn uitgeoefend – vermoedelijk door de 'Anglo-Amerikaanse groep'. Ook leek er druk van buitenaf te bestaan, in de vorm van enigerlei ongeïdentificeerde externe tussenkomst. Dan was er ook die kwestie met opzettelijke misinformatie. Ongetwijfeld was een deel daarvan door monsieur Plantard zelf rondgestrooid, maar een ander deel kwam uit andere hoeken. Wij hadden aanvankelijk gemeend dat de misinformatie specifiek op ons was gericht, terwijl een deel ervan in feite evenzeer monsieur Plantard beoogde.

Naarmate wij de situatie meer overwogen, kwam plotseling een andere mogelijke verklaring van monsieur Plantards aftreden op; en als daar ook maar een zweem van waarheid in zat, zou dat de gewichtigste en meest explosieve van alle zijn. Binnen een week nadat we monsieur Plantards pakketje hadden ontvangen, kregen we wederom een anoniem geschrift toegestuurd – of beter gezegd een onder pseudoniem gesteld schotschrift. Dat pseudoniem luidde eenvoudig 'Cornelius'. En evenals in het vorige schotschrift beweerde het een vooraankondiging te zijn van een boek dat door 'Cornelius' werd geschreven onder de titel *The Scandals of the Prieuré de Sion*. Het is niet mogelijk dat schotschrift hier te citeren. In zijn bestaande vorm is het een uitermate opruiend geschrift. Terwijl geen enkele van de erin gedane beweringen bewezen is, bevat het minstens een handvol aantijgingen aan het adres van internationaal bekende personen. Wij kunnen echter wel een beknopt overzicht van enkele der voornaamste punten geven.

1. De gewezen bankier Michele Sindona zat in die tijd een gevangenisstraf uit wegens fraude in Italië en werd voorts beschuldigd van medeplichtigheid aan de moord op de Italiaanse detective Giorgio Ambrosoli. (Sindona stierf in maart 1986 door het drinken van een kop vergiftigde koffie.) Volgens 'Cornelius' werd de moord op Ambrosoli gepleegd feitelijk in opdracht van een vooraanstaand Italiaans politicus, nog actief betrokken bij de aangelegenheden van zijn land. De betreffende persoon, beweert 'Cornelius', is ook een hooggeplaatst lid van de Prieuré de Sion en had deel aan de verkiezing van Pierre Plantard tot grootmeester in 1981. Geïnsinueerd wordt dat de moord verband houdt met het schandaal rondom de Banco Ambrosiano, de voormalige bank van het Vaticaan, en met de kwestie die uitliep op de mysterieuze dood van de Italiaanse bankier Roberto Calvi die in 1982 opgehangen werd aangetroffen onder de Blackfriars Bridge in Londen.
2. Michele Sindona was zelf, zo liet 'Cornelius' doorschemeren, betrokken bij bepaalde nevelige financiële transacties die direct of indirect met de Prieuré de Sion verband hielden. Dat gold ook voor andere bankiers in de Verenigde Staten.
3. In mei 1974 werd kardinaal Jean Danielou, in die periode de voornaamste zegsman van het Vaticaan inzake het celibaat, dood aangetroffen onder omstandigheden die tot veel kwaadaardige roddel en geruchten aanleiding gaven. Er was een striptease-danseres uit een nachtclub bij betrokken. Ook was een grote som geld in het spel.[1] Als jongeman had kardinaal Danielou een tijdje nauwe relaties onderhouden met Jean Cocteau, en in Franse culturele kringen is hij bekend om zijn Latijnse vertaling van Cocteau's *Oedipus rex*. Door zijn verbinding met Cocteau zal de kardinaal waarschijnlijk Pierre Plantard de Saint-Clair hebben gekend. Volgens 'Cornelius' was kardinaal Danielou betrokken bij geheime financiële transacties met de Prieuré de Sion. Hij zou ook een rol hebben gespeeld in de machinaties van Michele Sindona en andere bankiers. En over zijn dood – officieel als gevolg van een hartaanval – laat 'Cornelius' slinks doorschemeren dat deze niet aan die offi-

ciële oorzaak te wijten was geweest.
4. 'Cornelius' beweert voorts dat de Prieuré de Sion nauwe betrekkingen heeft met zowel de Italiaanse maffia als de Italiaanse vrijmetselaarsloge P2. Deze laatste bracht een geweldige sensatie teweeg, toen het bestaan, de activiteiten en de leden ervan in 1981 voor het eerst ontdekt en bekendgemaakt werden. Specifiek wordt nog melding gemaakt van de moord op een Italiaanse generaal – generaal Dalla Chiesea – door de maffia, evenals van twee grote financiële schandalen in Italië.
5. Op 19 januari 1981 – twee dagen nadat Pierre Plantard de Saint-Clair tot grootmeester van de Prieuré de Sion werd uitgeroepen – zou een hooggeplaatst lid van de Orde volgens 'Cornelius' een ontmoeting hebben gehad met Licio Gelli, grootmeester van P2. Die ontmoeting zou hebben plaatsgevonden in de La Tipia geheten brasserie aan de Parijse Rue de Rome.

Wij moeten hier met nadruk opmerken dat, ondanks intensief onderzoek, geen enkele van de door 'Cornelius' gedane beweringen op welke wijze dan ook bewezen is. En bij afwezigheid van ook maar enig bewijs kan zijn schotschrift niet anders beschouwd worden dan als allerkwaadaardigst lasterlijk en vatbaar voor wettelijke repercussies. Voor zover wij weten, is het schotschrift in ruime kring verspreid. De aantijgingen die erin staan, worden thans ongetwijfeld door journalisten nagetrokken – of zijn al onderzocht – en bij gebrek aan bewijs van de hand gewezen. Doch als ook maar een van de beweringen van 'Cornelius' een zweem van waarheid zou bevatten, zal dat het deksel van een bijzonder onwelriekende put openen. Alleen al krachtens dit schotschrift heeft deze 'Cornelius' in elk geval getracht de Prieuré de Sion met hetzelfde vuil te besmeuren als de maffia en P2. Al is het 'maar' in de geest van mensen, toch heeft hij de activiteiten van de Prieuré de Sion geplaatst in de schemerige onderwereld van Europese affaires – waar maffia geheime genootschappen en inlichtingendiensten overlapt, waar grote zakenwereld en Vaticaan elkaar de hand drukken, waar immense geldsommen aan clandestiene doeleinden worden besteed, waar de demarcatielijnen tussen politiek, religie, spionage, *la haute finance* en georganiseerde misdaad beginnen te vervagen.

Dit op zichzelf zou voor monsieur Plantard aanleiding geweest kunnen zijn om af te treden of om zichzelf en de Prieuré de Sion in verborgenheid te hullen.

De Prieuré gaat in nevelen op

Met het aftreden van monsieur Plantard kwam aan de informatiestroom vanuit de Prieuré de Sion een einde. Monsieur Plantard zelf werd 'ongrijpbaarder' dan ooit; het werd steeds moeilijker om contact met hem te krijgen, zelfs telefonisch. Louis Vazart werd opvallend terughoudend, terwijl anderen geheel en al van de aardbodem leken verdwenen. En in juli 1985 waren wij net als ieder ander die hem gekend heeft, verslagen door het bericht van overlijden van Philippe, marquis De Chérisey. Wat ook de aard zij van de Prieuré de Sion en welke rol monsieur De Chérisey daarin gespeeld moge hebben, het lijdt geen twijfel of hij was de gezelligste, qua fantasie de vindingrijkste, de origineelste en wellicht ook de briljantste figuur die we in de loop van ons onderzoek zijn tegengekomen. Ook was hij een uitzonderlijk begaafd romancier die, op zuiver letterkundig niveau, meer erkenning verdient dan hij oogstte.

Na het aftreden van monsieur Plantard werd de Prieuré de Sion in feite onzichtbaar. Sinds 1956 was de Orde min of meer toegankelijk geweest voor diegenen die bij hun onderzoek voldoende vasthoudendheid aan de dag legden. Sinds 1979 hadden we rechtstreekse verbinding met de Orde en zijn grootmeester gehad; en enige tijd nadat ons eerste boek was verschenen, leek de Prieuré genegen een waarlijk verheven profiel aan te nemen. Maar toen, vrij plotseling, vergleed hij weer naar de schaduw, een sluier over zijn activiteiten werpend en geen volgbaar spoor achterlatend. Welke ook de doelstellingen en prioriteiten van de 'Anglo-Amerikaanse groep' in de Orde en van betrokken externe belangen mochten zijn, zij leken erin geslaagd monsieur Plantard te compromitteren, zoal niet hem tot aftreden te noodzaken – en intussen de hele Prieuré aan het oog te onttrekken.

Nochtans was ons eigen onderzoek ons in bepaalde richtingen gaan leiden die zeer globaal parallel liepen aan die welke 'Cornelius' aanduidde. Wij konden geen enkel geloof hechten aan veronderstelde relaties tussen de Prieuré en P2 en maffia; er was niet het minste bewijs dat dergelijke beweringen kon staven. Noch zelfs konden we zeggen of dergelijke organisaties, ook al zouden ze betrokkenen zijn, op één lijn stonden met de Prieuré of juist tegenovergesteld. Het schotschrift van 'Cornelius' – wiens aangekondigde boek feitelijk nooit uitkwam – kan heel wel een poging zijn geweest om met pure verdichtsels de Prieuré in kwaad daglicht te stellen, veeleer dan over zijn geheimen onthullingen te doen.

Niettemin was steeds duidelijker geworden dat de Prieuré de Sion belangen *had* en actief *was* in een wat duistere sfeer – een sfeer waarin Europese christen-democratische partijen, diverse zich aan Europese eenheid wijdende bewegingen, royalistische groeperingen, neo-ridderschapsorden, vrijmetselaarssekten, CIA, Maltezer ridders en Vaticaan dooreenwarrelden, zich tijdelijk voor een of ander specifiek doel verenigend om dan weer uiteen te gaan. De primaire vraag was waar nu precies de Prieuré in het web van los verweven organisaties en belangen thuishoorde. Was hij een van die talrijke andere kleine associaties die als pionnen door machtiger, neveliger krachten werden gemanipuleerd? Had hij zich welbewust ter beschikking gesteld van deze krachten, ofwel vanuit een oprecht gedeelde waardenhiërarchie of uit tijdelijk gedeeld opportunisme? Of was de Prieuré in feite zélf een van de krachten die aan de touwtjes trok?

22. La Résistance, ridderschap en de Verenigde Staten van Europa

Tijdens ons eerdere onderzoek hadden we getracht het bestaan van de Prieuré de Sion tijdens voorbije eeuwen na te gaan en dat bestaan te bevestigen. We hadden met andere woorden geprobeerd om de juistheid of althans de waarschijnlijkheid te verifiëren van de beweringen van de hedendaagse Orde ten aanzien van haar eigen afkomst. In een mate die ons verraste en die onze aanvankelijke scepsis ontzenuwde, mochten we daarin slagen.

De Prieuré zelf beweerde dat hij als Ordre de Sion in 1090 werd gesticht – of, volgens andere verklaringen, in 1099. Wij konden op grond van rechtstreeks documentair bewijs aantonen dat op de berg Sion in 1099 een abdij was gesticht die aan de zorg van een moeilijk te definiëren maar specifieke orde van 'religieuzen' was toevertrouwd.[1] Op 19 juli 1116 komt de naam van de Ordre de Sion al voor in officiële oorkonden en documenten.[2] Wij vonden nog een ander charter uit 1152 met het zegel van koning Lodewijk VII van Frankrijk waarbij de Orde haar eerste Europese zetel verwierf, en wel te Orléans.[3] Dan vonden we een wat later charter, van 1178, met het zegel van paus Alexander III, die bepaalde grondeigendommen bevestigde, niet alleen in het Heilige Land, maar ook in Frankrijk en Spanje en verspreid over het Italiaanse schiereiland – in Lombardije, Calabrië, Napels en op Sicilië.[4] We vernamen dat er tot in de Tweede Wereldoorlog twintig documenten met specifieke betrekking tot de Ordre de Sion in de gemeentelijke archieven van Orléans hadden gelegen, maar dat daar bij een bombardement zeventien van verloren waren gegaan.

Wij konden zo de beweringen van de hedendaagse Prieuré over zijn oorsprong en de eerste eeuw van zijn bestaan bevestigen, en op overeenkomstige wijze ook andere verklaringen inzake de verdere historie van de Orde. Naast summiere gegevens en lijsten van grondbezittingen konden we eveneens de verbinding bevestigen tussen de Prieuré en een onderling geschakeld netwerk van adellijke families die allen verklaarden af te stammen van de merovingische dynastie. Deze had tussen de vijfde en achtste eeuw over 'Frankrijk' geregeerd. Zo speelde bij voorbeeld een van een vrij onbekende familie afstammende ridder, een zekere Jean de Gisors, een belangrijke rol in de activiteiten van de Orde en bleek verwant met de familie van Hugues de Payn, eerste grootmeester van de tempeliers. Van vergelijkbaar belang in de geschiedenis van de Orde en ook door verwantschap gekoppeld was de familie Saint-Clair, voorouders van de hedendaagse zegsman en grootmeester tussen 1981 en 1984 van de Prieuré de Sion, Pierre Plantard de Saint-Clair. In feite toonde ons onderzoek definitief aan waarop in de beweringen van de hedendaagse Orde alleen werd gezinspeeld, namelijk dat de Prieuré de Sion in zijn hele historie grotendeels een familiale aangelegenheid was geweest, een organisatie rondom bepaalde koninklijke en adellijke huizen.

De Prieuré wordt met name genoemd in vermeldingen die zich uitstrekken van de twaalfde tot begin zeventiende eeuw. Toen werd in uit 1619 daterende documenten verklaard dat de Orde zich het ongenoegen van koning Lodewijk XIII van Frankrijk op de hals had gehaald en dat zij van haar vestiging in Orléans werd verdreven waarna de koning deze aan de jezuïeten overdroeg.[5] Daarna scheen de Prieuré de Sion van het historisch toneel verdwenen te zijn, althans onder die naam, totdat hij wederom verscheen in 1956, toen hij in de *Journal officiel*, de Franse staatscourant, geregistreerd werd. Toch had de hedendaagse Orde tussen 1619 en de twintigste eeuw regelmatig bepaalde activiteiten aangehaald, bepaalde historische gebeurtenissen waarin ze een rol had gespeeld, zekere historische ontwikkelingen waarbij ze enigerlei gevestigd belang had. Toen we de gebeurtenissen en ontwikkelingen in kwestie natrokken, vonden we onbetwistbare bewijzen van de betrokkenheid van een georganiseerd en samenhangend kader dat achter de schermen werkte en soms andere instellingen als façade gebruikte. Dat kader werd niet specifiek bij name genoemd, maar alles wees erop dat het inderdaad de Prieuré de Sion betrof. Sterker nog: het bleek precies hetzelfde weefsel van onderling verbonden families die afstamming van de Merovingen pretenderen. Of het nu de intriges en de godsdienstoorlogen van de zestiende eeuw betrof dan wel de als Fronde bekend geworden opstandige beweging in de zeventiende eeuw of de vrijmetselaarssamenzweringen van de achttiende eeuw – opeenvolgende generaties van precies diezelfde families waren erbij betrokken, handelend volgens een consequent aangehouden patroon.

Op die basis konden we bevestigen dat inderdaad enigerlei rechtstreekse verbinding bestaat tussen de Prieuré de Sion van onze dagen en de Orde van dezelfde naam die in 1619 uit Orléans was verdreven. Duidelijk bleek dat de Prieuré in de tussenliggende ongeveer driehonderddertig jaar had voortbestaan en niet stil had gezeten, zij het achter diverse façades en door middel van allerlei andere organisaties. Zo waren we bij voorbeeld in staat de Prieuré in verband te brengen met de Compagnie du Saint-Sacrament in het zeventiende-eeuwse Frankrijk, met een groep sterk heterodoxe – zoal niet ketterse – geestelijken die in Saint-Sulpice in Parijs zetelden, met de mysterieuze en ongrijpbare 'Rozenkruisers' van het vroeg zeventiende-eeuwse Duitsland, met bepaalde riten van de achttiende-eeuwse vrijmetselarij en met politieke samenzweringen en geheime esoterische genootschappen van de negentiende eeuw. Door dergelijke organisaties en door de zich steeds herhalende verbindingen tussen hen en dezelfde families kon een ononderbroken continuüm tussen 1619 en onze eigen tijd worden vastgesteld.

Maar hoe stond het met het heden? Toen we hem in 1979 voor het eerst ontmoetten, maakte monsieur Plantard zijn standpunt ondubbelzinnig duidelijk. Hij was gaarne bereid, zei hij, de historie van de Orde te bespreken. Hij zou echter slechts vage toespelingen maken op haar toekomst en was in het geheel níet bereid ook maar iets over het heden te zeggen. Nu had hij dat standpunt in 1983 en 1984 wel énigszins herzien – in elk geval in die zin dat hij ons de notarieel gewaarmerkte documenten toonde die naar verluidde de perkamenten van Saunière naar Engeland voerden, en het 'mise en garde' zond met de handtekeningen van de heren Drick, Freeman en Abboud. Deze hadden ons naar de directie van de oude Guardian Assurance-maatschappij geleid en naar de First National Bank of Chicago. Maar niets was afdoende bevestigd geworden, niets vlekkeloos aangetoond. We waren gewoon in een moeras van misinformatie verzonken geraakt en ons onderzoek deed evenveel – zoal niet nog meer – vragen rijzen als het beantwoordde. In het naspeuren van de hedendaagse Prieuré leken we soms een dwaallicht te volgen of een spookbeeld na te jagen. Het bleek onvatbaar op het moment dat we het in onze greep meenden te hebben, om dan weer te materialiseren op een punt enkele stappen vóór ons. Bewijsmateriaal dook op dat, als we het onderzochten, zichzelf ophief of slechts verdere mystificatie opriep dan wel in zichzelf terugsprong tot een prisma van elkaar weerkaatsende spiegels.

Maar niet alleen wij kregen die indruk. In het jaar voor het aftreden van monsieur Plantard namen we een professionele detective in dienst. De betreffende dame had meer dan vijfendertig jaar ervaring met werk aan projecten voor een aantal gezaghebbende auteurs. Zowel zij als haar echtgenoot, een gewezen militair en voormalig verzetsstrijder, had talrijke eminente connecties en toegang tot kringen waar wij als buitenstaanders niet over beschikten. En stellig had ze ook meer ervaring in de omgang met Franse bureaucratieën, of dat nu bibliotheken en archieven betrof dan wel regeringsbureaus. En omdat ze in Frankrijk woonde, kon ze ook gemakkelijker dan wij een of andere individuele draad in deze of gene doolhof napluizen waar wij weken over zouden doen. Als een bepaald bureau op een dag gesloten bleek of een bepaald personage onbereikbaar, kon zij wel altijd de volgende dag terugkomen of desnoods de week daarna.

Zij voorzag ons van een hoeveelheid uitzonderlijk waardevolle informatie. Ze diepte fragmenten van gegevens op uit veelal onmógelijke plaatsen en zette haar speurtocht met indrukwekkende hardnekkigheid voort. Ze liet zich niet afschrikken, intimideren of afleiden door onvriendelijke woorden, dubbelzinnigheden of uitvluchten. Toch bekende ze ons, tijdens haar hele carrière als detective nog nooit zoveel dwaalpaden, doodlopende wegen, gesloten deuren, onoprechte ontkenningen en mysterieuze tegenstrijdigheden te zijn tegengekomen. Bij vrijwel elke gelegenheid waarin ze iemand ten behoeve van ons interviewde, sloegen aanvankelijke hoffelijkheid en bereidheid om te helpen, zodra ze zich op bepaalde relevante gebieden begaf, om in reserve, stilzwijgen, zelfs vijandigheid. Wij vroegen haar en haar man wat zij van de hele zaak dachten, tot welke gevolgtrekkingen zij door dit onderzoek waren gekomen. Ze zeiden dat er geen twijfel aan kon bestaan, of hier was sprake van een of andere dekmantel.

Het blad 'Vaincre' *

Desalniettemin bleek het mogelijk om althans enige informatie op te diepen, niet alleen uit de Prieuré de Sion zelf, maar ook uit onafhankelijke bronnen. Ondanks monsieur Plantards ontwijkend gedrag en het scherm van misinformatie en officiële terughoudendheid konden we iets te weten komen over de Orde en haar gewezen grootmeester. De gegevens die we verkregen, stelden ons in staat een en ander van de activiteiten tot zelfs in de Tweede Wereldoorlog toe na te gaan.

Niet lang nadat we hem voor het eerst hadden ontmoet, had monsieur Plantard ons een in Parijs opgestelde en op 11 mei 1955 gedateerde verklaring gezonden van een zekere Poirier Murat die zichzelf beschreef als ridder in het Légion d'Honneur, drager van de 'médaille militaire' en gewezen officier van het Franse verzet. Volgens dit getuigenis van monsieur Murat had hij monsieur Plantard sinds 1941 gekend. Voorts verklaarde hij dat monsieur Plantard tussen 1941 en 1943 een 'verzetsblad', *Vaincre* genaamd, had uitgegeven. In het getuigenis werd ook verklaard dat monsieur Plantard door de Gestapo was opgepakt en tussen oktober 1943 en februari 1944 in de gevangenis van Fresnes had vastgezeten.

Wij gingen de juistheid van monsieur Murats beweringen na. Wij schreven naar de Franse krijgsmacht en deze antwoordde dat men geen desbetreffende archieven onderhield en dat we contact moesten opnemen met de directeur-generaal van de Archieven van Frankrijk. Ook gaven ze onze brief door aan de politieprefectuur van Parijs die ons de raad gaf contact op te nemen met de directeur van de gevangenis te Fresnes. Toen we de directeur-generaal van de

* Vaincre (Fr.) = overwinnen.

Archieven van Frankrijk hadden geschreven, kregen we het advies om contact op te nemen met de onderafdeling Archieven van Parijs. De onderafdeling Archieven van Parijs gaf ons eveneens de raad rechtstreeks contact op te nemen met de gevangenis in Fresnes. Fresnes wilde, in antwoord op ons verzoek, wel eerst eens even weten waarom we dat verzoek deden en verlangde bijzonderheden aangaande ons onderzoek. Wij schreven terug, voegden er relevante details en fotokopieën bij, plus de verklaring van monsieur Poirier Murat. Doch antwoord kregen we niet.

Zulke dingen waren ons in de loop van ons onderzoek om de haverklap overkomen. Maar ze bleken ook van het soort waar onze detective zo handig mee wist om te springen. Vanuit het motto 'de aanhouder wint' wist zij ten slotte een antwoord van Fresnes los te peuteren, dat echter niet al te verhelderend was: '... na onderzoek van de registers van hen die in Fresnes vastzaten, kunnen we daarbij geen spoor ontdekken, of monsieur Plantard daar tussen oktober 1943 en februari 1944 opgesloten was.' Had Poirier Murat – chevalier van het Légion d'Honneur, drager van de 'médaille militaire' en gewezen officier van het Franse verzet – in zijn schriftelijke verklaring misschien niet de waarheid gesproken? En zo ja: waarom dan? Zo nee: waarom bestond dan geen registratie van zijn opsluiting in Fresnes? Was die vermelding verwijderd? Of was er om een of andere niet nader te bepalen reden nooit een aantekening van gemaakt?

Onze pogingen om *Vaincre,* het 'verzetsblad' waarmee monsieur Plantard in verband stond, op te sporen bleken heel wat meer succes op te leveren. We ontdekten zes nummers van *Vaincre*[6], waarschijnlijk de enige die gepubliceerd zijn. Tegen onze verwachtingen bleken het geen heimelijke, tersluiks geproduceerde geschriften. Er was in het geheel niets clandestiens aan. Ze waren gedrukt op fraai papier van een kwaliteit die in Frankrijk in die tijd moeilijk te krijgen was en er stonden ook illustraties en foto's in. In het eerste nummer werd openlijk verklaard dat het gezet en gedrukt was bij drukkerij Poirier Murat, met een oplage van 1379 exemplaren. In het zesde nummer stond een oplage van 4500 exemplaren vermeld. Over het geheel genomen stond *Vaincre* voor een onderneming die onmogelijk had kunnen slagen zonder enige voorkennis aan de kant van de autoriteiten. Het stond ook voor een onderneming die over aanzienlijke geldmiddelen kon beschikken.

Te oordelen naar de zes nummers die we in handen kregen, viel het moeilijk om *Vaincre* als 'verzetsorgaan' te beschouwen. De artikelen die het bevatte, van de hand van met name genoemde en in sommige gevallen welbekende medewerkers, vormden in hoofdzaak een mengeling van esoterische thema's, mythe en pure fantasie. Er werd bij voorbeeld veel gewag gemaakt van Atlantis. In het bijzonder werd nadruk gelegd op oude Keltische 'wijsheidstradities' en op de mythische thema's en beelden waarin deze voortleefden. Er was ook een flinke scheut van een soort neo-zoroastrische theosofie toegevoegd, met Tibetaanse ingewijden en verborgen steden in de Hi-

32. Oorkonde waarin paus Alexander III de bezittingen van de Ordre de Sion bevestigt in Palestina, Napels, Calabrië, Lombardije, op Sicilië, in Spanje en Frankrijk; dit is een foto van een officieel afschrift van 1337 van het in 1178 opgestelde origineel.

33-34. Linksboven: *Rennes-le-Château, gezien vanuit Le Bézu;* linksonder; *de Sals-vallei, gezien vanaf de Roque Nègre in de richting van Rennes-les-Bains.*
35. Rechts: *deel van een bestrate Romeinse weg tussen Rennes-le-Château en Rennes-les-Bains. Het uitgebreide wegenstelsel in de omgeving getuigt nog van een in vroeger tijd veel grotere bevolking.*

36-37. Onder: *Het eerste en tweede van de in 1891 door abbé Bérenger Saunière in de kerk van Rennes-le-Château ontdekte documenten. In het eerste is de Latijnse tekst een mengeling van Lukas 6: 1-5, Matteüs 12: 1-8 en Markus 2: 23-28; de tweede is uit Johannes 12: 1-11. Beide bevatten boodschappen in code.*

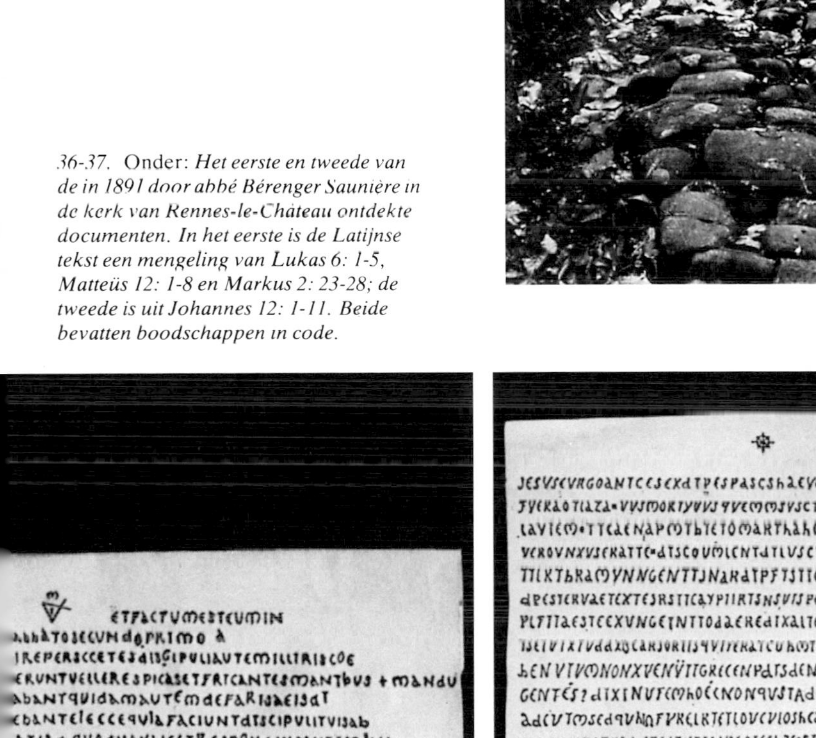

ETFACTUMESTEUMIN
SABBATOSECUNDOPRIMO A
BIREPERSCCETESDISCIPULIAUTEMILLIRISCOE
ERUNTVELLERESPICASETFRICANTESMANIBUS + MANDU
CABANTQUIDAMAUTEMDEFARISAEISDI
CEBANTEIECCEQUIAFACIUNTDISCIPULITUISAB
BATIS + QUODNONLICETRESPONDENSAUTEMINS
SETXTTADEOSNUMQUAMHOC
LECISTISQUODFECITDAUIDQUANDO
ESURUTIPSEETQUICUMEOERAT + INTROIBITINDOMUM
DEIETPANESPROPOSITIONIS   REDIS
MANDUCAUITETDEDITETQUI   BLES
CUMERANTUXUO QUIBUSNO
NLICEBATMANDUCARESINON   SOLIS SACERDOTIBUS

JÉSV. MEDÈLA. VVLNÉRUM + SPES. VNA. PŒNITENTIVM.
PER. MAGDALÁNÆ. LACHRYMAS + PECCATA. NOSTRA. DILVAS.

38. De Titusboog, Rome, waarop de overbrenging naar Rome van een deel van de tempelschat van Jeruzalem is uitgebeeld.

malaja. Maar bovenal beweerde *Vaincre* het orgaan van een Alpha Galates genoemde specifieke organisatie of orde te zijn.

Onder de Duitse bezetting en de Vichy-regering waren geheime genootschappen, met inbegrip van de vrijmetselarij, streng verboden en op lidmaatschap van een dergelijke organisatie stond zware straf. Bijgevolg diende Alpha Galates zich niet als een of ander geheim genootschap aan – hoewel ze dat duidelijk wel was. In plaats daarvan presenteerde ze zich als een ridderschappelijke dan wel neo-ridderschappelijke orde. Op de beginselen van ridschap en ridderlijkheid werd herhaaldelijk de nadruk gelegd en de meeste artikelen in *Vaincre* richtten zich op onderwerpen uit het ridderwezen – evenals op Frankrijk als ware bakermat van ridderschap en op de rol van de ridderschap in de moderne wereld. Volgens *Vaincre* en Alpha Galates diende ridderschap het instrument voor nationale vernieuwing van Frankrijk te zijn: '... een ridderschap is onmisbaar, omdat ons land niet herboren kan worden tenzij slechts door zijn ridders'.[7]

Toen de ridderschap tijdens de 'donkere middeleeuwen' voor het eerst opkwam, had het instituut van ridder en ridderschap op specifiek spirituele grondslag berust. Gebruikelijke adellijke titels – bij voorbeeld die van baron, graaf, markies, hertog – hadden maatschappelijke en politieke status aangeduid, landbezit, afstamming. De ridder echter verdiende zijn sporen en zwaard door eigen persoonlijke deugden – of beter gezegd: deugdzaamheid en morele zuiverheid. Later was de ridderschapsidee meer en meer in verval geraakt, tot ze ten slotte een kleine beloning werd voor een of andere verleende dienst – met inbegrip van oppoetsen van het aanzien van een of andere minister-president. *Vaincre* en Alpha daarentegen stonden op ridderschap in zijn oorspronkelijke en traditiegetrouwe zin: 'De ridder kan niet leven zonder het spirituele ideaal, de bewaarplaats van morele, intellectuele en geestelijke krachten door komende generaties heen.'[8]

Volgens *Vaincre* werd Alpha Galates op 27 december 1937 in de *Journal officiel* geregistreerd. Toen we die Franse staatscourant van de periode juni 1937 tot april 1938 doornamen, kwamen we echter geen enkele registratie onder die naam tegen. Toen we het Franse ministerie van defensie schreven, kregen we ten antwoord dat men nog nooit van *Vaincre* noch van Alpha Galates had gehoord en dat men geen registratie van die namen bezat. De Franse politieprefectuur loochende eveneens alle kennis – hoewel we naderhand te weten kwamen dat de Franse tegenhanger van de 'Special Branch' van de Britse geheime dienst een dossier over Alpha Galates en de leiders ervan bezat. In elk geval en officiële ontkenningen ten spijt bestond *Vaincre* wel degelijk, evenals zijn kring van medewerkers tot wie een aantal leden van Alpha Galates lijkt te hebben behoord.

Een van de medewerkers van *Vaincre* was Robert Amadou, thans een bekende auteur op het gebied van esoterische en vrijmetselaarsonderwerpen, martinist en functionaris van een tot het Zwitserse Grootoosten Alpina behorende loge.[9] Een andere vooraanstaande medewerker was professor Louis le Fur, een alom bekende rechtse publicist van voor de oorlog. Naderhand werd hij natuurlijk wegens zijn steun aan het Vichy-regime aan de kaak gesteld. Tijdens de Duitse bezetting echter genoot hij een bepaalde reputatie als denker en cultureel commentator en werd hij genoemd voor een belangrijke onderwijspost onder Pétain.[10] In die tijd had Louis le Fur een naam waarmee rekening moest worden gehouden. Hij zou zich dan ook zeker niet openlijk aan een blad als *Vaincre* hebben verbonden, tenzij hij het als een serieuze en lofwaardige onderneming beschouwde. In een van zijn artikelen verklaart Le Fur zelf acht jaar lid te zijn geweest van Alpha Galates. Van de andere leden van deze Orde noemt hij Jean Mermoz, een vermaard vliegenier die voor de oorlog overleed, evenals Gabriel Trarieux d'Egmont, een schrijver over esoterische onderwerpen en in mindere mate een mystiek dichter wiens werk onder oordeelkundigen nog altijd een zeker respect afdwingt.

Volgens *Vaincre* bestond de ledenkring van Alpha Galates uit twee algemene groeperingen: het 'Légion' en de 'Phalange'. De rol van het 'Legioen' wordt niet nader belicht. Terwijl van de taak van de 'Falanx' wordt gezegd dat deze bestond uit wijsgerige studiën en het opleiden van aanstaande ridders. Interessant is dat volgens de in 1956 bij de Franse politieprefectuur te Annemasse gedeponeerde statuten ook de Prieuré de Sion verdeeld was in de twee groepen 'Légion' en 'Phalange'.

Ten dele op grond hiervan namen we aanvankelijk aan dat Alpha Galates weer een andere façade van de Prieuré de Sion was. Maar blijkbaar was dat toch niet het geval. Monsieur Plantard verklaarde persoonlijk tegenover ons dat hij pas op 10 juli 1943 tot de Prieuré de Sion toetrad. In de brief bij de aankondiging van zijn aftreden herhaalt hij die verklaring en hij voegt eraan toe dat hij onder verantwoordelijkheid van abbé François Ducaud-Bourget in de Prieuré werd geïntroduceerd. Zijn verbinding met *Vaincre* en Alpha Galates dateert anderzijds van minstens een jaar eerder. Vanuit die chronologie lijken Alpha Galates en de Prieuré de Sion twee verschillende organisaties – tenzij natuurlijk eerstgenoemde een soort aanhangsel of wellicht rekruteringsdienst was voor laatstgenoemde. In elk geval moet bij de Prieuré, teneinde monsieur Plantard te kúnnen introduceren, in de smaak zijn gevallen wat Alpha Galates uitvoerde. En beider oriëntatie lijkt in veel opzichten sterke overeenkomsten te vertonen, zo ze al niet identiek is. Dat wordt vooral duidelijk in de nadruk op ridderschap. Bovendien komen bepaalde medewerkers van *Vaincre* naderhand voor in publikaties in verband met de Prieuré.

Het eerste nummer van *Vaincre* noemt als directeur en redacteur 'Pierre de France' en publiceert ook zijn foto. Die foto is onmiskenbaar een kiek van een jonge monsieur Plantard die toen tweeëntwintig moet zijn geweest. Op 21 september deelt *Vaincre* mee dat Pierre de France tot grootmeester van Alpha Galates is gekozen. In het vierde nummer van *Vaincre*, van 21 december 1942, wordt de naam Pierre de France uitgebreid tot Pierre de France-Plantard. Zijn adres – 10 Rue Lebouteux, Paris-17 – wordt als hoofdkwartier of centraal bureau van Alpha Galates opgegeven.

Ondanks zijn op mythe en ridderschap gerichte karakter getuigt *Vaincre* toch van een zekere politieke oriëntering. Zoals ook de medewerking van Louis le Fur lijkt aan te duiden, is het blad duidelijk pro-Vichy in zijn sympathieën en af en toe uitbundig in zijn steun aan Pétain. Het eerste nummer bevat een lofzang op Pétain, terwijl Alpha Galates wordt omschreven als 'een grootridderschappelijke Orde', 'in dienst van het geboorteland' en 'met de Maarschalk'. Maar ook komen in *Vaincre* nu en dan bedenkelijke antisemitische uitlatingen voor waarin het wilde gebral van nazi-propaganda doorklinkt. 'Om ons geboorteland in zijn rang te herstellen... is het noodzakelijk om... valse dogma's... en de corrupte beginselen van de vroegere democratische joodse vrijmetselarij uit te roeien.'[11]

Men moet anderzijds wel de tijdsomstandigheden waarin *Vaincre* gepubliceerd werd, in aanmerking nemen. Frankrijk was grotendeels door de Duitsers bezet, de Gestapo had overal ogen en oren en er kon maar bitter weinig in druk verschijnen dat aan de speurzin van de Duitse autoriteiten en hun Franse collaborateurs ontging. Monsieur Plantard kon wel amper een dergelijk fraai uitgevoerd blad hebben uitgebracht waarin hij De Gaulle zou hebben gesteund. Alles wat in *Vaincre* staat, moet dan ook met omzichtigheid worden beschouwd, omdat het immers gedrukt werd ook vanuit de verwachting dat het door Duitse ogen onder de loep zou worden genomen. Óm te kunnen voortbestaan was het blad dan ook genoodzaakt bepaalde geëigende dingen te verklaren en niet al te opvallend van de officieel goedgekeurde lijnen af te wijken. Toen we monsieur Plantard op bepaalde potentieel compromitterende passages in *Vaincre* wezen, legde hij, niet weinig gegeneerd daarover, op dat punt de nadruk. Hij zinspeelde erop dat onder het patina van pro-Vichy en pro-Pétain *Vaincre* boodschappen in code bevatte en instructies die slechts door het Franse verzet ontcijferd konden worden.

Of dat nu inderdaad zo was of niet, het is nog altijd moeilijk om *Vaincre* als een orgaan van de Franse 'Résistance' op te vatten. Maar het is evenzeer moeilijk om het te bezien en af te doen als niets anders dan een excentrieke esoterische publikatie met duidelijke sympathieën voor het Vichy- en het Pétain-regime. Hoewel politiek en religieus conservatief speelde abbé François Ducaud-Bourget een actieve rol in het Franse verzet; hij werd later met de 'médaille' van de Franse 'Résistance' onderscheiden. Als de abbé inderdaad die intrede van monsieur Plantard in de Prieuré de Sion steunde, is nauwelijks aannemelijk dat laatstgenoemde dan wel Alpha Galates of *Vaincre* zo tot collaboratie met de Duitsers geneigd waren als op het eerste gezicht schijnt. Bovendien werd *Vaincre* gedrukt door Poirier Murat, chevalier van het Légion d'Honneur, drager van de 'médaille militaire' en officier van het Franse verzet. Het is zeer onwaarschijnlijk dat Murat een blad van het soort dat *Vaincre* lijkt te zijn, onderschreven zou hebben, tenzij het *inderdaad* een functie op ander vlak inhield en 'la Résistance' diensten verleende. En ten slotte moet worden gewezen op de latere samenwerking tussen monsieur Plantard en Charles de Gaulle waar we straks op terugkomen. De Gaulles ondubbelzinnige vijandschap tegenover gewezen collaborateurs is genoegzaam bekend. Als monsieur Plantard werkelijk collaborateur zou zijn geweest, kon hij onmogelijk die goede verstandhouding met De Gaulle hebben gekregen die hij naderhand genoot.

Er is nog een andere duidelijke aanwijzing die sterk in het voordeel van monsieur Plantard, Alpha Galates en *Vaincre* pleit. Onder de schunnigste publikaties in het bezette Frankrijk van tijdens de oorlog was een giftig satirisch tijdschrift, *Au pilori* genaamd. *Au pilori* was vurig pro-nazi, fel antisemitisch en anti-vrijmetselarij. Het wijdde zich aan opsporing van al dan niet vermeende joden en vrijmetselaren, publiceerde namen en adressen en was er over het algemeen op uit de Gestapo de helpende hand te reiken en daarmee goede maatjes te blijven. Iedereen die door *Au pilori* – aan de schandpaal – op de korrel werd genomen, kan onmogelijk helemaal 'verkeerd' zijn geweest. Op 19 november 1942 publiceerde *Au pilori* aldus een hatelijk satirisch commentaar op monsieur Plantard, op Alpha Galates en op *Vaincre*. Rechtstreekse beschuldigingen werden niet geuit, maar het trachtte op de boosaardigste wijze alle drie belachelijk te maken. En ook werd het adres van monsieur Plantard gepubliceerd – wat onder die omstandigheden gelijk stond met bestoking en vandalisme van de kant van partijbandieten, zoal niet van de Gestapo zelf.

Het hele derde nummer van *Vaincre* was gewijd aan een verdediging tegen de aanval van *Au pilori*. Verklaard werd dat een lid van Alpha Galates was uitgestoten waarbij men liet doorschemeren dat deze informatie naar *Au pilori* had laten uitlekken. In een poging om *Au pilori* te weerleggen herhaalde *Vaincre* de doelstellingen van Alpha Galates. Deze werden beschreven als:

1. eenheid van Frankrijk binnen zijn geografische grenzen en opheffing van de demarcatielijn tussen de door de Duitsers bezette zones en die welke onder bestuur van het Vichy-regime stonden;
2. mobilisering van alle Franse energie en hulpmiddelen voor de verdediging van de natie en, vooral, een beroep op de jeugd om zich daarin van haar plichten bewust te zijn;
3. instelling van een 'nieuwe westerse orde', een 'jonge Europese ridderschap' waarvan de sleutel 'solidariteit' moest zijn. In elke Europese natie diende deze als Solidariteit bekende organisatie het 'eerste stadium van de Verenigde Staten van het Westen' te representeren.[12]

Te oordelen naar de resultaten was *Vaincres* verdediging tegen *Au pilori* overtuigend noch geslaagd. Na nog een drietal nummers werd *Vaincre* opgeheven en aanwijzingen doen vermoeden dat dit onder druk geschiedde. Met de verdwijning van *Vaincre* schijnen activiteiten en verdere loopbaan van monsieur Plantard een periode van tijdelijke verborgenheid in te gaan. Maar bepaalde door *Vaincre* verkondigde thema's zouden later opnieuw naar voren komen, niet alleen onder auspiciën van de Prieuré de Sion, maar ook onder die van andere organisaties.

Voor ons oogmerk is het belangrijkste van deze thema's dat van een Verenigde Staten van Europa. Zoals we hebben opgemerkt, verklaarde *Vaincre,* zich verdedigend tegen *Au pilori,* dat een Verenigde Staten van Europa – of een 'Verenigde Staten van het Westen' – een van de primaire doelstellingen van Alpha Galates was. In feite komt de idee van een Verenigde Staten van Europa in *Vaincre* herhaaldelijk naar voren. Naast de gedachte aan een nieuwe Europese ridderschap is dit in het blad een zeer dominerend thema. In het eerste nummer bij voorbeeld staat een illustratie, een ridder te ros, naar de rijzende zon aan de kim onderweg. Op de weg waarlangs hij rijdt, staan in de richting van die einder de woorden 'Verenigde Staten van het Westen'. Het begin van de weg wordt aangeduid door het jaar 1937, terwijl de rijzende zon aan de einder het jaartal 1946 draagt. Aan de ene zijde van de weg leest men Bretagne, aan de andere kant Bavière (Beieren).[13]

Lang voor de oorlog was professor Louis le Fur medestichter geweest van een kleine groep, 'Énergie' genaamd. Tot deze groep en tot Le Furs naaste medewerkers behoorde Robert Schumann die naderhand een vooraanstaand Frans politicus werd.[14] Schumann droomde van vereniging van de kolen- en staalindustrieën van West-Europa. Doch dat zag hij als slechts een stap in de richting van een veel bredere politieke eenheid – een Europese federatie of een Verenigde Staten van Europa. In de volgende jaren werd Schumann, ideeën van Le Fur en andere medewerkers van *Vaincre* herhalend, een der voornaamste bouwmeesters en leidende geesten van de EEG.

De Kreisauer kring

Het vijfde nummer van *Vaincre,* gedateerd 21 januari 1943, bevat een artikel van Louis le Fur waarin hij een lofzang aanheft op de nieuwe grootmeester van Alpha Galates, Pierre de France-Plantard. Verderop in de tekst haalt Le Fur 'een groots Duitser, een der Meesters van onze Orde' aan. De betreffende 'grootse Duitser', die dan achtenvijftig jaar is, legt een buitengewone verklaring ten aanzien van de drieëntwintigjarige Pierre de France af:

> 'Het doet mij genoegen dat vóór mijn vertrek naar Spanje onze Orde ten slotte een waardig leider, in de persoon van Pierre de France, heeft gevonden.
> Het is dan ook met volledig vertrouwen dat ik vertrek om mijn missie uit te voeren; want al verheel ik voor mijzelf de risico's niet die ik in de

uitvoering van mijn plicht loop, ik weet dat tot mijn laatste ademtocht mijn wachtwoord zal bestaan in erkenning van Alpha en trouw aan haar leider.'[15]

Deze verklaring wordt toegeschreven aan Hans Adolf van Moltke, diplomaat uit een van de meest gezaghebbende en invloedrijkste aristocratische families van Duitsland. In 1934 was hij Duits ambassadeur in Polen. In 1938 werd hij genoemd als volgende Duitse ambassadeur in Groot-Brittannië. Ten tijde van de hem toegeschreven verklaring was hij juist tot ambassadeur in Spanje benoemd waar hij in maart 1943 stierf.

Hoewel ogenschijnlijk op vriendschappelijke voet verkerend met zowel Hitler als Himmler was Von Moltke in feite een 'goede Duitser'. Hij was een neef in de eerste graad en naaste medewerker van graaf Helmuth James von Moltke. Ook was hij een neef van Claus Philipp (graaf Schenk) von Stauffenberg. Voorts was hij gehuwd met de zuster van een andere neef, Peter Yorck von Wartenburg. Helmuth James von Moltke had met Peter Yorck von Wartenburg de leiding over de zogeheten Kreisauer Kreis – Kreisauer kring – de civiele vleugel van het Duitse verzet tegen Hitler. Graaf Claus von Stauffenberg was de architect en stuwende geest van de militaire samenzwering tegen Das Dritte Reich. Deze mondde uit in de bomaanslag van 20 juli 1944 – de poging om Hitler in zijn hoofdkwartier te Rastenburg te vermoorden.

Kortom, de man die in *Vaincre* monsieur Plantard steunt en zich als lid van Alpha Galates te kennen geeft, stond in het voorste gelid van de oorspronkelijk in Duitsland ontworpen plannen om het nazi-regime omver te werpen. Ten tijde van zijn benoeming tot Duits ambassadeur in Spanje liet zijn neef Helmuth James von Moltke via Zweden in het geheim vredesproefballonnen naar de geallieerden op, trachtte hun hulp te krijgen om Hitler af te zetten en om gunstige vredesvoorwaarden te verkrijgen voor de nieuwe, democratische Duitse regering die dan zou volgen. Vanuit zijn ambassadeurspost in Spanje zou ook Hans Adolf von Moltke weldra overeenkomstige geheime onderhandelingen gaan voeren. Hoewel dat pas na de oorlog bekend werd, was dat de 'missie' die hij ging vervullen; en hij had wel gelijk dat hij voor zichzelf de risico's die hij daarmee liep niet verheelde.[16]

Tegenwoordig worden Claus von Stauffenberg, Helmuth James von Moltke, Peter Yorck von Wartenburg en hun medesamenzweerders tegen Das Dritte Reich als helden beschouwd, zowel in Duitsland als daarbuiten. De verjaardag van de bomaanslag, 20 juli, is een nationale feestdag, officieel bekend als Stauffenberg-Tag. Tot nog toe echter is nooit enig bewijs gevonden ter veronderstelling dat het Duitse verzet enige verbinding had met andere verzetsbewegingen op het continent. Historici menen dat dit geheel onafhankelijk stond van het netwerk van verborgen operaties elders in Europa. Mogelijk is dat ook wel zo geweest. Toch wijst Hans Adolf von Moltkes verklaring in *Vaincre* erop dat hij lid van Alpha Galates was – een soort geheim genootschap dat onder het mom van een esoterische neo-ridderschappelijke Orde actief was. Het wijst er ook op dat zijn primaire trouw Alpha Galates en haar grootmeester gold. Kán Alpha Galates in feite een schakel zijn geweest tussen het Duitse verzet tegen Hitler en verzetsbewegingen in Frankrijk, zoal niet elders?

In een brief geeft Helmuth James von Moltke toe dat er tot eind 1942 geen contact was tussen zijn kring van samenzweerders en enigerlei Franse organisatie. Na aanzienlijke moeilijkheden, deelt hij vervolgens mee, zijn contacten met groepen gelegd '...in de verschillende bezette gebieden, met uitzondering van Frankrijk waar, voorzover wij kunnen beoordelen, geen op fundamentele beginselen berustende effectieve oppositie is'.[17] Kort daarna echter begint hij te zinspelen op 'onze man in Parijs', hoewel de historie de identiteit van die man tot nog toe niet heeft kunnen ontdekken. Mogelijk toevallig, doch misschien ook juist veelzeggend is dat het eerste nummer van *Vaincre* pas tegen eind 1942 verscheen – in oktober van dat jaar.

Stellig hadden de doelstellingen van Alpha Galates, zoals ze in *Vaincre* tot uiting kwamen, veel gemeen met die van Von Moltkes Kreisauer kring. Beide waren gericht op jeugdbewegingen en op het mobiliseren van de krachten van de Europese jeugd. Beide drongen met nadruk aan op een morele en spirituele waardenhiërarchie als fundament voor Europese vernieuwing – op, om met de woorden van Von Moltke te spreken, een 'op fundamentele beginselen berustende' oppositie. Beide waren essentieel ridderschappelijk georiënteerd. En beide wijdden zich aan uiteindelijke oprichting van een Verenigde Staten van Europa. Zelfs al voor de oorlog was een dergelijke federatie gepropageerd en bevorderd door leden van de Kreisauer kring. Naderhand werd deze gedachte voor Von Moltke en zijn medewerkers een fundamentele hoeksteen voor naoorlogse politiek. Volgens een commentator was het 'doel op lange termijn' van de Kreisauer kring 'een Europese federatie van landen, de Verenigde Staten van Europa'.[18]

Dat doel nastrevend had de Kreisauer kring begin 1943 contact met in Zwitserland aanwezige vertegenwoordigers van het Britse ministerie van buitenlandse zaken. Ook had de Kreisauer kring nauw contact met een belangrijke Amerikaanse functionaris in Zwitserland: Allen Dulles, leider van de afdeling Zwitserland van de OSS, de voorloper van de CIA.

23. *De terugkeer van De Gaulle*

Met de verdwijning van *Vaincre*, begin 1943, scheen ook elk spoor van monsieur Plantard dood te lopen. In elk geval waren wij niet in staat ook maar enig spoor van hem in de loop van de volgende twaalf jaar te ontdekken. Toen, in 1956, liet de Prieuré de Sion zich officieel in de Franse staatscourant registreren. Tevens deponeerde de Orde een kopie van haar beweerde statuten bij de subprefectuur van Saint-Julien-en-Genevois bij Annemasse aan de Zwitserse grens waarvan wij kopieën wisten te verkrijgen. Naderhand werd ons echter verteld dat die statuten vals waren en we kregen een kopie van wat verondersteld werd de echte te zijn. Maar, echt of niet echt, de bij de subprefectuur gedeponeerde statuten brachten monsieur Plantard andermaal in de openbaarheid. Hij wordt specifiek genoemd als secretaris-generaal van de Prieuré de Sion. Van de Prieuré zelf wordt daar gezegd dat deze, juist als Alpha Galates, verdeeld is in het 'Légion' en de 'Phalange'. Eerstbedoelde wordt omschreven als 'belast met het apostolaat' en laatstgenoemde als 'behoeder van de traditie'. Volgens de statuten bestaat de Orde in negen graden die allemaal ridderschappelijke namen dragen. De organisatie was, in het plechtig mysterieuze jargon van de statuten, de volgende:

> 'De algemene vergadering is samengesteld uit alle leden van het genootschap. Dit bestaat uit 729 provincies, 27 commanderijen en een 'Kyria' genoemde ark.
> Elke commanderij, evenals de ark, moet uit veertig leden bestaan, elke provincie uit dertien leden.
> De leden zijn verdeeld in twee werkzame groepen:
> *a.* het Légion, belast met het apostolaat;
> *b.* de Phalange, behoeder van de traditie.
> De leden vormen een hiërarchie van negen graden.

De hiërarchie van negen graden bestaat uit:

a. in de 729 provincies:		
1. Novicen		6561 leden
2. Croisés	(kruisridders)	2187 leden
b. in de 27 commanderijen:		
3. Preux	(dapperen, stoutmoedigen)	729 leden
4. Écuyers	(schildknapen)	243 leden
5. Chevaliers	(ridders)	81 leden
6. Commandeurs	(rang in een Orde)	27 leden
c. in de ark 'Kyria':		
7. Connétables	(vroeger: opperrijksmaarschalk(en))	9 leden
8. Sénéchaux	(landvoogden; hofmaarschalken)	3 leden
9. Nautonier	(schipper)	1 lid'

Noch in *Vaincre* noch in enig ander document of publikatie was ook maar iets dat erop kon wijzen dat monsieur Plantard of de Prieuré de Sion specifiek katholiek zou zijn. In *Vaincre* leek monsieur Plantards oriëntering esoterisch, heidens en theosofisch. In latere bronnen wordt zowel door hem als door de Prieuré ontleend aan een breed spectrum van diverse tradities waaronder gnosticisme en verschillende vormen van heterodox of 'ketters' christendom. Volgens deze statuten van 1956 echter is de Prieuré de Sion een specifiek katholieke ridderschap. Gesteld wordt dat de Orde werkt onder de subtitel 'Chevalerie d'Institutions et Règles Catholiques, d'Union Indépendante et Traditionaliste' (Ridderschap van katholieke regels en instellingen der onafhankelijke en traditionalistische unie). De beginletters vormen het woord CIRCUIT, de naam van een tijdschrift dat volgens de statuten binnen de Orde gepubliceerd en onder haar gelederen verspreid wordt.

Of nu de statuten van 1956 echt zijn of niet blijft onzeker. Voor ons zijn ze van belang – op de eerste plaats om hun nadruk op ridderschap en ten tweede vanwege hun gelijkenis met de statuten van Alpha Galates, zoals ze in *Vaincre* werden afgedrukt. Bovendien brachten ze monsieur Plantards naam weer voor het eerst sedert twaalf jaar onder de aandacht. Van toen af zouden hij en de Prieuré de Sion in toenemende mate in verband worden gebracht met de groeiende belangstelling voor het raadsel van Bérenger Saunière en Rennes-le-Château. Het zou echter niet lang duren, of monsieur Plantard zou in een aanmerkelijk minder raadselachtig verband een belangrijke rol spelen.

'Comité van openbare veiligheid'

Op 7 mei 1954 leed het Franse leger in Indo-China een rampzalige nederlaag tijdens de slag van Dien Bien Phoe die tot het verlies van Frankrijks imperium in Zuidoost-Azië leidde. Binnen een halfjaar na deze debâcle ontbrandde onder verantwoordelijkheid van Algerijnse nationalisten een verbitterde en niets ontziende strijd. Vastbesloten om niet nogmaals een krenkende nederlaag te moeten slikken had Frankrijk binnen een maand 20 000 man soldaten naar zijn Noordafrikaanse kolonie gestuurd. Uiteindelijk zou dat aantal uitgroeien tot een legermacht van 350 000 man. Desondanks bleef de Algerijnse situatie verslechteren en leidde tot een venijnige worsteling die acht jaar zou duren.

Anders dan Indo-China lag Algerije vlak bij Frankrijk – aan de overzijde van de Middellandse Zee. De Franse bevolking van Algerije bestond ook niet uit een geïsoleerde enclave van buitenlanders, maar was een reeds lang gevestigde gemeenschap van ingezeten 'kolonisten'. In menig opzicht waren in feite de Algerijnse steden meer Frans dan Noordafrikaans. Algerije (Algerië) werd dan ook niet beschouwd als overzeese bezitting, maar als integraal deel van het Franse moederland. Bijgevolg leidden de gebeurtenissen in Algerije tot heftige reacties in het moederland Frankrijk.

Naarmate de beroering in Algerije escaleerde, werd ook de situatie in Frankrijk steeds ernstiger. Tegen eind 1957 verkeerde Frankrijk niet alleen in wanorde, maar in een toestand van chronische crisis. Regeringen kwamen en werden met angstwekkende snelheid weer ten val gebracht. Tweemaal zat Frankrijk zelfs helemaal zonder regering gedurende ruim vier weken; in zo'n periode werd door partijen gekift en getwist en wisten ze niet tot werkbare coalities te komen. Er ontstond een algemeen gevoel van paniek, terwijl op de achtergrond onheilspellend het vooruitzicht dreigde van een complete burgeroorlog.

In die toenemende chaos floreerden samenzweringen. Vooral het leger was bij vele verborgen intriges betrokken. In Algerije ontstond een netwerk van semi-geheime genootschappen, de Comités de Salut Public* (comités van openbare veiligheid). Gevormd naar het model van de Comités de Salut Public tijdens de Franse revolutie trachtte dit Algerijnse netwerk Franse belangen, het Franse leger en de Franse bevolking in Noord-Afrika aaneen te smeden tot een samenhangende verenigde macht. Deze moest een bolwerk vormen tegen Algerijns onafhankelijkheidsstreven en de kolonie permanent aan Frankrijk gebonden houden. Tegelijkertijd begonnen de comités te ijveren voor een sterke man in Frankrijk die hun zaak met welwillend oog bezag. Slechts één figuur werd in staat geacht die sterke man te zijn: Charles de

* Salut public betekent eigenlijk algemeen welzijn.

Gaulle. De comités in Algerije begonnen dan ook aandrang uit te oefenen op De Gaulle dat hij de macht in Frankrijk zou overnemen, zo nodig door middel van een militaire coup. Ze kregen steun van een aantal hoge militairen onder wie maarschalk Alphonse Juin die een belangrijk lid van de Prieuré de Sion zou zijn geweest. Ook kregen ze steun van een samensmeltende pro-gaullistische beweging in Frankrijk, de sociaal-republikeinse partij, waarvan een van de leiders Michel Debré was. Deze werd De Gaulles minister van justitie en was korte tijd daarna, tussen 1959 en 1962, minister-president van Frankrijk. Een andere belangrijke pro-gaullistische figuur was Georges Bidault, een voormalige held van het Franse verzet. Tussen 1945 en 1954 had Bidault nauw samengewerkt met Robert Schumann – de oude vriend van professor Louis le Fur – bij het ontwerpen van plannen voor de EEG.

Mogelijk naïef gingen de Algerijnse comités er als vanzelfsprekend vanuit dat in hun wens Algerije Frans te houden, op De Gaulle kon worden gerekend. De Gaulle deed niets om deze onderstelling te ontzenuwen. Zoals uit de dan volgende gebeurtenissen zou blijken, lag zoiets echter helemaal niet in de bedoeling van De Gaulle.

In april 1958 verkondigde de pas gekozen Franse regering de wens de Algerijnse crisis op te lossen door de kolonie onafhankelijkheid te schenken. De comités van openbare veiligheid in Algerije beantwoordden dit op 13 mei met een *coup d'état* in Algiers en vormden hun eigen regering. Tevens deden ze een beroep op De Gaulle om de macht in Frankrijk over te nemen, het land te herenigen en de koloniale status van Algerije te handhaven. In zijn verklaring van 15 mei zei De Gaulle slechts dat hij zich ter beschikking hield, mocht er een beroep op hem worden gedaan. Frankrijk bleef in een chaos gedompeld.

Tegen 23 mei waren berichten doorgesijpeld over in het Franse moederland al gevormde comités van openbare veiligheid. Op 24 mei had een comité de macht op Corsica overgenomen, terwijl Algerijnse radiostations er bij Frankrijk en zijn bevolking op aandrongen nu te 'kiezen tussen de ster van Moskou en het Lotharingse kruis'. In hun verzet tegen Algerijnse onafhankelijkheid en ondersteuning van De Gaulle zagen voormalige Résistance-strijders van de vrije Franse strijdkrachten zich verenigd met gewezen Vichy-functionarissen en zelfs nog extremer rechtse elementen.

In de loop van die week schijnt een publiek geheim te zijn geweest dat voor 28 mei een militaire coup was beraamd en dat het leger de macht in Frankrijk zou grijpen. Geruchten deden de ronde over de aanstaande landing van parachutisten in Parijs.[1] Op 28 mei diende de regering dan ook haar ontslag in en liet het veld over aan De Gaulle. Op 29 mei was elk comité van openbare veiligheid in Parijs gemobiliseerd en duizenden medestanders gingen de straat op. In de loop van die middag verscheen De Gaulle in de hoofdstad, aanvaardde het presidentschap van de vijfde Franse republiek en vormde een regering waarin Michel Debré en André Malraux zitting kregen. De comités van openbare veiligheid hadden kennelijk een sleutelrol gespeeld in het proces waarbij de nieuwe president in het zadel was gezet – en hadden blijkbaar eventueel ernstig verzet weten te verhinderen. Op 29 mei – de dag waarop De Gaulle de macht overnam – deelde een woordvoerder mee dat in het Franse moederland 120 comités actief waren.[2]

Voor zover hier generaliseringen mogelijk zijn, lijkt tussen de comités van openbare veiligheid in Algerije en die in Frankrijk verschil in prioriteiten te hebben bestaan. Voor de Algerijnse comités was primair het doel, te zorgen dat de koloniale status ongewijzigd bleef, terwijl De Gaulle werd beschouwd als een middel tot dat doel. Voor ten minste een aantal van de Franse comités anderzijds lijkt het doel primair te zijn geweest De Gaulle als president te installeren waarbij Algerije als zijdelings zoal niet irrelevant gegeven kan zijn beschouwd. Het is moeilijk hierover zekerheid te verkrijgen, om de eenvoudige reden dat de comités, vooral in Frankrijk, zo in nevelen waren gehuld. Kennelijk waren ze even wijdverbreid als goed georganiseerd – waarlijk een 'geheim leger', beschikkend over vele verbindingen met de geregelde krijgsmacht. Doch tastbare informatie erover is gewoon onmogelijk te krijgen, terwijl betrouwbare documentatie al evenmin bestaat. Dát de comités bestonden lijdt niet de minste twijfel, noch heerst ook maar enige twijfel over de algemene aard van hun rol. Maar verder is er bijzonder weinig over bekend. Men acht het waarschijnlijk dat De Gaulle persoonlijk contact onderhield met hun bevelsstructuur, want hij hield zijn wegen altijd open. Maar evenzeer waarschijnlijk is dat hij, wat er aan registratie eventueel van bestond, vernietigde. Een biograaf van De Gaulle vertelde ons dat hij dergelijke contacten via tussenpersonen onderhield en dat daarvan doorgaans niets op schrift werd gesteld.

In elk geval bevond De Gaulle, eenmaal aan de macht gekomen, zijn positie ten aanzien van de comités buitengewoon delicaat. Hij was hun veel dank verschuldigd voor het feit dat ze hem als staatshoofd hadden helpen installeren. Hij had ze in de waan gelaten dat onder zijn verantwoordelijkheid Algerije Frans zou blijven. Nu stond hij op het punt om van zijn kant de gewaande 'overeenkomst' te schenden door onderhandelingen te beginnen met de Algerijnse nationalistische leiders over onafhankelijkheid van de kolonie. Dat zou hem natuurlijk op beschuldigingen van verraad komen te staan.

Stellig moet hij reacties van de kant van de Algerijnse comités hebben voorzien. Die lieten dan ook niet lang op zich wachten. Ze namen de vorm aan van de OAS, de Organisation de l'Armée Secrète (organisatie van het geheime leger) die zwoer zich te zullen wreken om wat het als De Gaulles verraad beschouwde. Deze OAS, bestaande uit officieren-voorstanders-van-de-harde-lijn, veteranen van het Algerijnse conflict en gewezen Franse kolonisten en functionarissen in Algerije, pleegde in de jaren daarna een aantal moordaanslagen op de Franse president. En zelfs tegenwoordig nog zijn er ex-leden van de OAS voor wie alleen al de naam De Gaulle een vloek is.

Uiteindelijk echter vormden de Algerijnse comités geen werkelijk ernstige bedreiging voor de stabiliteit van De Gaulles nieuwe regime in Frankrijk. Ten aanzien van de Franse comités lag de zaak heel anders. Als zij een volledige verzetscampagne zouden ontketenen, zou dat een veel ernstiger probleem worden. Bijgevolg moesten de gelederen van de Franse comités omgepraat worden, overgehaald om zich te ontbinden of hun energie op iets anders te richten en uiteindelijk de *volte face* van de nieuwe president met betrekking tot Algerije te aanvaarden. Dat zal een zware wissel op 'public relations'-kunst hebben getrokken. Voor zover daar gegevens over zijn, lijkt die inspanning door Pierre Plantard te zijn geleid.

Toen wij in 1979 monsieur Plantard voor het eerst ontmoetten, vertelde hij dat Charles de Gaulle hem persoonlijk had verzocht de Franse comités van openbare veiligheid te dirigeren en, als hun taak om de generaal aan de macht te helpen volbracht zou zijn, in hun ontbinding te voorzien. In een gestencilde brochure waarvan in 1964 een exemplaar in de Bibliothèque Nationale gedeponeerd werd, verklaart Anna Lea Hisler – de eerste echtgenote van monsieur Plantard – het volgende:

> 'Onder supervisie van maarschalk Alphonse Juin was de zetel van het algemeen secretariaat van de comités van openbare veiligheid in het moederland Frankrijk gevestigd te Aulnay-sous-Bois [Parijse voorstad]. Dat comité werd voorgezeten door Michel Debré, Pierre Plantard alias Way, en André Malraux.'[3]

Madame Hisler haalt ook een brief aan die naar verluidt door De Gaulle op 3 augustus 1958 aan monsieur Plantard zou zijn gezonden, zowat twee maanden nadat de nieuwe regering was gevormd.

> 'Beste Plantard,
> In mijn schrijven van 29 juli 1958 heb ik gezegd hoezeer ik de deelname van de comités van openbare veiligheid in de vernieuwingstaak die ik op mij heb genomen op prijs heb gesteld. Nu de nieuwe instellingen gevestigd zijn die ons land in staat zullen stellen zijn rechtmatige status te hernemen, meen ik dat de leden van de comités van openbare veiligheid zich van de verplichting die zij tot nu toe op zich hebben genomen, ontslagen kunnen achten en kunnen demobiliseren.'[4]

De brochure van Anna Lea Hisler werd niet in ruime kring verspreid. Het is zelfs mogelijk dat de kopie in de Bibliothèque Nationale er de enige van is. Beide aanhalingen echter – madame Hislers mededeling over de rol van monsieur Plantard in de comités van openbare veiligheid en de tekst van de aan De Gaulle toegeschreven brief – werden naderhand opgenomen in een boek van Louis Vazart dat ongeveer zeven jaar lang werd gedrukt en herdrukt. Bij ons weten heeft nooit iemand de echtheid of juistheid van een van beide of van beide aanhalingen betwist of zelfs maar in twijfel getrokken.[5]

Wijzelf echter stelden ons daar niet mee tevreden. We gingen dan ook uit op nadere bevestiging en, zo mogelijk, informatie. We trokken alle gepubliceerde compendia van De Gaulles brieven, aantekeningen en notitieboekjes na. Misschien zal het u niet verwonderen dat wij daarin geen enkele verwijzing vonden naar monsieur Plantard, naar het pseudoniem 'Way' of naar brieven van 29 juli en 3 augustus 1958. En het Institut Charles de Gaulle – bewaarplaats van alle archieven met betrekking tot De Gaulle – wist al evenmin iets over enig contact tussen de generaal en een Plantard of 'Way' genoemde figuur. Toen wij aan dat instituut verbonden historici over deze kwestie raadpleegden, waren zij sceptisch gestemd. Zij achtten het ongeloofwaardig dat een thema, belangrijk genoeg om aan De Gaulle in vier dagen twee brieven te ontlokken, geen enkel spoor in de officiële registraties zou hebben nagelaten. En de directeur van het instituut verklaarde dat hij bij zijn weten alle correspondentie van De Gaulle beheerde en dat daar noch de naam Plantard noch 'Way' in voorkwam.

We waren al aan de betrouwbaarheid van madame Hisler gaan twijfelen, toen we een brief kregen van het instituut. De directeur had weliswaar nog geen enkele registratie van de betreffende brieven, maar hij had ten slotte nu wel verwijzingen naar de namen Plantard en 'Way' gevonden. Tot zijn grote verbazing kwamen deze verwijzingen niet voor in zijn eigen archieven, maar in oude exemplaren van *Le Monde,* algemeen beschouwd als de betrouwbaarste Franse krant.

In zijn editie van 18-19 mei 1958 bracht *Le Monde* een kort artikel onder de kop: 'Heimelijk Comité van Openbare Veiligheid in Parijs?' De tekst van het artikel luidde:

> 'Het Amerikaanse persbureau United Press heeft de tekst verbreid van een appel van een "comité van openbare veiligheid in het gewest Parijs" op steun aan generaal De Gaulle. Communiqués van dat comité zijn aan buitenlandse persagentschappen voorbehouden "in die zin dat de afspraak (vermoedelijk over geheimhouding) over de bron wordt nagekomen". Het appel gaf adres noch ondertekening op.'[6]

Op 6 juni verscheen een langer artikel: 'Hoeveel comités van openbare veiligheid zijn er in Frankrijk?' Het meldt dat een der leiders van de Algerijnse coup tegenover twee journalisten had onthuld dat in het Franse moederland niet minder dan 320 comités bestaan. Het artikel haalt dan een communiqué aan van het centraal comité van openbare veiligheid te Parijs:

> 'De comités van openbare veiligheid moeten de verlangens van het volk tot uiting brengen, en het is in de naam van vrijheid, eenheid en saamhorigheid dat alle Franse burgers aan de taak van reconstructie van ons land deel moeten nemen. Alle vrijwilligers die onze oproepen van de afgelopen vijftien dagen hebben beantwoord, moeten vandaag gereed zijn om generaal De Gaulle bij te staan... Patriotten! op uw post en stelt vertrouwen in de man die Frankrijk al eerder heeft gered...'[7]

Dit communiqué, bericht het artikel in *Le Monde,* was ondertekend door zekere 'Captain Way' wat verondersteld wordt een pseudoniem te zijn.

Op 8-9 juni bracht *Le Monde* een derde artikel: 'Comités van Openbare Veiligheid zijn nu opgericht in Parijs, in het gewest Parijs en in veertien departementen.' Het artikel haalt een communiqué aan waaruit duidelijk wordt dat een Parijs' comité van openbare veiligheid al ten tijde van de *coup d'état* op 13 mei in Algerije bestond. Tussen 16 en 18 mei heeft dit comité andere comités opgericht in zes Parijse arrondissementen, tweeëntwintig gemeenten van de Seine en veertien landelijke departementen. Het communiqué legt er de nadruk op dat het doel van de comités primair 'nationaal eerherstel' is onder leiding van De Gaulle. De comités worden verklaard samen te werken met 'diverse verenigingen van oorlogsveteranen'. Na aanhaling van dit communiqué grijpt het artikel in *Le Monde* terug op het op 18-19 mei geciteerde communiqué dat door 'Captain Way' was getekend:

> 'Na publikatie [van het communiqué] werd de schrijver ons bekend door een brief waarin hij verklaarde:
> "Het centrale comité werd op 17 mei opgericht en het doel ervan was: propaganda en het leggen van verbindingen tussen alle comités van openbare veiligheid in Parijs.
> Overwegend dat Frankrijk een land van vrijheid is waar iedereen het volste recht heeft voor zijn overtuigingen uit te komen, dient onze actie boven alle politiek te worden gesteld, geheel op het vlak van vaderlandslievendheid, opdat voor de vernieuwing van Frankrijk het maximum uit onze hulpmiddelen wordt gehaald.
> Zoals wij in een brief van 29 mei aan generaal De Gaulle verklaarden 'houden wij ons strikt aan de richtlijnen die wij van het openbaar gezag ontvangen'."'[8]

Die brief, verklaart dan het artikel, was ondertekend door monsieur Plantard. Blijkbaar kan met hem contact worden opgenomen via zijn persoonlijk telefoonnummer door de woorden 'WAY' en 'PAIX' (vrede) te draaien.

Op 29 juli – de dag waarop De Gaulle zijn bedankbrief aan monsieur Plantard zou hebben gezonden – bracht *Le Monde* nog een artikel waarin de opheffing van het centraal comité voor het gewest Parijs werd aangekondigd:

> 'Wij ontvingen het volgende communiqué:
> "De feitelijke opheffing van het centraal comité van openbare veiligheid voor het gewest Parijs welke die van de comités van openbare veiligheid in Parijs en andere plaatsen met zich meebrengt, dechargeert derhalve de strijders die aan de oproep van 17 mei gehoor gaven.
> De voor het centraal comité verantwoordelijken hebben besloten federaties in te stellen voor... een nationale beweging waarvan het programma de verdediging van het land en van vrijheid verzekert.
>
> Voor het bureau van het comité,
> Captain Way"

"Captain Way", ondertekenaar van dit communiqué, heeft in de loop van mei al diverse oproepen en verklaringen uit naam van het "centraal comité van openbare veiligheid voor het gewest Parijs" gepubliceerd. Zoals wij al aanduidden, is hij monsieur Pierre Plantard... die samen met enkele vrienden het initiatief nam dit comité op te richten.
De "beweging" die de opvolgster van het comité zal vormen, wordt geleid door de journalist monsieur Bonerie-Clarus. Penningmeester is monsieur Robin; monsieur Pierre Plantard is secretaris en belast met propaganda...'[9]

Uit dit alles begint zich langzamerhand een patroon af te tekenen. De Gaulle heeft ongetwijfeld de steun van de comités van openbare veiligheid in zowel het Franse moederland als Algerije verwelkomd. Maar tegelijkertijd moet hij, zoals we eerder opmerkten, bezorgd zijn geweest om het vooruitzicht van een terugslag, als zijn standpunt ten aanzien van Algerije duidelijk werd. Bovendien hadden de Franse revolutie en het lot van Danton, Desmoulins en Robespierre aangetoond dat dergelijke *Comités de Salut Public* potentieel uitermate gevaarlijk waren, geneigd zich woedend te keren tegen diegenen die ze voordien hadden gesteund. Het was dan ook noodzakelijk de een of andere vorm van centraal directoraat in te stellen dat 1) de comités in het Franse moederland zou verenigen en coördineren; 2) die comités op één lijn zou brengen met het nieuwe regeringsprogramma en 3) de comités van het Franse moederland zonodig ook zou weten te ontbinden waarna de Algerijnse comités geïsoleerd zouden staan. Het lijkt om die redenen te zijn geweest dat monsieur Plantard het Parijse centraal comité oprichtte. Dit wierp zich op als een soort *ad hoc*-gezag over de andere al bestaande comités en nam ze daarna eigenlijk over. Intussen was De Gaulle in staat serene Olympische afstand te bewaren tot de 'volks'beweging die hem aan de macht hielp – evenals tot het potentieel gevaarlijke proces van persoonlijk het organisatorische apparaat van die beweging te moeten opheffen, eer deze zich tegen hem kon keren.

In de veronderstelling dat deze analyse van die situatie min of meer juist mag heten, was de manoeuvre waarachtig ingenieus – een toonbeeld van machiavellistische stuurkunst in haar geraffineerdste vorm. Ze kon wel met geen mogelijkheid zijn uitgevoerd zonder een zeer nauwe en zeer geheime verstandhouding tussen De Gaulle en monsieur Plantard.

Circuit

Zoals we hebben opgemerkt, identificeerde de Prieuré de Sion zich volgens de bij eerder genoemde Franse subprefectuur gedeponeerde statuten door het letterwoord CIRCUIT. Dit beweerde ook de naam te zijn van het tijdschrift dat binnen de Orde in omloop was. Feitelijk bestaan twee series van het tijdschrift CIRCUIT, de eerste daterend uit 1956, de tweede uit 1959.[10] De serie van

1956 verbijstert door haar kennelijke irrelevantie. Er is een artikel over astrologie waarin het nut van een zodiak met dertien tekens, in plaats van twaalf, wordt aangeprezen. Afgezien daarvan schijnt het tijdschrift niets belangrijkers te melden dan de publikatie van een woningbouwcorporatie. Het bevat lange verhandelingen over goedkope behuizing, advertenties voor potloden, wedstrijden voor kinderen over een nieuwe woonwijk, kruiswoordpuzzels. Slechts één vermelding lijkt van enige betekenis, namelijk dat de woningbouwcorporatie waartoe het tijdschrift zich richt, naar verluidt nauwe contacten onderhoudt met een structuur van andere woningbouwcorporaties. Men kan redelijk vermoeden dat woningbouwcorporaties in CIRCUIT als dekmantel fungeerden voor iets anders en dat het tijdschrift zelf gecompliceerde codes toepaste, zoals die waarvan werd beweerd door *Vaincre* te zijn gebruikt. Zelfs kunnen deze 'woningbouwcorporaties' wel het organisatorisch apparaat zijn geweest dat, twee jaar later, naar voren kwam om de Franse comités van openbare veiligheid te reguleren. Maar terwijl dergelijke vermoedens niet weerlegd kunnen worden, kunnen ze evenmin worden bevestigd. Zij blijven louter tot gissingen beperkt.

De serie van CIRCUIT van 1959 is een heel andere zaak. Het eerste nummer is gedateerd op 1 juli 1959, en als hoofdredacteur wordt Pierre Plantard genoemd. Doch het tijdschrift pretendeert geen verbindingen met de Prieuré de Sion te onderhouden. Integendeel: het verklaart zich het officiële orgaan van de 'Federatie van Franse Krachten'. Er waren zelfs een zegel en de volgende gegevens:

Publication périodique culturelle de la Fédération
des Forces Françaises
116 rue Pierre Jouhet, 116
Aulnay-sous-Bois – (Seine-et-Oise)
Tél: 929-72-49

In het begin van de jaren zeventig ging een Zwitserse detective genoemd adres na. Voor zover hij kon vaststellen was daar nimmer enig tijdschrift gepubliceerd. Ook het telefoonnummer bleek vals.[11] Alle pogingen van de betrokken Zwitserse detective, van anderen en onszelf om deze federatie van Franse krachten op te sporen zijn ijdel gebleken. Tot op heden is geen enkele informatie over een dergelijke organisatie aan het licht gekomen. Toch lijkt nauwelijks toeval dat het adres in Aulnay-sous-Bois hetzelfde is als dat dat door Anna Lea Hisler aan het algemeen secretariaat van de comités van openbare veiligheid in het Franse moederland wordt toegeschreven. Bovendien meldt het tweede nummer van het tijdschrift dat monsieur Plantard nóg een bedankbrief van De Gaulle heeft ontvangen, een brief die op 27 juni 1959 is gedateerd – elf maanden na de eerder besproken brieven. Het lijkt duidelijk dat de federatie van Franse krachten een of ander vervolg was van het bestuurlijk apparaat van de comités; wellicht een middel om leden met elkaar in contact te houden. Als dat zo is, duidt dat erop dat de Prieuré de Sion zijn tijdschrift voor iets anders gebruikte dan voor eigen interne zaken.

De serie van CIRCUIT van 1959 verwijst de lezer herhaaldelijk naar *Vaincre* wat erop zou duiden dat *Vaincre* in die tijd nog bestond. Feitelijk herhaalt CIRCUIT vele punten en thema's van *Vaincre*. Er wordt bij voorbeeld veel aandacht besteed aan esoterische onderwerpen, aan mythologie en ridderschappelijke kwesties. Er staan artikelen in van de hand van Anna Lea Hisler en anderen, onder wie Pierre Plantard die soms onder zijn eigen naam schrijft, soms onder het pseudoniem 'Chyren'. De teksten behelzen verklaringen als de volgende: 'Alles verkeert in symbolische vorm. Wie de verborgen betekenis weet uit te leggen, zal begrijpen. Het mensdom heeft altijd haast, verkiest altijd voorgegeven oplossingen...'[12] 'De plaats die het meest solide lijkt is wellicht de meest instabiele. Wij neigen te vergeten dat wij op een vulkaan leven, in het centrum van krachten van enorme sterkte...'[13] '... alles komt tot stand in overeenstemming met wel-besloten kringlopen. Een "Nautonier" geleidt de "arche" [Ark] door de wateren.'[14] En ten slotte:

> 'Wij zijn geen strategen en staan boven alle religieuze gezindten, politieke perspectieven en financiële kwesties. Wij geven aan hen die tot ons komen, morele hulp en het onmisbare manna van de geest. Wij zijn slechts boodschappers die zich gelijkelijk tot gelovigen en ongelovigen richten met als enig doel: doorgeven van fragmenten van waarheid. Wij onderschrijven niet de conventionele en dwalende astrologie. De sterren op zichzelf oefenen geen invloed uit. Ze zijn slechts referentiepunten in de ruimte.'[15]

Dan volgt andermaal een pleidooi voor de zodiak-van-dertien-tekens die monsieur Plantard gebruikt om iets van de toekomst van Frankrijk te voorspellen. Interessant is dat hij voorspelt dat 1968 voor Frankrijk een cataclysmisch jaar zal worden.

Dit is echter niet de enige materie die in CIRCUIT kan worden aangetroffen. Er zijn artikelen over wijnen en wijnbouw – het enten van wijnstokken – en een lange exegese over de wijnhandel. Ook zijn er vaderlandslievende uitlatingen waarin zowel de stemming van *Vaincre* als die van de door de comités van openbare veiligheid uitgegeven communiqués doorklinkt. In een van deze verklaringen bij voorbeeld, gesigneerd door Adrian Sevrette, beweert de auteur dat voor bestaande problemen geen oplossing gevonden kan worden:

> '...behalve door nieuwe methodes en nieuwe mensen, want de politiek is dood. Het zonderlinge feit blijft dat mensen dit niet wensen te erkennen. Er leeft slechts één kwestie: economische organisatie. Maar zijn er ook nog mensen die in staat zijn om *Frans* te denken, zoals tijdens de bezetting, toen patriotten en verzetsstrijders zich niet om de politieke neigingen van hun strijdmakkers bekommerden?'[16]

En, in een ander artikel:

'Wij wensen dat de 1500 exemplaren van CIRCUIT een contact zullen vormen dat een licht ontsteekt; wij wensen dat de stem van vaderlandslievenden hindernissen zal overwinnen zoals in 1940, toen zij het bezette Frankrijk verlieten om op de deur van het bureau van de *Aanvoerder* van het vrije Frankrijk te kloppen. Vandaag is het weer net zo. Bovenal zijn wij Fransen. Wij zijn die kracht die hoe dan ook vecht voor een schoon en nieuw Frankrijk. Dat moet geschieden in diezelfde patriottische geest, met dezelfde wil en solidariteit van handelen. Zo halen wij hier aan wat wij een oude filosofie verklaren te zijn.'[17]

Er volgt een gedetailleerd bestuursplan om Frankrijk in zijn oude luister en glorie te herstellen. Bij voorbeeld wordt aangedrongen op de opheffing van de departementen en het herstel van provincies:

'Het departement is niet meer dan een willekeurig systeem, ingesteld ten tijde van de revolutie, bepaald door dat tijdperk in overeenstemming met de eisen van voortbeweging (het paard). Heden representeert het niets meer. In tegenstelling daarmee is de provincie een levend deel van Frankrijk; ze is een ongeschonden overblijfsel van ons verleden, dezelfde basis als die welke het bestaan van onze natie vormde; ze heeft haar eigen folklore, gebruiken, monumenten, vaak haar lokale dialecten die wij wensen te redden en verbreiden. De provincie moet haar eigen specifieke apparaat voor verdediging en bestuur bezitten, aangepast bij haar specifieke behoeften, binnen de nationale eenheid.'[18]

Het volgende plan is in negen onderdelen gesplitst: raad der provinciën; staatsraad; parlementaire raad; belastingen; arbeid en produktie; gezondheidszorg; nationale ontwikkeling; meerderjarigheidsleeftijd; huisvesting en onderwijs.

Ondanks dergelijke specifiek op Frankrijk gerichte ideeën legt monsieur Plantard in een ander artikel in CIRCUIT de nadruk op een ander, al eerder in *Vaincre* verkondigd thema:

'...de schepping van de confederatie van landen wordt een confederatie van staten: de Verenigde Staten van Euro-Afrika. Deze hebben tot doel: 1) een op een gemeenschappelijke markt gebaseerde Afrikaanse en Europese ruilgemeenschap te representeren en 2) de verspreiding van rijkdommen teneinde het welzijn van allen te dienen, want dat is het enige stabiele fundament waarop vrede kan worden gebouwd.'[19]

24. Geheime machten achter verdekte groepen

Het is maar al te goed bekend dat in allerlei vormen van politiek soms zonderlinge deelgenoten worden gezocht. Een land of een instelling onder druk of in nood en strijdend voor zijn doelstellingen of zelfs zijn voortbestaan, zal verbintenissen aangaan wanneer en waar zich maar de gelegenheid voordoet – en niet zelden, als dat opportuun is, met landen of instellingen die theoretisch nadelig of schadelijk zijn. Op zeker niveau is historie een compendium van vreemde, slecht gekozen coalities, van grotesk onpassend samengaan. Voor het leeuwedeel van de afgelopen ongeveer zeventig jaar is de Sovjet-Unie door het Westen opgevat als een bedreiging en vijand; niettemin is er de periode 1941-1945 geweest waarin het Westen zich met diezelfde Sovjet-Unie verenigde tegen een vijand die beide partijen als gevaarlijker beschouwden. Op kleinere schaal zijn tal van andere voorbeelden te geven. In 1982 verklaarde de fel anti-sovjetgezinde militaire junta in Argentinië zich bereid, sovjetwapens en -uitrusting te ontvangen teneinde met Groot-Brittannië oorlog om de Falkland-eilanden te kunnen voeren. In de hedendaagse Golfoorlog fulmineert Iran tegen Israël, maar naar verluidt zou het via Israël wapens ontvangen, omdat Israël Irak als potentieel grotere bedreiging beziet. Na zijn ontmoeting met Michael Gorbatsjov in 1985 beweerde Ronald Reagan, internationale betrekkingen op kenmerkende wijze reducerend tot het niveau van Disneyland, dat hij de weg had uitgestippeld waarlangs alle volkeren op aarde, met inbegrip van die van de Verenigde Staten en de Sovjet-Unie, zich zouden verenigen, als een invasie van een andere planeet dreigde. Zelfs Ronald Reagan kan heldere ogenblikken hebben. Geconfronteerd met violette menseneters van Sirius die dodelijke stralen uitschieten die hun vijanden verkolen, zouden zelfs Ian Paisley en Gerry Adams het over hun hart verkrijgen hun krachten te bundelen (hoewel *wíj* bij dat vooruitzicht toch wellicht geneigd zouden zijn de kant van de menseneters te kiezen).

Volgens alle materiaal dat we hebben kunnen vergaren, evenals volgens verklaringen die monsieur Plantard naar ons liet doorsijpelen, streeft de Prieuré de Sion naar een Verenigde Staten van Europa; ten dele weliswaar als bolwerk tegen het sovjetimperium, maar toch op de eerste plaats als apart blok, een op zichzelf staand en neutraal machtsblok dat in staat is het evenwicht van krachten tussen de Sovjet-Unie en de Verenigde Staten te handhaven. In dat opzicht lijkt de visie van de Prieuré vrijwel identiek aan die van Pan-Europa, de organisatie voor Europese eenheid die thans geleid wordt door dr. Otto von Habsburg die, evenals de Kreisauer Kreis en andere groeperingen, als symbool een in een cirkel gevat Keltisch kruis gebruikt. Tegelijkertijd bestaan andere organisaties en instellingen die naar een verenigd Europa streven op de éérste plaats als bolwerk tegen het sovjetimperium, en die een verenigd Europa stevig aan de Verenigde Staten van Amerika trachten te binden. In welke mate bestaat in beide 'kampen' de oprechte wil hun verschillen met de andere partij ondergeschikt te maken aan de doelstellingen die beide gemeen hebben? In welke mate zullen ze bereid zijn elkaar concessies te doen om eerst metterdaad een verenigd Europa te verwezenlijken en pas daarná prioriteiten en nationale verplichtingen uit te zoeken?

In zoverre als hij de gedachte van een verenigd Europa in een of andere vorm nastreeft, zal de Prieuré de Sion noodzakelijk contacten hebben moeten leggen en heel waarschijnlijk overeenkomsten hebben moeten sluiten met een gevarieerd spectrum aan andere organisaties. Tracht men de historie van de gedachte van een verenigd Europa na te gaan, dan ontmoet men een wirwar van verplichtingen en 'mariages de raison'. Net zoals de Algerijnse crisis er voormalige strijders van de Franse résistance en veteranen van de vrije Franse strijdkrachten toe bracht om één lijn te trekken met gewezen Vichyfunctionarissen en collaborateurs, zo heeft ook de droom van een verenigd Europa soms gematigde conservatieven of christen-democraten genoodzaakt tot tijdelijk samengaan met veel meer duistere, veel meer extreme en zelfs 'neo-nazistische' ultrarechtse groeperingen. Het is dan ook niet zó verwonderlijk dat onze speurtocht naar de Prieuré de Sion ons naar de duistere sfeer van de met 'Cornelius' ondertekende verhandeling zou leiden – de sfeer waarin de 'goede jongens', handelend volgens wat zij als de beste bedoelingen bezien, onder één hoedje blijken te spelen met organisaties als P2.

De Europese beweging

Zoals we hebben gezien was de gedachte van een Verenigde Staten van Europa tijdens de oorlog bepleit en gesteund door *Vaincre* in Frankrijk en door de Kreisauer Kreis van Helmuth James von Moltke in Duitsland. Maar zij waren natuurlijk niet de enige, zelfs niet de invloedrijkste bronnen om die gedachte te steunen. Ze werd in brede kring aangehangen bij voorbeeld door het Franse verzet, in het bijzonder in grensgebieden zoals de Ardennen waar de gevoelens van nationale trouw van mensen veelal verdeeld waren tussen Frankrijk, België, Luxemburg en Duitsland. De gedachte werd geestdriftig verwelkomd door André Malraux die al in 1941 een 'Europese New Deal' bepleitte, een 'federaal Europa met uitzondering van de Sovjet-Unie'. Ze werd omhelsd door maarschalk Alphonse Juin die, anders dan Malraux, met De Gaulle bitter zou ruziën over Algerije. Ze werd toegejuicht door Georges Bidault die, als hoofd van de OAS en in het kielzog van De Gaulles *volte face* inzake Algerije, zou samenzweren om de generaal te vermoorden. Ook werd de gedachte aangehangen door Winston Churchill die, tijdens een redevoering op 19 september 1946 voor de universiteit van Zürich, verklaarde dat 'wij een soort Verenigde Staten van Europa moeten opbouwen'. In feite had Churchill zelfs al in 1942 aan het Britse oorlogskabinet geschreven: 'Hoewel dat nu nog moeilijk te zeggen valt, vertrouw ik er toch op dat de Europese familie eendrachtig kan handelen zoals onder een Raad van Europa. Ik zie met verlangen naar een Verenigde Staten van Europa uit.'[1]

Na de Tweede Wereldoorlog was Europa verwoest, uitgeput en gedesillusioneerd. Maar tegelijkertijd beseften Europeanen, welke hun nationale verplichtingen ook waren, dat ze door een gedeelde en collectieve tragedie naar elkaar toe waren gedreven – een tragedie die meer en meer gelijkenis vertoonde met burgeroorlog op grote schaal. Voor het naoorlogse Europa was de voornaamste prioriteit, om ten koste van alles nog weer zo'n botsing te vermijden nog weer zo'n broederstrijd te moeten uitvechten. En wellicht het meest voor de hand liggende middel tot dat doel was Europese eenheid; zo begon de roep om Europese eenheid vanuit een veelvoud van uiteenlopende kampen op te klinken.

Eind 1947 richtten de diverse individuele mensen en instellingen die Europese eenheid beoogden, onderling een comité op ter coördinering van hun acties. Voor mei 1948 had dit comité een Congres van Europa georganiseerd, vergelijkbaar met de Raad die Churchill vijfenhalf jaar eerder had bepleit. Men kwam bijeen in Den Haag, en op dat congres waren vertegenwoordigers van zestien landen aanwezig. Erepresident was Winston Churchill. Tijdens de slotzitting werd een communiqué opgesteld: 'Wij verlangen een verenigd Europa op welks gebied het vrije verkeer van mensen, ideeën en goederen is hersteld.'[2]

Kort nadien werd de Europese beweging in het leven geroepen – een officieus maar permanent lichaam ter bevordering van de idee van een Verenigd Europa. Wederom was Winston Churchill een der erepresidenten.

In juli 1948 werd Georges Bidault, de toenmalige minister van buitenlandse zaken van Frankrijk, het eerste lid van een officiële regering die oprichting van een Europees parlement voorstelde. Bidault, Jean Monnet, thans beschouwd als peetvader van de EEG, en Robert Schumann, de oude makker van professor Louis le Fur, begonnen samen te werken aan wat zij als 'Federatie van het Westen' omschreven.

Een andere uitermate belangrijke figuur in de beweging die naar Europese eenheid streefde, was een Pool, dr. Joseph Retinger genaamd. Sedert de jaren twintig was Retinger actief geweest in zijn steun aan de idee van Europese eenheid; hij lijkt contact te hebben onderhouden met zowel Helmuth James von Moltke, leider van de Kreisauer Kreis, als Hans Adolf von Moltke, die lid van Alpha Galates zou zijn geweest. Tijdens de Tweede Wereldoorlog was dr. Retinger in Engeland gestationeerd en diende er aanvankelijk als politiek adviseur van de Poolse generaal Sikorski – die eveneens contacten met Hans Adolf von Moltke lijkt te hebben gehad, toen deze de Duitse ambassadeur in Polen was.[3] In 1943 trad Retinger toe tot de Britse Special Operations Executive (SOE). Na de oorlog begon hij andermaal een actieve rol te spelen in de bevordering van de Europese eenheid. Hij was medeorganisator van het Haags Congres van Europa van mei 1948. In juli van dat jaar reisde hij naar de Verenigde Staten, met Winston Churchill, Duncan Sandys en de gewezen Belgische premier Paul-Henri Spaak, teneinde financiële steun te vragen voor de pas gestichte Europese beweging. Deze reis leidde op 29 maart 1949 tot oprichting van het Amerikaanse Comité voor een Verenigd Europa, de ACUE. Met de ACUE werd een proces ingeleid waarbij successievelijk organisaties die naar Europese eenheid streefden, door voor Amerikaanse belangen werkende Amerikaanse instellingen werden opgeslokt.

Zo was het zaad gezaaid voor de groei van een donkere ondergrondse subcultuur waarin geheime en semi-geheime genootschappen – van religieuze, politieke en financiële aard – weldra zouden gaan floreren. Eind jaren vijftig had deze subcultuur eigen stuwkracht ontwikkeld en vormde een milieu dat, hoewel voor buitenstaanders onzichtbaar, almaar indringender invloed op openbare aangelegenheden begon uit te oefenen.

Cia-manoeuvres

De man die misschien het meest verantwoordelijk was voor initiëring van Amerikaanse belangstelling voor samengebundelde Europese bewegingen, was graaf Richard Coudenhove-Kalergi die in 1922 Pan-Europa als Pan Europese Unie had gesticht. Hoewel ze op praktisch gebied weinig tot stand bracht, was ze in het interbellum een invloedrijke organisatie. Tot de leden behoorde een aantal eminente politieke figuren, zoals Léon Blum en Aristide Briand in Frankrijk en Eduard Beneš in Tsjechoslowakije evenals Winston Churchill. Ertoe behoorden ook Albert Einstein en culturele schitterlichten als Paul Valéry, Miguel de Unamuno, George Bernard Shaw en Thomas Mann.

Door de Duitse *Anschluss* van 1938 uit Oostenrijk verdreven week graaf Coudenhove-Kalergi in 1940 uit naar de Verenigde Staten. Daar spande hij zich onvermoeibaar in voor zijn Paneuropese ideaal, erop hamerend dat Europese eenheid prioriteit diende te hebben in de Amerikaanse politiek van na de oorlog. Zijn inspanningen overtuigden een aantal belangrijke Amerikaanse politici als William Bullitt en de senatoren Fullbright en Wheeler. Toen Amerika aan de oorlog deel ging nemen, bood een aantal ideeën van Coudenhove-Kalergi een plan voor actie. Het zou als zodanig worden overgenomen door de OSS, de voorloper van de CIA.

De OSS – Office of Strategic Services – werd in onderlinge wedijver en met hulp van MI6 en SOE van Groot-Brittannië opgericht. De eerste directeur ervan was generaal William ('Wild Bill') Donovan. Donovans agenten zouden de kern van de naoorlogse CIA vormen. Een van hen, Allen Dulles, was directeur van de CIA van 1953 tot in 1961 de debâcle van de Varkensbaai hem dwong ontslag te nemen. Tijdens de oorlog was Dulles in Zwitserland gestationeerd geweest en hij onderhield de contacten die hij er had gelegd met Helmuth James von Moltke en de Kreisauer Kreis.

Als directeur van de OSS zag William Donovan al snel de potentiële betekenis van het Vaticaan in voor het werk van inlichtingendiensten. Duizenden katholieke geestelijken waren over Europa verspreid, in elk land, elke stad, letterlijk op elke plaats. Ook dienden duizenden katholieke geestelijken als aalmoezenier bij de gewapende strijdkrachten van elk oorlogvoerend land. Dit netwerk was al bij activiteiten van geheime diensten betrokken waardoor zeer veel informatie de interne inlichtingendienst van het Vaticaan bereikte. Een der vier sectiehoofden van de inlichtingendienst van het Vaticaan was monseigneur Giovanni Montini – de latere paus Paulus VI.[4] Donovan begon dan ook naar nauwe samenwerking met het Vaticaan te streven.

Kort nadat Amerika aan de oorlog was gaan deelnemen, sloot Donovan een overeenkomst met zekere pater Felix Morlion, oprichter van een Europese katholieke inlichtingendienst met de naam Pro Deo die zijn hoofdkwartier in Lissabon had. Onder auspiciën van Donovan werd dit hoofdkwartier naar New York overgeplaatst, en de OSS verbond zich het werk van Pro Deo te financieren. Toen in 1944 Rome bevrijd was, installeerden Donovan en pater Morlion Pro Deo in het Vaticaan.[5] Dat was een zeer gunstige plaats om gebruik te kunnen maken van inlichtingen van katholieke geestelijken die in Duitsland of bij de Duitse strijdkrachten waren geweest of daar nog zaten. Vooral de jezuïeten met hun geraffineerde opleiding, hun strakke discipline en dichtgeweven organisatie bleken een waardevolle bron van informatiemateriaal.

In de periode na de oorlog haastten de Verenigde Staten zich, munt te slaan uit het apparaat dat Donovan had opgebouwd, vooral in Italië. In 1948 begon de pas opgerichte CIA, met verkiezingen in Italië op komst, een complexe geheime operatie teneinde elke kans op een verkiezingsoverwinning van de communisten te verijdelen. Onder auspiciën van James Angleton, gewezen hoofd van de OSS in Rome en later bij de CIA chef van de contraspionage, kregen de Italiaanse christen-democraten heimelijk miljoenen dollars toegespeeld, terwijl aanvullende gelden in dagbladen en andere propagandamiddelen werden gepompt.[6] Deze zelfde methode werd met succes in Frankrijk toegepast.[7]

Zoals we eerder opmerkten, leidde dr. Joseph Retingers reis naar de Verenigde Staten ten behoeve van de Europese beweging tot de oprichting op 29 maart 1949 van het Amerikaans Comité voor een Verenigd Europa, oftewel ACUE. Voorzitter van het ACUE was William Donovan. Ondervoorzitter was de voormalige chef van de OSS in Zwitserland, Allen Dulles. En secretaris was George S. Franklin, ook voorzitter van de officieuze raad voor buitenlandse betrekkingen en naderhand een der coördinatoren van de trilaterale commissie. Verantwoordelijk hoofd van het ACUE was een CIA-functionaris, Thomas Braden, destijds hoofd van de afdeling internationale organisaties van die dienst. Onder auspiciën van deze mensen besloot ACUE de Europese Beweging van dr. Joseph Retinger te onderschrijven.[8] Fondsen van het Amerikaanse ministerie van buitenlandse zaken werden op discrete wijze het hoofdkwartier van de Europese beweging in Brussel toegespeeld. Toen de Sovjet-Unie haar invloed over Oost-Europa begon uit te strekken, brak de periode van de 'Koude Oorlog' aan. De Europese beweging, oorspronkelijk ter bevordering van Europese eenheid opgezet, werd nu geleidelijk aan ingeschakeld om een 'bolwerk tegen het communisme' te helpen bouwen – en dat bolwerk droeg bij tot de sfeer waarin geheime organisaties opbloeiden.

Dan, gedeeltelijk door de CIA gefinancierd, knoopten Joseph Retinger en andere leden van de Europese Beweging verbindingen aan met prins Bernhard der Nederlanden, met de Italiaanse minister-president en met sir Colin Gubbins, gewezen directeur van de Britse SOE. Samen met de toenmalige directeur van de CIA, generaal Walter Bedell Smith, creëerde deze groep een 'denktank' – groep probleemoplossers – die in mei 1954 voor het eerst in hotel De Bilderberg in Oosterbeek bijeenkwam; daaruit ontstonden de Bilderberg-conferenties.*

Intussen was de CIA ook op eigen initiatief verdergegaan en begonnen met een grootscheeps programma van geheime acties ter ondersteuning van elke instelling die het 'bolwerk tegen het communisme' kon helpen versterken.

* Deze worden doorgaans eens per jaar gehouden. Er worden tachtig à negentig vooraanstaande mensen uit diverse landen voor uitgenodigd, onder wie staatslieden, politici, figuren uit het bedrijfsleven, academici, vertegenwoordigers van vakverenigingen en andere figuren uit het publieke leven alsmede functionarissen van internationale lichamen, met het doel van gedachten te wisselen over actuele onderwerpen.

Politieke leiders, politieke partijen en pressiegroepen, vakbonden, dagbladen en uitgeverijen werden allemaal krachtig gesubsidieerd, mits natuurlijk hun oriëntering voldoende pro-Westers en anticommunistisch was. Zo werd in de loop van de jaren vijftig naar verluidt tussen 20 en 30 miljoen dollar[9] per jaar in Italië besteed aan ondersteuning van culturele activiteiten, jeugdprogramma's, dagblad- en andere uitgeverijen en allerlei katholieke groeperingen. Door de kerk geldelijk gesteunde ondernemingen, met inbegrip van missies en weeshuizen, werden veelal mede door de CIA gefinancierd. CIA-gelden werden verdeeld onder tal van bisschoppen en andere hoogwaardigheidsbekleders van wie er een de latere paus Paulus VI zou worden. En natuurlijk stond de Italiaanse christen-democratische partij in het brandpunt van de belangstelling. In feite was Giorgio Montini, de vader van de latere paus, in 1919 mede-oprichter geweest van wat de christen-democratische partij van Italië zou heten, terwijl zijn oudste broer senator voor de christen-democraten was.

Dr. Joseph Retingers door de CIA geldelijk gesteunde Europese beweging was eveneens in Italië actief, daarbij de banden tussen de Amerikaanse inlichtingendienst en het Vaticaan verder aanhalend. Retinger wist de steun te verkrijgen van dr. Luigi Gedda, een oude vriend van hem die lijfarts was van paus Pius XII en ook de leider van de Azione Cattolica – Katholieke Actie –, de macht achter de christen-democratische partij. Via Gedda was Retinger in staat zich van de diensten van de toekomstige paus Paulus VI te verzekeren, terwijl ook de Katholieke Actie een belangrijke ontvanger van CIA-fondsen werd.[10]

De banden tussen de CIA en het Vaticaan werden nauwer aangehaald in 1963, toen paus Joannes XXIII overleed en opgevolgd werd door paus Paulus VI, eerder Giovanni Montini, aartsbisschop van Milaan. Zoals we hebben opgemerkt, had Montini al eerder verbinding met de CIA en er fondsen van ontvangen. Zelfs tijdens de oorlog had hij met de Amerikaanse inlichtingendienst samengewerkt waarbij over en weer informatie tussen Vaticaan en OSS werd uitgewisseld. Na de oorlog, nog als aartsbisschop van Milaan, droeg hij aan de CIA uitgebreide dossiers over politiek actieve priesters over. Deze zouden gebruikt worden om de Italiaanse verkiezingen van 1960 te beïnvloeden.

De betrekkingen tussen het Vaticaan en de CIA duren tot op heden voort. Volgens Gordon Thomas en Max Gordon-Witts vond in november 1978 een privé-ontmoeting plaats tussen paus Johannes Paulus II en de chef van de CIA in Rome. Als gevolg van deze ontmoeting werd een overeenkomst gesloten waarbij de paus wekelijks inlichtingen van de CIA zou krijgen.[11] Op wat de CIA in ruil daarvoor zou krijgen werd niet nader ingegaan, maar men kan daarover een redelijke gissing doen.

Nog een van de zeer invloedrijke verbindingsschakels met de kerk was kardinaal Francis Spellman van New York. In 1954 werkte hij rechtstreeks voor de CIA in Guatemala waar hij een door deze dienst georganiseerde putsch hielp 'bakken'. Maar de kardinaal was ook sterk betrokken bij Italiaanse aangelegenheden. Hij speelde een beslissende rol in de verwerving van 'zwart geld' van de Amerikaanse regering ten bate van de rooms-katholieke kerk. Hij was nauw verbonden met Bernardino Nogara, het meesterbrein achter de Banco Ambrosiano, de toenmalige bank van het Vaticaan, en met graaf Enrico Galeazzi die met Michele Sindona begin jaren zestig waakte over de beleggingen en bankzaken van het Vaticaan.[12] En het was kardinaal Spellman die in 1963 voor het eerst pater Paul Marcinkus van Chicago onder de aandacht van de paus bracht. In 1971 was pater Marcinkus, thans aartsbisschop, directeur van de bank van het Vaticaan, een naaste vriend van P2-leden als Michele Sindona en Roberto Calvi, en naar beweerd wordt ook zelf lid van die P2.

De oorsprong van de vrijmetselaarsloge P2 is in nevelen gehuld, maar men neemt aan dat ze in het begin van de jaren zestig is ontstaan.[13] Haar ultrarechtse grootmeester Licio Gelli had de loge, welke ook haar aanvankelijke prioriteiten en doelstellingen geweest mogen zijn, naar de falanx van groepen en organisaties gevoerd die het 'bolwerk tegen het communisme' vormden. Bepaalde leden van P2 ontvingen genereuze bijdragen van de CIA. En via personages als Calvi en Sindona werd P2 een middel om anticommunistische instellingen in Europa en Latijns-Amerika van zowel fondsen van het Vaticaan als van de CIA te voorzien. Calvi beweerde ook dat hij persoonlijk de overdracht had geregeld van twintig miljoen dollar Vaticaans geld aan Solidariteit in Polen, hoewel men meent dat het totale aan Solidariteit gezonden bedrag de honderd miljoen dollar te boven is gegaan. Voordat een aanklacht op beschuldiging van moord tegen hem werd ingediend, was Michele Sindona niet alleen financier van P2, maar ook de beleggingsadviseur van het Vaticaan; hij hielp de kerk haar Italiaanse aandelen te verkopen en in de Verenigde Staten opnieuw te beleggen. Zijn diensten aan de CIA behelsden ook het doorspelen van fondsen aan 'vrienden' in Joegoslavië, evenals aan de Griekse kolonels vóór hun greep naar de macht in 1967. Tevens leidde hij miljoenen dollars naar de kassen van de christen-democratische partij van Italië.

Toen in 1981 het bestaan van P2 voor het eerst voor grote krantekoppen zorgde, werd daarbij de aandacht – in verband met haar greep op de hoogste gelederen van regering, politie en financiële wereld – in de eerste plaats op Italië gericht. Volgens David Yallop echter:

> '...zijn er nog altijd afdelingen werkzaam in Argentinië, Venezuela, Paraguay, Bolivia, Frankrijk, Portugal en Nicaragua. Leden ervan zijn ook actief in Zwitserland en de Verenigde Staten. P2 heeft verbindingen met de maffia in Italië, op Cuba en in de Verenigde Staten. Ze is gekoppeld aan een aantal militaire regimes in Latijns-Amerika en aan verscheidene neo-fascistische groeperingen. Ze is ook zeer nauw verbonden met de

CIA. Ze strekt zich uit tot recht in het hart van het Vaticaan. Het centrale gemeenschappelijke belang van al deze elementen ligt blijkbaar in haat tegen en angst voor het communisme.'[14]

Thans wordt algemeen erkend dat P2, hoe invloedrijk en machtig ze ook geweest mag zijn, beheerst werd (en waarschijnlijk nog wordt) door een nog hoger, nog meer verborgen gezagsorgaan dat zijn instructies doorgaf via Licio Gelli, grootmeester van de loge. Volgens bevindingen van een commissie uit het Italiaanse parlement bevond de organisatie achter P2 zich 'buiten de grenzen van Italië'.[15] Er zijn vele zowel meer als minder aannemelijke gissingen over deze organisatie geuit. Sommigen identificeerden haar als de Amerikaanse maffia. Anderen suggereerden de KGB of enige andere Oosteuropese geheime dienst. Weer anderen opperden zelfs dat het de Prieuré de Sion zou zijn. Maar in 1979 beschuldigde een overloper van P2 – de journalist Mino Pecorelli – de CIA. Twee maanden na die beschuldiging werd Pecorelli om het leven gebracht.

In maart 1981 deed de Italiaanse politie een inval in het huis van Licio Gelli. Ze vond uitgebreide lijsten van de ledenkring van de loge. Ook ontdekte ze een register van Licio Gelli's dossiers – hoewel die dossiers zelf waren verdwenen; kennelijk van groter belang dan de ledenlijsten. Enkele rubrieken uit dit register werden in Italiaanse kranten gepubliceerd. Daaronder was Opus Dei en daarbij was ook de Italiaanse minister van buitenlandse zaken Giulio Andreotti van wie, volgens een document dat wij ontvingen, beweerd werd dat hij lid van de Prieuré de Sion zou zijn. Voorts was daarbij de organisatie die officieel bekend staat als 'Soevereine en Militaire Orde van de Tempel van Jeruzalem' – dat wil zeggen: de organisatie die tegenwoordig rechtstreekse afstamming van de tempeliers pretendeert.

De ridderlijke Orde

De soevereine en militaire Orde van de tempel van Jeruzalem dateert in haar tegenwoordige vorm uit 1804, toen zij zich openlijk bekendmaakte en officieel erkend werd door diverse andere instellingen. Ze eist echter veel oudere afkomst voor zich op. Volgens haar eigen verklaringen liet, nadat de Orde door paus Clemens V tijdens het concilie van Vienne in 1312 werd verboden, de laatste grootmeester van de tempeliers of tempelridders, Jacques de Molay die op bevel van Filips IV van Frankrijk in 1314 levend werd verbrand, een charter na waarin hij zijn opvolger noemde.[16] Hoewel officieel ontbonden door de paus wordt beweerd dat de tempeliers zich op grond van dat charter door de eeuwen heen bestendigd hebben. De echtheid ervan is nog altijd een twistpunt onder historici, hoewel een aantal aanwijzingen omtrent authenticiteit van het charter bestaat. Dat is trouwens nooit een punt van groot belang geweest, omdat de soevereine en militaire Orde van de tempel van Jeruzalem nooit een duidelijke gooi naar een of andere vorm van macht deed, nooit actieve pogingen ondernam om de prerogatieven, privileges en bezittingen van de ridders wier afstammelingen zij pretendeert te zijn, terug te krijgen. Tegenwoordig wijdt de Orde zich hoofdzakelijk aan oudheidkundig onderzoek en aan werken van barmhartigheid. Haar interne procedures herinneren soms aan bepaalde riten van de vrijmetselarij, soms aan andere heraldische orden, zoals die van het Gulden Vlies, het Heilig Graf en Saint-Maurice. Haar tegenwoordige grootmeester is de Portugese graaf Antonio de Fontes.

In 1982 hadden wij de eerste van een aantal ontmoetingen met een functionaris van de soevereine en militaire Orde van de tempel van Jerzualem. In de loop van deze gesprekken verhaalde hij over de factietwisten en schisma's die zich het afgelopen decennium in het instituut dat hij vertegenwoordigde, hadden voorgedaan. Een groep van de ledenkring was haar eigen weg gegaan en had een aparte vorm van neo-tempeliers in Zwitserland opgericht. Die groep had op haar beurt weer een andere 'afvallige' factie voortgebracht die, onder leiding van zekere Anton Zapelli, een nieuw en duidelijker gezicht had aangenomen en een meer agressief ambitieus programma het licht had laten zien. Het hoofdkwartier van Zapelli was eveneens in Zwitserland – in Sion. Tot de leden van Zapelli's organisatie zou een aantal mensen behoren die verbonden waren met het Zwitserse Grootoosten Alpina waarvan de naam al eerder in een aantal documenten van de Prieuré de Sion was voorgekomen.

Dit zou nu allemaal voor ons van geringe betekenis zijn geweest, ware het niet dat wij de naam Zapelli al in ander verband waren tegengekomen. In 1979, toen we voor het eerst in contact probeerden te komen met de Prieuré de Sion en met monsieur Plantard, had een informant 'Zapelli' aangehaald. Van hem werd bij die gelegenheid beweerd dat hij de echte macht achter de Prieuré de Sion zou zijn – hoewel die bewering ook heel wel het gevolg van simpele verwarring van namen kan zijn geweest: Zapelli's tempeliersorganisatie die in Sion zetelde en de naam Grand Prieuré de Suisse droeg.

Niettemin getroffen door wederom de naam Zapelli in verband met de soevereine en militaire Orde van de tempel vroegen wij of hij inderdaad aan de Prieuré verbonden was. De representant van de soevereine en militaire Orde zei dat hij dat niet wist. In zijn eigen organisatie was van de Prieuré de Sion bekend dat deze tijdens de oorlog in het Franse verzet actief was geweest. Hij had echter geen idee, of Zapelli er op welke wijze dan ook bij betrokken was. Hij verklaarde in feite heel dankbaar te zullen zijn als wij daarachter konden komen en het hem lieten weten. Hij leek bang dat de Prieuré, agerend via Zapelli, misschien een poging zou doen zijn eigen Orde in te pikken.

Toen wij monsieur Plantard vroegen, of hij misschien Zapelli kende, meesmuilde hij alleen cryptisch en antwoordde: 'Ik ken iedereen.' Naderhand echter gaf men ons een document dat voor circulatie binnen Zapelli's organisatie bestemd was. Twee thema's sprongen daarin als bijzonder belangrijk naar voren. Het eerste betrof de bank- en internationale geldwereld. In 1982 had Zapelli's organisatie blijkbaar haar eigen bank of 'gemeenschappelijke maatschappij' opgericht. Het andere belangrijke thema betrof een verenigd Europa en 'de rol van moderne tempeliers in de éénmaking van Europa'. De oorspronkelijke tempeliers, zo betoogde het document van Zapelli, hadden getracht een verenigd Europa te stichten. Hun moderne opvolgers werden nu aangespoord uit de schaduw naar voren te komen, zich met hart en ziel in te spannen voor iets dat gewichtiger was dan louter oudheidkundige belangen, zich in de politiek te begeven, te werken aan Europese eenheid en 'de Europese gedachte' te bevorderen. De structuur die Zapelli bepleitte, was globaal vergelijkbaar met die van de Confédération Helvétique, de Zwitserse Bond. Europa werd gedefinieerd als een eenheid die zich van Atlantische Oceaan en Middellandse Zee tot de Oeral uitstrekte.

Wij hebben geen aanwijzingen gevonden waarmee we konden vaststellen dat Zapelli aan de Prieuré de Sion was gebonden. Evenmin vonden we enig bewijs dat Zapelli met Licio Gelli of andere leden van P2 verbinding zou hebben. Evenals zij echter lijkt hij in een soort schemersfeer te opereren waar geheime genootschappen verbindingen hebben met *la haute finance* en Paneuropese politiek, waar nationale grenzen geen belemmeringen vormen, noch duidelijke legale richtsnoeren bestaan. En het feit blijft dat het register van Licio Gelli's dossiers belang in de soevereine en militaire Orde van de tempeliers verraadt van de kant van P2.

De precieze rol en eigenlijke macht van de moderne tempeliers blijven ongewis. Anderzijds bestaat een andere organisatie, nauw met de historische tempeliers verbonden, waarvan de rol en de macht heel wat beter gedocumenteerd en tastbaar zijn. Die organisatie is de oorspronkelijke traditionele rivaal van de tempeliers, de hospitaalridders van Sint-Jan – of, zoals hun voornaamste loot tegenwoordig wordt genoemd: de soevereine en militaire Orde van Malta.

De Orde van Sint-Jan had haar oorsprong in een aan Sint-Johannes in Jeruzalem gewijd hospitaal dat daar omstreeks 1070 (andere bron: 1023), een jaar of dertig voor de eerste kruistocht, door Italiaanse kooplieden uit Amalfi ten behoeve van de pelgrims was ingericht. Ze schijnt officieel als Orde omstreeks 1100 te zijn gesticht, juist na de eerste kruistocht, toen ze haar eerste grootmeester benoemde. De hospitaalridders waren derhalve van oudere datum dan de tempeliers, maar aanvankelijk niet betrokken bij krijgsactiviteiten; ze deden alleen menslievend werk in hospitalen. In 1126 echter, ongeveer acht jaar nadat de tempeliers openlijk ten tonele waren verschenen, hadden de Sint-Jan-ridders in toenemende mate een krijgshaftig karakter aangenomen dat weldra hun ziekendiensten in de schaduw zou stellen, maar deze niet geheel zou verdringen. In de daaropvolgende jaren zouden zij samen met de tempeliers – en naderhand met de Duitse ridders – de belangrijkste militaire en financiële macht in het Heilige Land gaan vormen en een der sterkste van dergelijke machten van het hele christendom worden. Evenals de tempeliers werden ze ontzaglijk rijk. De Orde ontwikkelde zich tot een geweldige militaire, kerkelijke en bestuurlijke structuur met honderden ridders, een staand leger, talrijke hulpdiensten, een netwerk van burchten en forten en enorme bezittingen aan land, niet alleen in Palestina, maar over de hele christelijke wereld verspreid. Tegelijkertijd echter bleef de Orde haar hospitaal-oorsprong trouw en dreef goed geleide en hygiënische ziekenhuizen met eigen medisch personeel.

In 1307 werden de tempeliers beschuldigd van een ceel schendingen van de officiële katholieke leer; in 1314 was de Orde officieel verboden. Tussen 1309 en hun secularisatie in 1525 kwamen ook de Duitse ridders van tijd tot tijd onder vuur van dergelijke beschuldigingen te liggen – maar hun voornaamste werkterrein, in Pruisen en langs de Baltische kust, plaatste hen veilig buiten bereik van elk gezag dat tegen hen kon worden ingezet. In tegenstelling daarmee zijn de hospitaalridders van Sint-Jan nooit op dergelijke wijze van ketterijen beschuldigd. Zij bleven de gunst van het pausdom genieten. In Engeland, en in mindere mate elders, werden zij met voormalige eigendommen van de tempeliers begiftigd.

Na de val van het Heilige Land in 1291 trokken de ridders van Sint-Jan zich enige tijd terug op Cyprus. In 1309 vestigden zij zich en hun hoofdkwartier vervolgens op het eiland Rhodos dat zij als hun particulier vorstendom bestuurden. Daar bleven ze meer dan twee eeuwen en weerstonden er twee grote belegeringen van de Turken. Ten slotte dwong een derde belegering in 1522 hen het eiland te verlaten waarna ze zich in 1530 vestigden op Malta. In 1565 werd ook Malta door de Turken in een van de meest eerzuchtige operaties uit de krijgsgeschiedenis belegerd. Tijdens de heldhaftige verdediging sloegen 541 hospitaalridders en schildknapen, gesteund door een garnizoen van ongeveer 9000 gewapende mannen, de herhaalde aanvallen van tussen de 30 en 40 000 Turken af. Zes jaar later, in 1577, behaalde de vloot van de Orde samen met oorlogsschepen van Oostenrijk, Italië en Spanje een schitterende overwinning tijdens de zeeslag van Lepanto waarbij de maritieme macht van de Turken in het mediterrane gebied voorgoed werd gebroken.

De belegeringen van Rhodos en Malta en de zeeslag van Lepanto vormden de hoogtepunten in de geschiedenis van de hospitaalridders waardoor zelfs hun wapenfeiten tijdens de kruistochten in de schaduw werden gesteld. Medio de zestiende eeuw vormden zij nog altijd een van de voornaamste land- en zeestrijdmachten van de christelijke wereld, met een macht en financiële sterkte die met die van de meeste koninkrijken te vergelijken was. Maar het zaad van verval was intussen gezaaid. In Duitsland, Zwitserland, de Nederlanden, Schotland en Engeland was de protestantse reformatie begonnen de eenheid van katholiek Europa te scheuren; en die scheuringen in het westerse christendom weerspiegelden zich in het klein in de Orde van Sint-

Jan. Engelse en Duitse Ordebroeders begonnen afvallig te worden en eigen rivaliserende instellingen op te richten. In de zeventiende eeuw waren de nog op Malta zetelende ridders door het getij der historie overspoeld – een onwrikbare katholieke enclave die achterhaalde ridderschappelijke leerstellingen nog altijd in ere hield, terwijl overig Europa het nieuwe tijdperk van mercantilisme, industrialisering en hegemonie van de burgerij al was ingetreden.

In 1798 echter waren de ridders nog altijd op Malta, hoewel intussen tot de status van zonderling anachronisme gedevalueerd, onmachtig, geleid door een onbekwame grootmeester, en met hun katholieke geloofstrouw uitgehold door vrijmetselarij. Toen trok Napoleon door het mediterrane gebied, op weg naar zijn rampspoed brengende campagne in Egypte. De ridders die ruim twee eeuwen eerder nog met succes de Turken hadden afgeslagen, waren nu niet meer bij machte verzet te bieden. Ze werden en bloc door Napoleon die Malta voor Frankrijk opeiste, verdreven, terwijl hij het eiland weer verloor aan de Britse vloot onder Horatio Nelson. Voor de Orde van Sint-Jan volgde een periode van onzekerheid. Ten slotte konden in 1834 de ridders een nieuw hoofdkwartier in Rome vestigen. Ondanks het verlies van hun thuiseiland namen zij de titel Orde van Malta aan, ter onderscheiding van de protestantse Orden van Sint-Jan – johannieterorden – die in Engeland en Duitsland werden gesticht. Wederom wijdden zij zich aan hospitaalarbeid waarmee zij in de volgende anderhalve eeuw steeds meer aanzien verwierven. Kort na de Tweede Wereldoorlog, nog voor de stichting van de staat Israël, heeft men het plan geopperd de Maltezer ridders de soevereiniteit over Jeruzalem toe te vertrouwen.

In 1979 telde de Orde 9562 volslagen ridders onder wie duizend Amerikanen en meer dan drieduizend Italianen.[17] Tegenwoordig leiden de ridders van Malta vanuit hun hoofdkwartier in het Palazzo Malta aan de Via Condotti te Rome een mondiale ziekendienstorganisatie. Er bestaat een eerste-hulpafdeling die bij natuurrampen dadelijk in actie komt. Er zijn ziekenhuizen en leprozenkolonies in tal van landen die door de Orde worden bestuurd. En evenals hun verwante protestantse johannieterorden in Engeland, Duitsland, Nederland en Zweden hebben de Maltezer ridders hun eigen ambulancedienst. In Noord-Ierland rijden zowel ambulances van de Engelse Orde van Sint-Jan als die van de Maltezer ridders door de straten en dienen er hun respectievelijke kerkelijke gezindten en gelovigen.

In het internationale recht is de huidige status van de ridders van Malta die van onafhankelijk soeverein prinsdom.[18] Hun grootmeester wordt als staatshoofd erkend, met een seculiere rang gelijk aan die van prins en een kerkelijke rang gelijk aan die van kardinaal. De Orde onderhoudt formele diplomatieke betrekkingen met een aantal landen, in het bijzonder in Afrika en Latijns-Amerika, en in die landen genieten haar afgezanten de gewone diplomatieke privileges. De hoogste graden binnen de Orde zijn nog altijd strikt aristocratisch. De hoogste ridders moeten adellijke afstamming van minstens drie eeuwen kunnen aantonen, en wel in ononderbroken lijn van vader op zoon.

Natuurlijk is de twintigste-eeuwse Orde van Malta voortreffelijk geschikt voor inlichtingenwerk. Haar ledenkring is internationaal en tevens goed georganiseerd. Haar ziekenhuizen en medische diensten brengen haar veelal in strategische crisishaarden – zoals bij voorbeeld Noord-Ierland. Haar ledenkring strekt zich uit van medisch personeel en ambulancechauffeurs tot vooraanstaande figuren in de politieke, zaken- en financiële wereld die toegang hebben tot kringen waar gewone geestelijken geen entree krijgen. Bijgevolg raakten de ridders van Malta dan ook nauw verbonden met de eigen inlichtingendienst van het Vaticaan. De Orde lijkt tegenover een dergelijke verbinding niet vijandig te hebben gestaan. Integendeel zelfs: ze lijkt de gelegenheid te hebben aangegrepen om in het verborgene de rol te heroveren die zij tijdens de twaalfde eeuw was gaan spelen – namelijk die van spits en voorste gelid van een kruistocht.

Tegenwoordig meent men dat de Orde van Malta een van de voornaamste communicatielijnen tussen het Vaticaan en de CIA is. Voor een dergelijke bewering spreken meer dan voldoende aanwijzingen. In 1946 ontving James Angleton – gewezen hoofd van eerst de OSS en daarna de CIA in Rome die miljoenen dollars van zijn dienst de Italiaanse christen-democraten toespeelde – een onderscheiding van de Orde wegens zijn contraspionagewerk.[19] Eveneens onderscheiden werd dr. Luigi Gedda, leider van de Katholieke-Actiegroep die als verbindingsschakel fungeerde tussen de CIA, Joseph Retingers Europese beweging en de toekomstige paus Paulus VI.[20] In 1948 verleende de Orde haar hoogste onderscheiding, het grootkruis van verdienste, aan generaal Reinhard Gehlen, hoofd van de Westduitse geheime dienst, die in die tijd weinig meer dan een afdeling van de CIA was.[21] Daarvóór had Gehlen aan het hoofd gestaan van Hitlers inlichtingendienst voor Rusland. Al aan het eind van de jaren veertig was de Orde van Malta betrokken geraakt bij de heimelijke oorlog tegen het communisme die toen in Europa begon te escaleren.

Het inlichtingenwerk van de Orde zal natuurlijk vergemakkelijkt zijn door het aantal hooggeplaatste Amerikaanse functionarissen in haar gelederen. Toen de Koude Oorlog in hevigheid toenam, werd de Amerikaanse groep in de Orde aanzienlijk uitgebreid. De invloedrijkste figuur in deze groep was, wederom, kardinaal Francis Spellman van New York – die voor de CIA in Guatemala had gewerkt en wiens kring van persoonlijke medewerkers rechtstreeks naar P2 leidde. Spellman werd 'beschermheer en geestelijk adviseur' van de Amerikaanse ridders. *De facto* werd hij ook hun leider. In die hoedanigheid bracht hij enorme sommen geld bijeen; ieder van de talrijke jaarlijks benoemde ridders moest tienduizenden dollars als inschrijfgeld betalen. Beweerd is dat slechts een deel van deze opbrengst ooit zijn weg naar de Orde in Rome heeft gevonden; het leeuwedeel zou voor andere doeleinden zijn gebruikt. Spellman stond ook in verbinding met een kardinaal die in de loop van de jaren vijftig een poging ondernam om de Orde over te nemen en haar voor eigen politieke oogmerken in te schakelen.

Het is niet ongebruikelijk dat CIA-directeuren Maltezer ridder zijn. Een voorbeeld daarvan was John McCone. Ook de huidige directeur, William Casey, is Maltezer ridder. De gewezen directeur William Colby zou eveneens het lidmaatschap van de Orde aangeboden hebben gekregen, maar hij zou dat geweigerd hebben met de woorden: 'Ik ben een wat mindere grootheid.'[22] Tot de huidige ledenkring van de Orde behoren William Wilson (ambassadeur van de Verenigde Staten bij het Vaticaan), Clare Booth Luce (gewezen ambassadrice van de Verenigde Staten bij het Vaticaan), George Rocca (gewezen plaatsvervangend hoofd van de CIA-contraspionage) en Alexander Haig.

Maar het is niet alleen uit dergelijke invloedrijke Amerikaanse kringen dat de Orde haar gelederen haalt. Licio Gelli, grootmeester van P2, heeft verbinding met de Orde, waarschijnlijk als ridder, doch bevestiging hiervan is nu onmogelijk. Gelli's naaste medewerker in P2 echter, Umberto Ortolani, is Maltezer ridder en was ambassadeur van de Orde in Uruguay waar hij een bank bezat. Andere ridders zijn Alexandre de Marenches (gewezen hoofd van de Franse inlichtingendienst), de generaals de Lorenzo en Allavena (gewezen hoofden van de Italiaanse geheime dienst), generaal Giuseppe Santovito (gewezen chef van de Italiaanse militaire inlichtingendienst) en admiraal Giovanni Torrisi (chef van de Italiaanse generale staf). Laatstgenoemd drietal was ook lid van P2.[23]

Natuurlijk zou het een misvatting, en unfair, zijn om de Orde van Malta als niet meer dan 'een CIA-façade' te beschouwen. De Orde blíjft een autonome instelling die eigen menslievende en diplomatieke activiteiten ontplooit waarvan er vele loffelijk genoemd mogen worden. Niettemin bestaan overtuigende aanwijzingen van haar betrokkenheid bij inlichtingenwerk. Een deel van die activiteiten behoeft niet eens noodzakelijk de officiële politiek van de Orde te weerspiegelen. Bij voorbeeld kunnen een kardinaal en een hooggeplaatste inlichtingendienst-functionaris, die beiden toevallig ridder zijn, elkaar in deze of gene sociale functie van de Orde ontmoeten. Elk van beiden kan de ander voorstellen aan een invloedrijke bankier of een vooraanstaande politicus. Op die wijze zou op hoog niveau een plan gecoördineerd en uitgevoerd kunnen worden echter zónder officiële richtlijnen, zonder geschreven instructies of formele procedures die later een afleggen van rekenschap en verantwoording zouden kunnen vereisen. Er zou geen verklikkende registratie of aantekening zijn die naderhand ontdekt kon worden – want registraties en aantekeningen kunnen vaak compromitterend worden en zijn berucht moeilijk weg te werken zónder dat ze enig spoor achterlaten. Evenals de loge in de vrijmetselarij draagt de Orde van Malta juist door haar aard bij tot dergelijke procedures. En haar handelingsspeelruimte wordt vergroot door haar diplomatieke prestige, haar betrekkelijk weinig opvallende profiel, haar internationale netwerk en het respect dat haar humanitaire inspanningen afdwingt.

De huidige situatie in Midden-Amerika wordt door een aantal commentatoren als tekenend beschouwd voor de wijze waarop de Orde van Malta kan worden gebruikt – tekenend in feite voor de wijze waarop élke organisatie van die aard tot de oogmerken van een of andere politieke ideologie kan worden verleid. De huidige leider van de Orde in de Verenigde Staten is een vooraanstaand zakenman, J. Peter Grace geheten. Vóór 1971 was Grace verbonden aan Radio Liberty en Radio Free Europe die beide door generaal Reinhard Gehlen opgericht en door de CIA gefinancierd werden. Tegenwoordig leidt Grace – tot wiens medewerkers eveneens een Maltezer ridder, de gewezen minister van financiën van de Verenigde Staten William Simon, behoort – een Americares geheten organisatie waarvan hij president is. Een belangrijke doelstelling van Americares is gelden voor hulp aan Midden-Amerika bijeen te brengen. De organisatie, belast met verdeling van deze hulp, is de Orde van Malta die deze opdracht uitvoert via haar organisatie te velde in El Salvador, Guatemala en Honduras.

Tegelijkertijd lijkt Americares bepaalde belangen te delen met de WACL (anticommunistische wereldbond) die nu geleid wordt door ex-generaal-majoor John Singlaub; deze moest in 1978 wegens trotsering van de president zijn ontslag nemen. Toen het Witte Huis er niet in slaagde instemming van het Congres te verkrijgen inzake steun aan de contra's in Nicaragua, riep Ronald Reagan de hulp in van de WACL en andere. De organisatie van Singlaub nam op zich de contra's van geld en uitrusting te voorzien. Amerikaanse journalisten hebben zich terecht afgevraagd hoeveel van dat geld en materiaal nu in feite door Peter Graces organisatie Americares gegeven en door de ridders van Malta verdeeld wordt. Mocht dat gebeuren, dan nóg blijft de vraag, of Grace en Americares de ridders van Malta niet gewoon uitbuiten of dat de hele Orde krachtens eigen politiek erbij betrokken is.

De onbekende factor

Tijdens onze ontmoeting met monsieur Plantard in oktober 1984 – toen hij, wat wij destijds nog niet wisten, niet meer sprak als grootmeester van de Prieuré de Sion – kwam de Orde van Malta ter sprake. De Prieuré de Sion, zei monsieur Plantard – en het leek bijna wel met enige wrok – telde een aantal ridders van Malta. Wij vonden dat nu niet zó verwonderlijk. Tenslotte leken de ridders van Malta, zoals we toen al hadden ontdekt, overal te zitten. Waarom dan niet eveneens in de Prieuré de Sion? In feite was abbé François Ducaud-Bourget – die bij monsieur Plantards eigen introductie in de Prieuré de Sion hem gesteund had en van wie openlijk verklaard was dat hij grootmeester van de Orde was geweest – van 20 september 1947 tot 18 november 1961 'hoogmeester' van de ridders van Malta. Gezien de verbinding tussen de ridders en de OSS tijdens de oorlog leek een dergelijke rol volstrekt in overeenstemming met de activiteiten van de abbé ten bate van de Franse résistance. Hij zetelde toen in Parijs, maar wist niettemin aan verzetsgroepen wapens toe te spelen – een prestatie waarvoor de abbé na de oorlog met een verzetsmedaille werd onderscheiden.

De Franse pers had in een kort artikel naar aanleiding van monsieur Plantards verkiezing tot grootmeester in 1981 verklaard dat 'de 121 hoogwaardigheidsbekleders van de Prieuré de Sion allen *éminences grises* van *la haute finance* en van internationale politieke of filosofische instellingen zijn'. Iets dergelijks zou met een gerust hart van de ridders van Malta gezegd kunnen worden. Krachtens hun intrinsieke aard kan van beide Orden worden verwacht dat zij veelal in een zelfde sfeer werken, namelijk in de schemerige subwereld waar politiek, geld, religie en de activiteiten van diverse geheime diensten samenkomen. Ongetwijfeld hadden de ridders van Malta en de Prieuré de Sion ook bepaalde belangen en doelstellingen gemeen. Hoewel misschien om uiteenlopende redenen en volgens uiteenlopende prioriteiten stelden beide Orden zich blijkbaar ten doel een soort Verenigde Staten van Europa te stichten. En in de veronderstelling dat de afstamming van de Prieuré authentiek is, zou de historie van elk van beide Orden nauw met elkaar verstrengeld zijn geweest. Beide pretendeerden een zeer oud erfgoed, daterend uit de tijd van de kruistochten, en een dergelijk erfgoed zou er noodzakelijk toe hebben geleid dat hun respectievelijke wegen elkaar in de loop der eeuwen op diverse punten kruisten. Elk van beide Orden was een duidelijk neo-ridderschappelijke instelling en van elk kon worden verwacht dat zij al zeer lang kennis van elkaar bezaten, waarschijnlijk ook behoorlijke kennis van elkaars geheimen. Het loutere feit van een dergelijk gedeeld verleden zou onvermijdelijk tot een zekere onderlinge binding hebben geleid.

Tevens echter zouden er bepaalde cruciale wrijvings- of twistpunten tussen de twee Orden zijn geweest. De ridders van Malta waren altijd onwrikbaar trouw aan het pausdom en de rooms-katholieke kerk gebleven, welke trouw ze ook heden nog betuigen. De Prieuré de Sion daarentegen presenteerde zich als per traditie vijandig tegenover het Vaticaan en leek in feite zijn eigen geheime alternatieve pausdom te vormen. En als beschermer van een afstammingslijn via Jezus of zijn familie uit het huis van David zou de Prieuré de Sion natuurlijk door de kerk als schadelijk zijn opgevat. Zo zouden hun respectievelijke standpunten ten aanzien van Rome de Prieuré de Sion en de ridders van Malta noodzakelijk als tegenstanders hebben onthuld.

Ook kan er een geschil tussen beide Orden zijn geweest over hedendaagse prioriteiten en werkterreinen. Wat monsieur Plantard betreft leek de eigenlijke belangensfeer van de Prieuré voornamelijk bij Europa te liggen. Hoewel de ridders van Malta kennelijk eveneens vitaal belang bij Europa behielden, was veel van hun hedendaagse activiteit – zoals Opus Dei, P2 en CIA – verlegd naar Latijns-Amerika. Tenminste in zeker opzicht zijn de ridders van Malta partieel in dienst van de CIA geweest. Als de Prieuré de Sion onder zijn leden een aantal Maltezer ridders telde, zou hij dan niet gevreesd hebben op zijn beurt 'gekaapt' te worden? Was monsieur Plantard wellicht niet zeer verontrust geraakt – in zodanige mate zelfs dat hij aftrad – door elementen binnen de Orde die verlegging voorstonden van de aandacht van Europa naar Latijns-Amerika? En zouden wellicht deze elementen, waaronder misschien een aantal ridders van Malta, de 'Anglo-Amerikaanse groep' hebben gevormd die er door monsieur Plantard van werd beschuldigd tweedracht in de gelederen van de Prieuré te zaaien?

Of dit nu al dan niet het geval was, er bleef nog een ander twistpunt tussen de Prieuré de Sion en de ridders van Malta. Dat was de bundel perkamenten die in 1891 door Bérenger Saunière in Rennes-le-Château was ontdekt. In die zin dat zij misschien het pausdom konden compromitteren of zelfs de Prieuré in zijn geheime strijd met het pausdom steunen, zouden ze voor de ridders van Malta van veel belang zijn geweest. Volgens beweringen van de Prieuré zelf waren de betreffende perkamenten bemachtigd en 'frauduleus' naar Engeland overgebracht om ten slotte hun weg te vinden naar de archieven van de ridders van Malta.[24]

In een poging de door Saunière ontdekte perkamenten op te sporen waren we in een moerassige wildernis beland van fraude, afleidingsmanoeuvres, vervalste documenten, handtekeningen en met zorg uitgezette misinformatie. We waren tot de onontkoombare conclusie gekomen dat een of andere organisatie de hand in het spel had – dat wij onwetend midden in een onzichtbare vete tussen de Prieuré de Sion en iets anders waren beland. Aanvankelijk waren we geneigd geweest betrokkenheid van deze of gene geheime dienst te vermoeden. Maar kan deze de Orde van Malta zijn geweest? Of misschien een via de Maltezer Orde werkende inlichtingendienst? Wij kunnen onze vermoedens natuurlijk niet definitief bevestigen. Maar er blijft een onbekende factor in de vergelijking. Men moet zich noodzakelijk afvragen, of deze factor wellicht de Orde van Malta is, handelend ten behoeve van zichzelf of van 'iemand' anders.

Epiloog

Wij hadden geprobeerd meer te weten te komen over de hedendaagse Prieuré de Sion. Wij hadden getracht iets beslissends vast te stellen aangaande zijn ledenkring, zijn macht en hulpbronnen, zijn specifieke oogmerken. En wij hadden gehoopt om onderweg het centrum van het labyrint te bereiken, niet zozeer om er een loerende minotaurus van welke aard dan ook te verslaan, als wel om er tenminste oog in oog mee te komen staan. Tevens echter konden we ons niet zonder spijt verhelen dat we vaak buiten spel werden gezet door figuren die er met groot raffinement en even grote gewiekstheid in slaagden ons voortdurend één stap voor te blijven.

De Prieuré bestaat, dat is zeker. Zijn activiteiten en die van zijn vroegere grootmeester vormen gegevens die in de historie zijn vastgelegd. *Vaincre* werd tijdens de oorlog gepubliceerd en dit tijdschrift bleek waarschijnlijk voor de Duitse autoriteiten evenzeer ongrijpbaar als dat heden voor ons het geval is. Alpha Galates genoot enige vorm van bestaan en lijkt tot haar ledenkring mensen als Hans Adolf von Moltke te hebben geteld. En hoe mysterieus en ongrijpbaar monsieur Plantard ook moge zijn, hij oefende alleszins werkelijke invloed uit en was verbonden met figuren als Jean Cocteau, André Malraux, maarschalk Juin en generaal De Gaulle. En documentaties maken het onmogelijk om zowel aan zijn rol in de comités van openbare veiligheid als aan de rol van diezelfde comités in de terugkeer naar de macht van De Gaulle in 1958 te twijfelen. In feite getuigt De Gaulles terugkeer naar de macht van de activiteiten van een uitermate geraffineerd, vindingrijk, goed georganiseerd en gedisciplineerd apparaat, doorkneed in politiek manoeuvreren.

Wat ons betreft heeft de voornaamste onzekerheid geen betrekking op bestaan of status van de Prieuré de Sion, maar op zijn huidige activiteiten en het gezelschap waarin hij tegenwoordig lijkt te verkeren. Is het beslist niet zo dat, althans met een deel van dat gezelschap, het ongezond is er omgang mee te hebben? En is daarbij de Prieuré, ondanks zijn beleden verheven doelstellingen, niet zelf bevlekt en bezoedeld geraakt? Hoe kan een organisatie die met groepen als P2 verkeert, tóch haar integriteit bewaren? En hoe is een dergelijke organisatie te verenigen met het verheven beeld dat ze van zichzelf probeert te schilderen?

Doch wie weet waren wij wel zo naïef iets anders te verwachten. Dergelijke verbintenissen waren amper uitzonderingen in de historie van de Prieuré. Voor zover wij konden naspeuren was noch de Prieuré de Sion noch zijn grootmeester ooit voor de smetten van politieke macht teruggedeinsd. Integendeel: zowel de Orde als haar sturende hiërarchie lijkt constant in machinaties en intriges verwikkeld te zijn geweest. Bij voorbeeld tijdens de godsdienstoorlogen in de zestiende eeuw had de Prieuré blijkbaar van alle hulpmiddelen en mogelijkheden van dat tijdperk gebruik gemaakt. Kortom hij was 'realistisch' geweest. Teneinde te kunnen voortbestaan moest hij zijn toevlucht nemen tot eenzelfde soort maatregelen en methodes die andere organisaties en instellingen die in de 'werkelijke wereld' actief waren, toepasten – met inbegrip van de rooms-katholieke kerk.

Als de moderne Prieuré in een ongezonde subwereld functioneert, compromitterende verbintenissen aangaat en idealisme aan opportuniteit offert, wil dat nog niet zeggen dat hij zich opnieuw bezoedelt. Het betekent veeleer gewoon dat de Orde weer met haar tijd moet meegaan en waarschijnlijk niet meer of minder dan in het verleden smetten oploopt; voortbestaan voor een organisatie als de Prieuré de Sion houdt noodzákelijk in dat wie met pek omgaat daarmee wordt besmet. In die zin dat omgang met politieke macht neerkomt op enige mate van corruptie, is de Prieuré altijd al corrupt geweest. Dat geldt evenzeer voor de meeste instellingen die in hun streven naar zuiverheid niet zichzelf uit de historie hebben weggezuiverd. Zoals we hebben gezien, zijn de ridders van Malta aan dezelfde beschuldigingen onderworpen als men tegen de Prieuré zou kunnen inbrengen of wat dat betreft tegen het Vaticaan, zowel in heden als verleden. Paus Johannes Paulus II mag ondanks zijn leerstellige onverzoenlijkheid persoonlijk boven alle blaam verheven zijn, er hangt boven het Vaticaan zelf een wolk. Feitelijk hebben de ontmaskering van P2, het schandaal met betrekking tot de Banco Ambrosiano en de mysterieuze dood van Roberto Calvi – 'Gods Bankier' – allemaal laten zien dat hiërarchie en bestuur van het Vaticaan in precies diezelfde duistere, verborgen, ondergrondse sferen werken als de Orde van Malta, en naar het schijnt ook de Prieuré de Sion. Als de Prieuré bezoeldeld is, dan is het Vaticaan dat niet minder.

Zouden ze zijn uitgevoerd door de regering van een democratie in westerse trant, dan hadden de activiteiten van het Vaticaan in de loop van de afgelopen vijfentwintig jaar zonder twijfel tot een grootscheeps onderzoek en waarschijnlijk tot de val van die regering geleid. Wat Rome betreft hebben dergelijke activiteiten echter slechts oppervlakkige rimpelingen veroorzaakt en de kerk zelf is er in haar fundament niet door geschokt geraakt. Maar dat niet alleen, ze zet de uitoefening van haar traditionele pastorale functie nog altijd voort. Ze kan nog altijd troost en bemoediging schenken. In bepaalde delen van de wereld – bij voorbeeld in Latijns-Amerika, in Polen en Tsjechoslowakije, op de Filippijnen – kan ze als baken van vrede en hoop dienen. En hoewel de gelederen van haar kerkvolk, vooral in het Westen, een slinkende tendens vertonen, kan ze voor die gelovigen nog altijd een bewaarplaats van vertrouwen en zin des levens betekenen.

Het punt is namelijk dat achter de onverkwikkelijke transacties van de wereldse hiërarchie van de kerk, in welk tijdperk ook, de wat de 'archetypische kerk' genoemd zou kunnen worden bestaat, de structuur die opgevat wordt als 'drager', als een 'de zeeën des tijds trotserende ark'. Achter die vergankelijke wederwaardigheden licht een ideaal, een bouwwerk van verheven beginselen, een 'communie der zielen' die louter door haar aard onvatbaar voor bezoedeling is. Dit spirituele begrip van de kerk zal ongeschonden blijven, onaantastbaar, ongeacht activiteiten van Vaticaan of pausdom. Een paus als de laat-veertiende-/ begin vijftiende-eeuwse Alexander VI bij voorbeeld moge zich bezondigd hebben aan alles van simonie tot en met bloedschande en moord. Hij moge cynisch spotten dat 'ze ons goed te pas is gekomen, deze Christusmythe'. Niettemin blijft hij 'Christus' plaatsbekleder op aarde.

Een vergelijkbaar principe is van toepassing op de Prieuré de Sion. Evenals het pausdom heeft de Prieuré vuil van eeuwen aan zijn handen en lijkt daar de laatste tijd nieuwe smetten bij te hebben opgelopen. Toch staat, juist als achter het pausdom de onaantastbare archetypische kerk, achter de Prieuré de Sion een evenzeer verheven idee – namelijk die van de archetypische, ridderlijke, zo intrigerende broederschap. Ongeacht zijn activiteiten op enig moment blijft de ideaal-beziene Prieuré, gelijk de ideaal-beziene kerk, in hemelse verhevenheid onschendbaar. Op dat hoge niveau is de Prieuré de Sion niet slechts een geheim genootschap dat met andere geheime genootschappen achter de schermen intrigeert en samenzweert. Veeleer is hij er de hoeder van een hoogverheven traditie die zeer vele mensen met hart en ziel verlangen te onderschrijven. Ook is hij, in zijn nadruk op ridderwezen, de belichaming van een gedragscode die als verbindingsschakel tussen mensdom en het goddelijke wordt beschouwd.

De leer van het ridderwezen, zoals ze door de Prieuré de Sion wordt verkondigd, is inderdaad archetypisch. Ze beperkt zich niet tot het ridderwezenlijke van christelijk Europa tijdens de middeleeuwen. Ze kan gevonden worden in zo uiteenlopende instellingen als de kaste van de patriciërs in het oude Sparta, de 'Red Branch' van voorchristelijk Ulster, de krijgsbroederschappen van stammen als de Sioux en Cheyennes in het Amerikaanse Westen, de Samoerai in Japan – en de Sicarii of Zeloten van Jezus' tijd. Al deze instellingen werden gereguleerd en beheerst door een code die niet alleen ethisch of moralistisch was, maar kosmologisch – een code om menselijk leven en werken in harmonie te brengen met de orde van de kosmos. Ze hield niet alleen een maatschappelijke en een militaire discipline in, maar evenzeer een geestelijke. Krachtens die discipline werd de getrouwe aanhanger beschouwd als te leven in overeenstemming met goddelijke wet.

Zoals wij in deel II van dit boek verklaarden, is hedendaagse politiek in hoofdzaak een kwestie van 'pakkend verpakken' geworden. Ís het doeltreffend verpakt – dat wil zeggen: zodanig dat ze benauwenissen wegneemt en vertrouwen wekt –, dan kan ridderwezen een zeer sterke aantrekking op de moderne geest uitoefenen. Het kan ritueel, kleur, schittering, luister en schouwspel bieden aan een wereld die in toenemende mate van deze dingen beroofd is en, in toenemende mate verlangend, door hun afwezigheid wordt gekweld. Het kan besef en gevoel van continuïteit schenken aan een wereld die zich van het verleden afgesneden en ontworteld voelt. Het kan waardigheid en grandeur schenken aan mensen die steeds dieper terneergeslagen raken door een overtuiging van eigen kleinheid en onbetekenendheid. Voor mensen die zich aan hun machteloosheid, verlatenheid en isolering bezeren, kan het het vooruitzicht bieden van erbij-horen, van gemeenschappelijkheid, van betrokken zijn bij een verheven broederschappelijke onderneming. Het kan van de meeste mensen het geheime verlangen bevredigen naar deel uitmaken van een 'elite', hoe 'onfatsoenlijk' die term tegenwoordig soms ook gevonden wordt. Het kan een waardenhiërarchie en een gedragscode bieden die niet willekeurig of toevallig zijn, maar op een geheiligd traditioneel fundament berusten – op een grondslag die wordt gezien als weerspiegeling van enig teken van een goddelijk ontwerp of plan. Het kan een eerst geritualiseerde en dan gewettigde baan voor gevoelsmatige expressie bieden. Zo kan ridderwezen een beginsel van samenhang en een schatkamer van vertrouwen en levensbetekenis gaan vormen. In de geschikte omstandigheden kan er vertrouwen aan worden geschonken, terwijl daardoor levenszin en -betekenis kunnen worden verworven. De kracht van herleefd ridderwezen werd tijdens de Tweede Wereldoorlog door Japan geïllustreerd waar de Samoerai-code van Bushido een hele cultuur een beheersend principe verleende, culminerend in wat in wésterse ogen het verschrikkelijke 'fanatisme' van de kamikazes leek.

Hoewel aanmerkelijk minder krijgshaftig en militaristisch is de Prieuré de Sion bijzonder goed toegerust om zich als drager van ridderlijke idealen te presenteren. Hij is tevens bijzonder goed toegerust om zich als nog iets méér en anders te presenteren. Want anders dan tal van andere maatschappelijke, politieke en religieuze instellingen beschikt de Prieuré de Sion, zoals we in deel II van dit boek opmerkten, over psychologisch uitzonderlijk raffinement. Hij weet de diepten en omvang van de innerlijke noden van de mens te doorgronden en te begrijpen. Hij weet archetypen zodanig te behandelen –

archetypische beelden en themata – dat ze met maximale aantrekkingskracht worden bekleed.

Een van de indringendste archetypische symbolen is bij voorbeeld dat van *'le roi perdu'* (de verloren koning) – de bovennatuurlijk geholpen monarch die, na zijn taak op aarde te hebben vervuld, niet zozeer sterft doch zich in een of andere dimensie terugtrekt waar hij zijn tijd beidt tot de noden van zijn volk hem gebieden terug te keren. Vooral Engelssprekende lezers zijn met dit archetype via Koning Arthur bekend. In Wales komt Owen Glendower met hetzelfde patroon overeen, evenals in Duitsland Friedrich Barbarossa. De *'roi perdu'* die in de mythos van de Prieuré de Sion de voornaamste plaats bekleedt, is Dagobert II, de laatste regerende Merovingische monarch. Dagobert wordt door de Prieuré zo voorgedragen dat zijn beeld versmelt met dat van de opperste verloren koning, Jezus zelf. Op psychologisch symbolisch vlak en geheel onafhankelijk van enigerlei kwestie van afstamming in den bloede, wordt Dagobert een verlengstuk van Jezus. Met die psychologische associatie eenmaal gelegd, wordt het – zelfs onbewust – een stuk gemakkelijker om de idee van een letterlijke en historische bloedafstamming te verbreiden. Het is juist door dergelijke methodes dat het mysterie rondom Rennes-le-Château zo'n magnetische aantrekkingskracht verwierf, niet alleen voor ons als auteurs, maar voor onze lezers niet minder.

De Prieuré de Sion begrijpt ook de innige verwevenheid van vertrouwen en macht. Hij ziet de kracht van de religieuze impuls in en weet dat die impuls, indien geactiveerd en geleid, een potentieel even sterke macht is als bij voorbeeld geld – in feite zó sterk dat hij wellicht een alternatief machtsprincipe vertegenwoordigt. Ten slotte weet de Prieuré hoe zich te verkopen, weet hoe hij een beeld van zichzelf moet schetsen dat met zijn eigen doelstellingen strookt. Zoals we eerder opmerkten, is hij als archetypische broederschap in staat de percepties van buitenstaanders te bespelen en te reguleren, zoal niet als opperste archetypische broederschap. Ongeacht de uiteindelijke authenticiteit van zijn afkomst kan hij de indruk geven te zijn wat mensen wensen dat hij is, omdat hij de drijfveren waardoor dergelijke impressies gewekt worden, begrijpt.

Maar psychologisch raffinement en het vermogen zich 'te verkopen' zijn niet de enige punten ten bate van de Prieuré. In 1979 had monsieur Plantard ons met stelligheid verklaard dat de Prieuré in het bezit was van de schat uit de tempel van Jeruzalem, daar tijdens de opstand van 66 na Christus door de Romeinen geroofd en naderhand vanuit Rome naar de omgeving van Rennes-le-Château overgebracht. De schat zou, zo verklaarde monsieur Plantard, aan Israël worden teruggegeven 'als de tijd er rijp voor is'. Als de Prieuré inderdaad de tempelschat bezit en dit vandaag kon aantonen, dan zullen de implicaties ervan een wereld met verbijstering slaan. Niet alleen zou dat een archeologische sensatie betekenen die ontdekkingen zoals de ruïnes van Troje en het graf van Toetanchamon verre in de schaduw stelt. Het zou ook beladen zijn met religieuze en politieke repercussies voor het heden. Wat zouden bij voorbeeld voor het hedendaagse Israël en voor zowel jodendom als christendom de implicaties zijn als – op grond van oorkonden of ander bewijsmateriaal dat uit de tempel van Jeruzalem voortvloeit – Jezus als de Messias geopenbaard zou worden? Níet de Messias van de latere christelijke traditie, maar de Messias naar wie het volk van Palestina tweeduizend jaar geleden reikhalzend uitkeek – dat wil zeggen: de man die de rechtmatige koning van die natie was, die trouwde, kinderen voortbracht en wellicht in het geheel niet aan het kruis is gestorven. Zou dat twee van 's werelds belangrijkste godsdiensten en mogelijk evenzeer de islam niet in hun grondvesten doen schokken? Zou dat niet, en wel met één slag, de theologische verschillen tussen jodendom en christendom wegvagen en ten minste een deel van de antipathie van de islam?

Helemaal afgezien van de schat uit de tempel kan de Prieuré de Sion dan in elk geval aanspraken maken die zelfs in de hedendaagse wereld in ruime mate op geldigheid zouden bogen. Ten behoeve van de families die hij represen teert, kan hij een dynastieke successie bewijzen die teruggaat tot het oudtestamentische huis van David. Hij kan definitief en tot genoegen van zelfs het scherpste genealogische onderzoek staven dat de Merovingische dynastie van de davidische afstammingslijn was – en als zodanig formeel erkend door de Karolingen die hen verdrongen, door andere monarchen en door de rooms-katholieke kerk van die tijd. Geholpen door de methodes van mo derne 'public relations', moderne reclame en moderne politieke verpakking zou de Prieuré de Sion onze wereld daarmee een figuur kunnen presenteren die, volgens de meest strikte definitie van die term, zou kunnen verklaren *een bijbelse Messias* te zijn. Het moge ongerijmd schijnen, zelfs belachelijk. Maar is het stellig niet ongerijmder of belachelijker dan de overtuiging van tienduizenden Amerikanen die reikhalzend uitkijken naar het moment waarop zij 'in vervoering' op diverse punten op de snelweg tussen Pasadena en Los Angeles aan hun auto's zullen worden 'ontrukt'.

Natuurlijk houdt dit niet in dat wij op korte termijn een persconferentie en daaropvolgend mediaspektakel mogen verwachten. Voor het moment houdt het waarschijnlijk geen enkele publieke aankondiging, van welke aard dan ook, in. Een rechtstreekse afstamming van het huis van David – of, zo dat aantoonbaar mocht zijn, van Jezus en zijn familie – zou op zichzelf nooit als springplank naar seculiere macht gebruikt kunnen worden. De Prieuré de Sion en/of de Merovingische afstammingslijn zouden zich nooit zo zonder meer kunnen demaskeren, hun identiteit openbaren en dan voor de rest maar vertrouwen op innerlijk vuur en ijver van volksgunst. Er zouden te veel sceptici zijn. Er zouden te veel mensen zijn die er gewoon geen belangstelling voor hebben. En zelfs onder hen die bereid zouden zijn de legitimiteit van Merovingische afstamming te erkennen, zouden er te velen zijn die bezwaren opperen – te veel mensen die, welke ook hun religieuze bindingen mogen zijn, geen díeper verlangen zouden koesteren om door een Messias of door wie ook anders geregeerd te worden. En er zouden ook te veel al aan de macht gekomen of om macht konkelende figuren zijn die wel amper bereid zouden blijken een nieuwe mededinger op het toneel te verwelkomen. In 679 had de rooms-katholieke kerk haar een-en-driekwart eeuw daarvoor gesloten pact met Clovis geschonden en welbewust samengespannen in de moord op Dagobert II. Kan íemand in ernst geloven dat zij die in de hedendaagse wereld macht hebben of daarnaar haken, wellicht wat meer gewetensbezwaren zouden hebben, wat meer remmende scrupules? Nogmaals komt Dostojevski's parabel van de grootinquisiteur onweerstaanbaar voor de geest.

Bovendien is zeer onwaarschijnlijk dat de Prieuré zelf enige behoefte heeft aan veroorzaken van beroering. Als we hem juist beoordelen, streeft hij naar een koninklijke of keizerlijke Verenigde Staten van Europa en niet naar een chaotische situatie waarin bestaande instellingen in gevaar gebracht, ondermijnd of omvergeworpen worden. Voor zover wij kunnen overzien, heeft de Prieuré niets te winnen bij revolutie, van welke aard dan ook. Hij lijkt meer belang te hebben aan 'erven' of misschien 'overnemen' van een al bestaande orde om deze dan geleidelijk aan van binnen uit te transformeren – zodanig dat daardoor minimale opwinding, minimale desoriëntatie, minimale beroering worden gewekt. Dit zou noodzakelijk een politiek van discrete infiltratie voorschrijven in plaats van openlijk uitdagen – een politiek die organisaties als P2 en Opus Dei kenmerkt.

Om al deze redenen kan derhalve een uitzonderlijke afstamming niet als springplank naar macht worden ingeschakeld. Veeleer is ze een troef die slechts kan worden uitgespeeld om al verwórven macht te verstevigen. Een mens kan niet zeggen 'Zie wie ik ben' en dan op die grond verwachten als paus, president, koning of keizer aangeprezen of gekozen te worden. Doch als hij al paus, president, koning of keizer ís en als zodanig min of meer stevig troont, dán zou hij kunnen zeggen 'Zie wie ik ben' – en daarmee niet alleen zijn positie consolideren, maar deze ook omhullen met een nieuwe aura, nieuwe geloofwaardigheid en nieuwe en meer klinkende betekenis.

Het is bijgevolg onwaarschijnlijk dat de Prieuré, voor zover de naaste toekomst betreft, ook maar iets van abrupte, opzienbarende of dramatische aard zal ondernemen. Veel aannemelijker is dat hij de methodes zal toepassen die hem en de met hem verbonden families – bij voorbeeld het Lotharingse huis – in het verleden min of meer doeltreffend dienstig zijn geweest. Tot deze methodes zou een programma behoren van geleidelijke, methodische maar discrete infiltratie van bestaande instellingen. Zij zouden een netwerk van onderlinge dynastieke huwelijken behelzen, ten einde bepaalde invloedrijke families – niet alleen koninklijke en aristocratische families, maar eveneens families in de wereld van politiek, geldwezen en media – 'in de schoot' te verenigen. En zij zouden zodanige manipulatie van archetypen inhouden dat daardoor een voor de uitvoering van bepaalde doelstellingenop-lange-termijn gunstig klimaat zou worden bevorderd. Derhalve zou, om een extreem voorbeeld te geven, een onverhoedse *coup d'état* die in laten we zeggen Griekenland of Portugal de monarchie herstelt, het paard achter de wagen spannen zijn. Zelfs als zoiets te verwezenlijken was, zouden velen bezwaar aantekenen, velen zouden er ook onverschillig onder blijven, het als maar wéér een andere regeringsvorm beschouwen die met min of meer sympathie of juist cynisme moet worden aanvaard. Als echter anderzijds een charismatische monarchale figuur op het gunstige getij van volksgeestdrift naar de macht zou worden verheven, dan zou zijn mandaat iets heel anders zijn.

Sinds de Eerste Wereldoorlog en de ondergang van vele Europese heersende dynastieën is republikeinse democratie in de westerse samenleving de gevestigde norm geworden. Zoals we echter gezien hebben heeft monarchie, noch wat betreft archetypische aantrekkingskracht noch louter functioneel nut, aan betekenis ingeboet. Tijdens de Tweede Wereldoorlog heeft Churchill met vele anderen de ineenstorting van het monarchale systeem als een van de voornaamste factoren beschouwd ten gunste van opkomst van totalitarisme en vooral ten gunste van het fenomeen nazisme. Tijdens geheime besprekingen waren hij en Roosevelt het erover eens dat monarchaal herstel het beste middel zou zijn, niet alleen om de gebroken structuur van naoorlogs Europa te herenigen, maar ook om er zeker van te kunnen zijn dat tendensen die culmineerden in het derde rijk, niet zouden herleven. Zij bespraken herstel van de Habsburgse dynastie op de troon van Oostenrijk en mogelijk Hongarije, met Otto von Habsburg als hoofd van een vorm van keizerlijke Donaufederatie. Volgens Otto von Habsburg zelf bespraken zij eveneens de mogelijkheid om lord Louis Mountbatten als keizer van een nieuwe Duitse confederatie te installeren.

Ook tegenwoordig is de droom van monarchaal herstel nog in het minst niet vervlogen. In Spanje gaat nu koning Juan Carlos het tweede decennium van zijn regering in, heersend over de eerste democratie die zijn land sinds zowat vijfendertig jaar heeft gekend, en deze regeling is tot dusver geslaagd gebleken. In Frankrijk blijven royalistische bewegingen even krachtig als voorheen, terwijl de Franse president een meer en meer vorstelijke houding aan neemt. En als Otto von Habsburgs moeder, de vroegere keizerin Zita die nu in de negentig is, Wenen bezoekt, trekt zij adorerende menigten van een omvang en geestdrift die gewoonlijk slechts met de paus in verband staan. In 1984 en 1985 begonnen bepaalde krachten bespiegelingen te houden over een mogelijk herstel van de Habsburgers op de troon in Oostenrijk.

Als dan monarchie al op zichzelf zoveel aantrekkingskracht uitoefent, hoe zou dan die aantrekkingskracht niet nog in sterkte toenemen, indien een specifieke monarch of monarchale kandidaat, in strikte overeenstemming met de oorspronkelijke betekenis van de term, aanspraak op de titel Messias zou mogen maken?

Wij als auteurs wensen niet als bekeerlingen of pleitbezorgers voor de Prieuré de Sion te worden beschouwd. Wij zijn in feite omzichtig ten aanzien van de Prieuré. Terwijl we bepaalde theoretische doelstellingen van de Prieuré met sympathie begroeten, zijn we ten aanzien van andere toch bepaald sceptisch gestemd. En nog afgezien van alle theoretische overwegingen blijft het feit bestaan dat elke concentratie van macht in handen van een kleine groep – vooral een groep die in hoofdzaak in het verborgene werkt – potentiële gevaren inhoudt. Het is helaas maar al te waar dat de ernstigste misdaden en gruwelen in de historie gepleegd en begaan zijn door mensen die handelden volgens wat zij als de beste bedoelingen beschouwden. Wij geven de voorkeur aan mensen die besef en gevoel van levenszin vanuit hun innerlijk ontwikkelen, in plaats van deze van buitenaf aangeboden te krijgen, hoe ogenschijnlijk verheven of loffelijk de bedoeling ook mag zijn.

Desondanks lijkt ons tijdperk vastbesloten een of andere vorm van messiaanse mythe aan te grijpen om besef en gevoel van betekenis van het leven te verwerven. Als dat noodgedwongen zo moet zijn, zouden wij de voorkeur geven aan een sterfelijke Messias, heersend over een verenigd Europa, en niet aan een bovennatuurlijke Messias die over Armageddon heerst. De Prieuré de Sion kan geen Messias bieden van de soort die die term abusievelijk voor laten we zeggen Amerikaanse fundamentalisten is gaan betekenen. Wij vragen ons af, óf wel iemand of iets anders dan de afdeling speciale effecten en trucages van een Hollywood-studio daarin kan voorzien. Maar als wij ons in onze beoordeling niet vergissen, lijkt het erop dat de Prieuré de Sion een Messias kan bieden van de soort die Jezus zelf, als historische persoonlijkheid, feitelijk was.

Bibliografie

ABERG, N., *The Occident and the Orient in the Art of the Seventh Century*, dl. 1, *The British Isles* (Stockholm 1943–1947).

AGEE, P. en L. WOLF, *Dirty Work: The CIA in Western Europe* (Londen 1978).

ALLEGRO, J. M., *The Dead Sea Scrolls*[2] (Harmondsworth 1975).

ANDERSON, A. O., *Early Sources of Scottish History*, 2 dln. (Londen 1922).

ARMSTRONG, H. W., *The United States and Britain in Prophecy* (Pasadena 1980).

ATIYAH, A. S., *History of Eastern Christianity* (Londen 1968).

ATTWATER, D., *The Christian Churches of the East*, 2 dln. (Londen 1961).

BAIGENT, M., R. LEIGH en H. LINCOLN, *The Holy Blood and the Holy Grail* (Londen 1982)

BAUER, W., *Orthodoxy and Heresy in Earliest Christianity* (Londen 1972).

BENTINE, M., *The Door Marked Summer* (Londen 1981).

BERNIER, G., *Les Chrétientés bretonnes continentales depuis les origines jusqu'au IXème siècle* (Universiteit van Rennes 1982).

BILLIG, M., *Psychology, Racism and Fascism* (Birmingham 1979).

BOWEN, E. G., *Saints, Seaways and Settlements in the Celtic Lands* (Cardiff 1977).

BRANDON, S. G. F., *Jesus and the Zealots* (Manchester 1967).

id., The Fall of Jerusalem and the Christian Church[2] (Londen 1974).

Britain's Triumphant Destiny (uitgave van de British Israel World Federation, Londen 1942).

BUGLIOSI, V. en C. GENTRY, *Helter Skelter* (New York 1982).

BULL, G., *Inside the Vatican* (Londen 1982).

BULTMANN, R., *Jesus and the Word*[2], vert. door Louise Pettibone Smith en Erminie Huntress (New York 1934).

BUTLER, A. J., *The Ancient Coptic Churches of Egypt*, 2 dln. (Oxford 1884).

CHADWICK, H., *The Early Church* (Harmondsworth 1978).

id., The Circle and the Ellipse (Oxford 1959).

id., Priscillian of Ávila (Oxford 1976).

CHADWICK, H. en J. E. L. OULTON, *Alexandrian Christianity* (Londen 1954).

CHADWICK, N., *The Age of the Saints in the Early Celtic Church* (Londen 1961).

CHAMBERLAIN, H. S., *The Foundations of the Nineteenth Century*, vert. door John Lees, 2 dln. (Londen 1911).
CHAUMEIL, J.-L., *Du premier au dernier templier* (Parijs 1985).
CHÉRISEY, P. de, *L'Or de Rennes pour un Napoléon* (Luik 1975).
id., L'Énigme de Rennes (Parijs 1978).
CHITTY, D. J., *The Desert a City* (Londen 1977).
Circuit, Bulletin d'information et défense des droits... H.L.M. (Annemasse 1956).
Circuit, Publication périodique culturelle de la Fédération des Forces Françaises (Aulnay-sous-Bois 1959).
CONWAY, M., 'Burgundian Buckles and Coptic Influences', in *Proceedings of the Society of Antiquaries of London*, 2de serie, dl. XXX (Londen 1917–1918), pp. 63 e.v.
COONEY, J., *The American Pope* (New York 1984).
COTTINEAU, L. H., *Répertoire topo-bibliographique des abbayes et prieurés*, 3 dln. (Macon 1935–1970).
COUDENHOVE-KALERGI, R. N., *Europe Must Unite* (Plymouth 1940).
id., From War to Peace (Londen 1959).
id., An Idea Conquers the World (Londen 1953).
CRAWLEY, A., *De Gaulle* (Londen 1969).
CROSS, F. M., *The Ancient Library of Qumran* (New York 1961).
CUPITT, D., *The Sea of Faith* (Londen 1984).
DANK, M., *The French against the French* (Londen 1974).
DEANESLY, M., *The Pre-Conquest Church in England* (Londen 1961).
DE CLERCQ, V. C., *Ossius of Cordova* (Washington 1954).
id., 'Ossius of Cordova and the Origins of Priscillianism', in: *Studia patristica,* dl. I, afl. I (Berlijn 1957).
DELARUE, J., *L'OAS contre De Gaulle* (Parijs 1981).
DESCADEILLAS, R., *Rennes et ses derniers seigneurs* (Toulouse 1964).
DESCHNER, G., *Heydrich: The Pursuit of Total Power,* vert. door Bance, Woods and Ball (Londen 1981).
DI FONZO, L., *St. Peter's Banker* (Edinburgh 1983).
DROWER, E. S., *The Mandaeans of Iraq and Iran* (Leiden 1962).
DULLES, A. W., *The Craft of Intelligence* (Londen 1963).
id., Germany's Underground (New York 1947).
DUMVILLE, D. N., 'Biblical Apocrypha and the Early Irish: A Preliminary Investigation', in: *Proceedings of the Royal Irish Academy*, dl. LXXIII, sectie C, no. 8 (Dublin 1973), pp. 299 e.v.
EISENMAN, R. H., *Maccabees, Zadokites, Christians and Qumran* (Leiden 1983).
id., James the Just in the Habakkuk Pesher (Leiden 1986).
EISLER, R., *The Messiah Jesus and John the Baptist*, vert. door Alexander Haggerty Krappe (Londen 1931).
Encyclopaedia judaica, red. Cecil Roth, 16 dln. (Jeruzalem 1974).
EPIPHANIUS, *D. epiphanii episcopi Constantiae Cypri, contra octoaginta haereses opus,* red. Iano Cornario (Basileae 1578).
ERINGER, R., *The Global Manipulators* (Bristol 1980).
EUSEBIUS, *The History of the Church from Christ to Constantine*, vert. door G. A. Williamson (Harmondsworth 1981).
FLAMINI, R., *Pope, Premier, President* (New York 1980).

FOLZ, R., *The Concept of Empire in Western Europe*, vert. door Sheila Ann Ogilvie (Londen 1969).
FOOT, M. R. D., *SOE in France* (Londen 1966).
id., *Resistance* (St. Albans 1978).
FOOTE, A., *Handbook for Spies*[2] (Londen 1964).
FORD, C., *Donovan of O.S.S.* (Londen 1971).
FREEMANTLE, B., *CIA: The Honourable Company* (Londen 1983).
FREND, W. H. C., 'Early Christianity and Society: A Jewish Legacy in the pre-Constantinian Era', in: *Harvard Theological Review*, dl. LXXVI, 1 (jan. 1983).
FREY, A., *Cross and Swastika*, vert. door J. Strathearn McNabb (Londen 1938).
GALVIN, J., *The History of the Order of Malta* (Dublin 1977).
GAMBLE, W., *Irish Antiquities and Archeology* (Redhills 1946).
GASTER, T. H., *The Dead Sea Scriptures* (New York 1956).
GETTINGS, F., *The Hidden Art* (Londen 1978).
GLADWYN, Lord, *The European Idea* (Londen 1967).
GLOVER, F. R. A., *England, the Remnant of Judah and the Israel of Ephraim* (Londen 1861).
GOODENOUGH, E. R., *Jewish Symbols in the Greco-Roman Period,* 12 dln. (New York 1953).
GOODRICK-CLARKE, N., *The Occult Roots of Nazism* (Wellingborough 1985).
GURWIN, L., *The Calvi Affair* (Londen 1984).
GUTMAN, R. W., *Richard Wagner* (Harmondsworth 1971).
GWYNN, A., en R. N. HADCOCK, *Medieval Religious Houses: Ireland* (Londen 1970).
HAMMER, R., *The Vatican Connection* (Harmondsworth 1983).
HARDINGE, L., *The Celtic Church in Britain* (Londen 1972).
HEDIN, S., *German Diary,* vert. door Joan Bulman (Dublin 1951).
HENNECKE, E., *New Testament Apocrypha*, red. W. Schneemelcher, red. vert. R. McL. Wilson, 2 dln. (Londen 1963–1965)
HERRIOT, É., *The United States of Europe*, vert. door Reginald J. Dingle (Londen 1930).
HERVET, F. (pseud.), 'Knights of Darkness', in: *Covert Action Bulletin*, no. 25 (Winter 1986), pp. 27 e.v.
HILLGARTH, J. N., 'Visigothic Spain and Early Christian Ireland', in: *Proceedings of the Royal Irish Academy*, dl. LXII, sectie C, no. 6 (1962), pp. 167 e.v.
HINE, E., *The English Nation Identified with the Lost House of Israel by Twenty-seven Identifications* (Manchester 1870).
id., *Forty-seven Identifications of the British Nation with the Lost Ten Tribes of Israel* (Londen 1874).
HISLER, A-L., *Rois et gouvernants de la France* (Parijs 1964).
HITLER, A., *The Speeches of Adolf Hitler (1922–1939)*, red. en vert. Norman H. Baynes, 2 dln. (Londen 1942).
id., *Mein Kampf* (Londen 1939).
id., *Hitler's Table Talk*, vert. door Norman Cameron en R. H. Stevens (Londen 1953).
HÖHNE, H., *The Order of the Death's Head,* vert. door Richard Barry (Londen 1981).
HOPKINS, J., *The Armstrong Empire* (Grand Rapids 1974).
HOWARTH, P., *Undercover* (Londen 1980).
HUGHES, K., *The Church in Early Irish Society* (Londen 1966).

HUGHES, P., *The Church in Crisis* (Londen 1961).
HUNTINGTON, D., 'Visions of the Kingdom. The Latin American Church in Conflict: Cross Currents', in: *NACLA Report on the Americas*, dl. XIX, no. 5 (sept/okt. 1985), pp. 14 e.v.
HÜSER, K., *Wewelsburg 1933 bis 1945* (Paderborn 1982).
HYDE, H. Montgomery, *The Quiet Canadian* (Londen 1962).
IRENAEUS, *Adversus omnes haereses* (selectie uit: *Documents Illustrative of the History of the Church,* dl. I, red. B. J. Kidd, Londen 1928).
JOYCE, P. W. A., *Social History of Ancient Ireland* (Londen 1920).
JUSTIN MARTYR, *Dialogue with Trypho the Jew* (in: *The Works now Extant of S. Justin the Martyr*, vert. door E. B. Pusey, Oxford 1861).
KAZANTZÁKIS, N., *The Last Temptation*, vert. door P. A. Bien (Londen 1975).
KEE, A., *Constantine versus Christ* (Londen 1982).
KERSTEN, F., *The Kersten Memoirs*, vert. door Fitzgibbon and Oliver (Londen 1956).
KIDD, B. J., *A History of the Church*, 3 dln. (Oxford 1922).
KIEWE, H. E., *The Sacred History of Knitting*[2] (Oxford 1971).
KING, A. A., *Liturgies of the Past* (Londen 1959).
KING, E. en H. LUKE, *The Knights of St. John in the British Realm* (Londen 1967).
KOESTER, H., 'Apocryphal and Canonical Gospels', in: *Harvard Theological Review*, dl. LXXIII, 1–2 (jan.–april 1980), pp. 105 e.v.
KRAUSE, C. A., *Guyana Massacre* (Londen 1979).
KRAUT, O., *Jesus was married,* 2de herz. druk (z. pl. 1970).
LACOUTURE, J., *André Malraux* (Londen 1975).
LANGER, W., *The Mind of Adolf Hitler* (Londen 1973).
LANIGAN, J., *An Ecclesiastical History of Ireland*[2], 4 dln. (Dublin 1829).
LEE, M. A., 'Their Will Be Done', in: *Mother Jones* (juli 1983), pp. 21 e.v.
LE MAIRE, F., *Histoire et antiquitez de la ville et duché d'Orléans*[2] (Orléans 1648).
LINDSAY, H., *The 1980s: Countdown to Armageddon* (Basingstoke 1983).
MACCOBY, H., *Revolution in Judaea* (New York 1980).
MCNAMARA, M., *The Apocrypha in the Irish Church* (Dublin 1975).
MCNEILL, J. T., *The Celtic Churches* (Londen 1974).
Manual of the Council of Europe (Londen 1970)
MARCHETTI, V. en J. D. MARKS, *The CIA and the Cult of Intelligence* (Londen 1974).
MARSHALL, A., *The Interlinear Greek–English New Testament* (Londen 1967).
MARTIN, M., *The Decline and Fall of the Roman Church* (Londen 1982).
MASON, A. J., *The Persecution of Diocletian* (Cambridge 1876).
MASSÉ, D., *L'Énigme de Jésus-Christ* (Parijs 1926).
MEHTA, G., *Karma Cola* (Londen 1981).
MENDEL, A. P., *Michael Bakunin: Roots of Apocalypse* (New York 1981).
MOMIGLIANO, A., red., *The Conflict between Paganism and Christianity in the Fourth Century* (Londen 1970).
MOORE, G., *The Lost Tribes* (Londen 1861).
MONNET, J., *L'Europe unie* (Lausanne 1972).
MOULY, R. W., 'Israel: Darling of the Religious Right', in: *The Humanist* (mei-juni 1982), pp. 5 e.v.
MCCORMICK, W. J. McK., *Do Herbert W. Armstrong and Garner Ted Armstrong speak the plain Truth?*[2] (Belfast 1968).

NEGRI, M., 'The Well-Planned Conspiracy', in: *The Humanist* (mei-juni 1982), pp. 40 e.v.
NEMOY, L., 'Al-Qirqisani's Account of the Jewish Sects', in: *Hebrew Union College Annual,* dl. VII (1930), pp. 317 e.v.
NEUSNER, J., *Judaism in the Beginning of Christianity* (Londen 1984).
ORIGEN, *Origen against Celsus*, vert. door James Bellamy (Londen 1660)
PAOLI, M., *Les Dessous d'une ambition politique* (Lyon 1973).
PATRICK, J., *The Apology of Origen in Reply to Celsus* (Londen 1978).
PAYNE, R., *The Life and Death of Lenin* (Londen 1967).
PEYREFITTE, R., *The Knights of Malta* (Londen 1960).
PHELPS, R. H., 'Before Hitler came: Thule Society and Germanen Orden', in: *Journal of Modern History*, dl. XXXV, no. 3 (sept. 1963), pp. 245 e.v.
PHILO JUDAEUS, *A Treatise on the Virtues and on the Office of Ambassadors addressed to Caius*, vert. door C. D. Yonge (Londen 1855).
PHIPPS, W. E., 'Did Jesus or Paul marry?', in: *Journal of Ecumenical Studies,* dl. V, no. I (Fall 1968), pp. 741 e.v.
PIEPKORN, A. C., *Profiles in Belief*, 4 dln. (San Francisco 1979).
PINES, S., 'The Jewish Christians of the Early Centuries of Christianity, according to a New Source', in: *Proceedings of the Israeli Academy of Sciences and Humanities*, dl. II (1968), pp. 237 e.v.
PLANTARD, P., *Gisors et son secret* (Parijs 1961).
POMIAN, J., *Joseph Retinger* (Brighton 1972).
POWERS, T., *The Man who kept the Secrets* (Londen 1979).
PRITTIE, T., *Germans against Hitler* (Londen 1964).
RADER, S. R., *Against the Gates of Hell* (New York 1980).
RAMSAY, R. L., 'Theodore of Mopsuestia and St. Columban on the Psalms', in: *Zeitschrift für celtische Philologie*, dl. VIII (1912), pp. 421 e.v.
id., 'Theodore of Mopsuestia in England and Ireland', in: *Zeitschrift für celtische Philologie*, dl. VIII (1912), pp. 452 e.v.
RAUSCHNING, H., *Hitler Speaks* (Londen 1939).
REITLINGER, G., *The SS: Alibi of a Nation 1922–1945* (Londen 1981).
REVILLOUT, E., 'Évangile de Saint-Barthélemy', in: *Patrologia orientalis*, boekdl. 2 (Parijs 1907), pp. 185 e.v.
REY, E G., 'Chartes de l'abbaye du Mont-Sion', in: *Mémoires de la Société Nationale des Antiquaires de France,* 5de serie, dl. VIII (1887), pp. 31 e.v.
RÖHRICHT, R., *Regesta regni Hierosolymitani* (Oeniponti 1893).
ROON, G. van, *German Resistance to Hitler: Count von Moltke and the Kreisau Circle*, vert. door Peter Ludlow (Londen 1971).
Salthair na Rann, red. Whitley Stokes, in: *Anecdota oxoniensa,* Medieval and Modern series, I:III (Oxford 1883); zie ook: *The Poem-Book of the Gael*, red. Eleanor Hull (Londen 1912).
SANDERS, E., *The Family* (St. Albans 1977).
SANDERS, E. P., *Jesus and Judaism* (Londen 1985).
SCHONFIELD, H. J., *Secrets of the Dead Sea Scrolls* (Londen 1956).
id., *The Authentic New Testament* (New York 1958).
id., *Those Incredible Christians* (Londen 1968).
id., *The Pentecost Revolution* (Londen 1974).

id., *The Passover Plot* (Londen 1977).
id., *The Essene Odyssey* (Longmead 1984).
SERBANESCO, G., *Histoire de l'ordre des Templiers et les croisades*, 2 dln. (Parijs 1970).
SEWARD, D., *The Monks of War* (St. Albans 1974).
SMALLWOOD, E. M., *The Jews under Roman Rule* (Leiden 1976).
SOYER, J., 'Annales prioratvs sancti sansonis avrelianensis ad monasterivm beatae Mariae de Monte Sion in Hiervsalem pertinentis', in: *Bulletin de la Société Archéologique et Historique de l'Orléanais*, boekdl. XVII, no. 206 (1914), pp. 222 e.v.
STEINSCHNEIDER, M., *Die arabische Literatur der Juden* (Frankfurt 1902).
STEPHENSON, W., *A Man Called Intrepid* (Londen 1982).
STOKES, G. T., *Ireland and the Celtic Church*[7], ds. Hugh Jackson Lawlor (Londen 1928).
TACITUS, *The Annals of Imperial Rome*, herz. druk, vert. door Michael Grant (Harmondsworth 1979).
TEICHER, J. L., 'The Dead Sea Scrolls – Documents of the Jewish Christian Sect of Ebionites?', in: *The Journal of Jewish Studies*, dl. II, no. 2 (1951), pp. 67 e.v.
THOMAS, G. en M. MORGAN-WITTS, *The Year of Armageddon* (Londen 1984)
Trial of the Major War Criminals before the International Military Tribunal, 42 dln. (Neurenberg 1947–1949).
TOURNIER, M., *The Erl King*, vert. door Barbara Bray (Londen 1972).
TURNER, Sharon, *The History of the Anglo-Saxons*, 4 dln. (Londen 1799–1805).
id., *The History of the Anglo-Saxons*, 2 dln.[2] (Londen 1807).
TURNER, Stansfield, *Secrecy and Democracy* (Londen 1986).
Vaincre, 'Pour une jeune chevalerie' (Parijs 1942–1943).
VERMASEREN, M. J., *Mithras, the Secret God* (Londen 1963).
VERMES, G., *Jesus the Jew* (Londen 1977).
id., *Jesus and the World of Judaism* (Londen 1983).
id., *The Dead Sea Scrolls in English*[2] (Harmondsworth 1977).
id., *The Dead Sea Scrolls* (Londen 1977).
WAECHTER, M., *How to Abolish War: The United States of Europe*, herz. druk (Londen 1924).
WARREN, F. E., *The Liturgy and Ritual of the Celtic Church* (Oxford 1881).
WEBB, J., *The Harmonious Circle* (Londen 1980).
WEBER, E., *Action Française* (Stanford 1962).
WIESENTHAL, S., *The Murderers Among Us*, red. Joseph Wechsberg (Londen 1967).
WILSON, E., *The Dead Sea Scrolls 1947–1969* (Londen 1977).
WILSON, I., *Jesus: The Evidence* (Londen 1984).
WILSON, J., *Our Israelitish Origin*[3] (Londen 1844).
id., *The Millennium or World to Come* (Cheltenham 1842).
id., *The Book of Inheritance* (Londen 1846).
WINTERBOTHAM, F. W., *The Nazi Connection* (Londen 1978).
WYKES, A., *Himmler* (Londen 1972).
ZURCHER, A. J., *The Struggle to United Europe 1940–1958* (New York 1958).
YADIN, Y., *The Temple Scroll* (Londen 1985).
YALLOP, D., *In God's Name* (Londen 1984).

Aantekeningen en verwijzingen

Opmerking

U gelieve de volledige bibliografische bijzonderheden, als deze hier niet worden ver meld, in de hieraan voorafgaande bibliografie aan te treffen.

1. Bijbelonderzoek en wat men daar doorgaans van verneemt

1 Roger Martin du Gard, *Jean Barois* (Parijs 1912) p. 51.
2 id., p. 52.
3 Bultmann, *Jesus and the Word,* p. 8.
4 Tenzij anders vermeld zijn alle bijbelcitaten ontleend aan de *Willibrord Vertaling* (Katholieke Bijbelstichting, Boxtel 1978).
(Voor de bijbelcitaten van het oorspronkelijke Engelse werk is, tenzij anders vermeld, gebruik gemaakt van *The Jerusalem Bible*, geredigeerd door father Roland de Vaux, waarvan de Engelse uitgave in 1966 verscheen bij Alexander Jones te Londen.)
5 Wilson, *Jesus: The Evidence.*

2. Jezus als koning van Israël

1 Maccoby, *Revolution in Judaea,* p. 75.
2 Judas de Galileeër en zijn zoon Manahem. Josephus, *Oorlogen,* II, xvii.
3 Dr. H. L. Ginsberg, in de *Encyclopaedia judaica,* dl. XI, p. 1407.
4 Zie Micha 5:1:
'Gij echter, Betlehem in Efrata,
al zijt ge klein
onder Juda's geslachten,

toch zal er, zeg ik,
iemand uit u komen
die over Israël gaat heersen...'

5 Het is op grond van Markus 6:3 dat het verhaal van Jezus als timmerman ontstond. Echter wijst dr. Geza Vermes van de Oxford University in *Jesus the Jew* op gemeenschappelijk metaforisch gebruik van de termen 'timmerman' en 'timmermans zoon' in oude joodse literatuur (pp. 21-22).

6 Baigent, Leigh, Lincoln, *Het Heilige Bloed en de Heilige Graal,* pp. 290-293.

7 Matteüs 26:7, Markus 14:3-5. De betekenis is dat deze zeer kostbare olie die een der samenstellende delen van de tempelwierook was, over Jezus' hoofd werd uitgegoten. Zoals de *Ecyclopaedia judaica* verklaart: 'Bij de zalving van koningen werd het gehele hoofd met olie bedekt...' (dl. III, p. 31).

8 Johannes 12:3-5. Hij tracht de betekenis van deze zalving te ontkrachten door te beweren dat slechts Jezus' voeten door de olie werden beroerd. Dit ondanks de verzekeringen in de evangeliën van Matteüs en Markus.

3. Constantijn als Messias

1 Baigent, Leigh, Lincoln, *Het Heilige Bloed en de Heilige Graal,* pp. 325-328. Veel van de volgende paar bladzijden is rechtstreeks aan deze tekst ontleend.

2 Chadwick, *The Early Church,* p. 125.

3 Goodenough, *Jewish Symbols,* dl. VII, pp. 178 e.v.

4 Kee, *Constantine versus Christ,* pp. 117-118.

5 id., p. 120.

6 id., p. 136 (cit. Eusebius).

7 id.

8 id., p. 41 (cit. Eusebius).

9 id.

10 id., p. 42.

11 id., p. 47.

4. Jezus als vrijheidsstrijder

1 Josephus, *Antiquities,* XVIII:i.

2 Brandon, *Jesus and the Zealots,* p. 204, noot 1. Hij merkt ook op dat sommige oude Latijnse manuscripten de naam als Judas Zelotes vermelden.

3 Kruisiging in het algemeen en die in de zin van de evangeliën in het bijzonder wordt uitgebreid besproken in *Het Heilige Bloed en de Heilige Graal,* pp. 313-317. De bijzonderheden eisen echter een kleine wijziging gezien het werk van Joseph Zias van het 'Israeli Department of Antiquities' en van Eliezer Sekeles van de 'Hebrew University Medical School'. Zie: Zias en Sekeles: 'The Crucified Man from Giv'at ha-Mivtar: A Reappraisal', in: *Israel Exploration Journal,* dl. XXXV (1985), pp. 22-27.

4 Tacitus, *Annales: Nero,* p. 365.

5 Neusner, in *Judaism in the Beginning of Christianity,* p. 30, verklaart dat na 6 na Christus, toen Judea onderdeel werd van het Romeinse provinciale territorium van

Syrië, het Sanhedrin de bevoegdheid verloor om vonnissen inzake zware misdrijven te doen uitvoeren. Opgemerkt dient echter te worden dat andere deskundigen, zoals Haim Cohn en Paul Winter, het hierin met Neusner niet eens zijn. Mary Smallwood komt in *The Jews under Roman Rule,* p. 150, tot de gevolgtrekking dat het Sanhedrin een doodvonnis in gevallen van misdaad tegen de godsdienst kon doen uitvoeren, maar dat dat vonnis dan natuurlijk door steniging zou zijn voltrokken.

6 Als Jezus de tempel betreedt, beschuldigt Hij degenen die aanwezig zijn ervan er een 'rovershol' van te hebben gemaakt (Markus 11:17 [18]). Dit grijpt terug op Jeremia 7:11: 'Is het huis dat mijn naam draagt soms een rovershol?' Het precedent voor dit optreden van Jezus komt voor in Nehemia, 13:7-8. Laatstgenoemde treft bij zijn terugkeer van het Perzische hof iemand (Tobia) aan die in de (voor)hof van de tempel woont en hij smijt dan alle huisraad naar buiten.

7 Zie *The Jerusalem Bible*: Markus 15:16 en Johannes 18:12. Johannes maakt duidelijk dat er *behalve* de cohort nog gewapende mannen waren: 'De cohort en de joodse bewakers namen Jezus gevangen...'

8 Zie: Smallwood, *The Jews under Roman Rule,* p. 146.

5. De Zadokitische beweging van Qumran

1 Neusner zegt over die periode dat '... zoiets als "normatief jodendom" in het geheel niet bestond, waaruit deze of gene "ketterse" groepering voortgekomen zou kunnen zijn. Niet alleen in... Jeruzalem treffen wij talrijke rivaliserende groepen aan, maar door het hele land heen en daarbuiten kunnen we misschien een religieuze traditie te midden van de grote stroom onderscheiden.' *Judaism in the Beginning of Christianity,* p. 29.

2 Josephus, *Oorlogen,* II: viii.

3 Cross, *The Ancient Library of Qumran,* p. 198.

4 Josephus, *a.w.*

5 Baigent, Leigh, Lincoln, *Het Heilige Bloed en de Heilige Graal,* pp. 336-337. De tekst van Eleazars toespraak is te vinden in Josephus, *Oorlogen,* VII: VIII.

6 Cross, *a.w.*, p. 69.

7 Vermes, *The Dead Sea Scrolls in English,* p. 119.

8 Eisenman, *Maccabees...*, pp. 4-6.

9 Schonfield, *The Pentecost Revolution,* p. 190.

10 Eisenman, *a.w.*, pp. 19 e.v.; zie ook: p. 45, noot 36.

11 Handelingen der Apostelen 21:20; zie: Marshall, *The Interlinear Greek-English New Testament.*

12 Eisenman, *a.w.*, p. 96, noot 180.

> 'Het hele vraagstuk van de fysieke betrekkingen van deze "messiaanse" families is iets dat nog onderzocht moet worden. De parallelle ontwikkelingen van Judas' (van Galilea dus) en Jezus' familie... en de vrijwel gelijktijdige kruisigingen van "Jacob en Simon" (gelijk derhalve aan de namen van twee van Jezus' broers – van wie de tweede, houdt Eusebius vol, "de prijs van een einde gelijk dat van de Heer won") en de *steniging* van Menachem, een gebeurtenis zowel parallel aan als gelijktijdig met de steniging van Jezus' broer Jakobus... moeten historici tot enig nadenken stemmen.'

13 Eisenman, *James the Just*, p. 3. Jakobus kon volgens Epifanius en Hiëronymus het heilige der heiligen in de tempel betreden, een voorrecht dat slechts aan de hogepriester was voorbehouden. Zowel dat als informatie uit de Handelingen én uit Qumran-literatuur maken duidelijk dat Jakobus de dwarsliggende hogepriester was, tenmínste de leider van de Jeruzalem-gemeente en waarschijnlijk de leider van de gehele Zadokitische beweging. En wat ook Jakobus was, was zijn broer Jezus dan vóór hem.

6. De vorming van het christendom

1 Geen van de bijbeldeskundigen is het eens over de datering van de evangeliën en de Handelingen van de Apostelen; wij stellen de volgende dateringen en argumenten voor:
– Wij veronderstellen dat al deze werken na de val van Jeruzalem werden geschreven, toen de vernietiging van de 'christelijke' kerk en haar gezag tot een compilatie van overleveringen uit mondelinge bronnen noopte.
– Matteüs en Markus verhelen het feit dat Simon een Zeloot was. Wij betogen daarom dat deze boeken geschreven werden, toen het thema Zeloten voor niet-joodse lezers nog altijd zeer gevoelig lag. Vandaar een datering van 70 na Christus voor Markus en circa 75 na Christus voor de latere Matteüs.
– Lukas en het latere werk Handelingen voelen zich in staat te verklaren dát Simon Zeloot was, wat erop wijst dat dat thema intussen wat minder precair was geworden. Ze kunnen echter niet later dan 90 na Christus zijn opgesteld, omdat in die tijd Josephus schreef en onderrichtte waarbij wederom het thema Zeloten aan de orde kwam. Aan de Zeloten gaf hij de schuld van de verwoesting van Jeruzalem. Daarom stellen wij een datering van circa 80 na Christus voor Lukas en circa 85 voor de Handelingen der Apostelen voor.
– In 95 na Christus begon de vervolging onder Domitianus; dat levert ons een eindpunt op. Het lijkt aannemelijk dat het evangelie van Johannes ongeveer in die tijd werd geschreven, samen met de Openbaringen.

2 De Handelingen eindigen met de ontmoeting tussen Paulus en Agrippa II in Cesarea in 60 na Christus en de kort beschreven reis naar Rome; dan houdt de kroniek abrupt op. De Handelingen dragen alle waarmerken van uit een 'herodiaans' milieu in Rome te zijn voortgekomen, enige tijd na de opstand. De grondslag van de Handelingen is zeer waarschijnlijk een dagboek uit de bibliotheek van Agrippa II die in 68 na Christus tijdens Agrippa's ballingschap daarheen werd gebracht.

3 De datering van de kruisiging is nog altijd zeer onzeker: goede argumenten zijn voor een drietal dateringen aan te voeren, namelijk 30, 33 en 36 na Christus (!). Het Nieuwe Testament merkt alleen op dat ze geschiedde na de terechtstelling van Johannes de Doper tijdens een joods paasfeest, toen Pontius Pilatus gouverneur van Judea was en Kajafas hogepriester. Omdat zowel Pilatus als Kajafas hun positie in 36 na Christus verloren, levert dat een uiterste datering. De terechtstelling van Johannes de Doper kan niet met enige nauwkeurigheid gedateerd worden, maar er is een sterk vermoeden dat ze het gevolg was van zijn kritiek op het huwelijk van Herodes en Herodias (zie Matteüs en Markus). In overeenstemming daarmee wordt dit huwelijk gedateerd op 35 na Christus, het jaar waarin Johannes de Doper zeer waarschijnlijk om

het leven werd gebracht. Daaruit volgt dan dat Jezus bij het joodse paasfeest van 36 na Christus (!) gekruisigd zou zijn. Zie: Schonfield, *The Pentecost Revolution*, pp. 45-55. (Schonfields tijdsindeling met sabbat- en censusjaren wordt onder onderzoekers niet algemeen geaccepteerd; zie: Vermes, *The Times Literary Supplement* van 17 jan. 1975, p. 65. Zie ook: Schonfields repliek in hetzelfde tijdschrift van 14 febr. 1975, pp. 168-169 waar hij voor zijn tijdbepalings-argumenten steun krijgt van Yigael Yadin.)

4 Eisenman, *Maccabees*... p. 5, refererend aan Eusebius, *History* 2:23. Merk op dat in het Arabisch Jakobus: *Saddiq Ja'aqob* luidt (Eisler, *Messiah Jesus*, p. 449).
In het Hebreeuws wordt de titel 'zaddik' gegeven aan Jezus in Handelingen 3:14, 7:52 en 22:15. Van belang is hier de toespraak van Stefanus in Handelingen 7:51-53 waar hij zegt: 'gedood hebben ze hen die de komst aankondigden van de Rechtvaardige [= Zaddik]'.

5 Eusebius, *History*, 3:11.

6 Eisenman, *Maccabees*..., p. 89, noot 163, veronderstelt dat die vlucht misschien niet naar Pella maar naar Sela ging – een ongeïdentificeerde lokatie in de vlakte van de Dode Zee. Hij wijst erop dat dit ofwel Qumran of Masada kan zijn geweest. Hij suggereert met andere woorden dat de verdedigers van Qumran en Masada onder hun gelederen leden van de Jeruzalem-kerk van Jezus en Jakobus geteld kunnen hebben.

7 Josephus, *Oorlogen*, II:xx.

8 Een mogelijkheid is dat Paulus [Saulus] niet naar Damaskus ging, maar naar de kloostergemeente van Qumran, want die gemeenschap noemde haar zetel 'het land van Damaskus' (Eisenman, *Maccabees*..., p. 27; ook p. 69, noot 122).
In een lezing 'Paulus de Herodiaan' voor de Society of Biblical Literature in 1982 ontwikkelt prof. Eisenman de gedachte van Paulus [Saulus] als agent van de 'herodiaanse' Sadduceeën-partij en opponerend tegen al wat Jakobus en de Zadokiten verkondigden. Zijn aanwezigheid in de Nazareense gemeenschap, misschien die van Qumran, zou derhalve de hoedanigheid van spion of *agent provocateur* bezeten kunnen hebben.

9 Jezus beschouwde zichzelf niet als goddelijk – of althans niet méér goddelijk dan ieder ander. Toen Jezus beschuldigd werd van zijn bewering God te zijn, antwoordde hij: 'Staat er niet in uw Wet geschreven: *Ik heb gezegd: gij zijt goden?*' (Joh. 10:33-35).

10 De verwoesting van Jeruzalem en de vernietiging van het centrale bestuurslichaam van de Nazareense gemeenschap zijn van groot belang, omdat het latere succes van Paulus' benadering van het christendom gedeeltelijk berust op de afwezigheid van enigerlei krachtige en centrale oppositie ten aanzien van zijn loszinnige beweringen met betrekking tot de persoon van Jezus.

11 Vermaseren, *Mithras*, p. 104.

12 Wynn-Tyson, *Mithras*, p. 73.

13 Het is wel mogelijk dat Simon Petrus in feite de broer van Jezus is: de broer die Simon wordt genoemd (Matt. 13:55, Mark. 6: 3). Eisenman, *Maccabees*..., p. 67, noot 118, zegt dat hij Simeon bar Cleophas is. Daarna wordt via de tussenstap Simeon-Keophas deze traditie van de kerk van Jeruzalem voldoende verdraaid om Simon Petrus voort te kunnen brengen (ontleend aan persoonlijk onderhoud met professor Eisenman).

14 Zacharia 11:12; zie ook: Zacharia 12:10, 13:7 en 14:21.

15 Matteüs 27:9.

16 Kazantzákis, *De Laatste Verzoeking* (in de Engelse vertaling: *The Last Temptation*,

zie pp. 430-431).

17 Johannes 17:12.

18 Matteüs 13:55 en Markus 6:3.

7. Jezus' broers

1 Vermes, *The Dead Sea Scrolls in English,* pp. 47-51.

2 Eusebius, *History,* 3:1.

3 De 'Handelingen van Tomas', in: Hennecke, *New Testament Apocrypha,* dl. II, pp. 442-531. Zie over dit thema ook: Rendel Harris, *The Twelve Apostles,* vooral pp. 23-57.

4 Hennecke, *a.w.*, p. 448.

5 Koester, 'Apocryphal and Canonical Gospels', p. 130.

6 Hennecke, *a.w.*, p. 464.

7 id., p. 470.

8 Zie: Revillout, *Évangile de Saint-Bathlémy,* 2de fragment, p. 197. De Koptische tekst breekt af midden in het relevante woord dat Revillout in het Grieks als *krestos* vertaalt: 'gelovige'. Zijn vertaling is echter eigenmachtig, omdat het met hetzelfde recht vertaald zou kunnen worden als *kristos:* 'christus' (gezalfde). Een deskundige op het gebied van de Koptische taal die we hierover raadpleegden, meent dat laatstgenoemde term hoogstwaarschijnlijk de oorspronkelijke is.
Het is tussen twee haakjes duidelijk dat dit fragment, ondanks Revillouts verklaring, niet in het 'Gospel of Bartholomew' thuishoort. Zie Hennecke, *New Testament Apocrypha,* dl. II, p. 507. Het zou beter passen als onderdeel van een Koptische 'Handelingen van Tomas'.

9 In de schildering van het laatste avondmaal van Leonardo da Vinci is de tweede figuur van links op het schilderij, en profil, de tweelingbroer van Christus. Hij gaat (ook) overeenkomstig gekleed, met als enig verschil dat Christus' gewaad over zijn linkerschouder en -arm geworpen is.
Zie voor een bespreking van de middeleeuwse ketterij van de tweeling: Gettings, *The Hidden Art,* pp. 33 e.v. Hij zegt (p. 55): '... de bron van de overlevering in het renaissancistisch denken is tot dusver onbekend. Misschien was Leonardo da Vinci zelf een ingewijde, een geheime adept...'

10 Eusebius, *History,* 1:7.

11 Eerste brief aan de christenen van Korinte 7:8. Het punt wordt verhuld door de vertaling van het Grieks voor 'weduwnaren' als 'ongehuwde mannen'. Zie: Phipps, 'Did Jesus or Paul marry?', p. 743.

12 Zie: Clemens van Alexandrië, *Stromateis,* dl. III, 6:52.

13 Eusebius, *History,* 3:19.

14 Martin, *Decline and Fall of the Roman Church,* p. 42.

8. Voortbestaan van de Nazareense leer

1 Justinus Martyr, *Dialogue with Trypho,* 49 (pp. 127-129).

2 Irenaeus, *Adversus haereses,* I:26 (zie ook: V:1).

3 Eusebius, *History*, 3:27.
4 Epiphanius, *Contra octoaginta haereses,* xxx (p. 45).
5 Schonfield, *Those Incredible Christians,* p. 158 (citeert clementinische *Recognitions,* iv: 34-35).
6 Pines, 'The Jewish Christians... according to a new source', p. 276.
7 Kidd, *History of the Church,* dl. iii, p. 201.
8 Van belang voor de geschiedenis van het nestorianisme en het voortbestaan van de Nazareners en hun leer was de grote theologische school van Antiochië en de 'ketterij' van het adoptionisme. Dit laatste beschouwde Jezus als mens die god werd, niet als een god die mens werd. Hij was de 'zoon van God' niet van nature, maar krachtens genade. Voorts, als gevolg daarvan, diende Maria noch als maagd noch als moeder van God beschouwd te worden. Veeleer was ze menselijk en de geboorte van Jezus was zoals alle andere geboorten.
Een vroege bisschop van Antiochië, Paulus van Samosata (circa 260 na Christus) was een adoptionist en had grote invloed op Arius en Nestorius. De school van Antiochië zette de traditie van Paulus van Samosata voort en beïnvloedde onder grote leermeesters als Diodorus en Theodorus van Mopsuestia de christenheid van Syrië en Mesopotamië – op zijn minst. Theodorus was in feite de leermeester van Nestorius, die later een hele tak van het christendom naar hem vernoemd zou krijgen.
Blijkbaar vonden de overgebleven Nazareners het gemakkelijk om tot een vergelijk met nestoriaans denken te komen en het lijkt duidelijk dat velen zich de kleine schikking getroostten en nestoriaan werden. Anderen voegden zich evenwel, naar aanwijzingen doen vermoeden, slechts in naam bij de nestoriaanse kerk, terwijl ze in alle feitelijke opzichten Nazarener bleven (of, zoals bijbelonderzoekers volhouden 'joodschristen'). Pines zegt van de bron van de joods-christelijke teksten die hij bestudeerde, dat ze heel wel 'bewaard' kunnen zijn 'door de nestorianen. In feite kunnen sommigen van laatstgenoemden crypto-joods-christenen zijn geweest.' (Pines, 'The Jewish Christians...', p. 273.) Hij resumeert door aanhaling van een andere tekst 'die de hypothese dat tot de nestoriaanse kerk joods-christenen of crypto-joods-christenen behoorden lijkt te bevestigen' (*a.w.*, p. 279.).
9 Schonfield, *Secrets of the Dead Sea Scrolls,* pp. 1-7.
10 Schonfield, *The Essene Odyssey,* pp. 162-165.
11 Josephus (*Oorlogen,* vii:x) tekent op dat vele Zeloten naar Egypte uitweken; in feite werden er ongeveer zeshonderd meteen gevangen genomen, maar nog veel meer mensen vluchtten langs de Nijl.
Professor Brandon betoogt in *The Fall of Jerusalem,* pp. 169-178, dat de oorspronkelijke nazareense kerk niet naar Pella uitweek, maar verder, naar Egypte. Hij merkt met nadruk op (p. 222) dat het zwijgen in de latere christelijke traditie over het christendom in Alexandrië eigenaardig is. Hij concludeert dat mogelijk na de val van Jeruzalem in 70 na Christus de kerk van Alexandrië het enig overgebleven krachtige centrum van oorspronkelijk christendom is geweest (p. 225).
12 Wij moeten hier opmerken dat in Egypte een verdeling bestond tussen de stedelijke kerk, zetelend in het theologisch centrum van Alexandrië, en de verre kloostercentra, bevolkt door christenen die de doctrines en onverdraagzaamheid van de stedelijke kerk waren ontvlucht. In de kloosters gebruikte men teksten die aan zowel christelijke als heidense filosofen ontleend waren, zoals men kan opmaken uit de lijst van te Nag Hammadi gevonden werken. Het behoeft wel geen betoog dat deze laatste werken

door de stedelijke kerk veroordeeld zullen zijn.
13 Het heeft zin er hier aan te herinneren dat bepaalde werken van Plato en Asclepius te Nag Hammadi werden gevonden, naast de gnostische teksten waar de vindplaats beroemd om is geworden.
14 Chadwick, *Priscillian of Avila,* pp. 166-167.
15 Eisler, *The Messiah Jesus*..., p. 449.
16 Chadwick, *a.w.*, p. 223.
17 Wij hebben deze informatie te danken aan de Spaanse schrijver en onderzoeker Juan G. Atienza die zich in het ketterse en mystieke verleden van Spanje gespecialiseerd heeft. Hij is een prachtige bron van informatie inzake de tempeliers op het Iberisch schiereiland en op de Balearen.
18 Hugues, *The Church in Early Irish Society,* p. 34.
19 Hardinge, *The Celtic Church in Britain,* p. 55.
20 Zie: Dumville, 'Biblical Apocrypha and the Early Irish', p. 322; Hillgarth, 'Visigothic Spain and Early Christian Ireland', pp. 167 e.v.
21 Oorspronkelijk stond op die plaats het Keltische klooster van Maximi, later bekend als Santa Maria de Bretoña. Het wordt voor het eerst genoemd in 569 tijdens het concilie van Lugo. Drie jaar later was een Keltische bisschop, Mailoc, ondertekenaar tijdens het tweede concilie van Braga. En in 633 maakte het vierde concilie van Toledo duidelijk dat de Keltische tonsuur werd gebruikt. De oorspronkelijke vestiging werd in 830 door de Moren verwoest, maar het bisdom bleef een onafhankelijk bestaan leiden tot het einde van de tiende eeuw. Zie: Bernier, *Les Chrétientés Bretonnes*..., pp. 115-121, en Bowen, *Saints, Seaways and Settlements,* p. 76.
22 Aberg, *The Occident and the Orient*..., p. 35.
23 Zie voor lijsten van overeenstemmingen: King, *Liturgies of the Past,* pp. 228 e.v.; Kiewe, *Sacred History of Knitting,* pp. 70-80.
24 *Salthair na Rann* is een lang dichtwerk: de inleidende verzen beschrijven de schepping van het universum en de kosmische orde. Deze informatie is afkomstig uit pseudo-epigrafisch werk, zoals 2 Enoch, 3 Baruch, die door de Nazareners gebruikt zouden zijn (2 Enoch is gepubliceerd door Charles, *Pseudepigrapha,* p. 425, als 'The Book of the Secrets of Enoch'). De verzen XI en XII beschrijven de penitentie van Adam en Eva en de dood van Adam. Dit is afkomstig uit het 'Book of Adam and Eve' dat slechts elders in Egypte bekend is.
25 Zie boven: noot 23.
26 Ramsay, 'Theodore of Mopsuestia...', p. 430.
27 id., p. 450.
28 McNeill, *The Celtic Churches,* p. 109.
29 id.
30 Hardinge, *The Celtic Church*..., p. 37, in een aanhaling van Bonifatius.
31 Anderson, *Early Sources of Scottish History,* dl. I, p. 341.
32 Uit de 'Passie van Petrus en Paulus' die op zichzelf weer afkomstig is uit de 'Handelingen van Petrus'. Dit laatste werd ontdekt bij het materiaal dat zich te Nag Hammadi bevond.
33 'Nieuwe manuscripten komen voortdurend aan het licht en nieuwe studies worden ondernomen,' schrijft McNamara in *The Apocrypha in the Irish Church,* p. 6. Dit blijft de standaardlijst van alle bekende apocriefe werken die tot op heden in manuscripten van de Keltische kerk zijn gevonden. Van een totaal van zevenennegentig aangehaalde

werken stammen er vierendertig uit oudtestamentische apocriefen en pseudo-epigrapha, vijftien zijn kindheidsverhalen, en er zijn vierentwintig apocriefe apostolische werken. Zie voor dit thema: Dumville, 'Biblical Apocrypha...'

11. Verloren geloof

1 Hitler, *Tischgespräche* (Engelse editie: *Table Talk*, p. 251), de avond van 25 januari 1942.

12. Vervangende religies: Sovjet-Rusland en nazi-Duitsland

1 Mendel, *Michael Bakunin*, p. 372.
2 id., p. 430.
3 Webb, *The Harmonious Circle*, p. 45. Dit was ergens tussen 1894 en 1899. Stalins dochter vluchtte naar de Verenigde Staten en voegde zich daar bij een Gurdjieff-groep (Webb, p. 425).
4 Payne, *The Life and Death of Lenin*, pp. 609-610.
5 Langer, *The Mind of Adolf Hitler*, pp. 55-56.
6 id., p. 56.
7 id.
8 Rauschning, *Hitler Speaks*, p. 209.
9 id., pp. 209-210.
10 Hitler, *Mein Kampf* (Engelse editie), p. 395.
11 Rauschning, *Hitler Speaks*, p. 236.
12 id., p. 237.
13 Zie voor een grondige verkenning van deze occulte invloeden op Hitler: Goodrick-Clarke, *The Occult Roots of Nazism*. Hitlers ideeën over ras, politiek, uitroeiing van niet-Ariërs en de stichting van een Duits duizendjarig rijk waren in hoofdzaak afkomstig uit het tijdschrift *Ostara* van Lanz von Liebenfels, in 1907 stichter van de Orde van de nieuwe tempeliers, welker vlag een hakenkruis toonde; zie pp. 194-195. Zie ook: Phelps, 'Before Hitler came...'
14 Frey, *Cross and Swastika*, p. 5.
15 id., p. 79.
16 id., p. 78.
17 Verklaard door Baldur von Schirach tijdens zijn berechting te Neurenberg in 1946. Zie: *Trial of the Major War Criminals*..., dl. XIV (mei 1946), p. 481.
18 Rauschning, *Hitler Speaks*, p. 58.
19 Frey, *Cross and Swastika*, pp. 85-86.
20 Tournier, vert. door Bray, *The Erl King*, pp. 261-262.
21 Frey, *Cross and Swastika*, pp. 92-93.
22 Wykes, *Himmler*, pp. 121-122.
23 Het gezaghebbende werk over Wewelsburg is Hüser, *Wewelsburg 1933 bis 1945*.
24 Medegedeeld aan Michael Bentine en tegenover ons herhaald. Zie: Bentine, *The Door Marked Summer*, p. 291.

16. Naar omhelzing van het Armageddon

1 Zie: Krause, *Guyana Massacre.*
2 Zie: Sanders, *The Family,* en Bugliosi, *Helter Skelter.*
3 Mehta, *Karma Cola,* p. 7.
4 id., p. 5.
5 Wilson, *Our Israelitisch Origin,* p. 97.
6 id., p. 100.
7 Glover, *England, the Remnant of Judah and the Israel of Ephraim,* p. 167.
8 Hine, *Forty-seven Identifications...,* p. 12. In 1910 zouden van dat boek 405 000 exemplaren verkocht zijn. In zijn vroegere werk... *Twenty-seven Identifications...* trok Hine enkele interessante politieke conclusies uit zijn onderzoek: 'Als wij Israël zijn,' zegt hij, 'kunnen we onze defensie-uitgaven gerust beperken' (dl. II, p. 68), en verder: 'Het is totaal onmogelijk dat Engeland ooit wordt verslagen...' (dl. II, p. 71).
9 Hine, ... *Twenty-seven Identifications...,* id.
10 Afgezien van de fundamentalistische kerken is de voornaamste opvolger van het werk van Wilson, Glover, Hine e.a. de 'British Israel World Federation', in Londen gevestigd, maar met afdelingen in het hele Gemenebest. Hoewel deze ooit op een breed gespreid en aanzienlijk ledental kon bogen, is ze nu nog slechts een kleine organisatie aan de zoom van fundamentalistische religie en rechtse politiek. In oktober 1969 werd het vijftigste congres in het Royal Pavilion te Brighton gehouden waar de secretaris een voordracht hield, en daaraan is dit citaat ontleend; zie: *A Jubilee of Witness,* BIWF (Londen, ongedateerd), p. 10.
11 id., p. 11.
12 Armstrong, *The United States and Britain in Prophecy,* p. 174; Lindsay, *Countdown to Armageddon,* pp. 104, 108-110, 131.
13 Armstrong, *The United States...,* p. 174. Armstrongs organisatie publiceert het tijdschrift *The Plain Truth* dat gratis wordt verzonden aan ieder die erom vraagt. Daarin staat een veel meer getemperde benadering van de apocalyptische voorspellingen. Om deze gedachtengang volledig te kunnen peilen moet men een tweede informatieniveau aanboren, een stel verklarende boekjes die wederom op aanvraag gratis worden toegezonden. Sprekend over de beweging naar Europese eenheid bij voorbeeld zegt *The Plain Truth:* 'Dat zal geen goed nieuws zijn voor de Verenigde Staten – losgekoppeld van Europa – en voor Engeland evenmin.' (*The Plain Truth,* juli-augustus 1981, p. 24.) Het boekje *The United States and Britain in Prophecy* verklaart: 'Dat meedogenloze JUK van SLAVERNIJ zal door de komende verenigde naties van Europa de Verenigde Staten en Brittannië worden opgelegd!' Een bekend politicus die voor het tijdschrift *The Plain Truth* geïnterviewd was, liet ons weten dat hij de organisatie als pro-Europees beschouwde; kennelijk was hij niet op de hoogte van het anti-Europese standpunt dat de organisatie inneemt. Zijn mening is niet ongewoon. We zonden hem een dossier waarin voor zijn voorlichting de anti-Europese instelling van de organisatie uiteen werd gezet; binnen een week trachtte de organisatie met ons in contact te treden om over onze eigen visie nadere informatie te verkrijgen.
14 Armstrong, *The United States...,* p. 183.
15 Zie bij voorbeeld Lindsay, *Countdown to Armageddon,* pp. 170-171.
16 *Guardian,* 21 april 1984, p. 19.
17 id.

18 id.
19 id.
20 id.
21 id.
22 *Observer*, 25 augustus 1985, p. 6.
23 *The Humanist*, juli-augustus 1981, p. 15.
24 *Guardian*, zie noot 16.
25 id.
26 *The Globe and Mail*, 8 oktober 1984, p. 7.
27 *Sunday Times*, 5 december 1982, p. 15.
28 id.
29 *Evening Standard*, 4 september 1985, p. 7.

17. Fragmenten per post

1 Chérisey, *L'Énigme de Rennes*, p. 8.
2 *Newsweek*, 22 februari 1982, p. 55.

18. De Britse connectie

1 Zie voor het verhaal van deze codes: *Het Heilige Bloed en de Heilige Graal*, p. 5.
2 Descadeillas, *Rennes et ses derniers seigneurs*, pp. 7-8.
3 Ons meegedeeld door de heer Ernest Bigland, gewezen vice-president van Guardian Royal Exchange Assurance, op 21 februari 1984.
4 Sir William Stephenson was tijdens de oorlog het hoofd van de BSC (British Security Coordination), de geheime oorlogsorganisatie die in New York was gevestigd en in de Verenigde Staten de groepen MI6 en SOE van de Britse Geheime Dienst vertegenwoordigde. Stephenson was vele jaren bevriend met en zakelijk medewerker van viscount Leathers. Een andere vriend van Leathers, sir Connop Guthrie, eveneens een hooggeplaatste functionaris in het scheepvaartwezen, leidde de afdeling beveiliging van BSC in New York. Zie: Hyde, *The Quiet Canadian*, pp. 29-30, 66.
5 Stephenson, *A Man Called Intrepid*, p. 64.
6 id., p. 131 (citeert sir Colin Gubbins).
7 *Journal officiel*, 20 juli 1956 (no. 167), p. 6731. Hij werd geregistreerd bij de 'sous-préfecture' van Saint-Julien-en-Genevois die zo vriendelijk was ons fotokopieën te geven van de 'statuten' van de Prieuré en van de brief waarin om registratie werd verzocht. Beide zijn gedateerd Annemasse, 7 mei 1956, en ondertekend door Pierre Plantard als algemeen secretaris en André Bonhomme als voorzitter.
8 Natuurlijk zijn wij de registraties nagegaan op alle namen die ons voor de geest stonden. Doch onder geen enkele van die namen was een safeloket in gebruik geweest.
9 De gewezen ondervoorzitter van Guardian Assurance, Stanley Adams, die ook voorzitter van Cooks was, werd volgens Ernest Bigland bij het uitbreken van de Tweede Wereldoorlog direct bij de Britse Inlichtingendienst opgenomen. Het hoofd van Guardian Assurance in Frankrijk, Robert Sprinks – die op het laatste schip was dat nog uit Frankrijk kon vertrekken – werd bij zijn aankomst in het Verenigd Koninkrijk

meteen in de SOE opgenomen. Verder was ook captain Nutting op dat laatste uitvarende schip; hij was in 1940 in Parijs toegevoegd aan generaal Dill, de commandant van de BEF (British Expeditionary Force). Bij zijn terugkomst in Londen werd Dill benoemd tot CIGS (Chief of the Imperial General Staff), terwijl Nutting zijn adjudant bleef. Nutting was een naaste vriend van Stanley Adams en generaal Alexander.

10 Eén foutje werd in de tekst van dit document gevonden, maar dat bewijst nog geen vervalsing; het kan gewoon een abuis zijn geweest. De ommezijde vermeldt als geboorteplaats van captain Nutting Londen, terwijl dat in feite Dublin was.

11 Naar het Franse consulaat ons liet weten, werden deze notarieel gewaarmerkte geboorteakten alle naar het Franse ministerie van economische zaken te Parijs gezonden. Wij brachten een bezoek aan de afdeling archieven en spraken diverse malen met de directeur ervan, maar werden geen cent wijzer. Onze essentiële vraag was deze: als wij documenten in handen hebben gehad die u in 1955 en 1956 zijn toegezonden, volgt daaruit dat ze uit uw archieven moeten zijn gehaald. Hebt u wellicht een aantekening dat deze documenten vernietigd zijn of alle documenten van dat jaar, of verwacht u ze nog in uw dossiers te kunnen vinden? Zou u zo vriendelijk willen zijn uw dossiers na te gaan, als ze niet vernietigd zijn, en ons uw bevindingen mee te delen? Na herhaaldelijk van kastjes naar muren te zijn gestuurd en nadat men steeds meer wilde weten waarom wij daar eigenlijk belangstelling voor hadden, kwamen we er door een verspreking van een functionaris achter dat er enige moeilijkheden waren met documenten uit 1956 met betrekking tot de verzekeringsmaatschappij en dat de dossiers bij het ministerie van justitie waren. Wij konden er echter niets méér over ontdekken, zelfs niet of het verband hield met ons onderzoek. We zetten ons onderzoek niettemin voort waarbij we langzamerhand voor de andere partij hinderlijk begonnen te worden; na diverse bezoeken liepen we ten slotte definitief tegen de muur, werden we definitief afgewezen. De functionarissen op de archiefafdeling 'konden niet begrijpen hoe wij de documenten hadden gekregen'. Op dat punt beland leken verdere pogingen ons weinig zin meer te hebben, en we lieten het er maar bij.

19. Anonieme verhandelingen

1 Louis Vazart had de 'Cercle Saint Dagobert' gesticht die zich ten doel stelt de herinnering aan deze Merovingische koning levend te houden en de archeologie van Merovingische vestigingen te bevorderen. Een der eerste daden van deze Cercle was enkele kleine relikwieën van Sint-Dagobert naar Stenay terug te brengen; een plechtigheid ter gelegenheid van deze terugkomst werd in september 1984 gehouden op de plek waar Dagobert vermoord was. Monsieur Vazart is verbonden aan de kleine oudheidkundige groep rondom het museum van Stenay dat door monsieur Philippe Voluer wordt geleid.

2 In 1961 schreef Pierre Plantard *Gisors et son secret,* een gestencild document van tweeëndertig pagina's, met kaarten. In 1962 schreef de auteur Gérard de Sède *Les Templiers sont parmi nous* waarin uitgebreid op Gisors wordt ingegaan; aan het slot van het boek is een lang interview met monsieur Plantard opgenomen. Het interview bevatte bepaalde verwijzingen naar de Prieuré de Sion. In datzelfde jaar uitte André Malraux belangstelling voor de kwestie, terwijl later in dat jaar de Franse regering besloot opgravingen in het kasteel van Gisors uit te voeren.

Pagina 1 van het document van Plantard meldt dat op 23 maart 1961 kopieën waren gezonden aan de bibliothecaris in Caen, aan de burgemeester van Gisors en aan Gérard de Sède.

3 Wij gingen bij de rechtbank in 1985 na hoe het met de ingestelde actie stond. We kregen ten antwoord dat de actie enige tijd hangende was geweest, maar dat de zaak nu 'ad acta' was gelegd.

4 *Nostra*, 28 oktober-4 november 1982 (no. 542), p. 6.

20. De ongrijpbare 'Amerikaanse groep'

1 *International Herald Tribune*, 20 juni 1944, p. 9.

2 Deze tekst komt in de statuten voor, met de handtekening van Jean Cocteau; ze zijn ongedateerd, maar beweren de 'veranderingen van het convent van 5 juni 1956' te bevatten. De statuten die wij van de 'sous-préfecture' van Saint-Julien-en-Genevois ontvingen – gedateerd 7 mei 1956 – verschilden nogal en hadden geen 22 artikelen. Deze waren ondertekend door Pierre Plantard en André Bonhomme. Marquis Philippe de Chérisey deed ons de Cocteau-statuten toekomen.

3 37 Rue Saint-Lazaire, Parijs, was het appartement van Philippe de Chérisey.

4 De kwestie van de geboorteakten is eigenaardig. Het origineel is met de hand geschreven, in een grote gebonden map. Er zijn eveneens met de hand geschreven aanvullingen waarin van monsieur Plantards eerste huwelijk met Anne Lea Hisler, op 6 december 1945, melding wordt gemaakt, en van zijn tweede huwelijk met France Germaine Cavaille, op 18 maart 1972. Dit alles bevindt zich in het gemeentehuis van het zevende arrondissement van Parijs. Daarin wordt de naam als Plantard aangegeven en het beroep van zijn vader als 'kamerbediende'.
Er bestaat een gewaarmerkt 'Extrait des Minutes des Actes de Naissance' van datzelfde gemeentehuis, gedateerd 22 augustus 1972 en met het nummer c 658785. Dit is met de schrijfmachine getypt en volgt de bewoordingen van het met de hand geschreven origineel getrouw, met uitzondering van de toevoegingen van 'Comte de Saint-Clair et Comte de Rhédae, architecte' na de vermelding van monsieur Plantards vader (eveneens Pierre genaamd). Ook herhaalt dit stuk de aanvullingen waarin van monsieur Plantards beide huwelijken gewag wordt gemaakt. Het is gestempeld en gesigneerd. Een kopie hiervan bevindt zich in de Bibliothèque Nationale te Parijs.
Wij hebben een kopie van een derde document, opgemaakt op het gemeentehuis van Garenne-Colombes en op 14 mei 1977 gedateerd; hierin is de geboorte van de twee kinderen van monsieur Plantard opgetekend. Ook dit vermeldt de naam van laatstgenoemde als 'Plantard de Saint-Clair'. De naam staat op zijn cheques en in zijn paspoort. Alle bleken echt.

5 Mogelijk relevant is het feit dat de pagina waarop van de geboorte van monsieur Plantard melding werd gemaakt, los in de gebonden map lag, dat wil zeggen: losgetrokken van de binding.

6 Wij hadden dergelijke berichten al ontvangen van andere onderzoekers die aan verhalen werkten met betrekking tot het Vaticaan.

21. Verruimend uitzicht

1 Zie *New York Times*, 25 juni 1974, p. 2. Kardinaal Danielou stierf op 20 mei 1974 om vier uur 's middags in de op de vijfde etage gelegen flat van madame Mimi Santini, een 24-jarige striptease-danseres. Op hem zou een grote som geld zijn gevonden. Hij was aan een hartaanval overleden. De kerk zweeg er drie weken over (vermoedelijk omdat zij haar eigen onderzoek instelde) en richtte toen een scherpe verklaring tegen wat zij 'ernstige insinuaties' noemde.
Tijdens een interview bevestigde madame Santini dat de kardinaal inderdaad in haar flat was overleden, maar ze zei dat dat te wijten was geweest aan een hartaanval als gevolg van de vele trappen die hij naar de vijfde etage moest klimmen. Ze voegde eraan toe niet te weten dat Danielou kardinaal was, omdat hij nooit clericale kledij droeg als hij kwam (*Sunday Times*, 9 januari 1974, p. 3).
Kardinaal Danielou was lid van de Académie Française, auteur van veertien boeken en directeur van de theologische faculteit van de universiteit van Parijs. Zijn bijzondere belangstelling gold de oorspronkelijke christelijke kerk en de leerstellingen van de joods-christenen (de 'Nazareners'); hij schreef over dit thema een belangrijk werk. Hij leidde ook de tegenaanval van de rooms-katholieke kerk op díe (vooral Nederlandse) bisschoppen die betoogden dat de kerk zowel gehuwde als celibataire priesters zou moeten toelaten. Danielou gaf toe dat het celibaat veeleer voort was gekomen uit tucht en traditie dan uit theologische doctrine.*

22. La Résistance, ridderschap en de Verenigde Staten van Europa

1 Dit is vermeld in het door paus Alexander III gezegelde charter van 1178.
2 Röhricht, *Regesta regni Hierosolymitani*, no. 83 (p. 19). Van de prior, Arnaud, werd nog in 1136 melding gemaakt.
3 Archives du Loiret, D. 357, pièce 2.
4 id., pièce 5. Een bespreking van dit document wordt, samen met de tekst in modern Latijn, gegeven in Rey, 'Chartes de l'abbaye du Mont-Sion'.

* Als *plicht* werd het celibaat voor het eerst aan geestelijken met hogere wijdingen opgelegd door canon 33 van het concilie van Elvira (306 na Christus in Spanje) waar tevens aan gehuwden met hogere wijdingen de seksuele gemeenschap werd ontzegd. Pas onder Leo I (440-461) en Gregorius de Grote (590-604) werd de celibaatsplicht algemeen opgelegd, ook aan subdiakenen. Daarna trad verval in. Tijdens het eerste en tweede Lateraans concilie (1123 respectievelijk 1139) werd de vroegere wetgeving bekrachtigd, met dien verstande echter dat een geestelijke met hogere wijding (van subdiaken af) voortaan zelfs geen *geldig* huwelijk meer kon sluiten. Na hernieuwd verval herstelde het concilie van Trente (1545-1563) de celibaatswetgeving die in 1917 werd overgenomen door de Codex Iuris Canonici; van de wijding van het subdiaconaat af kan dan iemand – tenzij met dispensatie – geen huwelijk meer sluiten; geschiedt dat niettemin, dan is zo'n huwelijk volgens kerkelijke rechtsnormen ongeldig, terwijl de betrokkene irregulier wordt (geen wijdingen meer kan ontvangen noch daaraan verbonden functies mag uitoefenen) en met zijn partner (zo deze van de wijdingen op de hoogte is) excommunicatie oploopt. Sinds 1963 is de heilige stoel in Rome ertoe overgegaan om, in tegenstelling tot vóór die tijd, priesters die willen trouwen te dispenseren van de celibaatsplicht. Zij mogen als gehuwden dan echter niet in het ambt blijven. (Noot vertaler)

5 Le Maire, *Histoire et antiquitez de la ville... d'Orléans,* deel 2, pp. 96-99; Cottineau, *Répertoire topo-bibliographique*..., p. 2138; Soyer, 'Annales prioratvs sancti sansonis...', pp. 222 e.v.
6 In de Bibliothèque Nationale te Parijs: nr. L^2 *c* 7335 (Quarto).
7 *Vaincre,* 21 september 1942 (no. 1), p. 1.
8 id., 21 oktober 1942 (no. 2), p. 3.
9 Wij namen contact op met Robert Amadou teneinde enig inzicht te krijgen in het milieu waarin dit tijdschrift verscheen. Hij vertelde ons dat hij in 1942, als achttienjarige student in de wijsbegeerte met felle belangstelling voor esoterische zaken, geen gelegenheid voorbij liet gaan om in contact te komen met bewegingen op dat terrein. Dat was het jaar waarin hij monsieur Plantard had ontmoet en in Alpha Galates werd ontvangen, zonder enige ceremonie en blijkbaar zonder dat daar verder iets uit voortvloeide. Hij schreef één artikel voor *Vaincre* en ontmoette monsieur Plantard drie of vier maal: daarna hadden ze geen contact meer met elkaar.
Monsieur Amadou is vrijmetselaar, bevriend met dr. Pierre Simon, de grootmeester van de Franse vrijmetselarij. Amadou is ook martinist, redacteur van het Franse martinistische tijdschrift en lid van de Parijse loge 'Memphis en Misraim'. Ondanks zijn blijkbaar aanzienlijke kennis van esoterische groeperingen in Frankrijk weigerde hij bij het thema Prieuré de Sion te worden betrokken. Hij merkte echter op: 'Wat mij betreft, ik ben nooit bij politieke activiteiten betrokken geweest, ervoor noch erna... Mijn enige verlangen was en blijft: filosofische orde en religieuze orde.'
10 Als een der leiders van het Institut d'Études Corporatives. Le Fur werkte ook sedert voorjaar 1941 mee aan het collaborerende tijdschrift *Je suis partout.* Een ander rechts lid was Henry Coston die op de voorpagina van het eerste nummer van *Vaincre* wordt aangehaald. Hij was een extreem rechtse journalist, collaborateur, antisemiet en leider van het 'Centre d'Action Masonique' dat alle geroofde vrijmetselaarsarchieven bezat. De ironie wilde dat hij regelmatig bijdragen leverde aan *Au pilori.*
11 *Vaincre,* 21 september 1942 (no. 1), p. 2.
12 id., 21 november 1942 (no. 3), p. 1.
13 id., 21 september 1942 (no. 1), p. 3.
14 Weber, *Action française,* p. 153, noot *d* en p. 444.
15 *Vaincre,* 21 januari 1943 (no. 5), p. 2.
16 Van Roon, *German Resistance to Hitler,* p. 183. Toen hij in Madrid gestationeerd was, deed Hans Adolf von Moltke de geallieerden voorstellen, waarschijnlijk ofwel via de Britse ambassadeur of via een contact met generaal Sikorski. Op 3 januari 1943 bracht generaal Sikorski een bezoek aan lord Halifax en vertelde hem dat hij verwachtte dat Hans Adolf von Moltke contact zou opnemen met de Britse ambassadeur in Madrid. Dit omdat hij of zijn collega's al getracht hadden contact te leggen met mensen die misschien wel oren naar vredesonderhandelingen hadden. Zie: Halifax' rapport aan het Britse ministerie van buitenlandse zaken, FO 371 34559, stuk *c* 205, in het Public Record Office, Kew.
17 Van Roon, *German Resistance*..., p. 210.
18 id., p. 201. Ook (p. 256): 'De stukken maken duidelijk dat de voorstellen inzake buitenlandse politiek van de Kreisauer Kreis berustten op fundamenteel geloof aan een tot een federale staat geïntegreerd Europa.'

23. De terugkeer van De Gaulle

1 Zie Crawley. *De Gaulle*, p. 349. Een parachutistencommandant had zijn nauwkeurige opdracht: hij zou met zijn manschappen boven Colombey afspringen en De Gaulle naar Parijs voeren.
2 De zegsman was monsieur Delbecque, een van de Algerijnse leiders. Zie: *The Times* van 2 juni 1958, p. 8.
3 Hisler, *Les Gouvernants et Rois de France*, p. 103.
4 id., p. 103, noot 2.
5 We namen contact op met monsieur Debré en vertelden hem van deze beweringen. Verwonderd zei hij dat hij zich niet kon herinneren ooit enige relatie met zekere monsieur Plantard te hebben gehad en in elk geval niet bij de Comités de Salut Public betrokken te zijn geweest.
6 *Le Monde*, 18-19 mei 1958, p. 3.
7 id., 6 juni 1958, p. 1.
8 id., 8-9 juni 1958, p. 2.
9 id., 29 juli 1958, p. 7.
10 Bewaard in de dependance te Versailles van de Bibliothèque Nationale van Parijs: CIRCUIT (1956) heeft het nummer Jo 12078 (Quarto); CIRCUIT (1959) het nummer Jo 14140 (Quarto). Ze zijn echter niet allemaal ter beschikking. Toen wij dit nagingen, waren alleen de nummers 2, 3, 5 en 6 aanwezig. We hebben echter de nummers 8 en 9 gezien en kennelijk moeten de nummers 1 en 4 er ook eens zijn geweest. Het lijkt erop dat er enkele zijn ontvreemd.
11 De Zwitserse detective Mathieu Paoli legde zijn bevindingen neer in *Les Dessous d'une ambition politique*.
12 CIRCUIT, november 1959 (no. 5), p. 1.
13 id.
14 id.
15 id.
16 Paoli, *a.w.*, p. 94.
17 id.
18 id., pp. 94 e.v.
19 CIRCUIT, september 1959 (no. 3), p. 8.

24. Geheime machten achter verdekte groepen

1 *Manual of the Council of Europe*, p. 3.
2 id., p. 4.
3 Zie hoofdstuk 22, noot 16, hiervóór.
4 Flamini, *Pope, Premier, President*, p. 22.
5 id., p. 56; Lee, 'Their Will Be Done', p. 21.
6 Marchetti and Marks, *The CIA and the Cult of Intelligence*, p. 25; Freemantle, *CIA: The Honourable Company*, pp. 29-30; Gurwin, *The Calvi Affair*, p. 185; Agee en Wolf (red.), *Dirty Work: The CIA in Western Europe*, pp. 168-173.
7 Turner, *Secrecy and Democracy*, p. 76.
8 Agee en Wolf, *a.w.*, pp. 202-203.

9 De CIA voorzag deze groeperingen doorgaans niet rechtstreeks van fondsen, maar gebruikte diverse andere groepen als intermediair. Een gebruikelijke procedure was dat een door de CIA gesponsorde 'particuliere' stichting op haar beurt de gekozen groep fondsen deed toekomen. Lijsten van de medewerkers aan Radio Free Europa bij voorbeeld onthullen de namen van de diverse intermediairen voor een dergelijke financieringsvorm.

10 Pomian, *Joseph Retinger,* p. 236; Lee, 'Their Will Be Done', p. 23. Dr. Luigi Gedda, leider van de Katholieke Actie, werd door de ridders van Malta onderscheiden.

11 Thomas en Morgan-Witts, *The Year of Armageddon,* pp. 17-18, 71.

12 Huntington, 'Visions of the Kingdom', p. 21.

Spellman was een oude vriend van 'Wild Bill' Donovan, het gewezen hoofd van de OSS, en Donovan had zijn hulp ingeroepen voor de Italiaanse verkiezingscampagne van 1947-1948. Bijzonderheden van zijn activiteiten in Zuid- en Midden-Amerika en vooral Guatemala staan in Cooney, *The American Pope...*, pp. 231-236. Voor zijn rol in het verkrijgen van gelden van de regering van de Verenigde Staten, zie: Cooney, *a.w.*, pp. 42, 275 en 278.

13 Sommige auteurs beweren dat de loge werd opgericht lang voor ze door Gelli werd overgenomen. Of dit waar is of niet: het standaardverhaal luidt dat Gelli in 1963 vrijmetselaar werd, in 1966 tot P2 toetrad, in 1971 lid van haar bestuur werd en in mei 1975 grootmeester. De P2-loge werd door het Grootoosten van Italië geschorst kort *voor* (volgens een bron van de Italiaanse vrijmetselarij) Gelli het grootmeesterschap op zich nam. Volgens de Italiaanse wet moeten alle vrijmetselaarsloges jaarlijks ledenlijsten aan de politie overhandigen. De P2-loge weigerde dit en werd daarom hangende een onderzoek geschorst.

Enkele onderzoekers op dit gebied hebben beweerd dat City of London-loge nummer 901 in het P2-schandaal verwikkeld is, aangezien in elk geval Roberto Calvi lid was. Dit verhaal is in de landelijke pers in Engeland gepubliceerd. Het Verenigde Grootoosten van Engeland verklaart dat een onderzoek van het loge register van de jaren 1940-1986 bevestigt dat Calvi noch Gelli ooit lid van de betreffende loge was. Waarom die loge dan toch zo in opspraak kwam, is onduidelijk – de huidige ledenkring toont uiteenlopende beroepen als bloemist, ingenieur, publicist, chauffeur en aannemer. Maar in elk geval wemelt het er niet van bankiers en andere kopstukken uit de geldwereld.

14 Yallop, *In God's Name,* pp. 117-118.

15 De commissie deelde mee dat er een buitenlandse organisatie was die de P2-loge bestuurde. Het beeld dat zij gebruikte om de situatie te omschrijven, was dat van twee piramiden. De ene piramide, op haar grondvlak rustend, vertegenwoordigt de loge P2, met Gelli als apex. Ondersteboven en óp de eerste bevindt zich de tweede piramide; het tweetal verenigt zich in de apex. De hoogste piramide vertegenwoordigt de beherende organisatie die via Gelli werkte en die de verbindingsschakel tussen de twee vormde. Zie: de *Guardian* van 11 mei 1984, p. 6, en van 7 juni 1984, p. 8.

16 Het charter van Larmenius.

17 *Le Monde,* 25 september 1979, p. 12.

18 Het Verenigd Koninkrijk erkent de Orde van Malta niet, en door de Orde uitgegeven paspoorten worden als niet geldig beschouwd. Feitelijk is het dragen van enigerlei onderscheiding of insigne van de Orde van Malta in het Verenigd Koninkrijk bij

Brits Koninklijk Besluit verboden. Zie: *Foreign and Commonwealth Regulations,* A: 7; B: 1, 5.
19 Lee, 'Their Will Be Done', p. 23.
20 id.; zie ook: Hervet, 'Knights of Darkness', p. 31.
21 Lee, *a.w.,* p. 23; Hervet, *a.w.,* p. 33.
22 Lee, *a.w.,* p. 24.
23 Hervet, *a.w.,* pp. 34-35.
24 Artikel van Edmond Albe in de *Dossiers secrets d'Henri Lobineau,* 1967 (Bibliothèque Nationale, Parijs, ref. no. Lm[1] 249 [Quarto]). Er bestaat geen aanwijzing dat de betreffende archieven die van de Engelse afdeling van de Orde van Malta zijn. Een aan de historicus en archivaris van de Engelse afdeling gerichte vraag dienaangaande leidde tot het antwoord dat dergelijke documenten zich niet in de archieven van de Orde in Engeland bevinden of bevonden hebben.

Index

Abboud, A. Robert, 255, 260, 261, 262, 264, 265, 270, 271, 278, 286
Aberg, Nils, 118
Adversus haereses, 106
Aikman, sir Alexander, 230, 233, 243
Alexander III, paus, 284
Alexandrië, Egypte: en Nazareense leer, 109, 110, 112
Algerije: en de Comités van openbare veiligheid, 298-305
Allende, President Salvador, 182
Alpha Galates, 289-293, 295, 296, 311, 326
Amadou, Robert, 289
Ambrosoli, Giorgio, 280
Americares, 323
Amerikaans Comité voor een Verenigd Europa (ACUE), 311, 313
Andreas (discipel), 97
Andreotti, Giulio, 316
Angleton, James, 321
anglicaanse kerk, 23, 159
Antichrist, 132, 195, 198, 200, 203
Antonius, abt, 113
apocalyps, 133, 198-209; archetype v., 172; *zie ook* Jongste Dag
apostelen, *zie* Handelingen der Apostelen
Archer, Jeffrey, 182
archetypen: geheime genootschappen, 173-176; Jezus, 178; jongste dag, 172; monarchie, 182-189; Rooms-katholieke kerk, 328; toepassing in winnen van vertrouwen en macht: 168-172
archetypische mythen, 170-172; en christendom, 205
Arius ketterij v., 116
Armageddon, slag v., 198-202
Armstrong, Karen, 35
Aspen Institute of Humanistic Studies, 261
Atbash-code, 108-109
Au pilori, tijdschrift, 292-293

Bakoenin, Michail, 143
Barabbas, 44
Bernhard, Z.K.H. prins der Nederlanden, 314
Bidault, Georges, 299, 310
Bigland, Ernest, 241-243, 247
bijbel en fundamentalisme, 195-196
bijbelonderzoek, 17-35; en de idee van de Messias, 39; falen van, 20-25
Bilderberg-conferenties, 314
Binyon, Michael, 185
Blackford, Glyn Mason, baron, 220-221, 233-234, 242-243, 245
boeddhisme, 173, 193
Book of Cerne, 123
Braden, Thomas, 313
Brandon, prof. S. G. F., 60
Bretigny, Jacques, 223
Brocklebank, sir John Montague, 230, 233, 234, 243
Brook Kerith, The (Moore), 19, 22
Bultmann, Rudolf, 18
Buonarroti, Filippo, 175
Burgess, Anthony, 34

Calvi, Robert, 280, 315, 327
Chadwick, prof. Henry, 113
Chaumeil, Jean-Luc, 221-223, 250-254, 256, 267, 279
Chérisey, Philippe, Marquis de, 213, 218-220, 221, 227-230, 233, 238, 253, 278, 282

Chicago, First National Bank of, 261-265, 269, 276, 278
Chiesea, generaal Dalla, 281
Chirac, Jacques, 252
christen-democratische partij (Italië), 313, 314, 321
christendom, 190; archetypische aspecten van, 171; eerste gebruik van term 'christen', 77; vorming v. h., 76-93; fundamentalisme, 194-204; en de jongste dag, 124-128; in nazi-Duitsland, 152; nestoriaans, 107-108; oorsprongen v. h., 17; macht v. d. middeleeuwse kerk, 47-48; onder Constantijn I de Grote, 49-55; *zie ook* paulinisch christendom
Christiaan, koning van Denemarken, 187
Churchill, sir Winston, 234, 236, 310, 311, 333
CIA (Central Intelligence Agency): en de Europese Beweging, 311-316; en de Orde van Malta, 321, 322
Circuit, tijdschrift, 304-307
Claudel, Paul, 180
Clemens van Alexandrië, 101, 110
Clowes, major Hugh Murchison, 230-234, 240, 242-243, 246, 259, 260, 264, 267
Cocteau, Jean, 219-220, 245, 246, 254-255, 258-259, 280, 326
Columbanus, Sint-, 119
Comités van openbare veiligheid, 298-306, 326
Communie, H., en avondmaalsdienst en de rituele offering van koningen, 47
communisme, 203, 313-314, 321
Constantijn I de Grote, Romeins keizer, 102, 106, 110, 153; als Messias, 46-55; als redder van de Kerk, 49-52
Constantine versus Jesus, (Kee), 52-54
constitutionele monarchie, 186-189
consumptiemaatschappij, 158, 191
'Cornelius', 280-282, 309
Cortéz, Hernán, 26-27
Coudenhove-Kalergi, graaf Richard, 311-312
Cross, Frank, 68
culten, opbloei van: in moderne tijd, 190-193
Cupitt, Don, 35, 179

da Vinci, Leonardo, 11, 99
Dagobert II, koning, 115, 231, 249, 259, 330
Danielou, kardinaal Jean, 280
Darwin, Charles, 136
Debré, Michel, 299, 301
de Gaulle, Charles, *zie* Gaulle, Charles de
Deloux, Jean-Pierre, 223
Denemarken, 187
derde wereldoorlog, 200-202
Desposyni, 101-102, 106
Dode-Zeerollen, 20, 23, 68, 69, 71, 123
Donatie van Constantijn, 48-49
Donovan, William ('Wild Bill'), 312-313
Dostojevski, F., 179, 205
Dreamer of the Vine, The, (Greene), 33
Drick, John E., 255, 260-265, 269-271, 278, 286
droit divine, doctrine v. h., 46-47
Ducaud-Bourget, abbé François, 220, 276, 290-291, 323
du Gard, Roger Martin, 17
Dugger, Ronnie, 201
Duitse Ridders, 153
Duitsland: Kreisauer kring, 293-295, 309, 312; nazisme als religieus geloof, 143-155; Verzetsbeweging in, 294-295; en Wereldoorlog II, 156-157
Dulles, Allen, 295, 312-313
Durham, David Jenkins, bisschop van, 22-23, 107

Ebionieten, 105-106; *zie ook* Nazareense leer
Eckart, Dietrich, 151
EEG (Europese Economische Gemeenschap), 198, 236, 273, 293, 311
Eerste Wereldoorlog, *zie* Wereldoorlog I
Egeria (discipel van Priscillianus), 113
Egmont, Gabriel Trarieux d', 290
Egypte, Kerk in, 98; Ierse contacten met, 118; Nazareense leer, 107-112
Einstein, Albert, 139, 177, 311
Eisenman, dr. Robert, 71-73, 103
Eleazar, 58
Énergie, 293
Epifanius, 106
'esoterica', 193
Essenen, 20, 58, 67-70, 73, 75, 106, 110
Essene Odyssey, The (Schonfield), 34, 108
Europese beweging, 309-311, 321; en de CIA, 311-316; *zie ook* Verenigde Staten van Europa
Europese Economische Gemeenschap, *zie* EEG
Eusebius, bisschop van Caesarea, 53-54, 96-97, 101
evangeliën: doop van Jezus, 43, 95; en Jezus' broers, 94; en de kruisiging, 44; datering van, 18, en Jezus als vrijheidsstrijder, 56, 61-64; en Jezus als Messias, 45; en Jezus' maatschappelijke achtergrond, 41-42; en het laatste avondmaal, 90-91; en de Nazareense leer, 107; rol van Tomas, 96; koninklijke status van Jezus, 40, 42-43, 76; onbetrouwbaarheid van de, 29-31; *zie ook* Jezus Christus
evangeliën, verslag in, – van, 44-45; Koning der Joden, 30, 40

evangelie van Tomas, 97, 110, 112
Evans, Ann, 250-251

Falwell, Jerry, 201
Farizeeën, 58, 67, 68
fascisme: in Italië, 147; in nazi-Duitsland, 147-155; in Spanje, 147
Federatie van Franse Krachten, 305
Filippus (discipel), 101
First Christian, The (Armstrong), 35
Flaubert, Gustave, 137, 179, 180
Franco, generaal Francisco, 147
Franklin, George S., 313
Frankrijk: archetypisch aspect van monarchie in, 183-184; en documenten gevonden te Rennes-le-Château, 226-248; verzetsbeweging in, 235, 310, 324; en de terugkeer van De Gaulle, 296-307
Franse Revolutie, 135
Frazer, sir Thomas, 228, 232-236
Freeman Gaylord, 220-221, 255, 259-260, 261-266, 270-273, 275, 278, 286
Freeman, Patrick Francis Jourdan, 218, 230-233, 238, 240-245
Freud, Sigmund, 105, 136, 178
Frey, dr. Arthur, 151-152
Fuentes, Carlos, 33, 182
fundamentalisme, 131-132, 194-204; in Gr.-Brittannië, 196-197; in Amerika, 32, 33, 195-197, 200-204, 205-206

Galeazzi, graaf Enrico, 315
Gandhi, Mohandas, 163
García Márquez, Gabriel, 181
Gaulle, Charles de, 11, 235, 237, 257-259, 267-268, 291-292; terugkeer van, 296-297
Gedda, dr. Luigi, 314, 321
geheime meesters in het boeddhisme, 173
geheim genootschap: als archetype, 173-176; *zie ook* Prieuré de Sion
Gehlen, generaal Reinhard, 321
Geldof, Bob, 208
Gelli, Licio, 315, 316, 318, 322
geloof, verlies van, 135-141
George, Stefan, 150, 191
Getsemane: aanhouding van Jezus in, 61-64
Gildas, 115
Glover, reverend, 196
Gnostic Gospels, The, (Pagels), 20, 21, 33
Gorbatsjov, Michael, 202, 308
Grace, J. Peter, 323
Graves, Robert, 19, 22, 34
Greene, Liz, 33
groepsgerichte mythen, 171-172, 194; en christendom, 204, 205
Groot-Brittannië: en de apocalyps, 196; en documenten te Rennes-le-Château gevonden, 226-248; vestiging van christendom in, 115-116; en religieus fundamentalisme, 195-197
Guardian Assurance (thans Guardian Royal Exchange Assurance), 233-234, 236, 241-243, 264
Gubbins, sir Colin, 235, 237, 313
Gurdjieff, G. I., 144, 181

Habsburg, dr. Otto von, 309
Handelingen der Apostelen, 59; en de broers van Jezus, 93; en de vorming van het christendom, 76-93; en de Nazareeërs, 73; rol van T(h)omas, 96
Handelingen van Tomas, 98, 100, 113
Heilig Officie (Inquisitie), 173
Heilige, bewaarplaats van het, 179-182
Heilige Roomse Rijk, 94
Herodes, koning, 31, 38-39, 72; kindermoord, 40-41, 101
Herodes Antipas, 77, 96
Hess, Rudolph, 151
Hillel, 67
Himmler, Heinrich, 153-154, 224, 294
hindoeïsme, 193
Hine, Edward, 196-197
Hisler, Anna Lea, 301-302, 305
Hitler, Adolf, 137, 156-157, 162, 167, 294; als hogepriester, 147-155
Holy Blood and the Holy Grail, The, (Ned.: Het Heilige Bloed en de Heilige Graal), 11, 17, 25, 31, 33, 35, 100, 108, 213, 216-217, 221-225, 226, 245, 248, 250-251, 269
Holy Grail Revealed, The, 216
huwelijk: dynastiek, 188-189; koninklijk, 186, 189
Hypatia, 110

Ierland: Keltische Kerk, 114-122
Illusionist, The, (Mason), 34, 86
Inquisitie (Heilig Officie), 173
inlichtingendiensten, 174; en de Europese Beweging, 311-316; en de Orde van Malta, 321-323; en het Vaticaan, 312, 314-316; *zie ook* CIA (Central Intelligence Agency)
Irenaeus, bisschop van Lyon, 106
Israël, concept v. natie, 82; en Gods uitverkoren volk, 127; Jezus als koning van, 36-45, 331; en religieus fundamentalisme, 195-198
Italië, CIA-activiteiten, 312-314; christen-democratische partij van, 313, 314, 321; fascisme in, 147; *zie ook* Vaticaan

Jakobus, broer van Jezus (later H.-Jakobus of Jakobus de rechtvaardige), 78; *zie ook* Jakobus, H.
Jakobus, H. (broer van Jezus), 81, 82, 83, 86, 88, 93, 101, 103, 107, 114
Jakobus (discipel, broer van Johannes), 78-79
Jean Barois (du Gard), 17
Jeruzalem: intocht van Jezus in, 40, 61, 90; val van, 44-45, 88; verwoesting van, 69, 80, 104; tempelschat van, 226
Jeruzalem-Kerk, *zie* Nazareeërs
jezuïeten, 173, 312
Jezus Christus, 134, 135, 180; en Amerikaans fundamentalisme, 205-206; zalving van, 43; als archetype, 178; achtergrond, 41-42; doop van, 43, 95; en bijbelonderzoek, 17-18; geboortedag, 51; broers van, 93, 94-102; en Constantijn, 52-55; afstammelingen v. Jezus' familie, 100-102; intocht in Jeruzalem, 40, 61, 90; en de Essenen, 71; als vrijheidsstrijder, 45, 56-64; en Judas Iskariot, 89-92; als koning van Israël, 36-45, 331; en de jongste dag, 126; als Messias, 36-37, 45, 77, 82-83, 89-90, 105, 126, 128, 331; en Nazareense leer, 105-10; en Paulus, 82-83; en de reiniging van de Tempel, 62; koninklijke status van, 40, 42-43, 76; als Heiland, 106; wederkomst, 195-200; en Simon Petrus, 85-88; en de Zadokitische beweging van Qumran, 65-75; en de Zeloten, 59-60; *zie ook* evangeliën
Jesus Scroll, The (Joyce), 33
Jesus: the Evidence (Rolfe), 21, 35, 98
Jesus the Jew (Vermes), 33
Jesus the Magician (Smith), 19, 21, 33
joden: in Egypte, 109; en de Nazareense hiërarchie, 104; verantwoordelijkheid voor Jezus' dood, 85; opstanden tegen de Romeinen, 44, 80, 85, 101, 109, 128; en de Zadokitische beweging van Qumran, 65-75; *zie ook* jodendom
jodendom: en de Keltische kerk, 121-122; *zie ook* joden
Johanna (vrouw van Herodes' keukenmeester), 42
Johannes, evangelie van, 40, 59, 90, 96, 97, 227
Johannes (discipel), 78
Johannes de Doper, 43, 73, 77, 126; verwantschap met Jezus, 95-96
Johannes de Esseen, 80
Johannes Paulus II, paus, 160, 314, 327
Jonestown, slachting van, 192
jongste dag (laatste oordeel), 38, 124-128, 132, 133, 198; als archetype, 172-173; en het heden, 132
Josefus, Flavius –, 56, 58, 68-70, 72
Joyce, Donovan, 33
Joyce, James, 137, 179, 180
Jozef van Arimatea, 19, 42, 65
Juan Carlos, koning van Spanje, 188, 333
Juda(s), broer van Jezus, 93, 98, 101; *zie ook* Judas T(h)omas
Judas de Galileeër (Judas van Gamala), 56, 58, 73, 103
Judas Iskariot, 60, 88-92
Judas de Makkabeeër, 72, 82
Judas T(h)omas (tweelingbroer van Jezus), 96-97, 105, 106, 110, 113
Juin, maarschalk Alphonse, 11, 12, 258, 259, 267, 268, 299, 301, 310, 326
Julius Africanus, 100-101
Jung, C. G., 135, 168, 177-179, 182, 187, 190
Justinus Martyr, 106

Kana, bruiloft te, 42
Kazantzákis, Nikos, 19, 21, 91, 180
Kee, Alistair, 52-54
Keltische kerk van Ierland, 114-122
Kemp', 'Samuel, 263-267, 270
Kennedy, John F., 158
Kennedy, Robert, 158
Khomeini, Ayatollah, 163
King, Martin Luther, 158, 163
Kingdom of the Wicked (Burgess), 34
King Jesus (Graves), 19, 22, 34
kloosters: in Ierland, 119-120; in Egypte, 110-112
koningen: rituele offering van, 47
koningschap: als archetype, 183, 330; en de idee van de Messias, 36-39, 46-47; *zie ook* monarchie
Koester, dr. Herman, 105, 109
Koester, prof. Helmut, 98
koninklijke familie, Britse, 184-187; en huwelijk, 186, 189
Koude Oorlog, 158, 313, 321
Kreisauer Kreis (Kring), 293-295, 309, 311, 312
krijgshaftige Messias: Constantijn I de Grote als, 47-48
kunst, de: en het verlies aan geloof, 137; als bewaarplaats van levenszin en -doel, 179-182
kunstenaar: als priester, 179-182

laatste avondmaal: rol van Judas Iskariot, 90-92
Laatste Avondmaal (da Vinci), 99
Last Temptation, The (De laatste verzoeking) (Kazantzákis), 19, 21, 91, 180

Latijns-Amerika: letterkunde in, 181-182
La vie de Jésus (Renan), 18
Lawrence, D. H., 34, 180
Lazarus, 43, 96
Leathers, viscount Frederick, 230-234, 237, 240, 242, 246, 259, 260, 267
Leedy, Ruth, 216
Le Fur, Louis, 290, 291, 293, 299, 311
Lenin, 143-145, 150
Lenoncourt, Henri graaf de, 218
Leo x, paus, 17
Lestai, 56; *zie ook* Zeloten
letterkunde: als bewaarplaats van levenszin en -doel, 179-182
Liberty Federation (voorheen Moral Majority), 201, 203
lijkwade van Turijn, 215
'Live-Aid'-kruistocht, 208
Llosa, Mario Vargas, 182
Lodewijk vii, koning van Frankrijk, 284
Lodewijk xiii, koning van Frankrijk, 285
Louis Napoleon (Napoleon iii), 183-184
Lukas, evangelie van, 40, 59, 90, 93, 95, 227
Lukas (auteur van Handelingen van –), 76-77

Maccoby, Haim, 33
Macgillivray, Jania, 218-219, 228, 232, 245, 246, 255, 259, 263, 264
macht: van sekten en culten, 192; vertrouwen en –, 161-176
maffia, Italiaanse, 281, 282
Magdalena, Maria, 19, 33, 34, 78
Magdalene (Slaughter), 33
Makkabese dynastie, 72, 94, 96
Malraux, André, 11, 12, 235, 237, 252, 258, 267, 299, 301, 310
Man Who Died, The (Lawrence), 34
Mann, Thomas, 137, 179, 180, 312
Manson, Charles, 192
Marcinkus, Paul, 315
Maria Magdalena, *zie* Magdalena
Maria van Betanië, 43
Markus, evangelie van, 43, 59, 76, 90, 93, 227
Martin, reverend Père, 257-258, 260
Marx, Karl, 136, 143
marxistisch-leninistische doctrine: als religie, 142-146
Masada, beleg van, 34, 58, 69-70, 80, 103
Mason, Anita, 34, 86-88
moord op de onschuldige kinderen, 40, 101
Mattatias, 72
Matteüs, evangelie van, 40, 43, 59, 90, 93, 106, 227
McCarthy, Joseph, 158
McNeill, John, 121
media: gebruik van vertrouwen en macht, 164-165
Mehta, Gita, 193
Mein Kampf (Hitler), 150-152
Mermoz, Jean, 290
merovingische dynastie: afstamming van Jezus, 221, 223; en de Prieuré de Sion, 285; herstel van de, 273-274; en gewijd koningschap, 47, 187
Merzagora, Antonio, 220-221, 259
Messias: Constantijn als, 46-55; definitie van, 37-38; Hitler als, 149, 151, 153; Jezus als, 36-37, 45, 77, 82-83, 89-90, 105, 126, 128; en de jongste dag, 125-126; en paulinisch christendom, 104; hedendaagse pretendenten, 213-214; en de Prieuré de Sion, 334; tweeling-Messias-thema, 94-96
middeleeuwen: macht van de kerk om koningen te creëren, 47
Millennium, The (Wilson), 195
Mills, James, 201
Milvius, slag bij de Pons –, 48, 50
mitraïsme, 51, 84
modernisten: en bijbelonderzoek, 18
Mohammed, profeet, 79
Molay, Jacques de, 316
Moltke, graaf Helmuth James von, 294-295, 309, 311-312
Moltke, Hans Adolf von, 294, 311, 326
monarchie, 190; archetypisch aspect van, 182-189; constitutionele, 186-189
Monnet, Jean, 310
Montini, Giovanni (latere paus Paulus vi), 312, 314
Moore, George Augustus, 19, 22
Moral Majority, *zie* Liberty Federation
Morlion, pater Felix, 312
mozaïsche wet, 126; in de Keltische kerk, 121
Moeder Theresa, 205
Murat, Poirier, 287, 288, 291
Musil, Robert, 141
Mussolini, Benito, 147
mysticisme, 131-132
Myth of God Incarnate, The, 33
mythen: en christendom, 204-205; toepassing in het winnen van vertrouwen en macht, 170-171

Nag Hammadi, handschriften van, 20, 23, 33, 34, 110, 112, 123
naoorlogse crisis, 156-160
Napoleon iii, *zie* Louis Napoleon
Nazareeërs, 71, 73, 75, 77-80, 101-102, 103, 106, 107; en Paulus, 80-83
Nazareense leer, 103-123; in Egypte, 109-112;

in Ierland, 114-122; in Spanje, 112-114
Nazaret, 41
nazi-Duitsland, 147-155; en Wereldoorlog II, 156-157
Neave, Airey, 155
Neruda, Pablo, 182
nestoriaans christendom, 107-108, 113, 119, 122, 123
Nestorius, 107, 110, 119
Nieuwe Testament, 24, 34, 44, 55
Newton, Isaac, 136, 177
Nicea, eerste concilie van, 33, 49
Nicodemus, 42, 65
Nietzsche, Friedrich, 150
Nogara, Bernardino, 315
Nordier, Charles, 175
Neurenbergse bijeenkomsten, 148, 149, 166
Neurenberg, proces van, 154
Nutting, captain Ronald Stansmore, 230-234, 237, 240, 242, 243, 246-248, 259, 260, 267

OAS (Organisation de l'Armée Secrète), 300, 310
occulte groeperingen: en nazi-Duitsland, 150-151, 154
onbevlekte ontvangenis, 116, 121; en Nazareense leer, 105
One Hundred Years of Solitude (García Márquez), 181
Oosters denken, 180, 193
Opus Dei, 173, 316, 325
Orde van Malta, *zie* Ridders van Malta (Maltezer Ridders)
Orde van de nieuwe tempeliers, 151
Orde van Sint-Jan/johannieterorde(n), 318-320; *zie ook* Ridders van Malta
OSS (Office of Strategic Services), 295, 312, 314
Oude Testament: in de Keltische Kerk, 121; Messias-profetieën, 89-91
Our Israelitish Origin (Wilson), 195

P 2, 281-282, 309, 315-316, 318, 321-322, 325
Pachomius, 110
Pagels, Elaine, 20, 33, 34
Palladius, 116
Pan-Europa, 311, 312
Passover Plot, The (Schonfield), 19, 21, 22, 34, 108
Patrick, Sint-, 116, 119, 121
Paulus, 35, 97; cultus van, 83-85; als eerste ketter, 80-83, 105; en Lukas, 77; huwelijkse staat, 101; en Nazareense leer, 106; en Simon Petrus, 86-88
Paulus VI, paus, 312, 314, 321
paulinisch christendom, 102, 103-107; in Egypte, 110-111; in Spanje, 113-114; en de jongste dag, 128
Pecorelli, Mino, 316
Perzische kerk, 107
Petrus, *zie* Simon Petrus
Pilatus, 77; en de tekst aan het kruis, 30, 40
Pines, prof. Schlomo, 107
Pius X, paus, 18
Plantard de Saint-Clair, Pierre, 214, 219, 220, 221-225, 285-286, 296-297; en de 'Amerikaanse Groep', 261-274; en Alpha Galates, 290-292; en de anonieme verhandelingen, 249-260; geboorteakte(n), 269, 272-273; en de Britse connectie, 227-232, 235, 237, 246-247; en het tijdschrift *Circuit,* 304-307; en de comités van openbare veiligheid, 301-304; en de Orde van Malta 323-325; al(ia)s Pierre de France (-Plantard), 293-294; aftreden van, 275-283; en *Vaincre,* 287-288
Polen: kerk in, 146, 194; Solidariteit, 315
politiek: gebruik van vertrouwen en macht, 164-165
priesterdom: als geheim genootschap, 173
Prieuré de Sion, 108, 133, 155, 168, 175, 176, 187, 209, 326-327, 330-334; en de 'Amerikaanse Groep', 261-274; en Alpha Galates, 290-293; en de anonieme verhandelingen, 249-260; en de Britse connectie, 226-248; en ridderschap, 328-330; en het tijdschrift *Circuit,* 304-307; de historie van de, 284-286; en de Orde van Malta, 323-325; en P 2, 281, 282, 316; en aftreden van monsieur Plantard, 275-283; statuten van de, 296-297; en de Verenigde Staten van Europa, 308-309
Priscillianus van Ávila, 112-114
Pro Deo, 312
Proust, Marcel, 179, 180
psychologie: en het verlies aan vertrouwen, 137, 139, 140; en religie, 177-179, 190

Qumran: Essenen-gemeenschap in, 20, 69-71, 110

Ramírez, Sergio, 182
Rauschning, Hermann, 149
Reagan, Ronald, 182, 198, 201-202, 308, 323
Rebirth of a Planet (Leedy), 216
reclame: gebruik van vertrouwen en macht in de, 164-165
Reed, Christopher, 202
regel van de kluizenaars, 119
Reimarus, Hermann Samuel, 18
religie: en de activering van symbolen,

131-141; bij Jung, 177-179; van Lenin en Stalin, 142-146; en het verlies aan vertrouwen, 135-141; in de naoorlogse westerse maatschappij, 159-160; en psychologie, 190; vertrouwen en macht, 161-176; *zie ook* christendom
Renan, Ernest, 18
Rennes-le-Château, documenten gevonden in: Britse connectie, 226-248
Rennes-le-Château: capitale secrète de l'histoire de France, 216, 223
Retinger, dr. Joseph, 311, 313, 314, 321
Revolution in Judaea (Maccoby), 33
ridderschap, ridderwezen, herstel van: in Frankrijk, 289-293
Ridders van Malta (Maltezer ridders), 248, 282, 318-325
Ring, der – des Nibelungen (Wagner), 137
ritueel en bewustzijn: in religie, 166-168
Roberts, Michele, 34
Rolfe, David, 21, 35, 215
Romeins keizerrijk: en christendom, 53-55, 84-85, 110-111; en de joodse opstanden, 44, 79-80, 85, 101, 103, 109, 128; en de Nazareense partij, 78-80, 104
Rooms-katholieke kerk, 162, 327-328; geheime genootschappen binnen de, 173-174; en de Keltische kerk, 115, 119-123; en de Orde van Malta, 323-325; in de naoorlogse maatschappij, 159-160; en de Prieuré de Sion, 323-325; en groepsgerichte mythen, 171-172; *zie ook* Vaticaan
Rosenberg, Alfred, 151
Rozenkruisers, 174, 286
RPF (Rassemblement du Peuple Français), 237
Russische revolutie, 143

Sadduceeën, 58, 66-68, 70, 72, 77-80, 104
'Salthair na Rann', 118
Samaria, opstand in (35/36 na Chr.), 77
Sandys, Duncan, 311
Santiago de Compostela, 113-114, 118, 145
Saulus van Tarsus (later Paulus), 78, 80-81; *zie ook* Paulus
Saunière, Bérenger, 11, 99, 218, 226-230, 232-233, 235-238, 240, 244, 246, 297
Schirach, Baldur von, 151
Schonfield, dr. Hugh, 19-22, 33-34, 71, 108
Schuman, Robert, 293, 299, 311
Schweitzer, Albert, 18
science fiction, 217
Sea of Faith, The (Don Cupitt), 35
Secrets of the Dead Sea Scrolls (Schonfield), 108
sekten, opkomst en verbreiding van: in de moderne tijd, 190-193
Selborne, Roundell Cecil Palmer, graaf van, 231-238, 245-246, 259-260, 267
Sevrette, Adrian, 306
Shadow of the Templars, The, 219
Sicarii, 56, 69; *zie ook* Zeloten
Sign of the Dove, The (Van Buren), 216
Sikorski, generaal, 311
Silent Witness, The (Rolfe), 215
Simeon (neef van Jezus), 79
Simeon bar Kokbha, 103-104
Simon, William, 323
Simon bar Jonas, 59-60
Simon Petrus, 60-61, 63-64, 78, 91, 97-98, 101, 107; en paulinisch christendom, 86-87
Simon de Zeloot, 59, 86
Sindona, Michele, 280, 315
Singlaub, generaal John, 323
Sjabtai Zwi, 132
Slaughter, Carolyn, 33
Smith, dr. Morton, 19, 33, 34
Smith, generaal Walter Bedell, 313
socialisme: als religie, 142-146
sociologie: en het verlies aan vertrouwen, 136, 139
SOE (Special Operations Executive), 234-235, 237, 311-313
Sol Invictus, cultus van, 50-52, 153
Sovjet-Unie: als antichrist, 198, 203; en de Koude Oorlog, 158, 313, 321; marxistisch-leninisme als religie, 143-146; en de Verenigde Staten van Europa, 308, 309
Spaak, Paul-Henri, 311
Spanje: en de Keltische kerk, 118; fascisme in, 147; en de Nazareense leer, 113-114; de rol van de monarchie in, 186-188, 333
Spellman, kardinaal Francis, 314-315, 321-322
SS (Schutzstaffel), 153-154, 224
staat, de: en religie, 135
Stalin, Joseph, 144, 163
Stauffenberg, graaf Claus von, 150, 294
Stefanus (eerste christen-martelaar), 77-78, 80
Steiner, Rudolf, 181
Stephenson, sir William, 234
Suffert, Robert, 219
symbolen: activering van, 131-141; archetypische, 168-170; verloren koning, 242-245
Synode van Whitby, 120-122
Syrië: de Nazareense leer in, 77, 109-110

Tacitus, 61
Tammuz (godheid), 84
taoïsme, 193
tempel van Jeruzalem, soevereine en militaire orde van de, 316-317

tempelridders, tempelieren, 108-109, 114, 153, 174, 215, 316-319
Temple, aartsbisschop, 23
Terra Nostra (Fuentes), 33
Tertullianus, 84, 116
Theodore van Mopsuestia, 119
Thomas, Gordon, 314
Thule-genootschap, 151
Tolstoi, Leo, 179-180
Tomas (discipel), *zie* Judas Tomas
Tournier, Michel, 99, 133, 152
Tsjechoslowakije: de kerk in, 146
Tweede Wereldoorlog, *zie* Wereldoorlog II
tweelingen, -cultus, 99-100

Vaincre, tijdschrift, 287-295, 296-297, 305-307, 309, 326
Van Buren, Elisabeth, 216
Vaticaan: en de Amerikaanse inlichtingendienst(en), 312, 314-315, 321
Vazart, Louis, 221-223, 249, 253, 259-260, 268, 277-278, 282, 301
Verenigde Staten van Europa, 292, 295, 309-311, 324, 332
Verenigde Staten van Noord-Amerika: en de apocalyps, 198-200; archetypisch aspect van monarchie in, 183-185; censuur in, 203; fundamentalisme in, 195, 197, 200-204, 205-206; godsdienstreclame in, 165; en de Verenigde Staten van Europa, 309, 311-316
verloren generatie, 139
Vermes, Geza, 33
Verne, Jules, 138
vertrouwen en macht, 161-176; rol van ritueel en bewustzijn, 166-168; gebruik van archetypen en mythen, 168-172; en de Prieuré de Sion, 330
verzetsbeweging: in Frankrijk, 235, 309, 324; in Duitsland, 294-295
Vessey, generaal John, 202
vlaggen, bevruchting van (naziceremonie), 152
vrijmetselaren, 174, 184
vroege kerk, 78, 101; *zie ook* Nazareeërs

Wagner, Richard, 137, 150, 179
Wartenburg, Peter Yorck von, 294
Washington, George, 184
Watkins, admiraal James, 202
Watt, James, 202
Weinberger, Caspar, 201-202
Wells, H. G., 138
Wereldoorlog I, 138-139, 156
Wereldoorlog II, 287-288, 310-311
Westerse maatschappij: letterkunde, 180-182; wijsheidstraditie, 180
wetenschap: en het verlies van geloof, 136, 138, 139
White, Patrick, 180
wijsheidstraditie, 180
Wild Girl, The, (Roberts), 34
Wilson, John, 195
Winchester, Simon, 202
Wood, David, 217

Yallop, David, 315
Yates, Frances, 174

Zacharia, 61, 90
Zadok, priesterlijke afstamming van, 126
Zadoki(e)ten, 70-75, 105-106, 110; *zie ook* Nazareense leer
Zapelli, Anton, 317-318
Zeloten, 56-60, 69, 72-73, 79, 103; en Simon Petrus, 86
zonaanbidding, *zie* Sol Invictus
Zonen van Zadok (Zadoki(e)ten), 70-75